D1578973

Contemporánea

Marguerite Yourcenar (Bruselas, 1903 – Maine, EE.UU., 1987) fue una de las escritoras francófonas más relevantes del siglo XX. Su nombre real era Marguerite de Crayencour (Yourcenar es un anagrama de su apellido) y empezó a publicar a finales de los años veinte. De esta época inicial son sus novelas *Alexis o el tratado del inútil combate* (1928) y *El denario del sueño* (1934). Trabajó como profesora de Literatura y tradujo al francés textos de Virginia Woolf, Henry James y Yukio Mishima. En 1951 publicó *Memorias de Adriano*, una autobiografía novelada del emperador romano que se ha convertido en un clásico de la literatura mundial. La novela histórica *Opus nigrum*, galardonada con el Premio Femina 1968, constituyó otro de sus grandes éxitos literarios. Fue la primera mujer miembro de la Academia Francesa en 1984, aunque desde 1970 ya pertenecía a la Academia Belga. Además de obras narrativas publicó ensayos, poesías y varios volúmenes de memorias bajo el título *El laberinto del mundo* (*Recordatorios*, *Archivos del Norte* y *¿Qué? La eternidad*).

Marguerite Yourcenar

Cuentos completos

Traducciones de
Emma Calatayud y Mª Fortunata Prieto-Barral

DEBOLS!LLO

Títulos originales: *Feux*; *Comme l'eau qui coule*;
Conte bleu, *Le premier soir*, *Maléfice*; *Nouvelles orientales*
Primera edición: noviembre, 2016

Índice

COMO EL AGUA QUE FLUYE

Introducción

En la apreciación ya unánime de la obra de Marguerite Yourcenar, una autora capital del siglo XX, cuya obra es clásica en la manera en que lo son aquellas obras que se extraen del tiempo en que nacen insertándose en esa ficción que llamamos historia, sería un grave error postergar las dos docenas de cuentos escritos antes y después de los años dedicados a la construcción primorosa, escrupulosa, titánica, de dos de las cumbres de la novela contemporánea, *Memorias de Adriano* y *Opus Nigrum*, y de joyas talladas con la brevedad de *Alexis o el tratado del inútil combate* y *El tiro de gracia*. Lejos de ser producto de la fogosidad de una joven que resolvió muy pronto ser una escritora de una pasión y una precisión poco comunes, precisamente por saber a muy temprana edad qué y cómo iba a escribir, estos relatos escritos con idéntico mimo compositivo que las grandes novelas, que datan de los años de formación y de los años de sabiduría y sosiego, resultan uno a uno y en su totalidad un auténtico prodigio narrativo. Los tres relatos de la sección que cierra este volumen, aunque reescritos años más adelante, provienen también de los años treinta; al igual que los tres que se hallan en la primera, sus obras más tempranas, son cifra y resumen de su singular concepción de la obra y de su inigualable funcionamiento: al decir de Josyane Savigneau, Yourcenar desarrolla, afina, consolida, compone por adición y por sustracción, esboza y recapacita y traza con pulso firme una obra que había soñado e imaginado entre los dieciocho y los veinte años, siempre subordinada al ansia de saber y al afán de servir.

En la década de los treinta la obra no está conclusa, pero el destino está sellado. La obsesión de Yourcenar en llevar a cabo todos los proyectos concebidos, todas las tareas que se fue imponiendo, resulta enfermiza tal vez, pero es síntoma de una fortaleza en las decisiones propia de una mujer que supo muy pronto quién iba a ser, y que lo fue cabalmente con el paso de las estaciones, del primer al último otoño. Año tras año Yourcenar va escribiendo y a veces va descartando las sucesivas piezas de ese mosaico concebido en su juventud; va reescribiendo y añadiendo y reordenando los volúmenes de cuentos, cuyas fechas de publicación pueden parecer algo confusas por esa situación de elaboración casi permanente.

Entre los cuentos de juventud publicados póstumamente con el título de *Cuento azul* (1993) y los tres relatos magistrales de *Como el agua que fluye* (reescritos en 1979-1981, aunque sus gérmenes datan de mediados de los años treinta), se intercalan dos libros más unitarios, *Fuegos* (1936) y *Cuentos orientales* (1938, edición ampliada de 1978). Con la excepción del primero, los otros tres van acompañados de notas prologales o epilogales en los que la autora da cumplida noticia bibliográfica de todos ellos.*

---

* Los cuentos de Marguerite Yourcenar tienen una datación en ocasiones difícil de precisar. La constante evolución de algunos de sus textos se debe en parte a sus muchos años de dedicación simultánea a diversos proyectos, que comporta una tarea en ocasiones de reescritura integral con infinidad de variaciones sobre textos previamente publicados, o escindidos de novelas, o que formarían parte de novelas. Es el caso, por ejemplo, de «Un hombre oscuro», que estuvo en principio destinado a concurrir con el proyecto de *Opus Nigrum* hasta que halló su natural entidad de relato independiente. En parte, esta dificultad de datar los textos se debe asimismo a la característica vocación de perfección absoluta que preside la escritura de Yourcenar, pero también a que en no pocos casos los relatos han pasado de unos volúmenes a otros, sin olvidar las publicaciones en revistas o parciales en volúmenes no dados por concluidos. Así, *Cuento azul* se edita póstumamente en 1993, pese a datar de finales de los años veinte; *Fuegos* es de 1957, aunque la edición definitiva es de 1968; la edición revisada de *Cuentos orientales* es de 1963, pero aún experimentará cambios al incluirse en 1983 en el volumen *Oeuvres romanesques* de la Bibliothèque de la Pléiade; *Como el agua que fluye* ve la luz en la edición definitiva de 1981, aunque al tratarse del más complejo de estos volúmenes en lo que atañe a su historia es la propia autora quien da cumplida noticia de la génesis textual en las «Advertencias» con que se cierra el volumen.

I

Cuando el lector se ha encariñado con un autor y el autor muere, y llega la hora de releer sus producciones ya conocidas y de paladear esos vinos decantados por el tiempo y hallar sabores novedosos, es corriente que surja el afán por conocer inéditos, descartes, curiosidades que se fueron quedando en las gavetas de su escritorio. Entre los hallazgos que se hicieron en los archivos de Marguerite Yourcenar a su muerte, en 1987, seguramente los más destacados sean tres relatos cortos de una coherencia proverbial, debida a la lucidez con que Yourcenar imaginó qué y cómo iba a escribir a medida que adquiriese las herramientas del narrador y el rigor exquisito con que las emplea. Son los tres cuentos que figuran en el arranque de este volumen, escritos entre 1924 y 1930, años en que comienza a trabajar en la dinámica literaria y a afinar las tesituras narrativas que años después culminaría con *Memorias de Adriano:* esa metáfora que arraiga en las entrañas del hombre, un sentimiento a medias escéptico y a medias esperanzado, pero que resalta ante todo la dignidad del ser humano.

«Cuento azul», el único verdadero inédito que dejó Yourcenar a su muerte, apunta ya en la dirección de los *Cuentos orientales.* Expone desde luego el anhelo de Oriente que impregna toda su obra y demuestra una atención extrema por plasmar con justeza todo un mundo sensorial, además de producir un efecto característico en la autora: parece que transcribiera una tradición ancestral de acuerdo con las convenciones de la literatura oral más cercana. Es posible que se quedara en el cajón por haberse ideado para formar parte de un tríptico que contendría un «Cuento rojo» y un «Cuento blanco», de los cuales no se conserva más que la idea.

Mucho más curioso y bastante más redondo es «La primera noche», que Yourcenar reescribe —pule, abrillanta, remata y transforma— a partir de lo que habría sido el primer capítulo de una novela proyectada por su padre. Esta narración despojada

de vana literatura contiene una experiencia doblemente funda-
cional en la sensibilidad de la narradora: apura el juego de las
complicidades entre padre e hija, el misterioso placer de la su-
plantación, la identificación que se entabla entre ambos como
clave de la transmisión de un saber estar y de una manera de ser;
al mismo tiempo, relata con la lucidez del hombre maduro un
episodio que condensa una cosmovisión anclada en lo más íntimo, en una noche de bodas, bordeando las fronteras del tabú.
Con su tono de sensualidad tierna y desengañada y su transposi-
ción de la realidad vivida, en él hallamos la vaga idea de que la
vida es así, a la vez que bien pudiera ser de otra manera.

«Maleficio», de corte más convencional, es una primera
aproximación al mundo mediterráneo y profundo con la que se
cierra este «tríptico de juventud acerca de la credulidad», según
lo define Josyane Savigneau en *La invención de una vida* (Alfa-
guara, 1991), obra de referencia fundamental en cuanto a la
vida y el universo propio de Marguerite Yourcenar. En realidad
una especie de borrador previo de las capillas preciosas y las
suntuosas estancias que, dentro de un vasto palacio, irá construyendo Yourcenar con criterio y con tesón a lo largo de los
años, dejando a la vez que sea el tiempo quien esculpa sus formas ideadas antes de que llegue el cincel que empuña una mano
magistral.

II

Producto de una crisis pasional de envergadura considera-
ble, *Fuegos* es el más unitario de los cuatro libros que forman
este volumen. Se trata de una serie de composiciones líricas que,
talladas como piedras preciosas no siempre de forma regular
—la perfección es enemiga de lo bueno—, se ensartan en un
hilo conductor que trenza una determinada noción del amor tal
como se hace y se deshace en situaciones precisas. Anclados en
el mundo referencial del clasicismo helénico, del que Yourcenar

fue finísima conocedora, en estos destellos de prosa repujada como trabaja el orfebre a la «antigua», y de una modernidad sin embargo rabiosa, el mundo clásico viene a ser más bien un telón de fondo sobre el que descansa un espíritu radicalmente moderno: *Fuegos,* más para bien que para mal, ostenta el signo de su tiempo, de las vanguardias de entreguerras, del expresionismo exacerbado. Desde ambos registros, Yourcenar construye nueve meteoritos incandescentes en los que un estilo convulso y una arrogancia confesa, una audacia verbal siempre al filo de lo excesivo, no impiden —o más bien permiten— que el «legítimo esfuerzo por no perder ni un ápice de la complejidad de una emoción o el fervor de la misma» fructifique en piezas de alta poesía.

   Fuegos es un libro del deseo que arranca por la confesión de un deseo: «Espero que este libro no sea leído jamás». Entre cada uno de los relatos que lo componen se han incorporado los extractos de un diario, aforismos a veces en los que se superponen el desgarro y la pasividad de quien vive con una compleja mezcla de sentimientos un amor que es enfermedad y es vocación. Contienen un grado de intimismo de una lucidez expositiva extraordinaria: en la locura apasionada del amor una Marguerite Yourcenar ya no tan joven se conoce y se reconoce paso a paso. En el fondo, aun esquivando el cuerpo a cuerpo, la persona que habla en *Fuegos* «con la insolente voluntad de dirigirse sólo a un lector ya conquistado» pone en tela de juicio «si el amor total... con los riesgos que comporta tanto para sí como para el otro, de inevitable engaño, de abnegación y de humildad auténtica, pero también de violencia latente y de exigencia egoísta, merece o no el lugar exaltado que le han concedido los poetas». Las pasiones abstractas se asocian en el fulgor de estas llamaradas a la glorificación o al exorcismo de un amor idólatra, y esa abstracción prevalece en ocasiones sobre la obsesión carnal del sentimiento.

III

No tan homogéneo como *Fuegos, Cuentos orientales* es también un libro autónomo, que responde asimismo a una concepción precisa del relato; dentro de unas coordenadas estrictamente clásicas, los temas que desarrolla dan lugar a libertades mayores y a mayor amenidad y variedad. Comprendidos entre dos relatos que se centran en sendos pintores —el gran pintor chino que se salva y se pierde abre el volumen; lo cierra el pintor flamenco que medita con reposo y tristeza frente a su obra—, posiblemente sean reflejo del agua que corre en la veta más amable de todo el flujo narrativo de Marguerite Yourcenar, no en vano el primero, «Cómo se salvó Wang-Fô», ha dado pie a una adaptación estremecedora y destinada a un lector infantil. Se trata de transcripciones «de fábulas o leyendas» que Yourcenar desarrolla «de manera más o menos libre», tomándolas de fuentes clásicas u orientales, de las baladas balcánicas, de las supersticiones de la Grecia contemporánea o de una admirable novela japonesa del siglo XI, el *Genghi Monogatari,* aunque en este caso Yourcenar viene a colmar una laguna que presenta el texto original y de alguna manera completa lo que estaba sólo esbozado en un relato que tiene cada vez más adeptos.

En una obra cuentística relativamente corta —dos docenas de cuentos no son tantos para tan larga vida dedicada a la escritura, y por número casi la mitad de los cuentos, diez en total, se hallan en este libro—, es posible recorrer un compendio o un muestrario bastante exhaustivo de las formas en que encuentra cauce el género exquisito del relato corto, desde el golpe seco de la epifanía que parece repentina, pero que viene prefigurada por detalles acaso inapreciables en una primera lectura, hasta las variantes del cuento tradicional y teñido de oralidad, pasando por el mito recreado a la medida de un sentimiento y con el afán de darle de nuevo la función de explicación del ser humano que tuvo en su origen, o la fabulación que crece y se expande con naturalidad orgánica hasta ser novela corta, como sucede en dos ocasiones en el libro que cierra el volumen. Está el episodio que en su remate inconcluso encuentra su final, está la narración que se tensa hacia el final en que se resuelve. *Cuentos orientales* son las pequeñas piezas de música de cámara que jalonan una sinfonía mayor, las palabras de alcoba que al adormecer y sosegar al oyente despiertan el sentido, la descripción de un terreno acotado con amor en el cual cabe un mundo entero.

IV

Con la perspectiva cronológica y lineal con que se pueden leer, estos *Cuentos completos* forman a la vez un libro que crece como la vida vivida con inteligente intensidad, y que culmina de improviso, y aún en la madurez, en un relato que no concluye y se prolonga hacia el futuro a la vez que enlaza con los hechos más sobresalientes del pasado.

Los tres relatos de *Como el agua que fluye* son obras de juventud, pero que «siguen siendo, para el autor, esenciales y queridas hasta el final». Son, por tanto, obras de plenitud. En versiones muy distintas apareció el primero, «Ana, soror...» en un libro de 1934, *La Mort conduit l'Attelage,* dividido en tres relatos que se acogían a la advocación de tres pintores: el que se amparaba en Durero se refundió en *Opus Nigrum;* el dedicado a Rembrandt se escinde en los dos con que termina esta sección; el que se encomienda al Greco —aunque en su segunda y definitiva versión tanto el escenario italiano como la fogosidad de la trama lo acercan más a Caravaggio— es el que contiene el germen del primero. Al reescribirlo casi cincuenta años después apunta Yourcenar que es «prueba de la relatividad del tiempo. Estoy tan de acuerdo con esta narración como si se me hubiera ocurrido escribirla esta misma mañana».

La relevancia del tabú que se explora en este relato con delicadeza exquisita y de forma absolutamente convincente, en la doble vertiente que aquí tiene el incesto, dos seres unidos de perfecto acuerdo por derecho de sangre con el atractivo «casi vertiginoso que ofrece el quebrantamiento de la costumbre», alcanza tales proporciones que la propia autora dedica al final de esta sección abundantes páginas a exponer su enfoque —sin olvidar otros que lo preceden, de John Ford a Byron, de Goethe a Thomas Mann— en una nota ensayística que acaso sea definitiva en lo tocante a la unión de dos seres excepcionales, y emparentados, y a la transgresión abismal de una ley y una moral que son producto de ciertas culturas. Pero la novela corta en que deviene «Ana, soror...» contiene, además de una recreación histórica y geográfica minuciosa y genial, un personaje como la madre de Ana y Miguel, una primera aproximación a la mujer perfecta «tal como a menudo la soñé: a la vez amante y desprendida, pasiva por cordura y no por debilidad», una mujer que posee «una singular gravedad y el sosiego de quienes no aspiran a la felicidad». Es el prototipo o la decantación de esos otros personajes femeninos de Yourcenar —la Mónica de *Alexis,* la Plotina de *Memorias de Adriano*— que son creaciones memorables.

«Un hombre oscuro» y «Una hermosa mañana», ya se dijo, son escisiones de un texto de los años treinta que no convencía del todo a su autora. Episodios complementarios de una historia amplísima, que acaso pudo tener un desarrollo semejante a *Opus Nigrum,* novela con la que tienen un aire de familia, constituyen la narración biográfica o el seguimiento del rastro de un hombre aparentemente anodino, inculto, que piensa casi sin palabras, pero que encierra en su oscuridad el misterio luminoso de la existencia humana, sujeto a la férrea voluntad de una narradora como Marguerite Yourcenar, que domina todos los recursos del arte narrativo y que ante la proliferación de episodios sabe transcribir sin rodeos y sin un simbolismo innecesario la larga meditación que acompaña a Nathanael, protagonista de «Un hombre oscuro» a lo largo de su paso por la tierra.

Por la precisión de su prosa y por la vitalidad que palpita en sus relatos, la narrativa breve de Marguerite Yourcenar, siempre al margen de las modas literarias, embebida en su educación clásica, en el estudio de los grandes maestros, y anclada en una rara combinación de metáfora y narración, de experiencia y de mito, de realidad y sacralidad, sobresale sin igual en el modo de la narración histórica. A veces sería lícito dudar, a la vista de la evolución del género, que Yourcenar sea una narradora histórica propiamente dicha. Posee una rara atemporalidad con la que logra sin esfuerzo aparente que cualquiera de sus personajes sea nuestro contemporáneo, que se mueva en un espacio más propio de la eternidad que del tiempo, y que mundos aparentemente alejados en el espacio y en el tiempo sean fiel reflejo de nuestro mundo de hoy. Tal vez sea tan alto el grado de íntima convivencia que alcanza con los episodios relatados que en sus textos todos los hombres nítidamente somos el mismo, y que la felicidad y el dolor y el amor y la muerte se repiten desde hace milenios con arreglo al único argumento de la vida humana.

MIGUEL MARTÍNEZ-LAGE

Cuento azul

Cuerpo azul

Cuento azul[*]

* Inédito hasta 1993.

Los mercaderes procedentes de Europa estaban sentados en el puente, de cara a la mar azul, en la sombra color índigo de las velas remendadas de retazos grises. El sol cambiaba constantemente de lugar entre los cordajes y, con el balanceo del barco, parecía estar saltando como una pelota que rebotara por encima de una red de mallas muy abiertas. El navío tenía que virar continuamente para evitar los escollos; el piloto, atento a la maniobra, se acariciaba el mentón azulado.

Al crepúsculo, los mercaderes desembarcaron en una orilla embaldosada de mármol blanco; vetas azuladas surcaban la superficie de las grandes losas que antaño fueran revestimiento de templos. La sombra que cada uno de los mercaderes arrastraba tras de sí por la calzada, al caminar en el sentido del ocaso, era más alargada, más estrecha y no tan oscura como en pleno mediodía; su tonalidad, de un azul muy pálido, recordaba a la de las ojeras que se extienden por debajo de los párpados de una enferma. En las blancas cúpulas de las mezquitas espejeaban inscripciones azules, cual tatuajes en un seno delicado; de vez en cuando, una turquesa se desprendía por su propio peso del artesonado y caía con un ruido sordo sobre las alfombras de un azul muelle y descolorido.

Se levantó la luna y emprendió una danza errática, como un espíritu endiablado, entre las tumbas cónicas del cementerio. El cielo era azul, semejante a la cola de escamas de una sirena, y el mercader griego encontraba en las montañas desnudas que bordeaban el horizonte un parecido con las grupas azules y rasas de los centauros.

Todas las estrellas concentraban su fulgor en el interior del palacio de las mujeres. Los mercaderes penetraron en el patio de honor para resguardarse del viento y del mar, pero las mujeres, asustadas, se negaban a recibirlos y ellos se desollaron en vano las manos a fuerza de llamar a las puertas de acero, relucientes como la hoja de un sable.

Tan intenso era el frío, que el mercader holandés perdió los cinco dedos de su pie izquierdo; al mercader italiano le amputó los dedos de la mano derecha una tortuga que él había tomado, en la oscuridad, por un simple cabujón de lapislázuli. Por fin, un negrazo salió del palacio llorando y les explicó que, noche tras noche, las damas rechazaban su amor por no tener la piel suficientemente oscura. El mercader griego supo congraciarse con el negro merced al regalo de un talismán hecho de sangre seca y de tierra de cementerio, así es que el nubio los introdujo en una gran sala color ultramar y recomendó a las mujeres que no hablaran demasiado alto para que no despertaran los camellos en su establo y no se alterasen las serpientes que chupan la leche del claro de luna.

Los mercaderes abrieron sus cofres ante los ojos ávidos de las esclavas, en medio de olorosos humos azules, pero ninguna de las damas respondió a sus preguntas y las princesas no aceptaron sus regalos. En una sala revestida de dorados, una china ataviada con un traje anaranjado los tachó de impostores, pues las sortijas que le ofrecían se volvían invisibles al contacto de su piel amarilla. Ninguno advirtió la presencia de una mujer vestida de negro, sentada en el fondo de un corredor, y como le pisaran sin darse cuenta los pliegues de su falda, ella los maldijo invocando al cielo azul en la lengua de los tártaros, invocando al sol en la lengua turca, e invocando a la arena en la lengua del desierto. En una sala tapizada de telas de araña, los mercaderes no obtuvieron respuesta de otra mujer, vestida de gris, que sin cesar se palpaba para estar segura de que existía; en la siguiente sala, color grana, los mercaderes huyeron a la vista de una mujer vestida de rojo que se desangraba por una ancha herida abierta en el pecho, aunque ella parecía no darse cuenta, ya que su vestido no estaba ni siquiera manchado.

Pudieron al cabo refugiarse en el ala donde estaban las cocinas y allí deliberaron acerca del mejor medio para llegar hasta la caverna de los zafiros. Constantemente los molestaba el trajín de los aguadores, y un perro sarnoso fue a lamer el muñón azul del mercader italiano, el que había perdido los dedos. Al fin, vieron aparecer por la escalera de la bodega a una joven esclava que llevaba hielo granizado en un ataifor de cristal turbio; lo depositó sin mirar dónde, sobre una columna de aire, para dejarse las manos libres y poder saludar, levantándolas hasta la frente, donde llevaba tatuada la estrella de los magos. Sus cabellos azul-negros fluían desde las sienes hasta los hombros; sus ojos claros miraban el mundo a través de dos lágrimas; y su boca no era sino una herida azul. Su vestido color lavanda, de fina tela desteñida por hartos lavados, estaba desgarrado en las rodillas, pues la joven tenía por costumbre prosternarse para rezar y lo hacía constantemente.

Poco importaba que no comprendiera la lengua de los mercaderes, pues era sordomuda; así, se limitó a asentir gravemente con la cabeza cuando ellos inquirieron cómo ir hasta el tesoro mostrándole en un espejo sus ojos color de gema y señalando luego la huella de sus pasos en el polvo del corredor. El mercader griego le ofreció sus talismanes: la niña los rechazó como lo hubiera hecho una mujer dichosa, pero con la sonrisa amarga de una mujer desesperada; el mercader holandés le tendió un saco lleno de joyas, pero ella hizo una reverencia desplegando con las manos el pobre vestido todo roto, y no les fue posible adivinar si es que se juzgaba demasiado indigente o demasiado rica para tales esplendores.

Luego, con una brizna de hierba levantó el picaporte de la puerta y se encontraron en un patio redondo como el interior de un pozal, lleno hasta los bordes de la fría luz matinal. La joven se sirvió de su dedo meñique para abrir la segunda puerta que daba a la llanura y, uno tras otro, se encaminaron hacia el interior de la isla por un camino bordeado de matas de aloe. Las sombras de los mercaderes iban pegadas a sus talones, cual siete víboras pequeñas y negras, en tanto que la muchacha estaba desprovista de toda sombra, lo que les dio que pensar si no sería un fantasma.

Las colinas, azules a distancia, se volvían negras, pardas o grises a medida que se aproximaban; sin embargo, el mercader de la Turena no perdía el valor y para darse ánimos cantaba canciones de su tierra francesa. El mercader castellano recibió por dos veces la picadura de un escorpión y sus piernas se hincharon hasta las rodillas y cobraron un color de berenjena madura, pero no parecía sentir dolor alguno e incluso caminaba con un paso más seguro y más solemne que los otros, como si estuviera sostenido por dos gruesos pilares de basalto azul. El mercader irlandés lloraba viendo cómo gotas de sangre pálida perlaban los talones de la muchacha, que andaba descalza sobre cascos de porcelana y de vidrios rotos.

Cuando llegaron al sitio, tuvieron que arrastrarse de rodillas para entrar a la caverna, que no abría al mundo más que una boca angosta y agrietada. La gruta era, sin embargo, más espaciosa de lo que hubiera podido esperarse y, así que sus ojos hubieron hecho buenas migas con las tinieblas, descubrieron por doquier fragmentos de cielo entre las fisuras de la roca. Un lago muy puro ocupaba el centro del subterráneo, y cuando el mercader italiano lanzó una guija para calcular la profundidad, no se la oyó caer, pero se formaron pompas en la superficie, como si una sirena bruscamente despertada hubiera expelido todo el aire que llenaba sus pulmones. El mercader griego empapó sus manos ávidas en aquella agua y las sacó teñidas hasta las muñecas, como si se tratara de la tina hirviendo de un tintorero; mas no logró apoderarse de los zafiros que bogaban, cual flotillas de nautilos, por aquellas aguas más densas que las de los mares. Entonces, la joven deshizo sus largas trenzas y sumergió los cabellos en el lago: los zafiros se prendieron en ellos como en las mallas sedosas de una oscura red. Llamó primero al mercader holandés, que se metió las piedras preciosas en las calzas; luego, al mercader francés, que se llenó el chapeo de zafiros; el mercader griego atiborró un odre que llevaba al hombro, en tanto que el mercader castellano, arrancándose los sudados guantes de cuero, los llenó y se los puso colgados al cuello, de tal suerte que parecía llevar dos manos cortadas. Cuando le llegó el turno al mercader irlandés, ya no quedaban zafiros en el lago; la joven esclava se quitó un colgante de abalorios que llevaba y por señas le ordenó que se lo pusiera sobre el corazón.

Salieron arrastrándose de la caverna y la muchacha pidió al mercader irlandés que la ayudara a rodar una gruesa piedra para cerrar la entrada. Luego, colocó un precinto confeccionado con un poco de arcilla y una hebra de sus cabellos.

El camino se les hizo más largo que a la ida por la mañana. El mercader castellano, que empezaba a sufrir a causa de sus piernas emponzoñadas, se tambaleaba y blasfemaba invocando el nombre de la madre de Dios. El mercader holandés, que estaba hambriento, trató de arrancar las azules brevas maduras de una higuera, pero un enjambre de abejas ocultas en la espesura almibarada le picaron profundamente en la garganta y en las manos.

Llegados al pie de las murallas, el grupo dio un rodeo para evitar a los centinelas y se dirigieron sin hacer ruido hacia el puerto de los pescadores de sirenas, que estaba siempre desierto, pues hacía largo tiempo que no se pescaban ya sirenas en aquel país. La barca flotaba blandamente en el agua, amarrada al dedo de un pie de bronce, único resto de una estatua colosal erigida antaño en honor a un dios del que ya nadie recordaba el nombre. En el muelle, la esclava sordomuda hizo intención de despedirse de los hombres, saludándoles con las manos puestas en el corazón; entonces, el mercader griego la tomó por las muñecas y la arrastró hasta el barco, movido por el propósito de venderla al príncipe veneciano del Negroponto, de quien se sabía que le gustaban las mujeres heridas o afectadas de alguna invalidez. La doncella se dejó llevar sin oponer resistencia y sus lágrimas, al caer sobre las maderas del puente, se transformaban en bellas aguamarinas, así es que sus verdugos se las ingeniaron para darle motivos que la hicieran llorar.

La dejaron desnuda y la ataron al palo mayor; su cuerpo era tan blanco que servía de fanal al barco en aquella noche clara navegando entre las islas. Cuando hubieron terminado su partida de palillos, los mercaderes bajaron a la cabina para echarse a dormir. Hacia el alba, el holandés subió al puente aguijoneado por el deseo y se acercó a la prisionera, dispuesto a violentarla. Mas he aquí que la niña había desaparecido: las ligaduras colgaban, vacías, del tronco negro del mástil, como un cinturón demasiado ancho, y en el lugar donde se habían posado sus pies suaves y delgados no quedaba otra cosa que un montoncito de hierbas aromáticas que exhalaban un humillo azul.

En los días que siguieron reinó una calma chicha, y los rayos del sol, que caían a plomo sobre la lisa superficie color de algas, producían un chirrido de hierro candente sumergido en agua fría. Las piernas gangrenadas del mercader castellano se habían puesto azules como las montañas que se columbraban en el horizonte y purulentos regueros se deslizaban desde las tablas del puente hasta el mar. Cuando el sufrimiento se hizo intolerable, el hombre sacó del cinturón una ancha daga triangular y se cercenó a la altura de los muslos las dos piernas envenenadas. Murió agotado al despuntar la aurora, después de haber legado sus zafiros al mercader suizo, que era su enemigo mortal.

Al cabo de una semana recalaron en Esmirna y el mercader de Turena, que siempre había temido al mar, optó por desembarcar, con intención de continuar su viaje a lomos de una buena mula. Un banquero armenio le cambió los zafiros por diez mil monedas con la efigie del Preste Juan. Eran piezas perfectamente redondas y el francés cargó alegremente con ellas hasta trece mulos; pero, así que llegó a Angers, tras siete años de viaje, se encontró con la sorpresa de que las monedas del monarca-preste no tenían curso en su país.

En Ragusa, el mercader holandés trocó sus zafiros por una jarra de cerveza servida en el mismo muelle, pero tuvo que escupir aquel insulso líquido aventado que no tenía el mismo gusto que la cerveza de las tabernas de Ámsterdam. El mercader italiano desembarcó en Venecia con el propósito de hacerse proclamar Dogo, mas pereció asesinado al día siguiente de sus nupcias con la laguna. En cuanto al mercader griego, se le ocurrió atar los zafiros a un cabo largo y suspenderlos en el costado de la barca, esperando que el contacto con las olas fuera benéfico para su hermoso color azul. Al mojarse, las gemas se volvieron líquidas y apenas si añadieron al tesoro del mar unas pocas gotas de agua transparente. El hombre se consoló pescando peces y asándolos al rescoldo de la ceniza.

Un atardecer, al cabo de veintisiete días de navegación, el barco fue atacado por un corsario. El mercader de Basilea se tragó sus zafiros para sustraerlos a la avaricia de los piratas y murió de atroces dolores de entrañas. El griego se echó al mar y fue recogido por un delfín, que lo condujo hasta Tinos. El irlandés, molido a golpes, fue dejado por muerto en la barca, entre los cadáveres y los sacos vacíos; nadie se tomó la molestia de quitarle el colgante de falsas piedras azules, que no tenía ningún valor. Treinta días más tarde, la barca a la deriva entró por sí misma en el puerto de Dublín y el irlandés echó pie a tierra para mendigar un pedazo de pan.

Estaba lloviendo. Los tejados oblicuos de las casas bajas sugerían grandes espejos destinados a captar los espectros de la luz muerta. La calzada desigual se encharcaba más y más; el cielo, de un parduzco sucio, parecía tan cenagoso que ni los ángeles se hubieran atrevido a salir de la casa de Dios; las calles estaban desiertas; el puesto de un mercero ambulante, que vendía calcetines de lana cruda y cordones para los zapatos, se veía abandonado al borde de una acera debajo de un paraguas abierto. Los reyes y los obispos esculpidos en el pórtico de la catedral no hacían nada para impedir que cayera la lluvia sobre sus coronas o sus mitras, y la Magdalena recibía el agua en sus senos desnudos.

El mercader, todo desalentado, fue a sentarse bajo el pórtico junto a una joven mendiga, tan pobre que su cuerpo, azulenco de frío, se veía a través de los desgarrones de su vestido gris. Sus rodillas se entrechocaban ligeramente; sus dedos cubiertos de sabañones apretaban un mendrugo de pan. El mercader le pidió por el amor de Dios que se lo diera, y ella se lo tendió en el acto. El mercader hubiera querido regalarle el colgante de abalorios azules, puesto que no tenía ninguna otra cosa que ofrecer; mas en vano buscó en sus bolsillos, alrededor de su cuello, entre las cuentas de su rosario. No hallándolo, se echó a llorar desconsolado: no poseía ya nada que pudiera recordarle el color del cielo y la tonalidad del mar en donde había estado a punto de perecer.

Suspiró profundamente y, como el crepúsculo y la fría niebla se espesaban en derredor, la muchachita se apretujó contra él para darle calor. El hombre le hizo preguntas acerca del país y ella le contestó en el tosco dialecto del pueblo que dejara antaño, siendo aún muy chico. Entonces, apartó los cabellos desgreñados que cubrían el rostro de la mendiga, pero tan sucio estaba que la lluvia iba trazando en él regueritos blancos, y el mercader descubrió horrorizado que la niña era ciega y que una siniestra nube velaba el ojo izquierdo. No dejó por ello, sin embargo, de posar su cabeza en aquellas rodillas mal cubiertas de harapos y se durmió sosegado: el ojo derecho, que había visto privado de mirada, era milagrosamente azul.

La primera noche[*]

* *Revue de France*, diciembre de 1929.

I

Corría el tren hacia la insustancial Suiza. Sentados en el compartimento reservado, iban callados, con las manos cogidas: era su viaje de novios. El silencio pesaba sobre ellos. Se querían —o, al menos, así lo habían creído—, pero la forma de su amor, diferente en cada uno, servía únicamente para probarles lo poco que se parecían.

Ella, confiada, dichosa casi, y asustada, no obstante, por esa nueva vida que se iniciaba y que la transformaba en otra mujer que ella misma se sorprendía de no conocer y que trataba de representarse de antemano como una extranjera con quien había de acostumbrarse a vivir; él, con más experiencia, consciente de toda la fragilidad del sentimiento que le había empujado hacia aquella joven destinada a convertirse en un ser banal en cuanto pasara a ser plenamente mujer. Lo que en ella le había atraído era, precisamente, aquello que había de desaparecer: su candor, su frecuente manera de asombrarse, el clima de juventud intacta en que la había conocido. Se la imaginaba ahora desposeída de sus encantos, deformada, rebajada a todas las pequeñeces conyugales que harían de ella una mujer como las demás. Dentro de unas horas, iba a tomarla en sus brazos y, por ende, a destruirla. Bastaría un instante. Cuando él desatara su abrazo, sentiría así como la sensación de haber matado algo y ni siquiera la pasión aportaría una circunstancia atenuante puesto que, bien mirado, no es que la deseara. En todo caso, no la deseaba más que a cualquier otra.

Se preguntó en qué estaba ella pensando. ¿Tal vez en eso mismo? Mejor dicho, ¿pensaba siquiera? Tantas mujeres hay que no piensan en nada... ¿Será realmente tan simple como para esperar de la vida la revelación de un secreto, cuando la vida no nos aporta más que incesantes reiteraciones? ¿Acabará por implorar a un amante la felicidad que yo no le habré proporcionado y que tampoco ningún otro le dará porque no es posible dar lo que no se posee? ¿Acaso ella se imagina que llevamos la felicidad en la cartera, como un cheque, y que basta con endosarlo? Claro que también se firman cheques sin fondos... Le dieron ganas de reír al formular la idea de que mañana ella podría acusarle de estafa.

Alzando la cabeza, se miró en el espejo. Su atuendo, que juzgó harto atildado para un viaje, le indispuso contra sí mismo. Seguramente que ella le encontraba guapo, y esa falta de gusto le causó irritación. Se le apareció de pronto, como si el tren fuera atravesando los paisajes de su vida futura, la larga sucesión de días monótonos en que la visita de una amiga supondría para ella un motivo de distracción; las noches en que él iría complacido a reunirse en el círculo con otros hombres que hablarían de otras mujeres con una falta de miramientos que le regocijaría —la misma, sin duda, con que hablarían de su mujer en ausencia suya.

¿Tendrá un hijo? Por supuesto que tendrá un hijo. Trató de imaginársela embarazada. Así pues, él le dará un hijo que ella se felicitará de traer al mundo aunque por ello haya de afearse y sufrir náuseas. Nacerá un hijo por el que él sentirá un afecto indulgente y una simpatía curiosa mientras sea niño, y que más tarde les causará inevitables preocupaciones. Ambos se inquietarán por su salud, se agitarán cuando pase los exámenes, buscarán influencias para facilitarle una carrera o para encontrarle mujer. Probablemente no llegarán a entenderse sobre la manera de educar a ese hijo, y tendrán sus disensiones, como todo el mundo. A menos que él se deje dulcemente ganar por la ceguera conyugal y paternal que no se ha privado de ridiculizar en los demás, vencido (siempre salimos vencidos) por la vida, que generalmente tiende a fundir a los individuos en moldes idénticos.

Por otra parte, también podría ser que no ocurriera nada de eso. Existen otras posibilidades, otras formas de felicidad o de desdicha que nos olvidamos de invitar y que se vengan sobreviniendo de improviso.

Podría ser que ella muriese. Se la imaginó muerta, acostada en su ataúd bajo un velo de tul blanco; y se vio a sí mismo, enlutado, revestido del prestigio que a los ojos de las mujeres maduras confiere el dolor. Justamente, el negro le sienta bien. Su propia insensibilidad le indignó, como si estuviera ya cansado de llorarla. Al fin y al cabo, también podía ser él quien muriese primero. Fallecería, por ejemplo, de fiebres tifoideas, durante un viaje por Argelia, o por España..., y ella le cuidaría con esa abnegación que tan buen efecto produce luego en los hombres dispuestos a casarse con una viuda. Pero ella nunca volvería a casarse. Porque le amaba. No habiendo amado antes a nadie, se figuraba que lo quería. Para ella era casi una necesidad, puesto que se había casado con él; era el único desenlace posible. Si moría en Argelia, ella retornaría a casa de su madre, y viajaría sola, lo que nunca había hecho. Se reprochó el dejarla desamparada, como si estuviera seguro de que eso había de suceder, y como si la responsabilidad fuera suya. ¿No era ya bastante soportarse a sí mismo sin tener que cargar con esa jovencita desconocida? Más le hubiera valido a ella encontrar otro marido cualquiera. Sí, hubiera debido explicárselo... Le iba ganando el enternecimiento. Recobró por fin la presencia de ánimo, consideró a su joven esposa con tierna emoción y sintió que le invadía un inmenso desaliento.

II

Llegaron a Chambéry. No teniendo nada que decir, ella buscaba en vano una pregunta oportuna, como quien fija la atención en un objeto que no presenta por sí mismo ningún interés pero que lo adquiere por el empeño que ponemos en alcanzarlo. Abrió su bolso, en el que llevaba una medalla de San Cristóbal y otra del Sagrado Corazón, y tuvo deseos de mos-

trárselas; mas pensando que las encontraría ridículas y no que-
riendo dar la sensación de haber actuado sin causa alguna, se
limitó a sacar el pañuelo. Se puso luego a mirar el paisaje: era
menos hermoso de lo que se había figurado, pero lo iba embe-
lleciendo constantemente gracias a un inconsciente esfuerzo de
imaginación, en su afán de que nada en ese día, ni el más ínfimo
de los detalles, fuera inferior a lo que ella se había prometido
que fuese. Era por esa misma razón por la que, en el vagón-res-
taurante, acababa de encontrar buena la cena de mediocre calidad y había admirado la delicadeza de color de las pantallitas
de seda rosa.

Estaba anocheciendo, ya no se distinguían claramente más
que las casitas de los guardabarreras al lado de la vía. La recién
casada no veía una vivienda sin que le viniera la idea de que ella
y él podrían en ella ser dichosos, y eso la llevaba a pensar en la
disposición de los muebles y de las cortinas, tema que ya había
suscitado entre ellos las primeras discusiones, cuando todavía no
eran más que novios.

Él, por su parte, a la vista de aquellas ventanitas iluminadas en la penumbra del crepúsculo, se preguntaba, al contrario,
si los moradores de aquellas modestas casas, imprudentemente
situadas junto al trazado de las vías, no envidiarían a los pasajeros del rápido, y si no acabarían por sucumbir, un día, a la tentación de viajar a su vez. Sintiéndose arrastrado como por la
marcha del tren, hacia un futuro en el que las sensaciones estaban señaladas de antemano, procuraba extraer toda la voluptuosidad del minuto presente, gozar con una consciencia aún
más aguda de esos frágiles instantes que no habrían de repetirse. Se dijo para sí —como se decía con frecuencia, y más de una
vez estando con otras mujeres— que la mayor parte de los momentos de nuestra vida serían deliciosos si el futuro o el pasado
no proyectaran su sombra sobre ellos, y que generalmente no
somos desdichados más que por recuerdo o por anticipación.
Y, constatando una vez más que su joven esposa poseía eso que
llamamos encanto, que probablemente ella le amaba, que no

era sin duda ni menos inteligente ni menos rica de lo que suele desearse, y que el tiempo tenía la decencia de mantenerse muy bueno, se decidió a forjarse una felicidad con esos elementos dispersos de ventura que hubieran podido satisfacer a tantos otros hombres.

La brusca entrada en un túnel les obligó a decir algo, puesto que la oscuridad privaba a su silencio del pretexto de contemplar el paisaje.

—¿En qué piensas, Georges? —dijo ella.

Él se repuso de una sacudida brusca y respondió con una dulzura que a sí mismo le complació:

—Pues... en ti, querida mía...

Y mientras pronunciaba esa tierna banalidad, comprendió que se persuadía de su amor a medida que lo iba expresando. La besó en la frente, castamente, y ella, harto intimidada para tener el valor de permanecer callada, habló de cualquier cosa: del hotel en que habían de alojarse, del equipaje, de la hora de llegada. Y luego añadió:

—Estamos tan lejos de Grenoble... ¡Pobre mamá! Espero que se haya consolado un poco. ¿Te diste cuenta, Georges, de lo triste que estaba al vernos partir y cómo contenía sus lágrimas?

Esa alusión retrospectiva le hizo evocar la imagen de otra mujer, su amante, con la que había roto, y se asombró de recordarla todavía. ¿Estaría llorando? ¿Se tragaba las lágrimas? Cansado de aquella mujer, como sólo puede uno cansarse de lo que se ha querido demasiado, le había sido fácil separarse de ella. Había creído que al romper suprimiría la amargura de descubrirse, una noche, lo bastante envejecido para tener un pasado. Se preguntó dónde estaría, qué hacía. Pensaba ahora con cierto agrado en aquel cuerpo experimentado de mujer madura, en sus ojos serenos que de nada ya se asombraban; y olvidaba la irritación que le causaban sus locuciones viciosas —y la especie de amor propio con que persistía en no corregirse para que no pudiera creerse que eran involuntarias—, adquiridas en la época en que se apreciaban sus favores en una pequeña ciudad de provincias, y lo odiosa que le parecía su costumbre de canturrear en la mesa los estribillos a la moda.

Habían vivido juntos varios años; rememoraba ahora la época de aquellos amoríos con una indulgencia provocada por una amnesia parcial, y la certidumbre de que aquellos días no volverían nunca atenuaba su severidad respecto a la naturaleza de la felicidad que entonces había conocido. Con ella había visitado Italia y la Provenza; ciertos episodios de aquel viaje, que en su momento le causaron fastidio, le conmovían hoy hasta las lágrimas, y el recuerdo de aquellos parajes esplendorosos le hizo detestar, por un instante, los paisajes que iban desfilando ante sus ojos... Tras la pasión, vino la costumbre y, al fin, el aburrimiento: el placer de la ruptura era el único ya que podía obtener de aquella mujer. La había visto llorar el día que le anunció su casamiento, y experimentó algo de vanidad al sentirse aún lo bastante amado para poder hacerla sufrir. Pero se dijo, no sin cólera, que las lágrimas de las mujeres tardan en secarse menos que sus afeites. Alguien la había visto en un restaurante, esa misma noche, en compañía de otro hombre. No le guardó por ello ningún rencor; tanto el uno como el otro hacían bien en comenzar una vida nueva. ¿Con quién se iba ella? Seguramente con alguien ya designado desde mucho antes, desde que todavía le perteneciera a él. Le invadió el furor al pensar que aquel llanto podía ser fingido, que acaso ella estaba deseando que él se decidiera a la ruptura y llevaba semanas esperando una ocasión para dejarle... Comprendió que tenía que conseguir, como fuera, olvidarse de aquello durante unas horas: a costa de un enorme esfuerzo logró arrancarla de sí, mientras contestaba a su joven esposa:

—No te preocupes, querida. Mañana, con toda seguridad, encontrarás en el Grand Hotel una carta de tu madre. Cierto que le causó tristeza verte partir, pero dentro de un mes habremos regresado y vamos a vivir muy cerca de ella.

Exageró el afecto por su suegra y se acordó de que, a decir verdad, conocía muy poco a esa dama; mas también razonó que eso no es siempre motivo para dejar de profesar cariño a una persona.

—¡Qué bueno eres! —le dijo ella, cogiéndole la mano.

Georges se sintió halagado de que le atribuyera, precisamente, esa que no era cualidad suya y que lamentaba no poseer. La joven desposada se abandonó sobre su hombro, fatigada por esa jornada que no podía sumarse a los días ordinarios, una jornada que se confundiría en su memoria con el traje de novia, como algo tenue y vaporoso en lo que se piensa desde mucho tiempo antes y que no volverá a darse otra vez. Él rodeó su hombro con el brazo y la besó en la nuca. Sus cabellos eran rubios; los de la otra eran rubios también, pero teñidos con *henna,* de una tonalidad diferente. Le vino a las mientes que alguna vez le dijo que nunca podría amar a una mujer morena, y esa fidelidad en la inconstancia se le antojó extrañamente triste.

Hablaron de cosas intrascendentes, relativas a los padres de ella, temas sin importancia pero que cobraban para él un sentido oculto, casi un valor de símbolos. Era consciente de que ahora tendría que interesarse por esa familia que no era la suya —él, que se había vanagloriado durante tanto tiempo de no tener ningún lazo familiar—, pensó que sus duelos le causarían pesar y se alegraría de las venturas y los nacimientos; que cada uno de esos imponderables que de alguna manera habían de conmoverle modificarían algo en él, por poco que fuera, y que tal como ocurre con ciertos matrimonios muy viejos, que acaban por parecerse como un hermano a una hermana, así se le pegarían a él los tics de aquellas gentes, sus manías culinarias, y hasta quizás sus opiniones políticas. Admitió que pudiera suceder así. Tenía treinta y cinco años. ¿Qué había hecho hasta ahora? Había pintado cuadros que distaban de ser tan buenos como él hubiera deseado, y obtuvo algún éxito que le aportó menos satisfacción de lo que había esperado. Cual un nadador que, decidido a dejarse hundir, se abandona con una suerte de placidez a la succión del agua, tenía la sensación de abandonarse blandamente hacia una existencia fácil, conformista, con la que los demás se contentaban. Era muy posible que volviera a pintar, por distraerse; se ocuparía de administrar su fortuna; harían la vida social que corresponde a su clase. Ideaba así una felicidad de modelo corriente, correcta, en concordancia con todas las tradiciones familiares de las que creía proceder; una felicidad legítima y, sin embargo, voluptuosa. Se imaginaba las vacaciones en algún lugar marítimo, los veranos en el campo, los niños en el césped, su mujer sentada en el balcón sirviendo el té del desayuno, y veía su bata desceñida y cómo sería entonces su belleza, más rica, más plena y satisfecha...

Ahora, el traqueteo del tren le producía dolor de cabeza y se había quitado el sombrero: él juzgó que su peinado no la favorecía y que habría que poner remedio. El peluquero de Laure tenía mejor gusto —pensó—, la confiaría a sus manos.

Sintió frío y se levantó para cerrar el cristal de la ventanilla; pero, comprendiendo que era de cualquier modo indispensable ocuparse de ella, al volver a sentarse preguntó si el aire no la incomodaba. Luego se interesó por su neceser de viaje y hasta trató de abrir uno de los frascos, que resultó tener el tapón forzado. El crepúsculo se desplegaba lenta y mansamente, cual un inmenso abanico. Lo insulso del instante presente le remitió al amor romántico de los inicios del noviazgo; y, de pronto, su mujer le pareció algo infinitamente caro y precioso, la vio henchida de todas las posibilidades futuras que dependían de ella, como si, merced a ese hijo que nadie más que ella podía traer al mundo, fuese ya portadora del porvenir que les esperaba. Su breve charla, que le había tranquilizado al distraerle de sus divagaciones, se iba haciendo intermitente, cortada por los silencios, y temió que esa frágil barrera de palabras, que se interponía entre él y sus pensamientos, pudiera bruscamente ceder dejándolo a solas consigo mismo, es decir, con la otra.

III

El tren se detuvo para pasar la aduana: los dos se sintieron aliviados de que cesara su inmovilidad en marcha. Se abrió la portezuela, él descendió primero y le tendió las manos. Ella saltó al andén de un brinco ligero que le recordó a la Andrómeda de un bajorrelieve de Roma, y eso le halagó: ella era ya su pertenencia. Las formalidades de inspección fueron breves; los empleados mostraron discretas atenciones hacia la damita; su vanidad de hombre se complació en ello y se sintió menos triste.

Unas horas después llegaban a Montreux. El ómnibus los condujo al hotel: bajo la marquesina, los botones se ocuparon del equipaje; luego, el director les mostró algunas habitaciones y les preguntó si deseaban una sola o más de una. Viendo que la respuesta se demoraba, discretamente se alejó. Georges levantó los ojos hacia su mujer, sus miradas se cruzaron:

—¿Nos quedamos en ésta? —dijo él.

—Muy bien..., si a ti te parece... —asintió ella.

Era una vasta pieza con cama de matrimonio, casi indecente de puro blancor. El director volvió.

—Esta habitación nos gusta —dijo Georges. Y le pareció notar una chispa burlona en la obsequiosidad de aquel hombre.

No tardaron en subir las maletas. Ella se había puesto delante del espejo y lentamente empezaba a quitarse los guantes, el sombrero, el abrigo: daba la sensación de que esos gestos, que a menudo debió de hacer en su cuarto de soltera, le producían la impresión tranquilizadora de continuidad en sus costumbres. Georges estaba atento a la descarga y colocación del equipaje. Luego, los mozos se retiraron y la pareja se quedó a solas. Él la miró: era alta y delgada, como una niña que hubiera crecido demasiado deprisa. El espejo, al desdoblar la imagen en dos mujeres idénticas, la privaba ya del privilegio de ser única. Se estaba arreglando el pelo y los brazos levantados ponían en evidencia su busto juvenil. Sin una palabra, la abrazó y, echándole la cabeza hacia atrás, la besó con dureza en los labios. Ella aceptó el beso sin corresponder y se limitó a decir:

—Georges, por favor...

No pudo él discernir si hablaba así por convencionalismo o por pudor. Se apartó de ella y al cabo de un instante inquirió:

—¿No me lo tomas a mal?

Ella respondió negativamente con un gesto. Por un momento, hubiera preferido que no le amara, para tener el placer de ganársela o de vencerla. Ahora había empezado a desdoblar su ropa interior, que hacía evocar su cuerpo. No encontrando nada que hacer por su parte, él se sentía más confuso que ella. Pretextó que bajaba al salón para hojear los periódicos de la tarde y, con una timidez que le irritó contra sí mismo, añadió que se entretendría como una hora. Ella asintió con un movimiento que él interpretó como una caricia; se acercó, la besó más fríamente que antes y salió de la habitación.

En el vestíbulo, Georges tomó un cigarro y después de encenderlo se sentó. Lo que le ocupaba la mente se asemejaba al vacío: trató de recordar si la habitación estaba situada en el tercero o en el cuarto piso; pensó con disgusto en uno de sus cuadros inacabados; descubrió que había olvidado el nombre de uno de los personajes de Balzac e intentó acordarse invocando, una por una, todas las letras del alfabeto, hasta llegar a la conclusión de que aquello no tenía la menor importancia. De pronto se acordó: Laure había sido contratada por una firma cinematográfica para el papel de Madame de Sérizy. ¿Quién, qué era Madame de Sérizy en la obra de Balzac? Cambió de sitio, se instaló delante de una mesa para hojear los periódicos: leyó el artículo de fondo del *Journal de Genève* y repitió la lectura atentamente, esforzándose por comprender. Las últimas noticias decían que un aviador que acababa de atravesar el Atlántico había recibido una entusiasta acogida (no hubiera querido encontrarse en su lugar), que una epidemia de viruela se había declarado en

Alemania (estaba vacunado), y que las acciones de Beers habían bajado mil francos (poseía algunas). Dejó el periódico.

Resistiendo a la tentación de subir ya, para sorprender a su mujer mientras se acicalaba para la noche, se prometió no hacerlo antes de haber terminado su cigarro. Se puso a andar de un lado para otro, procuró prestar atención a los carteles que cubrían las paredes; por hacer algo, pidió un té y se irritó contra el camarero que tardó en servirle. El reloj marcaba las once. De pie en el umbral del hall, miraba a las damas, cuyas siluetas se recortaban en negro a través de la transparencia de sus trajes... El vestuario de Laure le costaba caro, se felicitó de haber terminado con ella al pensar en las últimas facturas que tuvo que pagar. Por asociación de ideas, imaginó su pie desnudo apoyado en el borde del lecho, cual un aplique Imperio que fuese, por azar, en mármol blanco y no en bronce. Sintiéndose presa de tal imagen, trató entonces de que las emociones que le producía aún el recuerdo de aquella mujer le sirvieran para llegar, cerca de la actual, a ese grado de pasión que desesperaba de poder alcanzar. Por un momento se vio desfallecer, mas pronto pasó el malestar. Vio que eran las once y cuarto; se levantó, echó un vistazo al espejo y se encontró ridículamente pálido. Desdeñando el ascensor para evitar encontrarse *tête à tête* con el ascensorista, emprendió la subida por la escalera lentamente, casi con esfuerzo. Lo fatigoso de tener que ascender cuatro pisos ofrecía un pretexto a la palpitación acelerada de su corazón. Cuando hubo llegado a la puerta de la habitación, se detuvo y dudó si llamar antes de entrar. Llamó con suavidad, luego más fuerte, pero no obtuvo respuesta. Tras unos instantes, se decidió y abrió lentamente la puerta, que no estaba cerrada con llave. La habitación aparecía sumida en una semioscuridad, las lámparas estaban apagadas y tan sólo el balcón abierto en el otro extremo establecía la comunicación con el mundo y con la noche. Entró y la vio acostada, acurrucada cara a la pared, como perdida, al esforzarse en ocupar lo menos posible, en el amplio lecho que parecía vacío.

—Soy yo —dijo Georges.

Se acercó sin hacer ruido e inclinándose sobre la cama murmuró:

—Jeanne, ¿querrás hacerme un huequecito?

Ella sacó la mano de debajo de la colcha y se la tendió. Él se alejó y comenzó a desvestirse. Lo cual se le antojó desesperantemente trivial. ¡Cuántas veces no habría él hecho lo mismo en aventuras efímeras, sin antes ni después! Era siempre la misma escena y el mismo escenario: una habitación de hotel donde él se desnudaba mientras una mujer lo esperaba acostada. Le dolía que las circunstancias fuesen tan tristemente semejantes: se asombró de haber esperado otra cosa. Sonrió al pensar que a todo se hace uno, incluso a vivir, y que dentro de diez años tendría la desdicha de ser dichoso.

El lago, con sus barcas iluminadas y sus montañas salpicadas de casas donde brillaban aún las luces encendidas, se desplegaba en la noche como una inmensa postal con pretensiones artísticas. Salió al balcón y miró el panorama. Se daba cuenta, evidentemente, de que aquello era sólo un pedacito del mundo. Detrás de las montañas había otras llanuras, y otros países, y otras habitaciones, y otros hombres indecisos junto a una cama en donde una mujer va a entregarse por vez primera, y también quienes se asomarían a una ventana cuando al fin se hubieran resuelto a arrancarse a la carne, y comprenderían súbitamente que la felicidad no está en lo profundo de un cuerpo. Se descubría una extraña fraternidad con esos hombres, acodados en ese mismo momento en otros tantos balcones abiertos a la noche, como sobre el borde de un promontorio del que no es posible arrojarse al vacío. Porque no se puede navegar sobre la noche. Los hombres y las mujeres van y vienen, dentro de un espacio que se han creado, encuadrado en sus casas y sus muebles, y que no tiene ya nada en común con el universo primigenio. Sus espacios propios los transportan con ellos, dondequiera que vayan; y porque esa noche había gente que se complacía en remar en barcas iluminadas, el lago Lemán parecía servirles de promontorio virtual a las parejas. Y, sin embargo, el lago existe; existe por sí mismo, indiferente a todas las relaciones que puedan encontrársele con el hombre. Georges comprendía, con una emoción que casi le hacía saltar las lágrimas, que la belleza de ese paisaje tan manido consiste, precisamente, en resistir a todas las interpretaciones que le confiere el acontecer pasajero, en limitarse a ser lo que es y, por más esfuerzos que se hagan para intentar alcanzarlo, permanecer inasequible.

¿Cómo era posible, haciendo tanto tiempo que los hombres piensan en ello, que no hubieran aún comprendido que la belleza es incomunicable y que ni los seres, ni tampoco las cosas, pueden llegar a penetrarse? Las gentes bogaban por ese lago, lo bastante clemente para mantenerse en calma; iban en esas barcas iluminadas que estropeaban la noche, y se jactaban de ser felices. No les inquietaba la idea de que ese lago, cerrado en todo su contorno, no ofrece ninguna salida hacia otra parte; unos y otros se darían por satisfechos con girar eternamente al pie de esas montañas que les ocultan lo que hay más allá. Ni uno solo trataba de evadirse por la angosta fisura del Ródano, que no era, a esa hora, sino un fluyente reguero líquido de noche. Les habían dicho, una vez por todas, que ese río no es navegable; y aunque lo hubiera sido, no le habrían temido. La gente sabe que los ríos, como los caminos, no conducen sino a lugares previstos, acotados en los mapas, y que cada uno viene a ser la continuación del otro. No sentían, pues, ni el miedo ni el deseo de encontrarse en otra parte, y acaso no exista siquiera ninguna «otredad», como no existe salida posible. No hay más que hombres y mujeres que dan vueltas dentro de un ruedo infranqueable, en un lago del que tan sólo rozan la superficie y bajo un cielo que les está vedado.

Georges recordó haber leído en un tratado de geología —cuyo título buscó penosamente durante unos instantes— que ese desfiladero entre las montañas, en el que desde hacía siglos se remansaban los aluviones del río y los torrentes, llegaría a colmarse un día hasta no ser más que una llanura; y la idea de que esa belleza era perecedera le consoló de ser simplemente un hombre vivo. Riendo para sus adentros, se preguntó si habría muchos hombres que pensaran tales cosas en su noche de bodas, y al propio tiempo se reprochó, sintiendo desprecio por sí mismo, la vanidad íntima de sus divagaciones inteligentes.

Las barcas ruidosas, que continuaban su paseo en la noche y hacían retroceder la oscuridad a medida que avanzaban, le recordaron una pareja que percibió una vez en Venecia, amartelada al amparo de una góndola: su dicha, groseramente visible, le pareció entonces un atentado al pudor. Ese recuerdo, que le repugnaba, le hizo volver, sin embargo, a la preocupación del placer, como si hubiera existido, entre él y aquellos amantes desconocidos, una secreta complicidad. Sin perder su lucidez, notaba aumentar la excitación que hasta ese momento había temido que no se produjera, y se obligaba a la voluptuosa espera del creciente deseo, gozando ya anticipadamente de esa sensación que iba, por unos instantes, a abolir sus facultades mentales, aun a riesgo de las complicaciones que pudieran sobrevenir. Se preguntó si Jeanne, que seguía despierta, aguardaba también expectante, y de qué amor o qué temor estaba mezclada su espera.

IV

Llamaron discretamente a la puerta, Georges fue a abrir: la voz impersonal, mecánica de un botones pronunció:

—Un telegrama para el señor.

Para evitar encender la luz, leyó el papelito azul a la claridad del pasillo, mientras le llegaba la voz de Jeanne preguntando de qué se trataba. Se oyó a sí mismo responder que acababa de recibir una comunicación de su agente de Bolsa y, asegurando que no tenía la menor importancia, corrió el cerrojo, atravesó la estancia con intención de cerrar el balcón y, tras vacilar unos segundos, se apoyó de nuevo en la balaustrada húmeda de noche.

Se notaba en el bolsillo del pijama el bulto del papel arrugado. Severamente se autoanalizó, intentando despejar la emoción que prevalecía en su ánimo: cobrar consciencia, cada vez más clara, de que experimentaba alivio le produjo repugnancia de sí mismo y de la vida. Sacó el telegrama del bolsillo y en la transparente penumbra estival releyó el texto, que destacaba en letra negra sobre una banda blanca, dando la impresión prematura de una esquela mortuoria. Laure se había dejado atropellar por un autobús aquella misma mañana, a las once. (Georges se preguntó qué hacía él a esa hora precisa.) Su estado era desesperado. Mirando las indicaciones de servicio comprobó que el telegrama había sido expedido por la tarde y que tardó varias horas en llegar al hotel: seguramente ahora ya todo había concluido. El pensamiento de que Laure ya no sufría le fue infinitamente consolador, como si todo el dolor del mundo hubiera dejado de existir. El telegrama lo había puesto una amiga que vivía con ella y cuya presencia había él soportado en tiempos con no disimulada exasperación. Aquella mujer y él se habían detestado recíprocamente, tal vez porque ella le profesaba a Laure un sincero cariño. Durante un momento, la compadeció; luego, se preguntó cómo habría obtenido su dirección y pensó que enviar esa notificación luctuosa había debido de procurarle, en su dolor, el único consuelo posible: la certeza de hacerle sufrir.

Con el fin de aligerar ese peso interior que designaba «su conciencia», Georges trató de convencerse de que no había en esa desgracia nada más que una casualidad, un azar en el que no tenía él ninguna culpa; mas algo en el fondo de sí mismo le decía oscuramente que esa hipótesis privaba a Laure de la postrera hermosura que le restaba y que la única nobleza de aquella mujer que se había dejado vivir era haber buscado su muerte.

Encendió una cerilla, prendió el papel por una punta y lo miró arder. Se elevó un humillo blanco que pronto se disipó, produciéndole una sensación de incineración. Comprendió que Laure acababa de perder a sus ojos la imperfección de existir, para entrar a confundirse con otros imponderables, en esa parte de su vida ya definitivamente pretérita. A la larga, se convertiría en uno de esos recuerdos que resulta elegante cultivar cuando se permite uno el lujo de tener un pasado. Y al propio tiempo, no le perdonaba que hubiera cortado, con su muerte, el único lazo que hubiera podido unirle a lo que antes había sido.

Una vez más experimentó la sensación melancólica de que todo acaba por arreglarse, es decir, que nada llega a cumplirse.

Entró en la habitación, cerró cuidadosamente el balcón a la noche y, sobre el balcón, las cortinas, con una singular conciencia de docilidad ante la vida, ganado, o a su vez vencido, por la seguridad de las habitaciones cerradas.

No pensaba, o no quería pensar, que aquella entretenida de Montparnasse, que no estuvo muy sobrada de espíritu y había prescindido del alma, acaso hubiera encontrado la única escapatoria hacia un más allá.

Maleficio*

* *Mercure de France,* enero de 1993.

Un reloj despertador indicaba las once: eran las once de la noche. La cocina era casi espaciosa; en las paredes encaladas, la paulatina impregnación del humo de los guisos había formado esas manchas y rostreras, esos desconchones que son la huella de los años de uso, y se veían al lado de la puerta unas muescas regulares allí donde, año tras año, los niños se habían ido midiendo la talla. Los enseres estaban colocados sin ninguna simetría, pero en orden, es decir que los objetos más usuales se encontraban al alcance de la mano, en el estante inferior de la alacena, y se habían relegado a lo más alto aquellos que ya no servían o que estaban sólo de adorno.

Cuando Toussainte se fue a vivir allí, al quedarse viuda, el modo de alumbrarse era todavía el candil de aceite; ahora, una bombilla colgaba del techo con un papel atrapamoscas. Esa bombilla, un fogón de gas, el hule que cubría la mesa, un molinillo comprado en el bazar de los arrabales apenas si databan la escena, confiriéndole la nobleza de lo intemporal. Toussainte, sentada junto a la mesa, hablaba con una mujer que había llegado antes que las demás; mientras recogían los cacharros de la cena, la cotidiana banalidad de aquellos quehaceres prestaba a sus palabras un algo inquietante y extraño al integrarlas a esa mediocre realidad.

Fueron entrando algunas mujeres: las vecinas. Las que pasaban de los cuarenta años parecían viejas: unas flacas, encorvadas ya; otras, de una gordura que se desparramaba en sus ropas sin forma. Una más joven, con aspecto de cansancio, había traído a su hijito, por no tener con quien dejarlo. Según iban llegando, se producía ese intercambio de frases casi rituales, insignificantes cuanto indispensables, que difieren según el medio social, pero que traducen en todas partes la misma voluntad de cortesía o de hospitalidad. Una vez que las vecinas se hubieron sentado, Toussainte les ofreció café; pero todas lo rehusaron diciendo que era mejor esperar. Luego, una preguntó:

—Y ella, ¿no ha venido?

—No —confirmó Toussainte.

Dos jovencitas entraron luego: eran las hijas de Toussainte y con ellas entró en la escena una nota de modernidad: llevaban el pelo cortado y los labios pintados. La menor había trabajado algunos veranos de lencera en un gran hotel de Niza y sus expresiones de argot, aprendidas con los mozos y los ascensoristas, se engarzaban —más de una vez como contrasentidos— en su dialecto italiano.

Poco después resonó suavemente a lo largo del corredor un paso femenino, más ligero que el de las demás. Toussainte levantó la cabeza y dijo:

—Puede que sea ella.

No; no era otra que Algénare Nerci, una vecina joven. Algénare era hija de refugiados piamonteses; a su padre, un comunista, lo habían matado en una contienda; su madre había muerto poco después de llegar a Francia; su hermano, que era marmolista, se fue a probar suerte a París; la muchacha se había quedado sola. Empezó por ganarse la vida sirviendo, luego como costurera. Era una moza guapetona, de una belleza morena y dura que a nadie le llamaba la atención por ser muy común a su edad en aquel medio. Algénare se sentó en el reborde de la ventana, cerca de las otras dos jóvenes. Un violento mistral de noviembre hacía rechinar una hoja de la ventana mal sujeta. De pronto, una bocanada de aire penetró en la habitación. Con una mano, Algénare encajó bien la falleba y apoyó la cabeza en el postigo de madera. Así recostada, cerró los ojos. Ese viento salvaje del norte le recordaba cosas vagas, antiguas, en las que corrientemente no pensaba: la casa de su infancia, en un pueblo de la montaña, una abuela que hilaba con un huso, la ávida emoción que le producían las historias de brujería.

Unos minutos más tarde entró un hombre joven. En su fisonomía se veía la contradicción del pesar, la fatiga y el talante satisfecho de los hombres que gustan a las mujeres. Aparentaba tener unos veinticinco años. Fue a sentarse cerca de la mesa y Toussainte le hizo sitio con especial solicitud.

—¿Ha llegado ella?

Era la segunda vez que se inquiría así. Toussainte denegó con la cabeza. El joven prosiguió:

—Más vale que yo vaya a buscarla.

—Ella no necesita a nadie para venir —replicó Toussainte.

Guardó silencio el muchacho y también, a su vez, rehusó el café que le ofrecía. Una de las hijas de Toussainte, que estaba mirando por la ventana, se volvió hacia los presentes:

—¡Ahí está!

Sólo entonces se dio cuenta el joven de la presencia de las muchachas y torpemente las saludó. A todos les pareció que Algénare palidecía.

Apareció por fin la persona esperada. Llevaba un sombrerito muy a la moda, un abrigo guarnecido de piel, medias claras y zapatos finos. La fiebre y el colorete le arrebolaban doblemente el rostro y, por haber subido la escalera muy deprisa, respiraba con dificultad. Saludó a todos con una especie de tímida arrogancia, pues las muchas afrentas recibidas y el sufrimiento que le causaron la habían habituado a actitudes desafiantes. Había un asiento vacío junto a la estufa: allí se sentó. Para hacerle sitio, las demás retiraron sus sillas con exageración; la que tenía el niño fue a sentarse al fondo de la cocina. En los modales recelosos de aquellas mujeres se notaba que envidiaban a la protagonista de la escena por su belleza, la compadecían por estar enferma y la temían por el posible contagio. Humbert arrastró su sillón para colocarse al lado de ella.

—¿Me he retrasado mucho? —dijo la recién llegada.

—No —contestó alguien.

Sacó ella de su bolso una polvera y se retocó el rostro. Las otras, sobre todo las jóvenes, palpaban con los ojos su atavío, su bolso de ante, las perlas falsas de su gargantilla. Abrigaban rencor hacia Humbert por complacer los caprichos de la enferma, pues se sabía que él, modesto chófer particular y de familia humilde, no ayudaba a los suyos.

Humbert era su amante, aunque por pudor le llamaban «su novio»: el novio de Amande. Es cierto que se habrían casado, de haber podido ella sanar, o si la familia le hubiera dado su consentimiento para que se hiciera cargo de una moribunda. Era sabido que Amande seguía suplicándole, como si aún valiera la pena, y se reprobaba ese tesón de querer imponer al chico unas formalidades inútiles, ya que de todos modos ella iba a morir.

El novio cogió la mano de Amande. Ponía su mejor empeño en mostrar mayor ternura cuanto menos amor sentía: de hecho, hacía tiempo que había dejado de quererla. A fuerza de llevarla a los médicos, de ir a verla al hospital, de comprar para ella medicamentos onerosos había terminado por olvidar el tiempo feliz en que bailaban juntos en los merenderos de las afueras y la acompañaba luego, a escondidas de todos, en el automóvil de sus señores: conducía con las luces apagadas por aquellas carreteras de montaña y a las sensaciones de sus dos cuerpos jóvenes se mezclaba el disfrute ilusorio del lujo ajeno.

Había renunciado a poseerla desde que la muerte, visiblemente, se había apoderado de ella: Amande se había convertido para él en una especie de devoción triste. Ese afecto, que había dejado de ser amor, carecía de los medios con que el amor se satisface, y no podía ya expresarse más que por símbolos, como el culto que se le rinde a Dios. Ese muchacho sencillo había aprendido, en la familiaridad con la enferma, las delicadezas que inspira el sufrimiento: sentado junto a Amande, Humbert tenía entre las suyas una mano ardorosa cuyo contacto le resultaba ahora penoso, y toda suerte de sentimientos oscuros, casi místicos —el deber, la compasión, el temor—, constituían su fidelidad.

Ella dijo:

—Tengo frío, tía.

Toussainte, dándose cuenta entonces de que no le había ofrecido nada, propuso café y ron. La enferma bebió, luego comió algo, con gestos que dejaban ver las encías.

Había momentos en que Amande llegaba a alegrarse de su mal, sin el cual, casada o no, Humbert la habría dejado por otra; además, como todos los que padecen una dolencia mortal, no creía que la muerte estuviera próxima. No había tenido ningún otro amante, así pues no podía imputar a nadie más que a Humbert lo que ella llamaba «su desgracia»: él era el único ser a quien podía darse el gusto de reprochar algo. Puesto que todo había sucedido, según ella, por culpa del novio, creía tener derecho a exigirle lo imposible. Esas exigencias la vengaban y, al mismo tiempo, servían para probarse a sí misma y probar a los demás que todavía un hombre podía consagrarse a ella. Celosa de cada mujer, no por ello dejaba de sentirse superior a todas, pues todas, ahora, la atendían solícitas, y hasta la repugnancia que adivinaba en ellas al tocarla, al besarla, le aportaba un motivo de orgullo: el orgullo de inspirar miedo. No había una sola de aquellas mujeres que no la detestara, precisamente porque la compasión las obligaba a quererla; y no podían evitar el resentimiento por los cuidados que sentían el deber de prodigarle, así como un deudor reprocha a sus acreedores su propia probidad. La malignidad de Amande irritaba a aquellas mismas que la llorarían en su lecho de muerte; a todas horas del día se indignaban de encontrarla difícil, insolente, insaciable, incapaces de comprender que tal sonrisa falsa, tal insulto o pequeña perfidia no eran sino los efectos del mal que sufría y su síntoma conmovedor, tan infaliblemente reveladores como la delgadez, la tos o la afonía.

Una de las mujeres preguntó:

—¿Y tu niño?

Entonces se enteraron todas de que pesaba ya veinte libras. El vigor de aquel pequeño ser que había vivido de ella, dentro de ella, pero al que le estaba prohibido amamantar —y aun tendría también pronto que privarse de tomarle en sus brazos y besarle—, aquella sana vitalidad era su desquite, casi su compensación. Desapegado de ella por la separación, no física únicamente sino también afectiva, el niño crecía lejos, en el campo, al cuidado de una mujer que se encargaba de criarlo, y Amande pensaba raramente en él, más absorbida cada vez por la zapa interior de su mal, que actuaba cual una mortal gestación. Conociéndole apenas, el hijo despertaba menos su amor maternal que un sentimiento de orgullo; pero a veces también odiaba a la criatura, como si, al venir al mundo, esa vida le hubiera robado la suya.

Toussainte dijo:

—Faltan veinte minutos para medianoche.

Era la hora en que esperaban a Cattanéo d'Aigues, que tenía fama en la región de ser un ensalmador muy hábil. Recurrían a él sobre todo porque sabía desligar los maleficios. En vista de que, a pesar de pócimas e inyecciones, Amande no dejaba de desmedrar día a día, sus vecinas, sus hermanas, su tía habían acabado por llamar a aquel curandero. Todas, en efecto, estaban convencidas de que la joven era víctima de un maleficio que hubiera urdido posiblemente una rival, o bien una hechicera de esas que no pueden por menos de dañar, aun sin sacar provecho, lo mismo que ciertos animales están incapacitados para dejar de segregar el veneno que llevan dentro. Lo habían probado todo, incluso la peregrinación a Lourdes y la consulta de profesores afamados en Marsella; pero ante la impotencia de la fe y de la ciencia, que parecían admitir y casi aprobar la muerte, aquellas buenas gentes recurrían a las prácticas más antiguas, las que tenían por más demostradas desde tiempo inmemorial: a la intervención del curandero, que trata a la muerte como un adversario invisible, intenta espantarla y lucha contra ella cuerpo a cuerpo. Desesperando de lograr nada con los médicos, Humbert había consentido en tentar la experiencia. Todas aquellas mujeres habían llegado a sospechar unas de otras, y si eran tan numerosas las que se molestaban en acudir de noche para asistir a la sesión ritual, tal vez fuera por probar mejor su inocencia.

—Podríamos empezar —dijo Toussainte.

—Tía —musitó Amande—, hubiéramos podido hacerlo en mi casa...

La idea de desnudarse delante de todos en una habitación ajena le infundía un temor y un pudor inesperados.

—En tu casa no hay bastante sitio —replicó Toussainte.

Una de las vecinas que habitaba en uno de los cuartos contiguos, lo puso a disposición de Amande para que pudiera desvestirse más cómodamente. Salieron ambas y en el umbral se encontraron con Cattanéo d'Aigues que llegaba. Amande se encogió toda a su paso; el hombre dijo dirigiéndose a ella:

—Chiquita, ¿eres tú...?

Sin obtener respuesta, entró en la habitación. Las mujeres se admiraron de que hubiera reconocido quién era la enferma sin que nadie se la designara, como si el aspecto de Amande no fuera bastante elocuente. El saludador se disculpó por haberse retrasado, se quejó del mal tiempo y se sentó en el sillón que Amande había dejado vacío. Era un hombre de baja estatura, parco de palabra, e iba modestamente vestido. Durante el día ejercía la profesión de contable y ponía en estas escenografías de pesadilla su formalismo de burócrata. Se acercó a la estufa y constató con fría irritación que la habían dejado casi apagar. Algénare se levantó para atizar el fuego: siendo la más pobre, tenía costumbre de que la trataran como a una criada.

Las mujeres se apretujaban unas contra otras. Hubo alguien que preguntó:

—Y si nadie le ha echado mal de ojo, ¿qué es lo que se verá en el agua?

—Nada —contestó el hombre.

Toussainte adujo a su vez:

—Si no le hubieran echado un maleficio, no se encontraría como se encuentra.

Por una especie de espíritu de familia se creía obligada a dar fe de la salud de los suyos.

—Bueno, después de todo, su padre y su madre murieron de ese mal... —apuntó Humbert.

Que no se olvidara eso. Sabiéndose de salud frágil, él temía siempre que le acusaran de haberle contagiado a Amande la enfermedad.

—Este mal no es natural —sentenció Toussainte.

Nunca dijo nada más cierto. Para aquellos hombres y aquellas mujeres no existía enfermedad natural y acaso ninguna cosa lo fuera. El universo de esas buenas gentes no había pasado del caos y todos los acontecimientos, incluso los más simples, seguían siendo misterios para ellos, aunque dándose algunos con mayor frecuencia, al cabo llegaban a acostumbrarse. Las fases de la luna, el fuego que se producía en la estufa o en el fogón de la cocina no eran menos inconcebibles que la formación de cavernas en los pulmones enfermos. A sus ojos no eran naturales, es decir justas, nada más que las muertes de los viejos. Mas, siendo como eran seres humanos, condenados por el instinto de la especie a buscar, y tal vez a inventar, las causas de los aconteceres, atribuían el descaecimiento de Amande a lo que era para ellos la más elemental, la más humana de las causas, esa cuyos efectos habían comprobado tantas veces en su vida: la envidia, los celos que una mujer puede sentir de otra mujer.

Alguien dijo quedamente:

—Es verdad que ha debido de cansarse mucho al tener que ocuparse sola de sus hermanos y hermanas.

Se produjo un silencio. Nadie quería, y menos aún la tía de Amande, remover el recuerdo de las penalidades que había tenido que padecer para dar de comer a sus hermanos más pequeños, aquella criatura terca que era todavía una niña. Además, a la alusión de los arrestos de Amande y de lo mucho que había trabajado, todos se soliviantaban, como si pudieran ser sospechosos de alguna inferioridad, aunque sólo fuera inferioridad en cuanto a las fatigas o la desgracia.

—¡Vaya! —replicó Toussainte—. ¡Como si las demás hubiéramos trabajado menos que ella!

En presencia de Humbert, un cierto pudor impedía evocar las otras posibles causas del mal: las citas en el arenal, a la oscuridad de las noches húmedas, el calor pegajoso de los salones de baile, las consecuencias de un parto difícil.

Entró Amande arropada en su abrigo; la piel pálida de sus piernas remedaba las medias tornasoladas y, como tenía costumbre de llevar tacones, andaba de puntillas.

Cattanéo d'Aigues le preguntó:

—¿Dónde están tus ropas?

Las llevaba apretadas bajo el brazo y fue a ponerlas en una silla. Despacio, metódicamente, hizo un rebujo ordenado, colocando en medio los zapatos, enrollando en ellos las medias y envolviéndolo todo con la camisa y luego con el vestido. Era un vestido de seda, claro y liviano: por una especie de coquetería había desistido de ponerse el más usado y lamentaba ahora tener que sacrificar ése.

Algénare se acercó a ayudarla. Toussainte intervino bruscamente:

—Tú no.

La aludida retrocedió. Amande levantó los ojos sin comprender: eran amigas. Al principio de su relación con Humbert, Algénare les había prestado su cuarto y ella le estaba agradecida, sin ocurrírsele pensar que aquella muchacha solitaria, y que pasaba por ser casta, se proporcionaba así el placer de vivir y dormir en un ambiente de amor.

Fue el propio Cattanéo d'Aigues quien se encargó de disponer en un caldero nuevo el envoltorio, que más bien se hubiera dicho un despojo.

Todo el mundo volvió a sentarse. El agua tardaba en echar a cocer, como ocurre siempre que se está pendiente de que hierva; las mujeres hablaban en voz baja de enfermedades, de muertes y de curaciones misteriosas, intercambiando ideas que, formuladas de una u otra manera, venían a ser las mismas.

Esta escena, que se estaba representando en varios registros, hubiera defraudado tanto a los que se regodean con el drama como a los aficionados al pintoresquismo; los pensamientos, los instintos emergían del fondo de los tiempos, pero aquellos hombres y aquellas mujeres que asistían, sentados en una cocina a la luz de una bombilla, a la ebullición de un barreño lleno de agua, no hubieran ofrecido a la mirada de un observador otra cosa que el cuadro de costumbre, intrascendente y casi también ritual, de la colada semanal.

Permanecer callados sin hacer nada es, para las gentes sencillas, algo contra natura, pues generalmente asocian el silencio al trabajo que los abstrae de sí mismos (el trabajo es tal vez, sin que ellos lo sepan, la abnegación de los pobres) y confunden el reposo con la charla. Mas todos allí callaban sin embargo, por respeto hacia su propia expectación; las manos, inactivas como las lenguas, se posaban en las rodillas con torpe mansedumbre, y ese alto en el discurrir cotidiano de sus vidas, esa pasividad deferente les parecía así como la media hora de descanso, a la vez que de obligación, de la misa mayor de los domingos.

El agua comenzaba a oírse bullir; las mujeres encontraban en ese hervor que rompía el silencio algo inquietante, solemne, sin relación alguna con el ruido del café al filtrarse por las mañanas, ni con el reloj de arena de la cocina. Amande, arrebujada en su abrigo, temblaba, no de frío, sino de impaciencia, de temor: había oído decir que las personas víctimas de un maleficio mueren siempre que se intenta descubrir quién las hechizó. Su enfermedad la sabía dentro de sí, no la concebía como algo externo, ajeno a ella, que se le pudiera quitar y poner a alguien, sino confusamente mezclada, ahora, a la idea que de ella misma se hacía, una suerte de presencia que poco a poco iría sustituyéndola. Algénare, en el otro extremo de la habitación, guardaba silencio; Cattanéo d'Aigues no quitaba ojo al reloj despertador. En cuanto las dos agujas se hubieron juntado en lo alto de la esfera, se levantó, retiró el caldero del fuego, lo colocó en una silla y dijo a Amande:

—Ven.

Dócilmente se acercó. El vapor de agua la cegaba; se inclinó tratando, sin conseguirlo, de distinguir una figura en ese borboteo donde aparecían, acá y allá, retazos inflados de ropa. Amande hubiera querido ver, ver algo, aunque sólo hubiera sido para aplacar su angustia, para no haber estado allí aguardando en balde, desnuda bajo el abrigo entre aquellas mujeres que le hablaban de magia negra, y por no decepcionar a los demás con una espera frustrada. Si todo el mundo en esos casos veía, ¿por qué no habría ella de verlo? Intentó acordarse de las caras de sus rivales o enemigas, trató de inventarlas, de proyectar imágenes desde ella al agua del caldero; pero el agua no le devolvía ni siquiera su propia imagen. Se tambaleó y las mujeres hicieron ademán de avanzar hacia ella; Cattanéo d'Aigues las apartó con el gesto y, posando la mano en el hombro frágil de la enferma, dijo:

—Mira bien: la mujer que te ha echado el mal de ojo va a aparecer en el agua. Sus cabellos... —pasó la mano por el pelo de Amande, como hacen los hipnotizadores; ella repitió, desesperantemente vacía su mirada:

—Sus cabellos...

El hombre continuaba, creando la figura rasgo por rasgo:

—Sus ojos...

—Sus ojos... —repetía Amande.

—Su boca...

—Su boca...

Algénare se había puesto de rodillas y de pronto exclamó:

—¡No mires más, Amande! No mires más. No vas a ver nada... No soy yo... No verás nada...

Hablaba tartamudeando, repetía, se arrastraba por el suelo:

—No soy yo, ¿verdad que no? ¿A que no era yo?

Amande se llevó las manos al rostro y dijo:

—Siempre lo he sabido.

Y se dejó caer en la silla donde antes se había sentado. En ese momento, un fuerte acceso de tos la sacudió. Sintiendo que sus labios se teñían de sangre, abrió el bolso para sacar un pañuelo.

Las mujeres, entonces, se levantaron y formaron corro en torno a la muchacha que se denunciaba por sus propias negaciones. Cattanéo d'Aigues parecía no enterarse de nada: abrió por su cuenta el cajón de un aparador y eligió entre otros un cuchillo, probó la punta afilada y se lo tendió a Amande. Ésta lo miró estúpidamente, sin comprender. El hombre le dijo:

—Ahora vas a clavar tu cuchillo en el agua, ahí donde has visto la imagen. Tienes que ir hasta el fondo, aunque el agua resista, aunque grite...

Y añadió, tras un instante de reflexión:

—Aunque sangre.

—¿Así sanaré?

—Sí —respondió el ensalmador.

Amande se levantó y prosiguió:

—¿Y ella morirá?

Su voz era apenas audible. Cattanéo d'Aigues confirmó:

—Sí.

Algénare aullaba más que gritaba al decir:

—¡No quiero que me matéis!

Amande, inclinada sobre el barreño, miraba el agua. Esa agua que iba a resistir, a gritar, a sangrar, la aterraba como si fuera una mujer viva; más aún que una mujer viva. En su fuero interno reprochaba a Cattanéo d'Aigues que la hubiera prevenido, porque así la reprimía de intervenir. Se actúa sin saber lo que puede acaecer, y precisamente para saberlo. Más de una vez se había dicho Amande que si Humbert la abandonaba, lo mataría. Pero él no la abandonaba; nadie, en realidad, la abandonaba y ella no podía guardar rencor a Algénare por haber deseado su muerte: en su lugar ella hubiera hecho lo mismo. No, no podía reprobar el proceder de Algénare, puesto que aquélla sufría de no ser amada: Humbert no la quería. Casi le dieron ganas de reír. ¿Qué importaba esa pobre chica? ¿Qué valía una hechicera que ni siquiera tenía poder para ganarse el amor de un hombre? Por más que trató de imaginar el daño que Algénare hubiera podido hacerle —los procedimientos del maleficio, el aojo—, no lo consiguió. Así pues, entre aquellas mujeres que la compadecían y, por apiadarse, creían librarse de ella, había una que la envidiaba, la envidiaba tanto como para desear su muerte. He aquí que su felicidad era un estorbo para alguien: luego era feliz. Triunfante, Amande miraba a Algénare revolcándose en el suelo.

El murmullo del agua, incitante, llenaba los oídos de Amande y se confundía, por dentro, con el palpitar de las arterias; no hubiera podido suponer que su cuerpo contenía aún tanta sangre.

De lo más recóndito de la infancia le vinieron recuerdos, como de un país lejano al que nunca más habría de retornar; imágenes netas, incisivas, aparecían casi absurdas al no tener ya relación con nada: un conejo que tenía que matar en la cocina para la comida del domingo, su madre gritándole que se diera más prisa y ella que no tenía valor para acometer la peluda piel viva: aquello se resistía y derramaba por todas partes su vida, de una manera horrenda, imprevisible y repugnante. Luego, cuando la pusieron a servir, siendo casi una niña, en casa de una mujer que le daba poco de comer, la obligaba a trabajar hasta extenuarse y la maltrataba. El día que, decidida a no seguir sirviendo, intentó cercenarse el dedo pulgar para que no la hicieran trabajar nunca más; sangraba mucho, corría la sangre y no podían restañarla; se llevaba la mano a la boca para chupar el dedo herido, la boca se llenaba de sangre y ella se la tragaba a duras penas. Si ahora el agua del caldero iba a llenarse de sangre, Amande se preguntaba qué podría quedar en este mundo de puro, de limpio, de bueno para beber.

Sofocada, dijo:

—¡Qué sed tengo!

Nadie la oyó. Respiraba con dificultad, el cuchillo se le escapó de las manos. Viéndola desfallecer, las mujeres acudieron a ella.

Cattáneo d'Aigues se puso el abrigo disponiéndose a salir. Era de temple duro. La muerte de Amande, ahora ya segura, suponía para él un acontecimiento legitimado en cierto modo por la certeza adquirida; un hecho que iba a ser penoso para sus allegados, cruel para su amante —al menos durante las primeras horas—, beneficioso tal vez para el hijo, liberado de una madre inútil a la que, por no haberla conocido, no había de llorar. En cualquier caso, una muerte que a él le era indiferente. Se sentía defraudado. Al advertir a Amande que el agua podía ensangrentarse, no había hecho sino atenerse a la fraseología habitual en estos casos: por más que hubiera oficiado muchas veces en este rito, convencido de su eficacia, la verdad es que nunca había visto la sangre. A lo sumo, la persona hechizada notaba una resistencia, a veces oía un grito. No dudaba de que el fenómeno completo pudiera llegar a producirse y, así como un sabio se obstina en repetir un experimento que sigue siendo imperfecto, así Cattanéo d'Aigues se empecinaba, de enfermo en enfermo, en obtener, por fin, el milagro total. No le perdonaba a Amande que no le hubiera secundado mejor, siendo como eran circunstancias particularmente favorables puesto que, por una vez, la propia autora del maleficio estaba presente. Aquel hombre rústico, que no dejaba de ser lúcido y se interesaba únicamente por los hechos concretos, ponía en sus fórmulas de hechicería un espíritu de facultativo, lo mismo que ciertos hombres de ciencia ponen, al tratar a sus enfermos, un alma de taumaturgos.

Cruzó la estancia, su mirada se posó en Algénare, que continuaba desplomada sobre los baldosines rojos del pavimento, sin llorar, pero con un rumor de sollozos en la garganta. Cattanéo d'Aigues se dirigió a ella:

—Así que ¿eres tú quien ha hecho el mal?

Su curiosidad se centraba ahora sólo en Algénare. La muchacha seguía callada, mientras el hombre iba enumerando los diferentes procedimientos de practicar el maleficio: el corazón de buey traspasado de clavos, el limón sepultado en el umbral, las raspaduras de uñas quemadas de cierta manera... A cada frase, Algénare sacudía salvajemente la cabeza.

—No, no... No he hecho nada más que desearlo... Sólo desearlo... —dijo al cabo.

Cattanéo d'Aigues sintió hacia ella el respeto, la admiración casi, que inspira el adversario en quien se descubre, de pronto, una potencia insospechada.

—Entonces, es que tienes mucho poder.

Y, diciendo esto, salió de la cocina.

Vagas imágenes pasaban por la cabeza de Algénare: se acordaba de la irrupción en la casa paterna de unos fascistas que la golpearon; acurrucada en el suelo, había esperado a que pasara aquel turbión de hombres. Ahora se preguntaba a qué aguardaban aquellas mujeres para pegarle, para arrojarla a la calle. ¡A lo mejor Humbert iba a matarla! Alzó la cabeza y lo vio llorando en un rincón. Casi con impaciencia esperaba que comenzaran las injurias. Una atmósfera densa y vibrante se cargaba de palabras y de gritos que no se dirigían a ella. Puesto que todo aquel vocerío no la concernía, venía a ser silencio.

Algénare se levantó del suelo. Las mujeres se agitaban en torno a Amande, que se había desvanecido. El abrigo se le había resbalado de los hombros y aparecía su cuerpo desnudo, delgado, blanco, liso como una almendra que la cáscara hubiera dejado de recubrir: se diría que ese cuerpo contenía y a la vez exponía la muerte, cual una custodia que guarda la sagrada forma. Su cabeza caída pesaba sobre el respaldo de la silla; Algénare no podía verle la cara. Llevada por una singular curiosidad —acaso la vaga esperanza de algo irreparable— se acercó, inclinándose para atisbar, y puso maquinalmente la mano en el hombro de una de las mujeres: ésta se volvió dando un grito. Era la madre del niño. Sobresaltada, retrocedió y con humildad se dirigió a Algénare:

—Mi pequeño no te ha hecho nada todavía...

Y mientras hablaba hacía lo posible por cubrir con su pañuelo la carita del crío.

Entonces comprendió Algénare por primera vez que habían cambiado las tornas y que ahora ella les causaba terror.

No se sintió por ello ni sorprendida ni triunfante: esa noche, aquellas gentes habían entrado en uno de esos ciclos en que lo extraordinario genera lo extraordinario, con toda lógica, como sucede en las geometrías de una pesadilla. Sintiendo un alivio puramente físico, Algénare se dijo que no la maltratarían, que la dejarían salir, que todos deseaban que ella se fuera. Oír el silbido del viento a través de los postigos la hizo pensar que afuera tendría frío; vagamente buscó algo con los ojos por la habitación y dijo:

—Mi mantón...

La mirada de las mujeres recorrió la cocina. Se veían los flecos del mantón arrastrando por el suelo; Algénare lo había dejado, cuando llegó, en el respaldo de una silla: la silla en donde Amande estaba ahora inerte. Unas manos levantaron la cabeza desmayada, que osciló de derecha a izquierda con infantil inconsciencia. Humbert tiró del mantón, que resistía, trabado sin duda por alguna aspereza invisible, y la lentitud con que hubo de manejarse confirió a ese ademán tan simple, en el que nadie habría reparado de haber durado menos, una importancia particular, casi intolerable. Humbert dobló el paño cuadrado metódicamente, como si valiera la pena hacerlo, y se lo tendió a Algénare. Sus miradas se cruzaron: en los ojos de Humbert no había ni cólera ni siquiera asombro, nada más que ese vacío en que nos sume el tener que someternos al infortunio.

Sólo en aquel momento se desvaneció lo que le restaba a Algénare de esperanzas amorosas, tanto más vivas cuanto que, siendo inconscientes, no había tenido que rechazarlas por absurdas: ahora ya sabía que nunca le pertenecería a aquel hombre y que, seguramente, no sería jamás para ningún otro. El miedo aniquilaba también, al mismo tiempo que las posibilidades de odio, las probabilidades de amor. Ahora que se había revelado, con una prueba que todos juzgaban decisiva, su poder misterioso de hacer daño, aquellas gentes no se indignarían ya del mal que se suponía había hecho, ni del que aún pudiera hacer. Todos pensaban, sin decírselo, en los síntomas que en otro tiempo no habían tomado en cuenta, o que les habían inquietado sin llegar a servirles, no obstante, de advertencia: la tranquila seguridad de la muchacha ante los animales salvajes, los ruidos extraños que se producían en torno a ella, incluso las manchas que tenía en los ojos. Se acordaban también de que un niño que le dieron a guardar había muerto de repente. La compasión —nacida de la memoria ancestral de persecuciones y hogueras expiatorias, y renovada en experiencias más recientes por las crisis histéricas que hacen presa en las brujas— se mezclaba al terror que Algénare les inspiraba y lo transmutaba casi en una forma despavorida del respeto. Un oscuro sentido de la organización del mundo les hacía admitir la existencia de seres diferentes de los demás, aun cuando sus acciones sean un escándalo para la razón, y más de una vez para el corazón. Su acto de fe, o de resignación, hacia el Creador ratificaba hasta la necesidad de que hubiera brujas. Expresando esa noción confusa por medio de un símbolo que no carecía de belleza, aquellos campesinos católicos se decían que el sacrificio de la misa no podía celebrarse si no vagaba alrededor de la iglesia una esclava del antiguo enemigo, del viejo acusador, pero también, a fin de cuentas, del viejo auxiliar de Dios. Y, asignando instintivamente al clero la tarea de ordenar el mundo espiritual, que es matriz y sustentación menos visible del otro mundo material, suponían que ciertos días del año el sacerdote marca al niño que bautiza con un signo que le predestinará al oficio doloroso, pero indispensable, de pequeño servidor del Mal.

Algénare se embozó en su mantón, aterida, como si la alcanzara ya el frío de la calle. Nadie pronunciaba una palabra: se oía el estertor silbante, cada vez más entrecortado, de la expiración de Amande, y esos sonidos inarticulados, ese esfuerzo animal perceptible bajo el pecho desnudo, esas sacudidas sintomáticas del desbaratamiento interior eran como la faz mecánica de la muerte. Cuando hubo acabado de prenderse el mantón, Algénare se dirigió a la puerta: todos miraron en silencio cómo se cerraba tras ella.

Bajó la escalera a oscuras, con precauciones de ciego. En el portal ardía un cabo de vela, alumbrando pobremente desde un rincón; un gato que la conocía fue a frotarse contra sus piernas, solicitando ser acariciado. Algénare se agachó hacia el animal; por un instante, la inocencia del felino respondió a su propia oscura inocencia. No le cabía la menor duda de que ella había matado a Amande al haber deseado su muerte: no dudaba siquiera, puesto que nadie lo ponía en duda. Al mismo tiempo, la certidumbre de ese extraño poder borraba el remordimiento que causa un crimen corriente, ya que le aportaba la convicción de una irresponsabilidad que no era una excusa, sino una justificación. Aquel que vive habitado por una fuerza superior perdería toda razón de ser si no actuara como instrumento de esa fuerza. No habiendo nunca oído decir que las hechiceras se avergonzaran de serlo, Algénare entraba ya en su personaje y dejaba de sentir vergüenza. A pesar de que Amande fuera una amiga querida, y que el afecto era tanto más verdadero cuanto que la envidia era aún mayor —en cierto modo se asimilaba a Amande, de tanto suplantarla con el pensamiento—, súbitamente cesó de compadecerla: una hechicera no se compadece de sus víctimas. La certeza de que Humbert no podría nunca sentir por ella otra cosa que no fuese el horror, acrecentado tal vez porque así se disimularía a sí mismo el secreto alivio que esa muerte le procuraba; esa certeza, la única precisa, discernible, pesando en ella con toda su carga de amargura como un cuerpo intruso, le restaba a Algénare el beneficio de su volición de muerte, que había adquirido valor de acto. Olvidándose de que aquella obsesión destructiva tenía su raíz en el instinto más primario, el más explicable sin duda, la muchacha venía a imaginar que había sido algo puramente gratuito, puesto que se había comprobado su total inutilidad. No sacar ningún provecho de su acto disipaba no sólo el pesar de haberlo provocado, sino incluso la noción misma de haber abrigado un interés oculto en esa muerte, como si la ausencia de beneficio confiriese a tal acción el misterio, el ennoblecimiento casi, de haber sido sin causa.

Algunas de las mujeres, que habían bajado detrás de ella, se apartaron en el umbral de la casa para no rozarla; Algénare las oyó murmurar que Amande no duraría hasta el alba. Luego, esos vagos espectros pasaron delante y se desvanecieron en la noche.

Empezó a llover; Algénare se envolvió más apretadamente en su mantón y tomó por la calleja estrecha y pedregosa. Según andaba, iba pensando. No es que siguiera el hilo de un pensamiento coherente, en general no discurría; era de las que piensan por sucesivas asociaciones de imágenes: el toldo bajado de una lavandería le recordó que Toussainte le había pedido que fuera al día siguiente para ayudarla a hacer la colada; no tendría ya que ir, nadie esperaría que lo hiciera. Se dijo, con brusco regocijo, que se había acabado eso de los pequeños favores a las vecinas, moler el café por la noche, encender el fuego por la mañana... Se habían terminado también los parloteos con los muchachos a la luz de las farolas, y los bailes populares bullangueros y brillantes de luces rojas, y las reuniones en el obrador, cuando llega la primavera. Ahora estaba sola. Ocurría con ese poder que le atribuían, y que desde ahora también ella se atribuía, como con el círculo de los antiguos magos: que a la vez aísla y defiende. Tal el rey aquel de la leyenda, que convertía en oro cuanto tocaba, todo alrededor de ella, desde este momento, se tornaría horror. Y al mismo tiempo, no estaba tan sola como antes: se sentía ligada, a través del espacio, por lazos tanto más fuertes cuanto que eran invisibles, a la comunidad de todos aquellos que son perseguidos y al propio tiempo halagados, temidos y reverenciados; es decir, a la cofradía de los teúrgos, de los practicantes de ciencias ocultas, de los brujos de pueblo.

Esta muchacha, que hasta entonces no había obtenido nada de la vida ni de ella misma, experimentaba ahora la exaltación íntima, orgánica, de quien acaba de descubrir el amor, o de quien presiente la gloria: algo nuevo, ignoto, que la transformaba, iba manifestándose en ella. Una personalidad configurada de antemano, infinitamente más rica que la suya, la estaba sustituyendo; una personalidad a la que ella trataría, hasta su muerte, de ajustarse.

Algénare se detuvo delante de un charco del último chaparrón; se inclinó hacia el agua al resplandor de una ventana iluminada, intentando distinguir su rostro y, súbitamente, rompió a reír. Se reía con una risa que ni ella misma hubiera podido suponer, una risa salvaje y malvada. Esa maldad la convenció más que ninguna otra cosa de que se había transformado; o más bien se había encontrado. No sólo su corazón, sino también el aspecto del mundo había cambiado para ella: una escoba olvidada en un patio, una aguja prendida en su blusa, el balido de una cabra a través del muro de un establo no le recordaban ya los quehaceres corrientes, fáciles, de la vida cotidiana, sino las escenas de hechicería y de aquelarre. Y cuando echó hacia atrás la cabeza para aspirar mejor el aire de la noche, las estrellas estaban trazando para ella, en grandes rasgos centelleantes, las letras gigantescas del alfabeto de las brujas.

Fuegos

A Hermes

Prólogo

Hablando con propiedad, no puede decirse que *Fuegos* sea un libro escrito en mi juventud; fue escrito en 1935: yo tenía treinta y dos años. La obra, publicada en 1936, volvió a publicarse en 1957 sin apenas ningún cambio. Tampoco se ha cambiado nada en el texto de la presente edición.

Al ser producto de una crisis pasional, *Fuegos* se presenta como una colección de poemas de amor o, si se prefiere, como una serie de prosas líricas unidas entre sí por una cierta noción del amor. La obra no necesita, por lo tanto, ningún comentario, ya que el amor total se impone a su víctima a la vez como una enfermedad y como una vocación, al ser siempre el resultado de una experiencia y uno de los temas más trillados de la literatura. Todo lo más puede recordarse que cualquier amor vivido, como el que da lugar a este libro, se hace y más tarde se deshace en el seno de una situación determinada, con ayuda de una compleja mezcla de sentimientos y de circunstancias que, en una novela, constituirían la trama de la narración y, en un poema, constituyen el punto de partida del canto. En *Fuegos* estos sentimientos y estas circunstancias se expresan ora directamente, aunque de un modo bastante críptico, mediante «pensamientos» separados —que en un principio fueron extraídos en su mayoría de un diario íntimo—, ora, al contrario, indirectamente, mediante narraciones tomadas de la leyenda o de la historia y destinadas a servir de soportes al poeta a través de los tiempos.

Los personajes míticos o reales que estos relatos evocan pertenecen todos a la antigua Grecia, excepto María Magdalena, situada en ese mundo judeo-sirio en que apareció el cristianismo y que los pintores del Renacimiento y de la era barroca, tal vez más realista en esto de lo que se cree, gustan de recrear, poblándolo de hermosas arquitecturas clásicas, de cortinajes y de desnudos. En diversos grados, todas estas narraciones modernizan el pasado; algunas de ellas, además, se inspiran de estadios intermedios que esos mitos o leyendas han franqueado antes de llegar hasta nosotros, de suerte que lo «antiguo», para hablar con propiedad, no es en *Fuegos* sino una primera capa poco visible. Fedra no es la Fedra ateniense: es la ardiente culpable que Racine nos presenta. Aquiles y Patroclo son vistos menos a la manera de Homero que a la manera de los poetas, pintores y escultores que le suceden, entre la antigüedad homérica y nosotros; por lo demás, estos dos relatos, abigarrados en diversos puntos con los colores del siglo XX, nos transportan a un mundo onírico que carece de edad. Antígona fue sacada tal cual del drama griego, pero acaso de entre todos los relatos que se desgranan en *Fuegos* sea éste —pesadilla de guerra civil y de rebelión contra una inicua autoridad— el más cargado de elementos contemporáneos o casi premonitorios. La historia de Lena se inspira en lo poco que se conoce de la cortesana que llevó ese nombre y que participó, en el 525 antes de nuestra Era, en la conspiración de Harmodio y Aristogitón; pero el color local griego moderno y la obsesión de las guerras civiles de nuestro tiempo cubre casi por completo el fondo del siglo VI. El monólogo de Clitemnestra incorpora a la Micenas homérica una Grecia rústica perteneciente a la época del conflicto greco-turco de 1924, o de la aventura de los Dardanelos. El de Fedón procede de una indicación que da Diógenes Laercio sobre la adolescencia de este alumno de Sócrates; la Atenas noctámbula de 1935 se superpone en él a la de la juventud dorada de los tiempos de Alcibíades. La historia de María Magdalena se basa en una tradición mencionada en la *Leyenda Áurea* (y rechazada como inauténtica por el autor de ese piadoso volumen), que convertía a la santa en la novia de San Juan, quien la abandona para seguir a Jesús. El Próximo Oriente que se evoca en esta narración, al margen de los Evangelios apócrifos, es el de anteayer y el de siempre, mas en él se introducen unas metáforas y palabras de doble sentido semántico que lo salpican de anacrónicos modernismos. La aventura de Safo se relaciona con Grecia por la leyenda, muy controvertida, del suicidio de la poetisa a causa de un apuesto joven insensible. Pero esta Safo acróbata pertenece al mundo internacional del placer de entreguerras y el incidente del travesti recuerda las comedias shakespearianas más que los temas griegos. Una intención, muy clara, de doble impresión, mezcla en *Fuegos* el pasado con el presente, que se convierte a su vez en pasado.

Todo libro lleva el sello de su época, y es bueno que así sea. Este condicionamiento de una obra por su tiempo se realiza de dos maneras: por una parte, por el color y el olor de la época misma, que impregna más o menos la obra del autor; por la otra, sobre todo cuando se trata de un escritor todavía joven, por el complicado juego de influencias literarias y de reacciones contra esas mismas influencias, y no siempre es fácil distinguir entre sí esas diversas formas de penetración. En «Fedón o el vértigo» descubro fácilmente la influencia del voluptuoso humanismo de Paul Valéry, influencia que aquí vela, con su bella superficie, una vehemencia nada propia de este escritor*. La airada violencia de *Fuegos* reacciona, conscientemente o no, contra Giraudoux, cuya Grecia amable y parisiense me irritaba, como todo aquello que es a un tiempo enteramente opuesto a nosotros y muy próximo. Hoy me percato de que el fondo común de clasicismo adobado al gusto moderno restaba importancia —a no ser para un lector muy atento— a esa profunda diferencia existente entre el mundo de Giraudoux, tan perfectamente instalado en la tradición francesa, y el mundo delirante que yo trataba de pintar. En cambio, me gustaba Cocteau; yo era sensible a su genio mistificador y hechicero; le guardaba cierto ren-

---

* De mi interés por la obra de Paul Valéry da pruebas una alusión al «admirable Pablo» en uno de los primeros pensamientos de la obra. La fórmula del poeta que aquí se menciona, y cuya opinión contraria defiende este pensamiento puede leerse en *Choses tues,* 1932.

cor por rebajarse tan a menudo a realizar sus numeritos de prestidigitación, como si fuera un ilusionista. La franqueza arrogante de la persona que habla en *Fuegos,* con máscara o sin ella, la insolente voluntad de dirigirse sólo al lector ya conquistado, representan un endurecimiento contra ciertos acomodos hábiles y ligeros. Con toda seguridad, el procedimiento de Cocteau me animó a emplear de vez en cuando el antiquísimo procedimiento del «juego de palabras» lírico que, por entonces, empleaban también los surrealistas, aunque de manera algo distinta. No creo que yo me hubiese arriesgado a esas sobrecargas verbales que en *Fuegos* responden a la sobreimpresión temática de la que hablé anteriormente, si los poetas de mi época y no sólo los del pasado no me hubieran dado ejemplo. Otras similitudes, debidas en apariencia a roces literarios contemporáneos provienen, como antes indicaba, de la vida misma.

Así es como la pasión por el espectáculo, en su triple aspecto de ballet, de music-hall y de cine, común a toda la generación que cumplía treinta años hacia 1935, explica que en «Aquiles o la mentira» el relato, típicamente onírico, de Aquiles y Misandra bajando por la escalera de la torre se enrede con la descripción de un ejercicio de trapecio de aquel artista que se llamó Barbette, que casi parecía tener alas, cuando arrastraba tras de sí los clásicos ropajes de las victorias, y a quien yo veía más tarde en Florida, deformado por una terrible caída y enseñando su arte a los equilibristas del circo Barnum; o, asimismo, que en «Fedón o el vértigo», una danza en el cabaret recuerde la danza de los astros. Que en «Patroclo o el destino», el duelo de Aquiles y de la Amazona sea un ballet barroco visto a través de Diaghileff o Massine y «ametrallado» por las cámaras de los cineastas, lo que también es característico de esta atmósfera de juegos angustiados. En «Antígona o la elección», con una anticipación que también pertenece a aquella época, los haces luminosos que siguen por el escenario del libro unas evoluciones de un primer personaje están ya a punto de convertirse en los lúgubres focos de los campos de concentración: esta sensibilización al peligro político que pesaba sobre el mundo ha dejado, en algunos poetas y novelistas de la segunda pre-guerra, huellas innegables; es natural que *Fuegos,* lo mismo que otros libros de aquella época, contengan estas sombras proyectadas.

Llevar más lejos el análisis no daría, sin duda, más que un residuo puramente biográfico: probablemente sólo a mí me importa que «Safo o el suicidio» naciese de un espectáculo de variedades visto en Pera, y que fuera escrito en el puente de un buque de carga amarrado en el Bósforo, mientras el disco que un amigo griego había puesto en su gramófono daba vueltas incansablemente repitiendo la popular cantinela americana: «He goes through the air with the greatest of ease, the daring young man on the flying trapeze»; importa muy poco asimismo que estos ingredientes se hayan mezclado con la leyenda de la antigua poetisa, con el recuerdo de los travestis del Renacimiento, con un eco de los únicos buenos versos que conozco de ese virtuoso-fantástico que fue Banville sobre un payaso proyectado hacia el cielo, con un admirable dibujo de Degas y, finalmente, con un cierto número de siluetas cosmopolitas que por aquellos tiempos llenaban los bares de Constantinopla. Acaso sólo por ese punto de vista de la exégesis puramente literaria valga la pena resaltar que la Atenas de *Fuegos* es la de mis paseos matinales por el antiguo cementerio del Cerámico, con sus malas hierbas y sus tumbas abandonadas, orquestados por el ruido chirriante de una cercana cochera de tranvías; allí donde unas mujeres decían la buenaventura, instaladas en unas chabolas, y predecían el porvenir con los posos de café turco; donde un grupito de hombres y de mujeres jóvenes, algunos de ellos destinados a la muerte súbita o lenta de la guerra, terminaban la larga noche desocupada, animada en ocasiones por los debates sobre la guerra civil española o sobre los méritos respectivos de una artista de cine alemana y su rival sueca, encaminándose, algo ebrios de vino y de música oriental de las tabernas, a contemplar la salida del sol sobre el Partenón. Por un efecto óptico, sin duda muy banal, aquellas cosas y aquellos seres que entonces eran la realidad contemporánea me parecen hoy más lejanos y abolidos por el tiempo que los mitos o las oscuras leyendas con los que yo los mezclé por un instante.

Estilísticamente hablando, *Fuegos* pertenece a la manera tensa y florida que fue mía durante aquel período, alternando con la del relato clásico casi excesivamente discreto. Lejos hoy tanto de uno como de otro estilo, creo haber hablado ya de lo que me siguen pareciendo las virtudes de la narración clásica a la francesa, de su expresión abstracta de las pasiones, del dominio aparente o real que impone al escritor. Sin prejuzgar los méritos o defectos de *Fuegos,* me interesa decir también que el expresionismo casi desmedido de estos poemas continúa pareciéndome una forma de confesión natural y necesaria, un legítimo esfuerzo para no perder nada de la complejidad de una emoción o del fervor de la misma. Esta tendencia, que persiste y renace a cada época en todas las literaturas, pese a las juiciosas limitaciones puristas o clásicas, se empeña —tal vez quiméricamente— en crear un lenguaje totalmente poético, en el que cada palabra, cargada del máximo sentido, revele sus valores escondidos, del mismo modo que, bajo determinadas luces, se revelan las fosforescencias de las piedras. Sigue tratándose de hacer concreto el sentimiento o la idea en unas formas en sí mismas «preciosistas» (el término es en sí mismo revelador), como esas gemas que deben su densidad y su brillo a las presiones y temperaturas casi insostenibles por las que han pasado, o también de obtener del lenguaje las torsiones hábiles que los artesanos del Renacimiento conseguían con el hierro forjado, cuyos complicados entrelazados fueron en un principio un simple hierro al rojo vivo. Lo peor que puede decirse de estas audacias verbales es que aquel que a ellas se entrega corre perpetuamente el riesgo de cometer un abuso o un exceso, del mismo modo que el escritor que se entrega a las lítotes clásicas se codea sin cesar con el peligro de pecar de seca elegancia y de hipocresía.

Si el lector no suele ver más que afectación, en el mal sentido de la palabra, en lo que yo llamaría de buen grado «expresionismo barroco», en el noventa por ciento de los casos suele ser porque el poeta ha cedido al deseo de sorprender, de gustar o de disgustar a toda costa; mas también es cierto que en ocasiones ese mismo lector es incapaz de llegar hasta el final de la idea o de la emoción que el poeta le ofrece, y en donde él no ve, equivocadamente, más que metáforas forzadas y fríos conceptos brillantes y afectados. No es culpa de Shakespeare, sino nuestra, cuando, al comparar el poeta su amor por el destinatario de los *Sonetos* a una tumba pavimentada con los trofeos de sus antiguas pasiones, no sentimos flotar sobre nosotros todos los estandartes de la época elizabethiana. No es culpa de Racine, sino nuestra, cuando el famoso verso que pronuncia Pirro enamorado de Andrómaca —«Ardiendo con más fuegos de los que yo encendí»— no nos hace ver, por detrás de ese amante desesperado, el inmenso incendio de Troya y sentir, donde las gentes de buen gusto no ven más que un equívoco indigno del gran Racine, el oscuro retorno a sí mismo del hombre que ha sido implacable y empieza a saber lo que es sufrir. Este verso en el que Racine —con un procedimiento en él frecuente— reaviva la metáfora de los fuegos del amor, ya utilizada en su tiempo, devolviéndole el esplendor de verdaderas llamas, nos lleva de nuevo a la técnica del juego de palabras lírico que hace, por decirlo así, las dos ramas de una parábola con la misma palabra. Si, volviendo a *Fuegos,* Fedra coge para bajar a los Infiernos unos remos que son a la vez los vagones del metro*, es porque el oleaje humano dando vueltas por los pasillos subterráneos en las horas de afluencia, en nuestras ciudades, es para nosotros la estampa más terrorífica del río de las sombras; si Tetis es a la vez la madre y el mar** es debido a que dicho equívoco (que por lo demás sólo tiene sentido en francés) funde en un todo el doble aspecto de Tetis, madre de Aquiles y Tetis divinidad del mar.

---

* La palabra francesa «rame» significa, al mismo tiempo, remos y vagones de metro. *(N. de la T.)*

** «Mère» (madre) y «Mer» (mar) se pronuncian de la misma manera. *(N. de la T.)*

Podría multiplicar los ejemplos, que en *Fuegos* valdrán lo que valgan. Lo importante es tratar de demostrar que, en estos juegos en que el sentido de una palabra, en efecto, *juega* dentro de su montura sintáctica, no existe una forma deliberada de afectación o de burla, sino que, como en el lapsus freudiano y en las asociaciones de dobles y triples ideas del delirio y del sueño, hay un reflejo del poeta enfrentándose con un tema particularmente rico para él de emociones y peligros. En una obra mía más reciente y muy alejada de todo rebuscamiento de estilo —con mayor razón, de juego estilístico—, espontáneamente, sin darme cuenta de ello, daba lugar a un juego de palabras dando al carcelero de la prisión donde agoniza el héroe del libro el nombre de Herman Mohr*.

Por mucho que yo diga (y aunque en principio sea verdad) que una colección de poemas no necesita comentarios, sé que daré la impresión de rechazar el obstáculo al hablar tan ampliamente de características estilísticas y temáticas —a fin de cuentas, secundarias— y silenciar la experiencia pasional que me inspiró este libro. Pero aparte de que me percato del ridículo que haría comentando una obra que en tiempos deseé no fuera leída jamás, no es éste el lugar apropiado para examinar si el amor total por una persona en particular, con los riesgos que comporta, tanto para sí como para el otro, de inevitable engaño, de abnegación y de humildad auténtica, pero también de violencia latente y de exigencia egoísta, merece o no el lugar exaltado que le han concedido los poetas. Lo que sí parece evidente es que esta noción del amor pasión, escandaloso en ocasiones pero imbuido de una especie de virtud mística, no puede subsistir a no ser asociándolo a una forma cualquiera de fe en la trascendencia, aunque no sea más que en el seno de la persona humana, y que una vez privado del soporte de valores metafísicos y morales que hoy se desprecian —tal vez porque nuestros

* «Mohr» y «Mort» (muerte) se pronuncian de la misma manera. El nombre de Herman Mohr, que aparece en la obra *Opus Nigrum* es el del carcelero del héroe destinado a morir. *(N. de la T.)*

predecesores abusaron de ellos—, el amor locura pronto se convierte en un inútil juego de espejos o en una manía triste. En *Fuegos*, donde yo no creía sino glorificar un amor muy concreto, o acaso exorcizarlo, la idolatría por el ser amado se asocia muy visiblemente a unas pasiones más abstractas, pero no menos intensas, que prevalecen en ocasiones sobre la obsesión sentimental y carnal: en «Antígona o la elección», la elección de Antígona es la justicia; en «Fedón o el vértigo», el vértigo es el del conocimiento; en «María Magdalena o la salvación», la salvación es Dios. No hay en ello sublimación como pretende una fórmula desacertada e insultante para la misma carne, sino oscura percepción de que el amor por una persona determinada, aun siendo tan desgarrador, no suele ser sino un hermoso accidente pasajero, menos real en cierto sentido que las predisposiciones y opciones que lo preceden y que sobrevivirán a él. A través de la fogosidad o de la desenvoltura de este tipo de confesiones casi públicas, ciertos pasajes de *Fuegos* me parecen contener hoy unas verdades entrevistas muy pronto, pero que después habrán requerido toda una vida para tratar de hallarlas y autentificarlas. Este baile de máscaras ha sido una de las etapas de una toma de conciencia.

2 de noviembre de 1967

Espero que este libro no sea leído jamás.

*
* *

Existe entre nosotros algo mejor que un amor: una complicidad.

*
* *

Cuando estás ausente, tu figura se dilata hasta el punto de llenar el universo. Pasas al estado fluido, que es el de los fantasmas. Cuando estás presente, tu figura se condensa; alcanzas las concentraciones de los metales más pesados, del iridio, del mercurio. Muero de ese peso, cuando me cae en el corazón.

*
* *

El admirable Pablo se equivocó. (Me refiero al gran sofista y no al gran predicador.) Para todo pensamiento, para todo amor que entregado a sí mismo empieza a desfallecer, existe un reconstituyente singularmente enérgico que es TODO EL RESTO DEL MUNDO que a él se opone y que no vale tanto como él.

*
* *

Soledad... Yo no creo como ellos creen, no vivo como ellos viven, no amo como ellos aman... Moriré como ellos mueren.

*

* *

El alcohol desembriaga. Después de beber unos sorbitos de coñac, ya no pienso en ti.

Fedra o la desesperación

Fedra lo realiza todo. Abandona su madre al toro, su hermana a la soledad: esas formas de amor no le interesan. Deja su tierra como quien renuncia a los sueños; reniega de su familia y vende sus recuerdos como antigüedades. En ese ambiente, en que la inocencia es un crimen, asiste asqueada a lo que ella acabará por ser. Su destino, visto desde fuera, la horroriza; aún no lo conoce bien: sólo en forma de inscripciones en la muralla del Laberinto. Se arranca mediante la huida a su espantoso futuro. Se casa distraídamente con Teseo igual que Santa María Egipcíaca pagaba con su cuerpo el precio de su pasaje; deja que se hundan hacia el Oeste, envueltos en una niebla de fábula, los mataderos gigantescos de su especie de América cretense. Desembarca, impregnada de olor a rancho y a venenos de Haití, sin darse cuenta de que lleva consigo la lepra, contraída bajo un tórrido Trópico del corazón. Su estupor al ver a Hipólito es como el de una viajera que ha desandado camino sin saberlo: el perfil de aquel niño le recuerda a Cnosos y al hacha de dos filos. Ella lo odia, ella lo cría; él crece contra ella, rechazado por su odio, habituado desde siempre a desconfiar de las mujeres, obligado desde el colegio, desde las vacaciones de Año Nuevo, a saltar los obstáculos que en torno a él erige la enemistad de una madrastra. Está celosa de sus flechas, es decir, de sus víctimas; de sus compañeros, es decir, de su soledad. En esa selva virgen que es el lugar de Hipólito planta ella, a pesar suyo, los hitos del palacio de Minos: traza a través de las malezas el camino de dirección única hacia la Fatalidad. Crea a Hipólito a cada instante. Su amor es un incesto. No puede matar al muchacho sin cometer una especie de infanticidio. Fabrica su belleza, su castidad, sus debilidades; las extrae del fondo de sí misma; separa de él esa pureza detestable para poder odiarla en forma de insípida virgen: forja por completo a la inexistente Aricia. Se embriaga con el sabor de lo imposible, único alcohol que sirve de base a todas las mezclas de la desgracia. En el lecho de Teseo, siente el amargo placer de engañar de hecho al que ama y con la imaginación al que no ama. Es madre: tiene hijos como quien tiene remordimientos. Entre las sábanas humedecidas con el sudor de la fiebre, se consuela mediante susurros de confesiones, como aquellas confidencias de su infancia que balbuceaba abrazada al cuello de su nodriza. Mama su desgracia; se convierte, por fin, en la miserable sirvienta de Fedra. Ante la frialdad de Hipólito, imita al sol cuando choca con un cristal: se transforma en espectro. Habita su cuerpo como si del propio infierno se tratara. Reconstruye un Laberinto en el fondo de sí misma, en donde no puede por menos de encontrarse: el hilo de Ariadna ya no la ayuda a salir pues se lo enrolla en el corazón. Se queda viuda: por fin puede llorar sin que le pregunten por qué; pero el negro no le sienta bien a su figura sombría: siente rencor hacia su luto, porque engaña sobre su dolor. Libre de Teseo, soporta su esperanza como un vergonzoso embarazo póstumo. Se dedica a la política para distraerse de sí misma: acepta la Regencia de la misma manera que aceptaría tejerse un chal. El retorno de Teseo se produce demasiado tarde para que ella vuelva al mundo de las fórmulas, en donde se atrinchera aquel hombre de Estado; sólo puede entrar allí por la rendija del subterfugio; se inventa, alegría tras alegría, la violación con que acusa a Hipólito, de suerte que su mentira es para ella como saciar un deseo. Dice la verdad: ha soportado los peores ultrajes; su impostura no es sino una traducción. Toma veneno, pues se halla mitridatizada contra ella misma; la desaparición de Hipólito produce el vacío a su alrededor; aspirada por ese vacío, se hunde en la muerte. Se confiesa antes de morir, para tener el placer de hablar por última vez de su crimen. Sin cambiar de lugar, regresa al palacio familiar donde la culpa es inocencia. Empujada por la cohorte de sus antepasados, se desliza por aquellos pasillos de metro, llenos de un olor animal, donde remos y vagones se hunden en el agua espesa de la laguna Estigia, donde los raíles relucientes sólo proponen el suicidio o la partida. En el fondo de las galerías mineras de su Creta subterránea acabará por encontrar al joven, desfigurado por sus mordiscos de fiera, pues dispone de todos los caminos recónditos de la eternidad para reunirse con él. No lo ha vuelto a ver, desde la gran escena del tercer acto; ella ha muerto por su causa; a causa de ella, él no ha vivido. Él sólo le debe la muerte, mientras que ella le debe los espasmos de una inextinguible agonía. Tiene derecho a hacerle responsable de su crimen, de su inmortalidad sospechosa en labios de los poetas, que la utilizarán para expresar sus aspiraciones al incesto, del mismo modo que el chófer, que yace en la carretera con el cráneo aplastado, puede acusar al árbol contra el que fue a chocar. Como toda víctima, fue asimismo su verdugo. Palabras definitivas van a salir por fin de sus labios, que ya no tiemblan de esperanza. ¿Qué irá a decir? Probablemente «gracias».

En el avión, cerca de ti, ya no le tengo miedo al peligro. Uno sólo muere cuando está solo.

*
* *

Nunca seré vencida. Sólo a fuerza de vencer. Puesto que cada una de las trampas que sorteo me encierran en el amor, que acabará por ser mi tumba, terminaré mi vida en un calabozo de victorias. Sólo la derrota encuentra llaves y abre puertas. La muerte, para alcanzar al fugitivo, se ve obligada a moverse, a perder esa fijeza que nos hace reconocer en ella al duro contrario de la vida. Nos da la muerte del cisne golpeado en pleno vuelo; la de Aquiles, agarrado por los cabellos por no se sabe qué Razón sombría. Como en el caso de la mujer asfixiada en el vestíbulo de su casa de Pompeya, la muerte no hace sino prolongar en el otro mundo los corredores de la huida. Mi muerte, la mía, será de piedra. Conozco las pasarelas, los puentes giratorios, todas las zapas de la Fatalidad. No puedo perderme. La muerte, para acabar conmigo, tendrá que contar con mi complicidad.

*
* *

¿Te has dado cuenta de que aquellos a quienes fusilan se desploman, caen de rodillas? Con el cuerpo flojo, pese a las cuerdas, se doblan como si se desvanecieran una vez pasado todo. Hacen como yo. Adoran a su muerte.

No hay amor desgraciado: no se posee sino lo que no se posee. No hay amor feliz: lo que se posee, ya no se posee.

No hay nada que temer. He tocado fondo. No puedo caer más bajo que tu corazón.

Aquiles o la mentira

Habían apagado todas las lámparas. Las sirvientas, en la sala de abajo, tejían a ciegas los hilos de una inesperada trama, que se convertía en la de las Parcas; un inútil bordado colgaba de las manos de Aquiles. El vestido negro de Misandra ya no se distinguía del vestido rojo de Deidamía; el vestido blanco de Aquiles parecía verde bajo la luna. Desde la llegada de aquella joven extranjera en que todas las mujeres presentían un dios, el temor se había introducido en la Isla como una sombra acostada a los pies de la belleza. El día ya no era día, sino la máscara rubia de las tinieblas. Los senos de mujer se hacían coraza en un pecho de soldado. En cuanto Tetis vio formarse en los ojos de Júpiter la película de los combates en que sucumbiría Aquiles, buscó por todos los mares del mundo una isla, una roca, un lecho estanco para flotar sobre el porvenir. Aquella diosa inquieta rompió los cables submarinos que transmitían a la Isla el fragor de las batallas, reventó el ojo del faro que guiaba a los navíos, echó a fuerza de tempestades a los pájaros migratorios que podían llevarle a su hijo mensajes de sus hermanos de armas. Como las campesinas que visten de mujer a sus hijos enfermos para despistar a la Fiebre, ella lo había vestido con sus túnicas de diosa para engañar a la Muerte. Aquel hijo infectado de mortalidad le recordaba la única culpa de su juventud divina: se había acostado con un hombre sin tomar la banal precaución de convertirlo en dios. En el hijo se encontraban los toscos rasgos del padre, revestidos de una belleza que sólo de ella procedía y que algún día le harían más penosa la obligación de morir. Envuelto en sedas, en mil velos de gasa, enredado en collares de oro, Aquiles se había introducido, por orden suya, en la torre de las doncellas; acababa de salir del colegio de los Centauros: cansado de bosques, soñaba con cabelleras; harto de gargantas salvajes, soñaba con senos de mujer. El refugio femenino donde lo encerraba su madre se transformó, para aquel emboscado, en una sublime aventura; era preciso entrar, con la protección de un corsé o de un vestido, en ese amplio continente inexplorado de la Mujer en donde el hombre no ha penetrado hasta ahora sino como un vencedor, y a la luz de los incendios de amor. Tránsfuga del campo de los machos, Aquiles venía a intentar aquí la suerte única de ser algo diferente a sí mismo. Para los esclavos, él pertenecía a la raza asexuada de los amos; el padre de Deidamía llevaba la aberración hasta amar en él a la virgen que no era; tan sólo las dos primas se negaban a creer en aquella muchacha demasiado parecida a la imagen ideal que un hombre se hace de las mujeres. Aquel joven ignorante de las realidades del amor empezaba, en el lecho de Deidamía, su aprendizaje de luchas, estertores y subterfugios; su desvanecimiento sobre aquella tierna víctima servía de sustituto a un goce más terrible, que él no sabía dónde tomar, cuyo nombre ignoraba y que no era otro sino la Muerte. El amor de Deidamía, los celos de Misandra rehacían de él el duro contrario de una mujer. Ondeaban las pasiones en la torre como chales de seda atormentados por la brisa. Aquiles y Deidamía se aborrecían como los que se aman; Misandra y Aquiles se amaban como los que se aborrecen. Aquella enemiga de fuertes músculos se convertía para Aquiles en lo equivalente a un hermano; aquel rival delicioso enternecía a Misandra como si fuera una especie de hermana. Cada ola que por la Isla pasaba traía consigo unos mensajes: los cadáveres griegos, impulsados a alta mar por inauditos vientos, eran otros tantos residuos del ejército naufragado por no tener ayuda de Aquiles. Buscábanlos los proyectores bajo un disfraz de astro. La gloria, la guerra, vagamente entrevistas entre las nieblas del porvenir, le parecían queridas exigentes cuya posesión le obligaría a cometer innumerables crímenes: en el fondo de aquella prisión de mujeres creía poder escapar a los ruegos de sus futuras víctimas. Una barca embarazada de reyes hizo un alto al pie del apagado faro, que no era sino un escollo más: Ulises, Patroclo y Tersites, advertidos por una carta anónima, habían anunciado su visita a las princesas. Misandra, de súbito complaciente, ayudaba a Deidamía a colocar unas horquillas en el pelo de Aquiles. Sus anchas manos temblaban, como si acabara de dejar caer un secreto. Las puertas abiertas de par en par dejaron entrar a la noche, a los reyes, al viento, al cielo cuajado de signos. Tersites respiraba agitadamente, cansado de subir la escalera de los mil escalones y se frotaba con las manos sus angulosas rodillas de inválido: parecía un rey que, por cicatería, se hubiera convertido en su propio bufón. Patroclo, vacilante ante el hurón escondido entre aquellas Damas, tendía al azar sus manos enguantadas de hierro. La cabeza de Ulises recordaba una moneda usada, roída y herrumbrosa, en la que aún se distinguían las facciones del rey de Ítaca. Con la mano a modo de visera, como un marino en la punta de un mástil, examinaba a las princesas adosadas a la pared como una triple estatua de mujer. Los cabellos cortos de Misandra, sus grandes manos que sacudían con fuerza las de los jefes, su desenfado, hicieron que, en un principio, él la tomara por escondite de un varón. Los marineros de la escolta desclavaban unos cajones y desembalaban —mezcladas con los espejos, las joyas y los neceseres de esmalte— las armas de Aquiles, que él sin duda se apresuraría a esgrimir. Pero los cascos que manejaban las seis manos pintadas recordaban los que utilizan los peluqueros; los cintos reblandecidos se convertían en cinturones femeninos; entre los brazos de Deidamía, un escudo redondo parecía una cuna. Como si el disfraz fuera un maleficio del que nada escapaba en la Isla, el oro se convertía en plata sobredorada, los marinos en máscaras y los reyes en buhoneros. Tan sólo Patroclo resistía al sortilegio, lo rompía como una hoja desnuda. Un grito de admiración de Deidamía lo señaló a la atención de Aquiles, que saltó hacia aquel acero vivo, tomó entre sus manos la dura cabeza cincelada como el pomo de una espada, sin percatarse de que sus velos, sus pulseras y sus sortijas hacían de su ademán un arrebato de enamorada. La lealtad, la amistad, el heroísmo, dejaban de ser palabras de hipócritas que disfrazan sus almas: la lealtad residía en aquellos ojos que permanecían límpidos ante el amasijo de mentiras; la amistad podría albergarse en los corazones de ambos; la gloria sería su porvenir. Patroclo, ruborizándose, rechazó aquel abrazo de mujer. Aquiles retrocedió, dejó caer los brazos, vertió unas lágrimas que no hacían sino perfeccionar su disfraz de doncella, pero que proporcionaron a Deidamía nuevas razones para preferir a Patroclo. Miradas, sonrisas interceptadas como si fueran una correspondencia amorosa, la turbación del joven abanderado, medio ahogado por aquella marea de encajes, convirtieron el desconcierto de Aquiles en un furioso ataque de celos. El muchacho vestido de bronce eclipsaba las imágenes nocturnas que de Deidamía conservaba Aquiles, y el uniforme superaba, a sus ojos de mujer, el pálido destello de un cuerpo desnudo. Aquiles cogió torpemente una espada, que soltó inmediatamente, y utilizó sus manos para apretar el cuello de Deidamía, sus manos envidiosas del éxito de una compañera. Los ojos de la mujer estrangulada saltaron como dos largas lágrimas; intervinieron los esclavos; las puertas, al cerrarse con un ruido de millares de suspiros, ahogaron los últimos estertores de Deidamía: los reyes, desconcertados, se hallaron al otro lado del umbral. La habitación de las Damas se llenó de una oscuridad sofocante, interna, que nada tenía que ver con la noche. Aquiles, arrodillado, escuchaba cómo la vida de Deidamía se escapaba de su garganta lo mismo que el agua del cuello demasiado estrecho de una jarra. Se sentía más separado que nunca de aquella mujer que él había tratado, no sólo de poseer, sino de ser: cada vez menos cercana, a medida que él iba apretando su cuello, el enigma de ser una muerta venía a añadirse en ella al misterio de ser una mujer. Palpaba con horror sus senos, sus caderas, sus cabellos desnudos. Se levantó, tanteando las paredes en donde ya no se abría ninguna salida, avergonzado de no haber reconocido en los reyes los secretos emisarios de su propio valor, seguro de haber dejado escapar su única probabilidad de ser un dios. Los astros, la venganza de Misandra, la indignación del padre de Deidamía, se unirían para mantenerlo encerrado en aquel palacio sin fachada a la gloria: sus mil pasos en torno al cadáver compondrían en lo sucesivo la inmovilidad de Aquiles. Unas manos casi tan frías como las de Deidamía se posaron en su hombro: se quedó estupefacto al oír a Misandra proponerle la huida antes de que estallara sobre él la cólera del padre todopoderoso. Confió su muñeca a la mano de aquella fatal amiga y siguió los pasos de aquella muchacha, que tan bien se desenvolvía en las tinieblas, sin saber si Misandra obedecía a un rencor o a una gratitud sombría, si llevaba por guía a una mujer que se vengaba o a una mujer a quien él había vengado. Las puertas cedían y luego volvían a cerrarse: las desgastadas baldosas se hundían suavemente bajo sus pies como el blando hueco de una ola; Aquiles y Misandra continuaban su descenso en espiral, cada vez más deprisa, como si su vértigo fuera un peso. Misandra contaba los escalones, desgranaba en voz alta una suerte de rosario de piedra. Por fin encontraron una puerta que daba al acantilado, a los diques, a las escaleras del faro: el aire salado como la sangre y las lágrimas brotó y salpicó el rostro de la extraña pareja aturdida por aquella marea de frescor. Con una risa dura, Misandra detuvo a la hermosa criatura, ya preparada para saltar, y le tendió un espejo en donde el alba le permitía ver su rostro, como si ella no hubiera consentido en llevarlo hasta la luz del día sino para infligirle, en un reflejo más espantoso que el vacío, la prueba pálida y maquillada de su no-existencia de dios. Pero su palidez de mármol, sus cabellos que ondeaban al viento como el penacho de un casco, su maquillaje mezclado con el llanto que se le pegaba a las mejillas como la sangre de un herido, mostraban, al contrario, dentro del estrecho marco, todos los futuros aspectos de Aquiles, como si aquel delgado espejo hubiera encarcelado al porvenir. La hermosa criatura solar se arrancó el cinturón, se deshizo del chal y quiso liberarse de sus asfixiantes gasas, pero temió exponerse más al fuego de los centinelas si cometía la imprudencia de mostrarse desnudo. Durante un instante, la más dura de aquellas dos mujeres divinas se inclinó sobre el mundo, dudando si tomar sobre sus propios hombros la carga del destino de Aquiles, de Troya en llamas y de Patroclo vengado, ya que ni el más perspicaz de los dioses o de los carniceros hubiera podido distinguir aquel corazón de hombre de su propio corazón. Prisionera de sus senos, Misandra empujó las dos hojas de la puerta, que gimieron en su nombre, e impulsó con el codo a Aquiles hacia todo lo que ella no podría ser. La puerta volvió a cerrarse tras la enterrada viva: libre como un águila, Aquiles corrió a lo largo de la barandilla, bajó precipitadamente las escaleras, descendió veloz por las murallas, saltó precipicios, rodó como una granada, se disparó como una flecha, voló como una Victoria. Las rocas le rasgaban los vestidos sin morder su carne invulnerable: la ágil criatura se detuvo, desató sus sandalias y ofreció a las plantas de sus pies descalzos una probabilidad de ser heridas. La escuadra levaba anclas: se oían voces de sirenas que cruzaban el mar; la arena, agitada por el viento, apenas grababa los pies ligeros de Aquiles. Una cadena tensada por la resaca amarraba la barca al malecón y sus máquinas se estremecían para una próxima marcha: Aquiles se subió al cable de las Parcas con los brazos abiertos, sostenido por las alas de sus chales flotantes, protegido como por blanca nube por las gaviotas de su madre marina. De un salto, aquella muchacha despeinada en quien nacía un dios subió a la popa del navío. Los marineros se arrodillaron, prorrumpieron en exclamaciones, saludaron con maravillados exabruptos la llegada de la Victoria. Patroclo abrió los brazos, creyó reconocer a Deidamía; Ulises movió la cabeza; Tersites se echó a reír. Nadie sospechaba que aquella diosa no era una mujer.

Un corazón es tal vez algo sucio. Pertenece a las tablas de anatomía y al mostrador del carnicero. Yo prefiero tu cuerpo.

*
* *

Nos rodea la atmósfera de Leysin, de Montana, de los sanatorios de alta montaña, acristalados como acuarios, gigantescas reservas donde continuamente acude a pescar la Muerte. Los enfermos escupen confidencias sanguinolentas, intercambian bacilos, comparan cuadros de temperatura, se instalan en una camaradería de peligros. ¿Quién tiene más lesiones, tú o yo?

*
* *

¿Adónde huir? Tú llenas el mundo. No puedo huir más que en ti.

*
* *

El Destino es alegre. Quien preste a la Fatalidad una especie de hermosa máscara trágica no conoce de ella sino sus disfraces de teatro. Un bromista pesado y desconocido repite el mismo burdo estribillo hasta las náuseas de la agonía. Flota en torno a la Suerte un indefinido olor a habitación de niño, a caja barnizada de donde salen los diablos de la Costumbre, a arma-

rios en donde se escondían nuestras criadas, grotescamente ata-
viadas, para darnos un susto con la esperanza de oírnos gritar.
Los personajes de las Tragedias se estremecen, brutalmente alte-
rados por la risotada del trueno. Antes de ser ciego, Edipo no
hizo otra cosa durante toda su vida sino jugar a la gallina ciega
con la Suerte.

*
* *

Por mucho que yo cambie, mi destino no cambia. Cualquier figura puede inscribirse en el interior de un círculo.

*
* *

Nos acordamos de nuestros sueños, pero no recordamos
nuestro dormir. Tan sólo dos veces penetré en esos fondos, sur-
cados por las corrientes, en donde nuestros sueños no son más
que restos de un naufragio de realidades sumergidas. El otro
día, borracha de felicidad como uno se emborracha de aire al
final de una larga carrera, me eché en la cama a la manera del
nadador que se lanza de espaldas, con los brazos en cruz: caí en
un mar azul. Adosada al abismo como una nadadora que hace
el muerto, sostenida por la bolsa de oxígeno de mis pulmones
llenos de aire, emergí de aquel mar griego como una isla recién
nacida. Esta noche, borracha de dolor, me dejo caer en la cama
con los gestos de una ahogada que se abandona: cedo al sueño
como a la asfixia. Las corrientes de recuerdos persisten a través
del embrutecimiento nocturno, me arrastran hacia una especie
de lago Asfaltita. No hay manera de hundirse en esta agua satu-
rada de sales, amarga como la secreción de los pájaros. Floto
como la momia en su asfalto, con la aprensión de un despertar
que será, todo lo más, un sobrevivir. El flujo y reflujo del sueño
me hacen dar vueltas, a pesar mío, en esta playa de batista. A cada

momento, mis rodillas tropiezan con tu recuerdo. El frío me despierta, como si me hubiera acostado con un muerto.

*
* *

Soporto tus defectos. Uno se resigna a los defectos de Dios. Soporto tu ausencia. Uno se resigna a la ausencia de Dios.

*
* *

Un niño es un rehén. La vida nos tiene atrapados.

*
* *

Lo mismo ocurre con un perro, con una pantera o con una cigarra. Leda decía: «Ya no soy libre para suicidarme desde que me he comprado un cisne».

Patroclo o el destino

Una noche o, más bien, un día impreciso caía sobre el llano: no hubiera podido decirse en qué dirección iba el crepúsculo. Las torres parecían rocas al pie de las montañas que parecían torres. Casandra aullaba sobre las murallas, dedicada al horrible trabajo de dar a luz al porvenir. La sangre se pegaba, como si fuera colorete, a las mejillas irreconocibles de los cadáveres. Helena pintaba su boca de vampiro con una barra de labios que recordaba a la sangre. Desde hacía muchos años, se habían instalado allí, en una especie de rutina roja en donde la paz se mezclaba con la guerra, como la tierra y el agua en las nauseabundas regiones de las marismas. La primera generación de héroes —que había acogido la guerra como un privilegio, casi como una investidura—, al ser segada por los carros, dio lugar a un contingente de soldados que la aceptaron como un deber, para después soportarla como un sacrificio. La invención de los tanques abrió brechas enormes en aquellos cuerpos que ya no existían sino a la manera de parapetos; una tercera ola de asaltantes se abalanzó contra la muerte; aquellos jugadores que apostaban en cada jugada el máximo de su vida cayeron al fin como si se suicidaran, golpeados por la bola en la casilla roja del corazón. Ya había pasado el tiempo de las ternuras heroicas en que el adversario era el reverso sombrío del amigo. Ifigenia había muerto, fusilada por orden de Agamenón, acusada de haber tomado parte en el motín de las tripulaciones del mar Negro; Paris había quedado desfigurado por la explosión de una granada; Polixeno acababa de sucumbir de tifus en el hospital de Troya; las Oceánidas, arrodilladas en la playa, ya no trataban de espantar las moscas azules del cadáver de Patroclo. Desde la muerte del amigo que había llenado el mundo y lo había reemplazado, Aquiles no abandonaba su tienda alfombrada de sombras: desnudo, acostado en el suelo como si se esforzara por imitar al cadáver, se dejaba roer por los piojos del recuerdo. Cada vez con más frecuencia, la muerte le parecía un sacramento del que sólo son dignos los más puros: muchos hombres se deshacen, pero pocos hombres mueren. Todas las particularidades que recordaba al pensar en Patroclo —su palidez, sus hombros rígidos, más bien altos, sus manos que siempre estaban algo frías, el peso de su cuerpo desplomándose en el sueño con densidad de piedra— adquirían por fin su pleno sentido de atributos póstumos, como si Patroclo hubiera sido, estando vivo, un esbozo de cadáver. El odio inconfesado que duerme en el fondo del amor predisponía a Aquiles hacia la tarea de escultor: envidiaba a Héctor por haber rematado aquella obra maestra; tan sólo él tenía derecho a arrancar los últimos velos que el pensamiento, el ademán, el hecho mismo de estar vivo interponían entre ellos, para descubrir a Patroclo en su suprema desnudez de muerto. En vano los jefes troyanos mandaban anunciar, al son de las trompetas, sabias luchas cuerpo a cuerpo, despojadas de la ingenuidad de los primeros años de guerra: viudo de aquel compañero, que merecía ser un enemigo, Aquiles ya no mataba, para no suscitarle a Patroclo rivales de ultratumba. De cuando en cuando resonaban gritos; unas sombras con cascos pasaban por la roja pared: desde que Aquiles se encerraba en aquel muerto, los vivos no se mostraban a él sino en forma de fantasmas. Una humedad traidora subía del suelo desnudo; el paso de los ejércitos hacía temblar la tienda; las estacas oscilaban en aquella tierra que ya no las sujetaba; los dos campos reconciliados luchaban con el río que se esforzaba por ahogar al hombre: el pálido Aquiles entró en aquella noche de fin del mundo. Lejos de ver en los vivos a los precarios supervivientes de una marea-de-muerte que seguía amenazando, eran los muertos ahora los que le parecían sumergidos por el inmundo diluvio de los vivos. Contra el agua inestable, animada y sin forma, Aquiles defendía las piedras y el cemento que sirven para fabricar tumbas.

Cuando el incendio, que bajaba de los bosques del Ida, llegó al puerto y lamió el vientre de los navíos, Aquiles tomó partido contra los troncos, los mástiles, las velas insolentemente frágiles y se puso a favor del fuego, que no teme abrasar a los muertos en el lecho de madera que forman las hogueras. Unos extraños pueblos primitivos desembocaban de Asia como si fueran ríos: contagiado de la locura de Ajax, Aquiles degolló aquellos carneros, sin reconocer en ellos siquiera unos lineamentos humanos. Le enviaba a Patroclo aquella manada para que pudiera cazar en el otro mundo. Luego aparecieron las Amazonas: una inundación de senos cubrió las colinas del río: el ejército se estremecía al oler aquellas sueltas melenas. Las mujeres representaban para Aquiles, desde siempre, la parte instintiva de la desgracia, aquella cuya forma él no había escogido y que tenía que soportar sin poder aceptarla. Le reprochaba a su madre que hubiera hecho de él un mestizo, a mitad de camino entre el dios y el hombre, arrebatándole así casi todo el mérito que los hombres tienen en hacerse dioses. Le guardaba rencor por haberle llevado, siendo niño, a los baños de la Estigia para inmunizarlo contra el miedo, como si el heroísmo no consistiera en ser vulnerable. Se hallaba resentido con las hijas de Licomedes por no haber reconocido, bajo su máscara, lo contrario de un disfraz. No perdonaba a Briseida la humillación de haberla amado. Su espada se hundió en aquella jalea color de rosa, cortó nudos gordianos de vísceras; las mujeres aullaban y parían la muerte por la brecha de sus heridas, se enredaban como los caballos en la corrida con sus entrañas enmarañadas. Pentesilea se separó de aquel amasijo de mujeres pisoteadas, como un duro hueso se separa de una pulpa desnuda. Se había bajado la visera para que nadie se enterneciera mirando sus ojos: sólo ella osaba renunciar a la astucia de no llevar velos. Bajo su coraza y su casco, con una máscara de oro, aquella Furia mineral sólo tenía de humano los cabellos y la voz, pero sus cabellos eran de oro y a oro sonaba aquella voz pura. Era la única, entre sus compañeras, que había consentido en cortarse un seno, pero aquella mutilación apenas se notaba en su pecho de diosa. Arrastraron por los cabellos a las muertas fuera de la arena; hicieron calle los soldados, y transformaron el campo de batalla en un campo cerrado; empujaron a Aquiles al centro de un círculo donde el asesinato era para él la única salida. Sobre aquel decorado caqui, arenoso salobre, azul horizonte, la armadura de la Amazona cambiaba de forma con los siglos, de color con los focos. Combatiendo con aquella eslava, que de cada finta hacía un paso de baile, el cuerpo a cuerpo se convertía en torneo, después en ballet ruso. Aquiles avanzaba, luego retrocedía, unido a ese metal que contenía una hostia, invadido por el amor que se hallaba en el fondo del odio. Lanzó su arma con todas sus fuerzas, como para romper un encantamiento, reventó la frágil coraza que interponía, entre aquella mujer y él, no se sabe qué puro soldado. Pentesilea cayó como quien cede, incapaz de resistir la violación del hierro. Precipitáronse los enfermeros; se oyó crepitar la ametralladora de las cámaras; unas manos impacientes desollaban el cadáver de oro. Al levantar la visera descubrieron, en lugar de un rostro, una máscara de ojos ciegos a la que ya no llegarían los besos. Aquiles sollozaba, sostenía la cabeza de aquella víctima digna de ser un amigo. Era el único ser en el mundo que se parecía a Patroclo.

No darse ya es seguir dándose. Es dar nuestro sacrificio.

*
* *

No hay nada más sucio que el amor propio.

*
* *

El crimen del loco consiste en que se prefiere a los demás. Esta preferencia impía me repugna en los que matan y me espanta en los que aman. La criatura amada ya no es, para esos avaros, sino una moneda de oro en que crispar los dedos. Ya no es un dios: apenas es una cosa. Me niego a hacer de ti un objeto, ni siquiera el Objeto amado.

*
* *

Lo único horrible es no servir para nada. Haz de mí lo que quieras, incluso una pantalla, incluso un metal buen conductor.

*
* *

Podrías hundirte de un solo golpe en la nada, adonde van los muertos: yo me consolaría si me dejaras tus manos en herencia. Sólo tus manos subsistirían, separadas de ti, inexplicables como las de los dioses de mármol convertidos en polvo y cal de su propia tumba. Sobrevivirían a tus actos, a los miserables cuerpos que han acariciado. Entre las cosas y tú no harían ya de intermediarias: ellas mismas se transformarían en cosas. Inocentes de nuevo, pues tú ya no estarías para hacer de ellas tus cómplices, tristes como galgos sin dueño, desconcertadas como arcángeles a quienes ningún dios da ya órdenes, tus inútiles manos reposarían sobre las rodillas de las tinieblas. Tus manos abiertas, incapaces de dar o de recibir ninguna alegría, me habrían dejado caer como una muñeca rota. Beso, a la altura de la muñeca, esas manos indiferentes que tu voluntad no aparta ya de las mías; acaricio la arteria azul, la columna de sangre que, antaño, incesante como el chorro de una fuente, surgía del suelo de tu corazón. Con sollozos pequeños y satisfechos reposo la cabeza como una niña entre esas palmas llenas de estrellas, de cruces, de precipicios de lo que fue mi destino.

No tengo miedo de los espectros. Sólo son terribles los vivos, porque poseen un cuerpo.

*
* *

No hay amores estériles. Y es inútil tomar precauciones. Cuando te dejo llevo dentro de mí el dolor, como una especie de hijo horrible.

Antígona o la elección

¿Qué dice el mediodía profundo? El odio se cierne sobre Tebas como un espantoso sol. Desde que murió la Esfinge, la innoble ciudad no tiene secretos: todo acaece de día. La sombra baja a ras de las casas, al pie de los árboles, como el agua insípida al fondo de las cisternas: las habitaciones ya no son pozos de oscuridad, almacenes de frescor. Los transeúntes parecen sonámbulos de una interminable noche blanca. Yocasta se ha estrangulado para no ver el sol. La gente duerme de día, ama de día. Los durmientes acostados al aire libre parecen suicidas; los amantes son como perros que copulan al sol. Los corazones están tan secos como los campos; el corazón del nuevo rey está tan seco como la roca. Tanta sequedad llama a la sangre. El odio infecta las almas; las radiografías del sol roen las conciencias sin reducir su cáncer. Edipo se ha quedado ciego de tanto manipular esos rayos oscuros. Sólo Antígona soporta las flechas que dispara la lámpara de arco de Apolo, como si el dolor le sirviera de gafas oscuras. Abandona aquella ciudad de arcilla cocida al fuego, donde los rostros endurecidos se hallan modelados con la tierra de las tumbas. Acompaña a Edipo fuera de la ciudad cuyas puertas, abiertas de par en par, parecen vomitarlo. Guía por los caminos del exilio al padre que es, al mismo tiempo, su trágico hermano mayor: bendice la venturosa culpa que lo arrojó sobre Yocasta, como si el incesto con la madre no hubiera sido para él sino una manera de engendrar una hermana. No descansará hasta verlo reposar en una noche más definitiva que la ceguera humana, acostado en el lecho de las Furias que se transforman inmediatamente en diosas protectoras, pues todo dolor al que uno se abandona acaba por convertirse en serenidad. Rechaza la limosna de Teseo, que le ofrece vestidos, ropa blanca y un sitio en el coche público, para volver a Tebas; regresa a pie a la ciudad, que convierte en crimen lo que sólo es un desastre, en exilio lo que no es sino una partida, en castigo lo que no es más que una fatalidad. Despeinada, sudorosa, objeto de irrisión para los locos y de escándalo para los cuerdos, sigue a campo traviesa la pista de los ejércitos sembrada de botellas vacías, de zapatos usados, de enfermos abandonados que los pájaros de presa toman ya por cadáveres. Se dirige hacia Tebas, como San Pedro a Roma, para dejarse crucificar. Atraviesa los siete círculos de los ejércitos que acampan en torno a Tebas, deslizándose invisible como una lámpara en el rojo Infierno. Entra por una puerta disimulada en las murallas, coronadas de cabezas cortadas, como en las ciudades chinas. Se desliza por las calles vacías a causa de la peste del odio, sacudidas en sus cimientos por el paso de los carros de asalto; trepa hasta las plataformas en donde mujeres y niñas gritan de alegría cada vez que un disparo respeta a uno de los suyos; su cara exangüe entre las largas trenzas negras ocupa un lugar en las almenas, en la fila de cabezas cortadas. No elige a sus hermanos enemigos, ni tampoco la garganta abierta ni las manos repugnantes del hombre que se suicida: los gemelos son para ella un sobresalto de dolor, como antes lo fueron de gozo en el vientre de Yocasta. Espera la derrota para dedicarse al vencido, como si la desgracia fuera un juicio de Dios. Vuelve a bajar, arrastrada por el peso de su corazón, hacia los bajos fondos del campo de batalla; anda sobre los muertos como Jesús sobre el mar. Entre aquellos hombres, nivelados por la descomposición que comienza, reconoce a Polinice por su desnudez expuesta como una siniestra ausencia de fraude, por la soledad que le rodea como una guardia de honor. Vuelve la espalda a la baja inocencia que consiste en castigar. Aun estando vivo, el cadáver oficial de Eteocles, ya frío por sus actos, se halla momificado en la mentira de la gloria. Aun estando muerto, Polinice existe igual que el dolor. Ya no acabará ciego como Edipo, ni vencerá como Eteocles, ni reinará como Creonte; no puede inmovilizarse; sólo puede pudrirse. Vencido, despojado, muerto, ha alcanzado el fondo de la miseria humana; nada se interpone entre ellos, ni siquiera una virtud, ni siquiera un minúsculo honor. Inocentes de las leyes, escandalosos ya en la cuna, envueltos en el crimen como en una misma membrana, tienen en común su espantosa virginidad que consiste en no ser ya de este mundo: sus dos soledades se encuentran exactamente igual que dos bocas en un beso. Ella se inclina sobre él como el cielo sobre la tierra, volviendo a formar así en su integridad el universo de Antígona: un oscuro instinto de posesión la inclina hacia ese culpable que nadie va a disputarle. Aquel muerto es la urna vacía donde echar, de una sola vez, todo el vino de un gran amor. Sus delgados brazos levantan trabajosamente el cuerpo que le disputan los buitres: lleva a su crucificado como quien lleva una cruz. Desde lo alto de las murallas, Creonte ve llegar a aquel muerto sostenido por su alma inmortal. Se abalanzan unos pretorianos, que arrastran fuera del cementerio a esta gárgola de la Resurrección: sus manos acaso desgarren en el hombro de Antígona una túnica sin costuras, se apoderan del cadáver que empieza a disolverse, que se derrama como un recuerdo. Cuando se ve libre de su muerto, aquella muchacha que baja la frente parece soportar el peso de Dios. Creonte se enfurece al verla, como si sus harapos cubiertos de sangre fueran una bandera. La ciudad sin compasión ignora los crepúsculos: el día oscurece de golpe, como una bombilla fundida que deja de dar luz. Si el rey levantara la cabeza, los faroles de Tebas le ocultarían ahora las leyes inscritas en el cielo. Los hombres no tienen destino, puesto que el mundo no tiene astros. Sólo Antígona, víctima por derecho divino, ha recibido como patrimonio la obligación de perecer y ese privilegio puede explicar el odio que se le tiene. Avanza en la noche fusilada por los faros: sus cabellos de loca, sus harapos de mendiga, sus uñas de ladrona muestran hasta dónde puede llegar la caridad de una hermana. A pleno sol, ella era el agua pura sobre las manos sucias, la sombra en el hueco del casco, el pañuelo en la boca de los difuntos. Su devoción a los ojos muertos de Edipo resplandece sobre millones de ciegos; su pasión por el hermano putrefacto calienta fuera del tiempo a miríadas de muertos. Nadie puede matar a la luz; sólo pueden sofocarla. Corren un velo sobre la agonía de Antígona. Creonte la expulsa a las alcantarillas, a las catacumbas. Ella regresa al país de las fuentes, de los tesoros, de las semillas. Rechaza a Ismena, que no es más que una hermana en la carne; al apartar a Hemón evita la horrible posibilidad de parir vencedores. Parte a la búsqueda de su estrella situada en las antípodas de la razón humana, y no la puede alcanzar a no ser pasando por la tumba. Hemón, convertido a la desgracia, se precipita tras sus pasos por los negros pasillos: este hijo de un hombre ciego es el tercer aspecto de su trágico amor. Llega a tiempo para ver cómo ella prepara el complicado sistema de chales y poleas que le permitirán evadirse hacia Dios. El mediodía profundo hablaba de furor; la medianoche profunda habla de desesperación. El tiempo ya no existe en aquella Tebas sin astros; los durmientes tendidos en el negro absoluto ya no ven su conciencia. Creonte, acostado en el lecho de Edipo, descansa sobre la dura almohada de la razón de Estado. Algunos descontentos, dispersos por las calles, borrachos de justicia, tropiezan con la noche y se revuelcan al pie de los hitos. Bruscamente, en el silencio estúpido de la ciudad que duerme su crimen como una borrachera, se precisa un latido que proviene de debajo de la tierra, crece, se impone al insomnio de Creonte, se convierte en su pesadilla. Creonte se levanta, y palpando a ciegas encuentra la puerta de los subterráneos, cuya existencia sólo él conoce; descubre las huellas de su hijo mayor en el barro del subsuelo. Una vaga fosforescencia que emana de Antígona le permite reconocer a Hemón, colgado del cuello de la inmensa suicida, impulsado por la oscilación de aquel péndulo que parece medir la amplitud de la muerte. Atados uno a otro como para pesar más, su lento vaivén los va hundiendo cada vez más en la tumba y ese peso palpitante vuelve a poner en movimiento toda la maquinaria de los astros. El ruido revelador traspasa los adoquines, las losas de mármol, las paredes de barro endurecido, llena el aire reseco de una pulsación de arterias. Los adivinos se tienden en el suelo, pegan a él el oído, auscultan como médicos el pecho de la tierra sumida en su letargo. El tiempo reanuda su curso al compás del reloj de Dios. El péndulo del mundo es el corazón de Antígona.

Amar con los ojos cerrados es amar como un ciego. Amar con los ojos abiertos tal vez sea amar como un loco: es aceptarlo todo apasionadamente. Yo te amo como una loca.

*
* *

Aún me queda una sucia esperanza. Cuento, a pesar mío, con una solución de continuidad del instinto: lo equivalente, en la vida del corazón, al acto del distraído que se equivoca de nombres y de puertas. Te deseo con horror una traición de Camilo, un fracaso junto a Claudio y un escándalo que te aleje de Hipólito. No me importa cuál sea el paso en falso que te haga caer sobre mi cuerpo.

*
* *

Se llega virgen a todos los acontecimientos de la vida. Tengo miedo de no saber cómo arreglármelas con mi dolor.

*
* *

Un dios que quiere que yo viva te ha ordenado que dejes de amarme. No soporto bien la felicidad. Falta de costumbre. En tus brazos, lo único que yo podía hacer era morir.

*
* *

Utilidad del amor. Los voluptuosos se las componen para realizar sin él la exploración del placer. No se sabe qué hacer con el deleite durante una serie de experiencias sobre la mezcla y combinación de los cuerpos. Después, se da uno cuenta de que aún quedan descubrimientos por hacer en tan oscuro hemisferio. Necesitábamos el amor para que nos enseñara el Dolor.

Lena o el secreto

Lena era la concubina de Aristogitón y su sirvienta, aún más que su querida. Vivían en una casita cerca de la capilla de Saint-Sôtir: ella cultivaba en el jardincillo tiernos calabacines y abundantes berenjenas, salaba las anchoas y cortaba en rajas la carne roja de las sandías; bajaba a lavar la ropa en el lecho seco del Ilissos y se preocupaba de que su amo cogiera la bufanda que le impedía acatarrarse tras los ejercicios del Estadio. Como premio a tantos cuidados, él se dejaba querer. Salían juntos: escuchaban, en los pequeños cafés, cómo daban vueltas los discos de canciones populares, ardientes y lamentables como un oscuro sol. Ella se enorgullecía al ver el retrato de él en la primera página de los periódicos de deportes. Aristogitón se había inscrito en el concurso de boxeo de Olimpia; consintió en que Lena lo acompañara en su viaje. Ella soportó sin quejarse el polvo del camino, la cansada ambladura de las mulas, las posadas llenas de piojos, en donde el agua se vendía más cara que el mejor vino de las islas. Por el camino, el ruido de los coches era tan continuo que ni siquiera se oía el canto de las cigarras. Un día, a la hora del mediodía, al transponer una colina, descubrió a sus pies el valle del Olimpia, hueco como la palma de un dios que lleva en su mano la estatua de la Victoria. Flotaba un vaho de calor sobre los altares, las cocinas y los puestos de la feria, cuyas joyas de pacotilla codiciaba Lena. Para no perderse de su amo entre el gentío cogió con los dientes una punta de su manto. Había frotado con grasa, adornado con cintas, embadurnado con sus besos los ídolos generosos que no rechazaban los atrevimientos de una sirvienta; había dicho todas las oraciones que sabía para que su amo triunfara y había gritado contra sus rivales toda una sarta de maldiciones. Separada de él durante las largas abstinencias impuestas a los atletas, había dormido sola en la tienda reservada a las mujeres, fuera del recinto de los luchadores. Había rechazado las manos que se tendían en la sombra, indiferente incluso a los cucuruchos de pipas de girasol que le ofrecían sus compañeras. La imaginación del boxeador se llenaba de torsos untados de aceite y de cabezas rapadas que las manos no pueden agarrar: Lena tenía la impresión de que Aristogitón la abandonaba en aras de sus adversarios. La noche de los Juegos vio cómo lo sacaban a hombros por los pasillos del Estadio, agotado y sin aliento, como después de hacer el amor, víctima del estilo de los reporteros, de las placas de vidrio de los fotógrafos: presintió que la engañaba con la Gloria. Su vida de triunfador transcurría en fiestas con gentes importantes: lo había visto salir del banquete ritual en compañía de un noble joven ateniense, ebrio de una embriaguez que ella deseaba atribuir al alcohol, ya que uno se aparta antes del vino que de la felicidad. Regresó él a Atenas en el coche de Harmodio y abandonó a Lena en manos de sus compañeras. Desapareció envuelto en una nube de polvo, sustrayéndose a sus caricias como un muerto o como un dios. La última imagen que de él conservaba y que se le había quedado grabada era la de una bufanda de seda flotando sobre una nuca morena. Como una perra, que sigue desde lejos por el camino al amo que se va sin ella, Lena emprendió en sentido contrario el largo camino montañoso por donde se apresuraban las mujeres, por los lugares desiertos, temerosas de tropezar con algún sátiro. En cada posada de pueblo donde entraba para comprar un poco de sombra y un café acompañado de un vaso de agua, encontraba al posadero contando todavía las monedas de oro que descuidadamente habían dejado caer aquellos dos hombres: por todas partes alquilaban las mejores habitaciones, bebían los más exquisitos vinos y obligaban a los cantores a vociferar hasta la madrugada: el orgullo de Lena, que era también amor, curaba las heridas de su amor, que era asimismo orgullo. Poco a poco, el joven dios secuestrador dejaba de ser para ella un rostro, adquiría un nombre, una historia, un corto pasado. El garajista de Patras le contó que se llamaba Harmodio; el tratante de caballos de Pyrgos hablaba de sus caballos de carreras; el barquero de la Estigia, que tenía trato con los muertos a causa de su trabajo, sabía que era huérfano y que su padre acababa de atracar en la otra orilla de los días; los ladrones que circulaban por los caminos no ignoraban que el tirano de Atenas lo había colmado de riquezas; las cortesanas de Corinto hablaban de su belleza. Todos, hasta los mendigos, hasta los tontos de pueblo, sabían que en su coche de carreras llevaba al campeón de boxeo de los Juegos Olímpicos: un muchacho deslumbrante que semejaba la copa, el jarrón adornado con ínfulas, la imagen de largos cabellos de la Victoria. En Megara, el empleado del fielato le contó a Lena que Harmodio se había negado a cederle el paso al carro del jefe del Estado y que Hiparco le había reprochado al joven violentamente su ingratitud y sus amistades plebeyas. Los milicianos le habían quitado a la fuerza el carro de fuego que el tirano le había regalado, pero no para que paseara en él —según dijo— en compañía de un boxeador. En los alrededores de Atenas, Lena se estremeció al oír las aclamaciones sediciosas en las que aparecía el nombre de su amo, pronunciado por diez mil pares de labios. Los jóvenes habían organizado, en honor del vencedor, unos ejercicios con antorchas a los que Hiparco se negaba a asistir. Los pinos arrancados de raíz lloraban desconsoladamente su resina sacrificada. En la casita del barrio de Saint-Sôtir, los bailarines que golpeaban con el talón, de manera desigual, las losas del patio, proyectaban sobre la pared un fresco movedizo y desnudo. Para no molestar a nadie, Lena se deslizó sin hacer ruido por la entrada de la cocina. Las jarras y cacerolas ya no le hablaban un lenguaje familiar; unas manos torpes habían preparado la comida; se cortó el dedo al recoger los cristales de un vaso roto. Trató en vano de amansar, con huesos y caricias, al perro de Harmodio tumbado debajo de la despensa. Ella esperaba que su amo le contara el menú de las cenas de sociedad a las que asistía, pero ni siquiera sus sonrisas se fijan en ella. Para no tener que soportarla, la envía a trabajar en la vendimia, a su granja de Decelia. Lena prevé que puede celebrarse un matrimonio entre su amo y la hermana de Harmodio: piensa con horror en una esposa, con desamparo en unos hijos. Vive en la sombra que proyecta en su camino el hermoso Eros de las bodas rodeado de antorchas. El que no haya esponsales sólo tranquiliza a medias a la inocente, que se equivoca de peligro: Harmodio ha introducido la desgracia en aquella casa como si fuera una querida envuelta en velos; ella se siente abandonada a cambio de aquella mujer impalpable. Una noche, un hombre en cuyas cansadas facciones ella no reconoce el rostro, multiplicado hasta el infinito en monedas y sellos con la efigie de Hiparco, llama a la puerta de servicio y pide tímidamente el mendrugo de pan de una verdad. Aristogitón, que entra por casualidad, la encuentra sentada a la mesa, al lado de aquel sospechoso mendigo; desconfía demasiado de ella para hacerle ningún reproche; expulsan al mendigo de la estancia, que se llena repentinamente de gritos. Unos días más tarde, Harmodio descubre a su amigo, víctima de una emboscada, al pie de la fuente Clepsidra: llama a Lena para que le ayude a llevar al boxeador, cuyo cuerpo se halla tatuado a cuchilladas, al único diván que hay en la casa: sus manos pintadas de yodo se encuentran sobre el pecho del herido. Lena ve dibujarse, en la frente inclinada de Harmodio, la inquieta arruguita del Apolo encantador de llagas. Tiende hacia el joven sus grandes manos agitadas y le suplica que salve a su amo: no se sorprende al oírle reprocharse cada una de aquellas heridas, como si él fuera el responsable, pues le parece natural que un dios sea salvador y asesino al mismo tiempo. El paso de un policía vestido de paisano, que va y viene a lo largo del camino desierto, hace estremecer al herido acostado en la tumbona. Sólo Harmodio se atreve a ir a la ciudad, como si no fuera posible que ningún cuchillo se abriera paso en su carne, y aquella despreocupación confirma a Lena en la idea de que es un dios. Ambos amigos temen tanto que Lena se vaya de la lengua, que pretenden engañarla haciéndole creer que la agresión de la víspera fue una pelea entre hombres borrachos, por miedo, sin duda, a que ella difunda, en la carnecería o en la tienda de la esquina, sus probables proyectos de venganza. Lena se percata con espanto de que le dan a probar al perro los guisos que ella les prepara, como si pensaran que tiene sus buenas razones para odiarlos. Para que ella los olvide, se van con unos amigos a acampar en el Parnesio, a la moda cretense. Le ocultan el lugar donde se encuentra la caverna donde duermen. Ella se encarga de llevarles los alimentos, que deposita en una piedra como si fueran destinados a los muertos que merodean por los confines del mundo. Lleva a Aristogitón como una ofrenda el vino negro y los pedazos de carne echando sangre, sin conseguir que aquel espectro exangüe le hable. Aquel sonámbulo del crimen ya no es más que un cadáver que se encamina hacia la tumba, como los cadáveres de los judíos van en peregrinación a Josafat. Ella le toca tímidamente las rodillas, los pies descalzos, para estar bien segura de que no están helados del todo. Le parece ver, en las manos de Harmodio, la varita de zahorí de Hermes, guía de las almas. El regreso a Atenas se efectúa entre los perros del miedo y los lobos de la venganza: unas figuras grotescas de terratenientes sin fortuna, de abogados sin causa y de soldados sin porvenir se deslizan en la habitación del amo como sombras proyectadas por la presencia de un dios. Desde que Harmodio se siente obligado por prudencia a no dormir en su casa, Lena es relegada al desván y no puede velar a su amo todas las noches, como se vela a un enfermo, ni remeterle la ropa de la cama, como se hace con un niño. Escondida en la terraza, contempla cómo se abre y se cierra infatigablemente la puerta de aquella casa aquejada de insomnio; asiste, sin entender nada, a las idas y venidas que sirven de lanzadera para tejer la venganza. Con vistas a una fiesta deportiva, le mandan coser unas cruces en relieve en unas túnicas de lana parda. Arden las lámparas aquella noche en todos los tejados de Atenas: las jovencitas de familia noble preparan su vestido de comunión para la procesión del día siguiente; en el santuario preparan a la Santísima Virgen peinándole sus cabellos rojizos; un millón de semillas de incienso humean ante la nariz de Atenea. Lena sienta en sus rodillas a la pequeña Irini, que ahora vive en su casa, pues Harmodio teme que Hiparco quiera vengarse quitándole a su hermanita. Lena se compadece de aquella niña, a quien antaño temía ver entrar en la casa con corona de novia, como si alguien hubiese traicionado las esperanzas de ambas. Pasa toda la noche escogiendo rosas rojas, que la niña arrojará a manos llenas cuando pase la Virgen Purísima. Harmodio sumerge en aquella cesta sus manos impacientes, que parecen hundirse en sangre. A la hora en que Atenas muestra su rostro de perla, Lena coge de la mano a la pequeña Irini, que tirita entre el nácar de sus velos. Sube con la niña la pendiente de los Propíleos... Las llamas de diez mil cirios brillan débilmente en las luces del alba, como otros tantos fuegos fatuos que no hubieran tenido tiempo de regresar a sus tumbas. Hiparco, ebrio aún de pesadillas, guiña los ojos ante toda aquella blancura, examina distraídamente la cándida fila azul de los Hijos de Atenea. Bruscamente, un odiado parecido aflora en el rostro sin forma de la pequeña Irini: el señor, frenético, sacude el brazo de aquella joven ladrona, que ha osado apropiarse de los execrables ojos de su hermano, aúlla pidiendo que alejen de su presencia a la hermana del miserable que envenena sus sueños. La niña cae de rodillas: la cesta, al volcarse, derrama su rojo contenido y las lágrimas borran, en el rostro de la chiquilla, aquella semejanza abominable y divina. A la hora en que el cielo se vuelve de oro, como el inalterable corazón de la bondadosa Lena, ésta lleva a la niña a su casa, despeinada, sin su cesta. Harmodio estalla de alegría ante aquel deseado ultraje. Lena, arrodillada sobre las losas del patio, moviendo la cabeza como una plañidera, siente posarse en su frente la mano de aquel duro muchacho que se parece a Némesis: los insultos del tirano, sus amenazas que ella repite sin intentar comprenderlas, adquieren en su voz átona la horrible insipidez de los veredictos sin recurso y del hecho consumado. Cada ultraje añade al rostro de Harmodio un fruncir de entrecejo o una sonrisa de odio. En presencia de aquel dios, que antes desdeñaba hasta informarse de su nombre, Lena se embriaga de existir, de ser útil, de hacer sufrir tal vez... Ayuda a Harmodio a mutilar los hermosos laureles del patio, como si el primero de los deberes consistiera en suprimir toda clase de sombra; sale del jardín con los dos hombres, que esconden los cuchillos de cocina entre aquellos ramos de Pascua florida. Cierra la puerta tras la siesta de Irini, la jaula de las palomas, la caja de cartón donde pastan las cigarras, todo el pasado que se ha vuelto tan profundo como un sueño. La multitud endomingada la separa de sus señores, entre los cuales ya no distingue. Se introduce tras ellos en las obras del Partenón y tropieza con los montones de piedras mal desbastadas que hacen que el templo de la Virgen se parezca a sus futuros escombros. A la hora en que el cielo muestra su roja faz, ve desaparecer a los dos amigos por entre el engranaje de las columnas como en el fondo de una máquina de triturar el corazón humano para extraer de él un dios. Estallan bombas y gritos: el hermano mayor de Hiparco, con el vientre abierto sobre el altar cubierto de sangre y de brasas, parece ofrecer sus entrañas al examen de los sacerdotes. Hiparco, herido de muerte, continúa gritando órdenes, se apoya en una columna para no caer vivo. Las puertas de los Propíleos se cierran para cortar a los rebeldes la única salida que no da al vacío; los conspiradores, cogidos en aquella trampa de mármol y de cielo, corren de un lado para otro, tropiezan con montones de dioses. Aristogitón, herido en la pierna, es capturado por los ojeadores en las grutas de Pan. El cuerpo linchado de Harmodio es despedazado por la multitud como el de Baco en el transcurso de las misas sangrientas: unos adversarios, o tal vez unos fieles, se pasan de mano en mano la espantosa hostia. Lena se arrodilla, coge en su delantal los rizos de pelo de Harmodio, como si aquel favor fuera lo más urgente que ella puede hacer por su amo. Unos sabuesos se le echan encima: le atan las manos, que pierden inmediatamente su aspecto desgastado de utensilios domésticos para convertirse en manos de víctima, en falanges de mártir. Sube al coche celular como los muertos suben a la barca. Atraviesa una Atenas estancada, aterida de miedo, donde las caras se esconden tras las contraventanas cerradas, por temor a verse obligadas a juzgar. Pone el pie en el suelo ante una casa que, por su aspecto de hospital y de prisión, debe ser el palacio del jefe del Estado. Bajo la puerta de la cochera se cruza con Aristogitón, cuyas piernas heridas flaquean. Ve desfilar el pelotón de ejecución sin volver siquiera hacia su amo unos ojos ya vidriosos, como las pupilas de los muertos. El ruido de los disparos en el patio contiguo resuena para ella como una salva de honor sobre la tumba de Harmodio. La empujan dentro de una sala blanqueada de cal, donde los supliciados adquieren el aspecto de animales agonizantes, y los verdugos, el de vivisectores. Hiparco, medio tumbado en unas parihuelas, vuelve hacia ella la cabeza vendada y coge a tientas aquellas manos de mujer crispadas sobre la única verdad de la que aún siente hambre. Le habla tan bajito y tan de cerca que el interrogatorio parece una confidencia amorosa. Exige nombres, confesiones. ¿Qué es lo que ella había visto? ¿Quiénes eran los cómplices? ¿Servía el mayor de los dos de entrenador al más joven, en aquella carrera hacia la muerte? ¿Acaso no era el boxeador más que un puñetazo en manos de Harmodio? ¿Fue el miedo lo que inspiró al joven la idea de desembarazarse de Hiparco? ¿Sabía acaso que el amo lo había perdonado, que no le guardaba rencor? ¿Hablaba de él a menudo? ¿Estaba triste? Una intimidad desesperada se estableció entre aquel hombre y aquella mujer poseídos del mismo dios, que morían del mismo mal, y cuyas apagadas miradas se volvían hacia dos ausentes. Lena, sometida a interrogatorio, aprieta dientes y labios. Sus amos callaban cuando ella servía los platos; se había quedado fuera de la vida de ambos como una perra esperando a la puerta; pero aquella mujer, vacía de recuerdos, se esfuerza por orgullo en hacer creer que lo sabe todo, que sus amos le han confiado su corazón como a una encubridora con la que pueden contar, que sólo depende de ella escupir un pasado. Los verdugos la tienden sobre un caballete para operarla en silencio. Amenazan a aquella llama con el suplicio del agua; hablan de infligirle el suplicio del fuego a aquel manantial. Lena teme la tortura, que no arrancará de ella sino la humillante confesión de que sólo era una criada, y en ningún momento una cómplice. Un chorro de sangre le brota de la boca, como en una hemoptisis: se ha cortado la lengua para no revelar unos secretos que no conoce.

Ardiendo con más fuegos... Animal cansado, un látigo de llamas me azota con fuerza las espaldas. He hallado el verdadero sentido de las metáforas de los poetas. Me despierto cada noche envuelta en el incendio de mi propia sangre.

*
* *

Nunca he conocido otra cosa que no fuera la adoración o el desenfreno... ¿Qué estoy diciendo? Nunca he conocido sino la adoración o la compasión.

*
* *

Los cristianos rezan ante la cruz y la besan. Les basta ese trozo de madera, aun cuando de él no cuelgue ningún Salvador. El respeto debido a los ajusticiados acaba por ennoblecer el inmundo aparato del suplicio: no basta con amar a las criaturas; hay que adorar asimismo su miseria, su envilecimiento, su desdicha.

*
* *

Cuando lo pierdo todo, me queda Dios. Si pierdo a Dios, vuelvo a encontrarte. No se puede poseer al mismo tiempo la noche inmensa y el sol.

Jacob luchaba con el ángel en la tierra de Galaad. Aquel ángel era Dios puesto que su adversario fue vencido en la lucha y herido en la derrota. Los peldaños de la escalera de oro sólo se ofrecen a los que aceptan primero ese «knock-out» eterno. Es Dios todo lo que nos pasa, todo aquello de que no hemos triunfado. La muerte es Dios, y el mundo, y la idea de Dios para el imbécil boxeador que se deja vencer por su gran batir de alas. Tú eres Dios: tú podrías romperme.

*
* *

No caeré. He llegado al centro. Escucho el latido de un reloj divino a través del delgado tabique carnal de la vida llena de sangre, de estremecimientos y de jadeos. Estoy cerca del núcleo misterioso de las cosas así como en la noche nos hallamos, en ocasiones, cerca de un corazón.

María Magdalena o la salvación

Me llamo María: me llaman Magdalena. Magdala es el nombre
de mi pueblo: es la pequeña comarca donde mi madre poseía
unos campos, donde mi padre poseía unas viñas. Nací en Magdala. A mediodía, mi hermana Marta repartía jarras de cerveza
a los obreros, en la granja; yo me llegaba a ellos con las manos
vacías; bebían mi sonrisa a lengüetazos; sus miradas me palpaban como si yo fuera una fruta ya casi madura, cuyo sabor
depende de un poco más de sol. Mis ojos eran dos fieras atra-
padas en la red de mis pestañas; mi boca casi negra, una san-
guijuela hinchada de sangre. El palomar rebosaba de palomas;
el arca, de panes; el cofre, de monedas con la efigie del César.
Marta se estropeaba la vista marcando mi ajuar con las iniciales
de Juan. La madre de Juan tenía pesquerías; el padre de Juan
tenía viñas. Juan y yo, sentados el día de la boda bajo la higuera
de la fuente, sentíamos ya sobre nosotros el intolerable peso de
setenta años de felicidad. La misma música de baile se tocaría
en las bodas de nuestras hijas; yo me sentía ya llena de los hijos
que ellas iban a tener. Juan llegaba hacia mí desde el fondo de
su infancia; sonreía a los ángeles como los niños, a los ángeles
que eran sus únicos compañeros; yo había rechazado, por amor
a él, los ofrecimientos del centurión romano. Juan huía de la
taberna donde las prostitutas se agitan como víboras al son ex-
citante de una flauta triste; apartaba la vista para no ver el rostro redondo de las criadas de la granja. Amar su inocencia fue
mi primer pecado. No sabía yo que estaba luchando contra un
rival invisible, lo mismo que nuestro padre Jacob contra el ángel, ni que la apuesta del combate era aquel muchacho de cabellos desordenados, coronados de briznas de paja y que esboza-
ban una especie de aureola. Yo no sabía que otro había amado

a Juan antes de que yo lo amara, antes de que él me amara a mí; yo no sabía que Dios era el remedio que buscan los solitarios. Presidía yo el banquete de bodas en el cuarto de las mujeres; las matronas me susurraban al oído consejos de alcahuetas y recetas de cortesanas; la flauta gritaba como una virgen; los tambores resonaban como corazones; las mujeres se revolcaban en la sombra, paquetes de velos, racimos de senos, y me envidiaban con voz pastosa la violenta felicidad de recibir al Esposo. Los corderos que estaban degollando en el patio chillaban como los inocentes entre las manos de los carniceros de Herodes; no pude oír, a lo lejos, el balido del Cordero ladrón. Los humos de la noche lo emborronaron todo en la habitación de arriba; el día gris perdió el sentido de las formas y colores de las cosas: no reparé en el blanco vagabundo —sentado entre los parientes pobres, en el extremo más alejado de la mesa de los hombres— que comunicaba a los jóvenes, sólo con tocarlos o con darles un beso, la horrible especie de lepra que les obliga a apartarse de todo. Yo no adivinaba la presencia del Seductor que hace parecer la renuncia tan dulce como el pecado. Cerraron las puertas, quemaron perfumes para alejar a los diablos y nos dejaron solos. Al levantar los ojos, advertí que Juan no había hecho sino atravesar su fiesta de bodas como si fuera una plaza llena de gente con motivo de alguna fiesta pública. Temblaba sólo de dolor; estaba pálido, pero de vergüenza; sólo temía un desfallecimiento del alma que lo dejara impotente para poseer a Dios. Yo era incapaz de distinguir en el rostro de Juan la mueca del asco de la del deseo: era virgen y, además, toda mujer que ama es una pobre inocente. Comprendí más tarde que yo representaba para él la peor de las culpas carnales, el pecado legítimo, aprobado por la costumbre, tanto más vil cuanto que está permitido revolcarse en él sin rubor, tanto más de temer cuanto que no trae consigo la condenación. Había elegido en mí a la más escondida de las muchachas a quien él pudiera cortejar con la secreta esperanza de no obtenerla nunca; yo justificaba su repugnancia hacia otras presas más accesibles; sentada en aquella cama, ya no era más que una mujer fácil. La imposibilidad en que se encontraba de amarme creaba entre nosotros una similitud más fuerte que esos contrastes del sexo que sirven, entre dos seres humanos, para destruir la confianza, para justificar el amor: ambos deseábamos ceder a una voluntad más fuerte que la nuestra, entregarnos, ser cogidos, y salíamos al paso de todos los dolores para dar a luz una nueva vida. Aquella alma de largos cabellos corría hacia un Esposo. Apoyaba la frente en el cristal cada vez más empañado por su aliento; los ojos cansados de las estrellas ya ni siquiera nos espiaban; una sirvienta al acecho al otro lado de la puerta tomaba quizá mis sollozos por exclamaciones de amor. Se alzó en la noche una voz llamando a Juan por tres veces, como sucede en las casas en donde alguien va a morir: Juan abrió la ventana, se asomó para medir la profundidad de la sombra y vio a Dios. Yo no vi más que las sábanas de la cama y las ató para hacer con ellas una cuerda; moscas de fuego palpitaban en la tierra como si fueran astros, así que él parecía sumergirse en el cielo. Perdí de vista a aquel tránsfuga incapaz de preferir una mujer al pecho de Dios. Abrí prudentemente la puerta de mi habitación, en donde nada había sucedido a no ser una huida. Salté por encima de los convidados, que roncaban en el vestíbulo, y cogí de la percha el capuchón de Lázaro. La noche era demasiado oscura para ver en el suelo las huellas de las plantas divinas; las piedras en las que tropezaba no eran de aquellas que yo saltaba a la pata coja al salir del colegio; percibía las casas por primera vez, como las ven desde fuera los que no tienen hogar. Por los rincones de las callejuelas de mala fama, tornaban a rezumar los consejos en las bocas desdentadas de las alcahuetas; había vomitonas de borrachos bajo los arcos del mercado que me recordaron los charcos de vino del festín de bodas. Para escapar de la ronda, corrí a lo largo de las galerías de madera de la posada, hasta llegar al cuarto del teniente romano. Aquel bruto me abrió, borracho aún de las libaciones en mi honor a la mesa de Lázaro; sin duda me tomó por una de las rameras con quien solía acostarse. Mantuve la cara tapada con el capuchón de Lázaro; la cosa fue más fácil cuando se trató de mi cuerpo. Cuando él me reconoció, yo ya era María Magdalena. Le oculté que Juan me había abandonado en mi noche de bodas por miedo a que se creyera obligado a verter, en el vino de su deseo, el agua insípida de su compasión. Le dejé creer que yo prefería sus brazos velludos a las manos largas y siempre juntas de mi pálido novio: le guardé el secreto a Juan de su fuga con Dios. Los niños del pueblo descubrieron dónde me encontraba y me tiraron piedras. Lázaro mandó limpiar el estanque del molino, creyendo encontrar allí el cadáver de Juan; Marta agachaba la cabeza al pasar por delante de la posada; la madre de Juan vino a pedirme cuentas del pretendido suicidio de su hijo único; yo no me defendí: me parecía menos humillante dejarles creer a todos que el desaparecido me había amado locamente. Al mes siguiente, Marius recibió órdenes de reunirse, en Gaza, con la segunda división de Palestina; no pude encontrar el dinero necesario para adquirir en el carro uno de esos puestos de tercera clase reservados desde siempre a los profetas, a los miserables, a los soldados con permiso y a los Mesías. El posadero me contrató para limpiar los vasos: aprendí de mi patrón la cocina del deseo. Era muy dulce para mí saber que la mujer despreciada por Juan caía sin transición al último puesto de las criaturas: cada golpe, cada beso me modelaban un rostro, unos pechos, un cuerpo diferente del que mi amigo no había acariciado. Un camellero beduino consintió en llevarme a Jaffa mediante el pago en abrazos; un marino marsellés me tomó a bordo de su barco: yo iba acostada en la popa y me contagiaba del cálido temblor del mar lleno de espuma. En un bar del Pireo, un filósofo griego me enseñó la sabiduría como si fuera un desenfreno más. En Esmirna, las larguezas de un banquero me enseñaron la dulzura que el chancro de la ostra y las pieles de los animales feroces añaden a la piel de una mujer desnuda, de suerte que fui envidiada, además de deseada. En Jerusalén, un fariseo me enseñó a hacer uso de la hipocresía como si fuera un colorete inalterable.

En un tugurio de Cesárea, un paralítico ya curado me habló de Dios. Pese a las súplicas de los ángeles, que sin duda se esforzaban por devolverlo al cielo, Dios continuaba errando de pueblo en pueblo, mofándose de los sacerdotes, insultando a los ricos, dividiendo a las familias, disculpando a la mujer adúltera, ejerciendo por todas partes su escandaloso oficio de Mesías. Hasta la eternidad tiene su hora de moda: uno de aquellos martes en que sólo invitaba a gente célebre, Simón el fariseo tuvo la ocurrencia de rogar la asistencia de Dios. Yo había rodado tanto con la intención de darle, a aquel terrible Amigo, una rival menos ingenua. Seducir a Dios era quitarle a Juan su porte de eternidad, era obligarlo a recaer sobre mí con todo el peso de su carne. Pecamos porque Dios no está: como nada perfecto se presenta a nosotros, nos resarcimos con las criaturas. Cuando Juan comprendiese que Dios sólo era un hombre, ya no habría ninguna razón para que no prefiriese mis senos. Me atavié como para ir al baile; me perfumé como para meterme en una cama. Mi entrada en la sala del banquete hizo que se parasen las mandíbulas; los Apóstoles se levantaron con gran tumulto, por miedo a verse infectados con el roce de mis faldas: a los ojos de aquellas gentes yo era tan impura como si estuviera continuamente sangrando. Tan sólo Dios permanecía sentado en la banqueta de cuero: instintivamente reconocí aquellos pies desgastados de tanto andar por todos los caminos de nuestro infierno, aquellos cabellos llenos de piojos de astros, aquellos grandes ojos puros como únicos pedazos que de su cielo le quedaban... Era feo como el dolor; estaba sucio como el pecado. Caí de rodillas, tragándome mi salivazo, incapaz de añadir el sarcasmo al horrible peso del desamparo de Dios. Me di cuenta enseguida de que no podría seducirlo, pues no huía de mí. Deshice mis cabellos como para tapar mejor la desnudez de mi culpa; vacié ante él el frasco de mis recuerdos. Comprendía que aquel Dios fuera de la ley debía haberse deslizado una mañana fuera de las puertas del alba, dejando tras de sí a las personas de la Trinidad, sorprendidas de no ser más que dos. Se había alojado en la posada de los días; se había prodigado a innumerables transeúntes que le negaban su alma, mas reclamaban de él todas las tangibles alegrías. Había soportado la compañía de bandidos, el contacto de leprosos, la insolencia de los policías: consentía igual que yo en pertenecer a todos, espantoso destino... Puso sobre mi cabeza su ancha mano de cadáver, que parecía hallarse ya sin sangre. No hacemos más que cambiar de esclavitud: en el momento preciso en que me abandonaron los demonios, me convertí en posesa de Dios. Juan se borró de mi vida, como si el Evangelista no hubiera sido para mí sino el Precursor: frente a la Pasión, me olvidé del amor. He aceptado la pureza como la peor de las perversiones: he pasado noches en blanco, tiritando de rocío y de lágrimas, tumbada en el campo en medio de los Apóstoles, como un montón de corderos enamorados del Pastor. He envidiado a los muertos sobre los que se acuestan los Profetas para resucitarlos. Ayudé al divino curandero en sus curas maravillosas: froté con barro los ojos de los ciegos de nacimiento. Dejé que Marta trabajase en mi lugar el día de la comida de Betania, por miedo a que Juan se sentara al lado de las rodillas celestiales, en el taburete que yo habría dejado. Fueron mis lágrimas y mis gritos los que obtuvieron del dulce taumaturgo el segundo nacimiento de Lázaro: aquel muerto envuelto en vendas que daba sus primeros pasos en el umbral de la tumba era casi nuestro hijo. Le busqué discípulos, mojé mis manos pálidas con el agua de fregar de la Santa Cena; me mantuve al acecho en el «square» de los Olivos, mientras se daba el golpe de la Redención. Tanto lo quise que dejé de compadecerlo: mi amor se cuidaba de agravar ese desamparo, lo único que lo convertía en Dios. Para no arruinar su carrera de Salvador, consentí en verlo morir, a la manera de una amante, que consiente en que su amado haga un brillante matrimonio. En la sala de los pasos perdidos, cuando Pilatos nos dio a elegir entre un facineroso y Dios, grité como los demás que soltaran a Barrabás. Le vi acostarse en el lecho vertical de sus nupcias eternas; asistí al momento horrible en que lo ataban con cuerdas, al beso que dio a la esponja aún empapada de un amargor marino, a la lanzada del soldado que se esforzaba por perforar el corazón del divino vampiro, con miedo de que tornara a levantarse para chupar el porvenir. Sentí estremecerse sobre mi frente aquella dulce ave de rapiña clavada en la puerta de los Tiempos. Un viento de muerte horadaba los cielos, desgarrándolos como si fueran un velo; el mundo se vencía del lado de la noche, arrastrado por el peso de la cruz. El pálido capitán colgaba de las vergas del Tres-Mástiles, sumergido por la Culpa: el hijo del carpintero expiaba los errores que su Padre eterno había cometido en sus cálculos. Yo sabía que nada bueno podría nacer de su suplicio: el único resultado de aquella ejecución iba a ser mostrar a los hombres que es fácil deshacerse de Dios. El Divino sentenciado a muerte sólo dejaba caer al suelo inútiles semillas de sangre. Los dados trucados del Azar saltaban inútilmente en manos de los centinelas; los harapos de la Túnica infinita no le servían a nadie para hacerse un traje. En vano vertí a sus pies la ola oxigenada de mi cabellera; en vano intenté consolar a la única Madre que ha concebido a Dios. Mis gritos de mujer y de perra no llegaban hasta mi dueño muerto. Los ladrones, al menos, compartían su misma pena: al pie de aquel eje por donde pasaba todo el dolor del mundo, yo no hacía sino estorbar su diálogo con Dimas. Levantaron escaleras, halaron cuerdas. Dios se desprendió, como un fruto maduro, dispuesto ya a pudrirse en la tierra del sepulcro. Por vez primera, su cabeza inerte descansó en mi hombro, el jugo de su corazón nos ponía las manos pegajosas, como en época de vendimias. José de Arimatea iba delante de nosotros con un farol; Juan y yo nos doblábamos bajo el peso de aquel cuerpo más pesado que el hombre; unos soldados nos ayudaron a colocar una piedra de molino tapando la entrada del sepulcro. No regresamos a la ciudad hasta que llegó el frío del sol crepuscular. Volvimos a encontrarnos, no sin estupor, con tiendas y teatros, con la insolencia de los taberneros, con los diarios de la tarde cuya página de sucesos llenaba la Pasión. Pasé la noche escogiendo mis mejores sábanas de cortesana; al llegar la mañana envié a Marta a comprar todos los perfumes que encontrase al mejor precio. Cantaban los gallos, como si quisieran refrescar el arrepentimiento de Pedro: asombrada de que llegara el día, me metí por un camino de los arrabales bordeado de manzanos que recordaban la culpa y de viñas que recordaban la Redención. Guiada por un recuerdo, ángel incorruptible, entré en aquella caverna horadada en lo más profundo de mí misma; me acerqué a aquel cuerpo como a mi propia tumba. Yo había renunciado a toda esperanza de Pascua, a toda promesa de resurrección. No me di cuenta de que la piedra del lagar se hallaba rajada en toda su longitud a consecuencia de alguna fermentación divina; Dios se había levantado de la muerte como de un lecho de insomnio: de la tumba deshecha colgaban las sábanas mendigadas al jardinero. Era la segunda vez en mi vida que yo me hallaba ante una cama donde dormía un ausente. Los granos de incienso rodaron por el suelo del sepulcro y cayeron al fondo de la noche. Las paredes me devolvieron mi aullido de vampiro insatisfecho; al salirme fuera de mí, me di en la frente con la piedra del dintel. La nieve de los narcisos permanecía virgen de toda huella humana: los que acababan de robar a Dios caminaban por el cielo. El jardinero, encorvado hacia el suelo, escardaba un macizo de flores: levantó la cabeza bajo el sombrero de paja que formaba como una aureola de sol y de verano; caí de rodillas, llena del dulce temblor de las mujeres enamoradas que creen sentir cómo se derrama por todo su cuerpo la sustancia de su corazón. Él llevaba al hombro el rastrillo que utiliza para borrar nuestras culpas; en la mano, el ovillo y las tijeras de podar que las Parcas confían a su hermano eterno. Quizá se preparase a bajar a los Infiernos por el camino de las raíces. Conocía el secreto del remordimiento de las ortigas, de la agonía de la lombriz de tierra. La palidez de la muerte permanecía en él, de suerte que parecía haberse disfrazado de lirio. Yo adivinaba que su primer ademán sería para apartar a la pecadora contaminada por el deseo. Me sentía babosa en aquel universo de flores. El aire era tan fresco que las palmas de mis manos tuvieron la sensación de apoyarse en un espejo: mi maestro muerto había pasado al otro lado del espejo del Tiempo. Mi aliento enturbió la gran imagen: Dios se borró, igual que un reflejo sobre el cristal de la mañana. Mi cuerpo opaco no era un obstáculo para aquel Resucitado. Se oyó un crujido, puede que en el fondo de mí misma; caí con los brazos en cruz, arrastrada por el peso de mi corazón: no había nada detrás del espejo que yo acababa de romper. Me encontraba de nuevo más vacía que una viuda, más sola que una mujer abandonada. Por fin conocía toda la atrocidad de Dios. Dios me había robado no sólo el amor de una criatura, a la edad en que uno se figura que son insustituibles, Dios me había robado además mis náuseas de embarazada, mis sueños de recién parida, mis siestas de anciana en la plaza del pueblo, la tumba cavada al fondo del cercado en donde mis hijos me hubieran enterrado. Después de robarme mi inocencia, Dios me robaba mis culpas: cuando apenas empezaba a medrar en mi oficio de cortesana, me quitaba la posibilidad de seducir al César o de subir a las tablas. Después de su cadáver, me quitaba su fantasma: ni siquiera quiso que yo me embriagara con un sueño. Como el peor de los celosos, ha destruido esa belleza que me exponía a recaer en las camas del deseo: me cuelgan los pechos, me parezco a la Muerte, a esa vieja amante de Dios. Como el peor de los maníacos, sólo amó mis lágrimas. Pero ese Dios que todo me lo quitó no me lo ha dado todo. No he recibido más que una migaja de su amor infinito: compartí su corazón con las criaturas como cualquier otra. Mis amantes de antaño se acostaban sobre mi cuerpo sin preocuparse de mi alma: mi celeste amigo de corazón sólo se preocupó de calentar esa alma eterna, de suerte que una mitad de mi ser no ha dejado de sufrir. Y, sin embargo, me ha salvado. Gracias a él no recibí de las alegrías sino su parte de dolor, la única inagotable. Me escapo de las rutinas de la casa y de la cama, del peso muerto del dinero, del callejón sin salida que es el éxito, del contento que procuran los honores, de los encantos de la infamia. Puesto que aquel condenado al amor de Magdalena se ha evadido al cielo, evito el insípido error de serle necesaria a Dios. Hice bien en dejarme llevar por la gran ola divina; no me arrepiento de haber sido rehecha por las manos del Señor. No me ha salvado ni de la muerte, ni del mal, ni del crimen, pues gracias a ellos nos salvamos. Me ha salvado tan sólo de la felicidad.

Cuando vuelvo a verte, todo se torna límpido. Acepto sufrir.

*
* *

¿Y tú te vas? ¿Te vas?... No, no te vas: yo te retengo... Me dejas tu alma entre las manos como si fuera un manto.

*
* *

¿Próximo? No, estás más cerca aún. Te compadezco como a mí misma.

*
* *

He conocido a jóvenes que pertenecían al mundo de los dioses. Sus ademanes recordaban la trayectoria de los astros; nadie podía extrañarse de hallar insensible su duro corazón de porfirio; si tendían la mano, la codicia de aquellos exquisitos mendigos era un vicio de dioses. Como todos los dioses, revelaban inquietantes parentescos con los lobos, los chacales, las víboras: si los hubieran guillotinado, hubieran adquirido el aspecto lívido de los mármoles decapitados. Hay mujeres y jovencitas que proceden del mundo de las Madonas: las peores amamantan a la esperanza como a un hijo prometido a futuras crucifixiones. Algunos de mis amigos salen del mundo de los sabios, de una especie de India o de China interior: en torno a ellos el universo se disipa como el humo, cerca de esos fríos estanques donde se mira la imagen de las cosas, las pesadillas merodean como tigres domesticados. Amor, mi duro ídolo, tus brazos tendidos hacia mí son vértebras de alas. He hecho de ti mi Virtud; acepto ver en ti al Dominio, al Poder. Me entrego a ese terrible avión propulsado por un corazón. Por las noches, en los tugurios adonde vamos juntos, tu cuerpo desnudo se parece a un Ángel encargado de velar por tu alma.

*
* *

Dios mío, en vuestras manos entrego mi cuerpo.

*
* *

Se dice: loco de alegría. También podría decirse: cuerdo de dolor.

*
* *

Poseer es lo mismo que conocer: las Escrituras siempre tienen razón. El amor es brujo: sabe los secretos; es un zahorí: conoce los manantiales. La indiferencia es tuerta; el odio es ciego; ambas tropiezan una al lado de la otra y caen a la fosa del desprecio. La indiferencia ignora; el amor sabe; deletrea la carne. Hay que gozar de un ser para tener ocasión de contemplarlo desnudo. Ha sido preciso que yo te ame para llegar a comprender que la más mediocre o la peor de las personas humanas es digna de inspirar allá arriba el sacrificio de Dios.

*
* *

Hace seis días, hace seis meses, hizo seis años, hará seis siglos... ¡Ah! Morir para detener el Tiempo...

Fedón o el vértigo

Óyeme, Cebes... Te hablo en voz baja, pues sólo cuando hablamos en voz baja nos escuchamos a nosotros mismos. Voy a morir, Cebes. No muevas la cabeza: no me digas que ya lo sabes y que todos morimos. El tiempo no os cuesta nada, a vosotros los filósofos; no obstante, existe, puesto que nos endulza como a las frutas y nos reseca como a las hierbas. Para aquellos que aman, el tiempo deja de existir, pues los amantes se arrancan el corazón para dárselo a quienes aman, y por eso son insensibles a los millares de hombres y mujeres que no tienen nada que ver con su amor, y por eso lloran y se desesperan con seguridad. Y cuando empiezan a atrasarse esos sangrientos relojes, los que son amados ven acercarse la vejez y la muerte. Para aquellos que sufren, el tiempo no existe: se anula a fuerza de precipitarse, pues cada hora de un suplicio es una tempestad de siglos. Cada vez que un dolor llegaba hasta mí, yo me apresuraba a sonreírle, para que él a su vez me sonriese, y todos los dolores adquirían el rostro radiante de una mujer, tanto más hermosa cuanto que hasta ahora no había advertido su belleza. Del dolor sé lo que enseña su contrario, del mismo modo que por la vida sé las pocas certezas que ya tengo de la muerte. Lo mismo que Narciso en el manantial, yo me miré en las pupilas humanas: la imagen que en ellas veía era tan radiante que me congratulaba de proporcionar tanta dicha. Conozco del amor lo poco que me enseñaron los ojos que me amaron. Antaño, en Élide, rodeado de un murmullo de gloria, calculaba el avance de mi adolescencia por las sonrisas cada vez más temblorosas que palpitaban a mi lado. Acostado sobre el pasado de mi raza como sobre una tierra fecunda, me hallaba revestido de mi riqueza como si fuera una manta de oro. Los astros daban vueltas a la manera de faros; las flores se convertían en frutos; el estiércol se convertía en flor; pasaban las parejas como si fueran condenados a trabajos forzados o como matrimonios de pueblo: el pífano del deseo, el tambor de la muerte acompasaban su vals triste y nunca faltaban bailarinas. Su camino, que ellos creían recto, resultaba circular al muchacho tendido en el centro del porvenir. Mis cabellos palpitaban; las pestañas recubrían mis ojos prisioneros para siempre de mis párpados; mi sangre corría dando mil revueltas, como esos ríos subterráneos que parecen negros a los ojos nocturnos de las sombras, pero que serían rojos si el sol saliera en la tierra de los muertos. Mi sexo se estremecía como un pájaro en busca de un nido con sombra. Mi desarrollo hacía estallar el espacio a mi alrededor, como si fuera una corteza azul. Me puse de pie: mis manos rechazadas por paredes de colegio se tendían en la noche, trataban de recoger Signos; nacía en mí el movimiento como una gravitación divina; la lluvia de primavera resbalaba por mi torso desnudo. Las plantas de mis pies eran el único punto de contacto con la tierra fatal que algún día me recuperaría. Ebrio de vida, titubeando de esperanza, me agarraba para no caer a los hombros lisos y suaves de algunos compañeros de juego que pasaban por casualidad: caíamos juntos y llamábamos amor a aquella contienda. Mis frágiles bienamados no eran para mí sino blancos que yo debía acertar justo en el corazón, caballos jóvenes a los que había que halagar con un lento resbalar de la mano, acariciándoles el cuello hasta hacer que se transparentase, por debajo del pálido moaré de la epidermis, el rojo tejido de la sangre. Y los más hermosos, Cebes, no eran sino el premio o el botín de la victoria, la dulce copa ofrecida donde verter la vida entera. Hubo otros que fueron vallas, obstáculos, fosos disimulados con fajines verdes. Salí para Olimpia custodiado por un pedagogo ciego; gané el primer premio en el concurso de los niños: los hilos de oro de mis cintas, súbitamente invisibles, se perdieron entre mis cabellos. Mi puño levantaba el disco cuyo impulso dibujaba, entre la meta y yo, la curva pura de un ala; diez mil pechos humanos contenían la respiración ante el ademán de mi brazo. Por la noche, acostado en la azotea de mi casa paterna, contemplaba los astros dando vueltas en un estadio olímpico cubierto de arena oscura, pero no trataba de calcular mi porvenir. Mis días futuros parecían desbordantes de caricias de luchadores, de puñetazos amistosos, de caballos que galopan hacia una ignorada Dicha. De repente, estallaron clamores junto a los muros de mi ciudad natal y una cortina de humo cubrió la faz del cielo. Las columnas de fuego sustituyeron a las columnas de piedra. El ruido de la loza cayendo con estruendo disimuló en la cocina los gritos de las sirvientas violadas; una lira rota gimió como una virgen en brazos de un hombre borracho. Mis padres desaparecieron entre las ruinas pegajosas de sangre. Todo se tambaleó, todo cayó, todo fue aniquilado antes de que yo pudiera darme cuenta de si se trataba de un verdadero asedio, de un incendio real, de una auténtica matanza o si aquellos enemigos no eran sino amantes, y lo que se encendía no era sino mi propio corazón. Pálido, desnudo, contemplando mi vergüenza en los escudos de oro, agradecía a aquellos hermosos adversarios que pisotearan mi pasado. Todo acababa con latigazos y escenas de esclavitud: éstas son también, Cebes, las consecuencias del amor. El afán de lucro había atraído a los mercaderes a la ciudad asaltada; yo estaba de pie en la plaza pública: el mundo con sus llanuras, sus colinas, donde mis perros ya no perseguían a los ciervos, y sus vergeles llenos de frutas de las que ya no disponía, sus olas por donde mi reposo ya no bogaría blandamente sobre la seda violeta, daba vueltas a mi alrededor como una rueda gigantesca en la que me estaban torturando. El área polvorienta del mercado era un amasijo de brazos, de piernas, de senos, donde hurgaba el hierro de las lanzas. El sudor y la sangre corrían por mi rostro, que parecía sonreír, pues el sol me obligaba a hacer muecas. Negras costras de moscas se pegaban a nuestras quemaduras. El insoportable calor del sol me obligaba a levantar alternativamente mis pies descalzos, de tal manera que, a fuerza de horror, parecía estar bailando. Cerraba los ojos para no ver mi imagen en pupilas obscenas; hubiera querido destruir en mí el oído, para no oír comentar con bajeza los aspectos de mi hermosura; hubiera querido taparme la nariz para no oler el hedor de las almas, tan fuerte que a su lado el olor de los cadáveres parece un perfume; perder, en fin, el sentido del gusto, para no percibir en mi boca el sabor repugnante de mi docilidad. Pero mis dos manos atadas me impedían morir... Pasaron un brazo en torno a mis hombros, para sostenerme, no para acariciarme. Cayeron las ligaduras que me ataban las piernas: borracho de sed y de sol, seguí al desconocido lejos de aquella carnicería donde perecerían aquellos a quienes ni siquiera la vergüenza hubiera aceptado. Entré en una casa cuyas paredes de adobe conservaban un poco del frescor del barro. Me ofrecieron por cama un montón de paja. El hombre que me había comprado me sostuvo la cabeza para que pudiese beber el único sorbo de agua que quedaba en la cantimplora. Primero creí que era por amor, pero sus manos no se detenían en mi cuerpo más que para curar mis llagas. Luego, al verlo llorar mientras me frotaba con un bálsamo, creí que era por bondad. Pero me equivocaba, Cebes: mi salvador comerciaba con esclavos y lloraba porque mis cicatrices le impedirían venderme a un alto precio en los burdeles de Atenas; no quiso hacer el amor conmigo por miedo a encariñarse con un objeto frágil, del que hay que deshacerse lo más deprisa posible antes de que se marchite su lozanía. Pues las virtudes, Cebes, no todas tienen las mismas causas y no todas son hermosas. Aquel hombre me llevó a Corinto, con su cargamento de esclavos. Me alquiló un caballo para que no se estropeasen mis pies. No pudo impedir que se ahogaran algunas de sus bestias de carga al atravesar un vado con tiempo de tormenta; tuvimos que hacer sin montura el largo y ardiente camino que sigue el Istmo de Corinto; cada uno de nosotros, inclinado hacia el suelo hasta tocar su sombra, cargaba con el sol, como si fuera un pesado fardo. Al rodear un bosque de pinos, se abrió el horizonte para mostrarnos Atenas: la ciudad tendida como una jovencita se extendía púdicamente entre el mar y nosotros. El templo que había encima de la colina dormía como un dios de color de rosa. Mis lágrimas, que no logró hacer derramar la desgracia, corrieron ante la belleza. Pasamos aquella misma noche por la Puerta Dipila: las calles olían a aceite rancio, a orines y a polvo transportado por el viento. Vendedores de lazos aullaban por las esquinas, proponiendo a los transeúntes una posibilidad de estrangularse que no sabían aprovechar. Las paredes de las casas me tapaban el Partenón. Ardía un farol en el umbral de la casa de mujeres: todas las habitaciones rebosaban de tapices y espejos de plata. El lujo de mi prisión me hizo temer el verme obligado a permanecer allí para siempre. Me deslicé para bailar a la salita redonda amueblada con mesas bajas, más emocionado que la mañana del concurso en la liza de Olimpia. De niño, había bailado en las praderas cuajadas de narcisos silvestres, escogiendo los más frescos para posar en ellos mis pies. Ahora bailaba sobre escupitajos, cáscaras de naranja y cristales de vasos que los borrachos habían tirado. Mis uñas pintadas relucían en el círculo de las lámparas; el vaho de las carnes calientes y el vapor de los labios me impedían ver con claridad el rostro de los clientes, lo que me evitó aborrecerlos. Yo era un espectro desnudo que bailaba para unos fantasmas. A cada talonazo que yo daba en la sucia tarima, se hundía más y más mi pasado y mi porvenir de joven príncipe. Una noche, un hombre de cabellos rubios vino a sentarse a la mesa colocada a plena luz: no necesité oír las lisonjas del encargado para reconocer en él a un miembro del Olimpo humano. Era hermoso, como yo, pero la belleza no era sino un atributo de aquel ser innombrable a quien sólo faltaba la inmortalidad para ser dios. Durante toda la noche, aquel hombre un poco ebrio me miró bailar. Volvió al día siguiente, pero ya no vino solo. El viejecito panzudo que lo acompañaba parecía uno de esos juguetes que se mantienen de pie gracias a una carga de plomo, pese a los empujones de los niños para derribarlos. Se advertía que aquel hombre grueso y astuto tenía un centro de gravedad, un eje, una densidad propia, y que los esfuerzos de sus contradictores no los modificarían. Lo Absoluto, donde él se había colocado con un salto prodigioso de sus piernas de sátiro, servía de pedestal a aquel personaje concreto como un tronco de árbol, ideal como una caricatura, que se bastaba a sí mismo hasta el punto de convertirse en su propio creador. La razón, para aquel sofista, no era sino una suerte de puro espacio en el que no se hartaba de hacer dar vueltas a las formas: Alcibiades era dios, pero aquel vagabundo callejero parecía ser Universo. Bajo su manto raído, se buscaban los pies del Chivo celeste. Aquel hombre henchido de sabiduría hacía girar en sus órbitas unos ojos pálidos semejantes a pequeños lentes, donde se agrandaban las virtudes y defectos de las almas. La fijeza de su mirada parecía fortalecer los músculos de mis piernas, los huesos de mis tobillos, como si me hubieran crecido en los talones las alas de su pensamiento. Ante aquel Pan esculpido a cuchilladas por un tosco escultor, que tocaba en las flautas de la razón las melodías de la vida eterna, mi danza dejaba de ser un pretexto para convertirse en una función, al igual que la marcha de los astros, y como la sabiduría, a los ojos de los libertinos, constituye el supremo deleite, los espectadores borrachos vieron en mi ligereza el colmo del exceso. Alcibiades dio unas palmadas para llamar al encargado de la casa de baile: mi patrón se adelantó, ahuecando la mano para obtener un poco de oro. Aquel hombre, que tan a gusto se hallaba entre la inmundicia, no sólo contaba con la ganancia de unas cuantas dracmas: cada vicio que él olfateaba en el trasfondo de la arcilla humana le infundía a la vez la esperanza de un buen negocio y el sentimiento reconfortante de una baja fraternidad. Mi amo me llamó desde lejos, para permitir que los clientes apreciaran la mercancía viva: me senté con ellos a la mesa y hallé de nuevo, por instinto, mis ademanes de muchacho libre al lado de aquel joven que se parecía a mi orgullo perdido. Como había agotado las monedas de oro que llevaba en el cinturón, Alcibiades se quitó dos de sus pesadas pulseras para comprarme. Al día siguiente se embarcaba para la guerra de Sicilia: yo soñaba ya con interponer mi pecho entre el peligro y él como si fuera un dulce escudo. Pero aquel joven dios distraído me había comprado para agradar a Sócrates: por primera vez en mi vida me sentí rechazado y aquel humillante rechazo me entregaba a la Sabiduría. Salimos los tres a la calle, convertida en arroyo por la última tormenta. Alcibíades desapareció en el estruendo de un carro; Sócrates cogió su linterna y aquella débil estrella mostrose más caritativa que los ojos fríos del cielo. Seguí a mi nuevo amo hasta su casita, donde lo esperaba una mujer desaliñada con la boca llena de injurias; unos niños desgreñados chillaban en la cocina; los piojos invadían las camas. La pobreza, la vejez, su propia fealdad y la belleza de otros flagelaban a aquel Justo con sus correas de víboras: igual que todos nosotros, no era más que un esclavo condenado a muerte. Sentía pesar sobre sí la bajeza de los afectos familiares, que a menudo no son más que una ausencia de respeto. Pero en lugar de liberarse a fuerza de renuncias, inmóvil como un cadáver que teme golpear con la frente el techo de su tumba, aquel hombre había comprendido que el destino no es más que un molde hueco donde derramamos nuestra alma, y que la vida y la muerte nos aceptan como escultores. Aquel desocupado imitaba alternativamente a su padre el marmolista y a su madre la comadrona: ejerciendo funciones de comadrona, ayudaba a las almas a parir, y como marmolista, cubierto de objeciones como si fueran polvo de mármol, extraía de los tiernos bloques humanos una efigie divina. Su sabiduría múltiple como los aspectos de las cosas le compensaba los gozos del libertino, los triunfos del atleta, los excitantes peligros del buscador de aventuras en el mar de la casualidad. Siendo pobre, gozaba de las riquezas que hubiera poseído si no se hubiera dedicado a ganancias invisibles; siendo casto, paladeaba cada noche el sabor de los desenfrenos que hubiera podido ofrecerse si le hubieran parecido provechosos para Sócrates; siendo feo, gozaba con inocencia de la belleza precisa que el azar había otorgado a Cármides, de manera que el cuerpo casi grotesco donde el destino había alojado a su alma no era sino una de las formas, no más importante que otras, del Sócrates infinito. Semejante a la del dios que tal vez crea los mundos, su porción de libertad eran sus criaturas. Había comprendido que el torbellino que movía mis pies descalzos se emparentaba con la inmovilidad de sus secretos éxtasis: yo lo he visto de pie, indiferente a los astros que daban vueltas sin aumentar su vértigo, forma negra y recogida sobre la noche ática, soportar sin desfallecer el cierzo atroz y helado que sopla de las profundidades de Dios. Seguí por las mañanas, a lo largo de los campos de espliego, al alcahuete sublime que presentaba todos los días a la juventud de Atenas nuevas verdades desnudas. Le di escolta a lo largo del pórtico Real donde ululaba para él la muerte como una lechuza en forma de Anteo. La cicuta había crecido en un rincón de la campiña árida: un alfarero del Ágora había fabricado la copa donde echarían el veneno; las calumnias habían tenido tiempo de madurar al sol del Desprecio. Yo era el único que sabía el cansancio del sabio: sólo yo lo había visto levantarse de su miserable cama e inclinarse jadeante para buscar sus sandalias. Pero la simple fatiga no hubiera hecho que aquel hombre de setenta años renunciara a la vida que le quedaba. Aquel anciano que, durante toda su vida, había trocado una clara verdad contra otra verdad aún más resplandeciente, un hermoso rostro amado por otro aún más hermoso, hallaba por fin el modo de canjear la muerte lenta y banal que le preparaban por dentro sus arterias por una muerte más útil y más justa, engendrada por sus actos, nacida de él como una hija abnegada que acudiera a remeterle la ropa en su lecho al caer la noche. Aquella muerte, lo bastante sólida como para perdurar unos siglos en torno a su recuerdo, se insertaba en la serie de actos nobles que habían constituido su vida y prolongaba su camino hacia una vida eterna. Justo era que Atenas elevara, sobre la dura toba de las Leyes, unos templos cada día más orgullosos a unas divinidades cada vez más perfectas; y era asimismo justo que él, que despreciaba todo aquello sentado bajo unos pórticos menos hermosos que el pensamiento puro, enseñara a los jóvenes a no confiar sino en la propia alma. Era justo que un servidor vestido de luto acudiera, por orden de los Heliastas, a tenderle la copa llena de un licor amargo; y también era justo que aquella apacible muerte formara una mancha entre tanto azul, sin dejar por ello de hacerlo más azul todavía. Sin duda, la muerte tenía para él mayor atractivo que Alcibíades, puesto que no la impedía meterse en su cama. Ocurrió una noche, en la estación del año en que los jóvenes mendigos tienen las manos llenas de rosas, a la hora en que el sol cubre a Atenas de besos antes de decirle adiós. Una barca regresaba al puerto, replegando sus dos alas, blancas como el cisne del dios al que rezaban los peregrinos. La mazmorra se hallaba excavada en la ladera de una roca; la puerta abierta dejaba entrar la brisa y el grito de los aguadores; desde el fondo de la prisión, semejante a una caverna, el Templo pálidamente malva se nos revelaba como una Idea divina. El rico Critón gemía, indignado de que el Maestro no le hubiese permitido trazar hacia la huida un camino de oro; Apolodoro lloraba como los niños, sorbiendo sus lágrimas; mi pecho oprimido contenía los suspiros; Platón se hallaba ausente. Simmias, con un estilete en la mano, anotaba a toda prisa las últimas palabras del hombre irreemplazable. Mas ya las palabras no se escapaban, sino con pesar, de aquella boca serena: sin duda, el sabio comprendía que la única razón de ser de sus paseos por el Discurso, que él había recorrido incansablemente durante toda su vida, era conducir hasta el borde del silencio donde late el corazón de los dioses. Siempre llega un momento en que se aprende a callar, tal vez porque al fin uno es digno de escuchar por haber aprendido a mirar fijamente algo inmóvil, y esa sabiduría debe de ser la de los muertos. Yo estaba de rodillas al lado de la cama: mi Maestro puso la mano sobre mi cabellera suelta. Yo sabía que su existencia consagrada a un fracaso sublime extraía sus principales virtudes de los prestigios amorosos que sólo pretendía alcanzar para superarlos. Puesto que la carne es, después de todo, el más hermoso traje en que puede envolverse el alma, ¿qué sería de Sócrates sin la sonrisa de Alcibiades y los cabellos de Fedón? A aquel anciano, que sólo conocía del mundo los barrios de Atenas, algunos dulces cuerpos amados le habían enseñado lo Absoluto y también el Universo. Sus manos un poco temblorosas se perdían por mi nuca como por un valle en donde palpita la primavera: adivinando al fin que la eternidad se compone de una serie de instantes, único cada uno de ellos, sentía huir bajo sus dedos la forma sedosa y rubia de la vida eterna. Entró el carcelero con la copa llena del jugo fatal de la inocente planta; mi maestro la vació; le quitaron los grilletes; di un suave masaje a sus piernas congestionadas de cansancio y sus últimas palabras fueron para decir que la voluptuosidad es idéntica a su hermano el dolor. Lloré al oírlo, pues justificaba mi vida. Cuando se acostó, le ayudé a taparse la cara con los pliegues de su viejo manto. Sentí pesar sobre mi rostro por última vez la bondadosa mirada miope de sus salientes ojos de perro triste. Fue entonces, Cebes, cuando él nos ordenó que sacrificáramos un gallo a la Medicina: partió llevándose el secreto de esta broma suprema. Mas yo creí entender que aquel hombre cansado de medio siglo de cordura quería echar un buen sueño antes de arriesgarse a correr la suerte de una Resurrección; incierto del porvenir, satisfecho de haber sido Sócrates, deseaba torcerle el cuello al mensajero de la eterna mañana. Se ocultó el sol; la helada le llegó al corazón; enfriarse es la verdadera muerte del Sabio. Nosotros, sus discípulos, dispuestos a separarnos para no volvernos a ver, sólo sentíamos indiferencia unos hacia otros, aburrimiento, rencor quizá: ya no éramos más que los miembros dispersos del filósofo muerto. Todos desarrollaron rápidamente los gérmenes de muerte que sus vidas contenían: Alcibiades sucumbió en el umbral de la edad madura, taladrado por las flechas del Tiempo; Simmias se pudrió en vida sentado en el banco de una taberna y el rico Critón murió de apoplejía. Tan sólo yo, invisible a fuerza de velocidad, continúo cerrando en torno a algunas tumbas mi inmensa parábola. Danzar sobre la sabiduría es danzar sobre la arena. El mar del movimiento se lleva cada día una parcela de ese suelo árido donde no nace vida alguna. La inmovilidad de la muerte sólo puede ser para mí un estado último de la velocidad suprema: la presión del vacío hará estallar mi corazón. Ya mi baile rebasa las fortificaciones de las ciudades, el terraplén de las Acrópolis, y mi cuerpo, dando vueltas como el huso de las Parcas, devana su propia Muerte. Mis pies cubiertos de espuma aún se posan en la cresta —sin cesar destruida— de las olas, pero mi frente toca los astros y el viento de los espacios me arranca los escasos recuerdos que me impiden estar desnudo. Sócrates y Alcibiades ya no son más que nombres, cifras, vanas figuras trazadas en la nada por el roce de mis pies. La ambición no es sino engaño; la sabiduría se equivocaba; hasta el vicio mintió. No hay ni virtud, ni piedad, ni amor, ni pudor, ni tampoco sus poderosos contrarios, sino sólo una cáscara vacía bailando en lo alto de una alegría que es también un Dolor, un rayo de belleza en una tempestad de formas. La cabellera de Fedón se destaca en la noche del universo como un meteoro triste.

El amor es un castigo. Somos castigados por no haber podido quedarnos solos.

*
* *

Hay que amar mucho a una persona para arriesgarse a padecer. Tengo que amarte mucho para ser capaz de padecerte.

*
* *

Me es imposible no ver en mi amor una forma refinada del libertinaje, una estratagema para pasar el tiempo, para prescindir del Tiempo. El placer efectúa en pleno cielo un aterrizaje forzoso, envuelto en el ruido de motor loco de los últimos estremecimientos del corazón. La oración se eleva en vuelo planeado; el alma arrastra al cuerpo en la asunción del amor. Para que una asunción sea posible hace falta un Dios. Tú posees precisamente la belleza justa, la ceguera y las exigencias convenientes para ocupar el lugar de un Todopoderoso. He hecho de ti, a falta de algo mejor, la piedra angular de mi universo.

*
* *

Tus cabellos, tus manos, tu sonrisa recuerdan desde lejos a alguien que yo adoro. ¿Y a quién? A ti.

Las dos de la madrugada. Las ratas roen en los cubos de basura los restos de un día muerto: la ciudad pertenece a los fantasmas, a los asesinos, a los sonámbulos. ¿Dónde estás tú, en qué cama, en qué sueño? Si tropezara contigo, pasarías sin verme, pues no somos percibidos por nuestros sueños. No tengo hambre: no consigo digerir mi vida esta noche. Estoy cansada: anduve toda la noche para escapar de tu recuerdo. No tengo sueño: ni siquiera siento apetito de la muerte. Sentada en un banco, embrutecida a pesar mío por la llegada de la mañana, dejo de recordar que trato de olvidarte. Cierro los ojos... Los ladrones sólo desean nuestras sortijas; los amantes, la carne; los predicadores, nuestras almas; los asesinos, la vida. Pueden quitarme la mía: los desafío a que cambien algo en ella. Echo hacia atrás la cabeza para sentir por encima de mí el murmullo de las hojas... Estoy en el bosque, en un campo... Es la hora en que el Tiempo se disfraza de barrendero y Dios tal vez de trapero. Él, el avaro, el testarudo; él, que no consiente ver perderse una perla entre el montón de conchas de ostra a las puertas de las tabernas. Padre nuestro que estás en los cielos... ¿Veré yo venir alguna vez a un hombre viejo, con un abrigo pardo, con los pies llenos de barro por haber atravesado Dios sabe qué río para reunirse conmigo? Se dejaría caer en el banco, apretando en su puño cerrado un valioso regalo que bastaría para cambiarlo todo. Separaría los dedos lentamente, uno tras otro, con prudencia, pues el regalo podría echarse a volar... ¿Qué llevaría en su mano? ¿Un pájaro, una semilla, un cuchillo, una llave para abrir la lata de conserva del corazón?

¿Ingenio? ¿En el dolor? Puede ser, pues hay sal en las lágrimas...

*
* *

¿Miedo de nada? Tengo miedo de ti.

Clitemnestra o el crimen

Voy a explicarles, señores jueces... Tengo ante mí innumerables órbitas de ojos; líneas circulares de manos puestas en las rodillas, de pies descalzos descansando en la piedra, de pupilas fijas de donde mana la mirada, de bocas cerradas donde el silencio madura un juicio. Tengo ante mí audiencias de piedra. Maté a aquel hombre con un cuchillo, dentro de la bañera, con ayuda de mi miserable amante que ni siquiera era capaz de sujetarle los pies. Ya conocéis mi historia: no hay ni uno de vosotros que no la haya repetido veinte veces al acabar la copiosa comida, acompañada del bostezo de las sirvientas; ni una de vuestras mujeres que no haya soñado alguna vez con ser Clitemnestra. Vuestros pensamientos criminales, vuestras ansias inconfesadas ruedan por los escalones y vienen a derramarse en mí, de suerte que una especie de horrible vaivén hace de vosotros mi conciencia y de mí vuestro grito. Habéis acudido aquí para que la escena del asesinato se repita ante vuestros ojos un poco más rápidamente que en la realidad, pues os espera el hogar y la cena y sólo podéis dedicar unas cuantas horas a oírme llorar. Y en ese corto espacio de tiempo es preciso que no sólo mis actos, sino también sus motivos estallen a plena luz, aun cuando para afirmarse han necesitado cuarenta años. Esperé a aquel hombre antes de que tuviera un nombre, un rostro, cuando aún no era sino mi lejana desgracia. Busqué entre la multitud de los vivos a ese ser necesario a mis futuras delicias: miré a los hombres sólo como se mira a los transeúntes que pasan por la taquilla de una estación, para asegurarse de que no son la persona que uno está esperando. Si mi nodriza me envolvió en pañales al salir de mi madre, fue para él; si aprendí a contar en la pizarra del colegio, fue para poder llevar las cuentas de su casa de hombre rico. Para alfombrar el camino donde tal vez se posaría el pie del desconocido que haría de mí su sierva, tejí sábanas y estandartes de oro; de tanto afanarme, dejé caer de cuando en cuando en el blando tejido unas gotas de mi sangre. Mis padres me lo escogieron, y aunque él me hubiera raptado a espaldas de mi familia, yo hubiera seguido obedeciendo al deseo de mis padres, puesto que nuestros gustos de ellos provienen y el hombre que amamos es siempre aquel con quien sueñan nuestras abuelas. Le dejé sacrificar el porvenir de nuestros hijos a sus ambiciones de hombre: ni siquiera lloré cuando murió mi hija. Consentí en deshacerme en su destino como una fruta en una boca, para aportarle sólo una sensación de dulzura. Señores jueces, vosotros lo conocisteis ya ajado por la gloria, envejecido por diez años de guerra, convertido en una especie de ídolo enorme desgastado por las caricias de las mujeres asiáticas, salpicado por el barro de las trincheras. Sólo yo estuve con él en su época de dios. Era muy dulce para mí llevarle, en una bandeja grande de cobre, el vaso de agua que derramaría en él sus reservas de frescor; era dulce para mí, en la ardiente cocina, prepararle los platos que colmarían su hambre y alimentarían su sangre. Era muy dulce para mí, entorpecida por el peso de la simiente humana, poner las manos sobre mi vientre hinchado donde fermentaban mis hijos. Por la noche, cuando volvía de la caza, yo me arrojaba con alegría sobre su pecho de oro. Pero los hombres no están hechos para pasar toda la vida calentándose las manos al fuego del mismo hogar: partió hacia nuevas conquistas y me dejó allí, abandonada como una casa enorme y vacía que oye latir un inútil reloj. El tiempo pasado lejos de él se perdía, gota a gota o a chorros, como sangre desperdiciada, dejándome más pobre de porvenir cada día. Algunos soldados ebrios que venían con permiso me contaban la vida que él llevaba en los campamentos de retaguardia. El ejército de Oriente se hallaba infestado de mujeres: judías de Salónica, armenias de Tiflis cuyos ojos azules engarzados en sombríos párpados recuerdan el fondo de una gruta oscura, turcas pesadas y dulzonas como los pasteles en cuya composición entra la miel. Recibía carta los días de aniversario; mi vida transcurría espiando por el camino el paso del cartero cojo. De día, luchaba contra la angustia; de noche, luchaba contra el deseo; sin cesar, luchaba contra el vacío, forma cobarde de la desgracia. Pasaban los años uno tras otro por las calles desiertas como una procesión de viudas; la plaza del pueblo parecía negra con tantas mujeres de luto. Yo envidiaba a aquellas desgraciadas por no tener más rival que la tierra y por saber, al menos, que su hombre dormía solo. Yo vigilaba en lugar del mío los trabajos del campo y los caminos del mar; recogía las cosechas; mandaba clavar la cabeza de los bandidos en el poste del mercado; utilizaba su fusil para dispararle a las cornejas; azotaba los flancos de su yegua de caza con mis polainas de tela parda. Poco a poco, yo iba ocupando el lugar del hombre que me faltaba y que me invadía. Acabé por contemplar, con los mismos ojos que él, el cuello blanco de las sirvientas. Egisto galopaba a mi lado por los eriales; tenía casi la edad de ir a reunirse con los hombres; me devolvía la época de los besos entre primos perdidos en el bosque, durante las vacaciones de verano. Yo lo miraba menos como un amante que como a un niño que hubiera engendrado en mí la ausencia; pagaba sus gastos de guarnicioneros y caballos. Infiel a mi hombre, seguía imitándolo: Egisto no era para mí sino lo equivalente a las mujeres asiáticas o a la innoble Arginia. Señores jueces, no existe más que un hombre en el mundo: los demás no son más que un error o un triste consuelo, y el adulterio es a menudo una forma desesperada de la fidelidad. Si yo engañé a alguien, fue con toda seguridad al pobre Egisto. Lo necesitaba para percatarme de hasta qué punto el que yo amaba me era irreemplazable. Cansada de acariciarlo, subía yo a la torre para compartir el insomnio del centinela. Una noche, el horizonte del Este empezó a arder tres horas antes de llegar la aurora. Troya ardía: el viento que soplaba de Asia transportaba sobre el mar pavesas y nubes de cenizas; las fogatas de los centinelas se encendieron en las cimas: el monte Athos y el Olimpo, el Pindo y el Erimanto parecían hogueras; la lengua de la última llama se posaba frente a mí en la pequeña colina que desde hacía veinticinco años me tapaba el horizonte. Yo veía inclinarse la frente del vigilante, cubierta por el casco, para recibir el susurro de las olas: por el mar, en alguna parte, un hombre engalanado de oro se acodaba en la proa y cada vuelta de hélice lo acercaba más y más a su mujer y a su hogar ausente. Al bajar de la torre, cogí un cuchillo. Quería matar a Egisto, mandar lavar las maderas de la cama y el pavimento de la habitación, sacar del fondo del baúl el vestido que llevaba puesto cuando él se marchó, y suprimir finalmente aquellos diez años como si fueran un simple «cero» en el total de mis días. Al pasar por delante del espejo, me detuve a sonreír: de repente, me vi y al verme me di cuenta de que tenía el pelo gris. Señores jueces, diez años es mucho tiempo: es más largo que la distancia entre la ciudad de Troya y el castillo de Micenas; el rincón del pasado está asimismo más alto que el lugar en donde nos encontramos, pues sólo podemos bajar y no subir las escaleras del Tiempo. Sucede como en las pesadillas: cada paso que damos nos aleja más de nuestra meta en vez de acercarnos a ella. En lugar de una mujer joven, el rey encontraría en la puerta a una especie de cocinera obesa; la felicitaría por el buen estado de los corrales y bodegas: sólo podía esperar unos cuantos besos fríos. Si hubiera tenido valor, me hubiese matado antes de que él llegara, para no leer en su rostro la decepción al encontrarme ajada. Pero quería, al menos, verlo antes de morir. Egisto lloraba en mi lecho, asustado como un niño culpable que siente llegar el castigo del padre; me acerqué a él y adopté mi voz más suavemente mentirosa para decirle que nada se sabía de nuestras citas nocturnas y que su tío no tenía ninguna razón para dejarlo de querer. Yo esperaba que, al contrario, él estuviera enterado de todo, y que la cólera y el afán de venganza me devolvieran un lugar en su pensamiento. Para estar más segura de ello, entregué al correo, junto con las demás cartas, una anónima en donde exageraba mis culpas: afilaba el cuchillo que debía abrirme el corazón. Pensaba que tal vez me estrangularía con sus propias manos que yo tan a menudo había besado: por lo menos, moriría envuelta en una especie de abrazo. Llegó por fin el día en que el barco de guerra atracó en el puerto de Nauplia, en medio de una algarabía de vivas y fanfarrias; los terraplenes cubiertos de rojas amapolas parecían pavimentados por orden del verano; el maestro dio un día de asueto a los chicos del pueblo; tocaban las campanas de la iglesia. Yo lo esperaba en el umbral de la Puerta de los Leones; una sombrilla rosa maquillaba mi palidez. Chirriaron las ruedas del coche por la empinada cuesta; los aldeanos se engancharon al varal para ayudar a los caballos. Al volver un recodo, divisé, por fin, la parte más alta del coche, que asomaba por encima de un seto vivo, y advertí que mi hombre no venía solo. A su lado llevaba a la hechicera que él había escogido como parte del botín, aun estando algo estropeada por los juegos de los soldados. Era casi una niña; unos hermosos ojos oscuros le llenaban el rostro amarillento y tatuado de cardenales. Él le acariciaba el brazo para que no llorase. La ayudó a bajar del coche, me besó con frialdad y me dijo que contaba con mi generosidad para tratar amablemente a la muchacha cuyos padres habían muerto. Apretó la mano de Egisto. Él también había cambiado. Resoplaba al andar y su cuello enorme y colorado desbordaba del cuello de la camisa; su barba teñida de rojo se perdía por entre los pliegues de su pecho. Era hermoso, sin embargo, pero hermoso como un toro en lugar de serlo como un dios. Subió con nosotros los escalones del vestíbulo que yo había mandado alfombrar de púrpura, para que no se notaran las manchas de sangre. Apenas me miraba; en la cena, ni siquiera se dio cuenta de que yo había preparado sus platos favoritos; bebió dos vasos, tres vasos de alcohol. El sobre abierto de la carta anónima asomaba por uno de sus bolsillos. Le guiñó un ojo a Egisto y farfulló unas cuantas bromas de borracho sobre las mujeres que buscan consuelo. La velada, interminablemente larga, se prolongó aún más en la terraza infestada de mosquitos. Hablaba en turco con su compañera. Según parece, ella era hija del jefe de una tribu; al moverse, me di cuenta de que llevaba un hijo en su seno. ¿Sería de él o de alguno de los soldados que la habían arrastrado riendo fuera del campamento y arrojado a latigazos de nuestras trincheras? Decían que poseía el don de adivinar el porvenir. Para distraernos, nos leyó las líneas de la mano. Entonces palideció y empezó a castañetear los dientes. También yo, señores jueces, conocía el porvenir. Todas las mujeres lo conocen: siempre esperan que todo acabe mal. Él tenía por costumbre tomar un baño caliente antes de irse a acostar. Subí a preparárselo: el ruido del agua que salía del grifo me permitía llorar en voz alta. Calentábamos con leña el agua del baño; el hacha que utilizábamos para cortar los troncos se hallaba tirada en el suelo; no sé por qué la escondí en el toallero. Durante un instante, pensé en disponerlo todo para simular un accidente que no dejara huellas, de suerte que la lámpara de petróleo cargara con las culpas. Pero yo quería obligarlo a mirarme de frente por lo menos al morir: por eso lo iba a matar, para que se diera cuenta de que yo no era una cosa sin importancia que se puede dejar o ceder al primero que llega. Llamé a Egisto en voz baja: se puso pálido cuando abrí la boca. Le ordené que me esperase en el rellano. El otro subía pesadamente las escaleras; se quitó la camisa; la piel, con el agua del baño, se le puso toda violeta. Yo le enjabonaba la nuca y temblaba tanto como el jabón que continuamente se me resbalaba de las manos. Él estaba un poco sofocado y me mandó con rudeza que abriese la ventana, demasiado alta para mí. Le grité a Egisto que viniera a ayudarme. En cuanto entró, cerré la puerta con llave. El otro no me vio, pues nos daba la espalda. Le di torpemente un primer golpe que sólo le hizo un corte en el hombro; se puso de pie; su rostro abotargado se iba llenando de manchas negras; mugía como un buey. Egisto, aterrorizado, le sujetó las rodillas, acaso para pedirle perdón. Él perdió el equilibrio y cayó como una masa, con la cara dentro del agua, con un gorgoteo que parecía un estertor.

Entonces fue cuando le di el segundo golpe que le cortó la frente en dos. Pero creo que ya estaba muerto: no era más que un pingajo blando y caliente. Se habló de rojas oleadas: en realidad, sangró muy poco. Yo sangraba más cuando di a luz a mis hijos. Después de morir él, matamos a su amante: fuimos generosos, si ella lo amaba. Los aldeanos se pusieron de nuestra parte y callaron. Mi hijo era demasiado pequeño para dar rienda suelta a su odio contra Egisto. Han pasado unas semanas: yo hubiera debido tranquilizarme pero ya sabéis, señores jueces, que nunca acaba nada y que todo vuelve a empezar. Me he puesto a esperarlo otra vez y ha vuelto. No mováis la cabeza: os digo que ha vuelto. Él, que durante diez años ni se dignó tomar un permiso de ocho días para volver de Troya, ha vuelto de la Muerte. A pesar de que yo le corté los pies, para impedirle salir del cementerio... Pero esto no evitó que él se deslizara por la noche en mi cuarto, llevando sus pies debajo del brazo, como los ladrones cuando cogen de este modo sus zapatos para no hacer ruido. Me cubría con su sombra; ni siquiera parecía darse cuenta de que Egisto estaba allí. Después, mi hijo me ha denunciado en el puesto de policía, pero mi hijo es también un fantasma, el suyo, su espectro de carne. Yo creía que por lo menos en la prisión estaría tranquila, pero sigue volviendo: parece como si prefiriese mi calabozo a su tumba. Sé que mi cabeza acabará por rodar en la plaza del pueblo y que la de Egisto caerá cortada por el mismo cuchillo. Es extraño, señores jueces, se diría que ya me habéis juzgado otras veces. Pero tengo la experiencia suficiente para saber que los muertos no permanecen en reposo: me levantaré, arrastrando a Egisto tras de mí como a un galgo triste. Y erraré por las noches a lo largo de los caminos, a la búsqueda de la justicia de Dios. Volveré a hallar a ese hombre en algún rincón de mi infierno y gritaré de nuevo con alegría con sus primeros besos. Luego, me abandonará para irse a conquistar alguna provincia de la Muerte. Ya que el Tiempo es la sangre de los vivos, la Eternidad debe de ser la sangre de las sombras. Mi eternidad, la mía, se perderá esperando su regreso, de suerte que me convertiré en el más lívido de los fantasmas. Entonces volverá, para burlarse de mí, y acariciará ante mis ojos a la amarilla hechicera turca acostumbrada a jugar con los huesecillos de las tumbas. ¿Qué puedo hacer? Es imposible matar a un muerto...

Dejar de ser amada es convertirse en invisible. Tú ya no te das cuenta de que poseo un cuerpo.

*
* *

Entre la muerte y nosotros no hay, en ocasiones, sino la densidad de un único ser. Una vez desaparecido ese ser, ya no queda más que la muerte.

*
* *

¡Qué insípido hubiera sido ser feliz!

*
* *

Debo cada uno de mis gustos a la influencia de amigos de paso, como si yo no pudiera aceptar el mundo, sino por mediación de unas manos humanas. De Hyacinthe me quedó el amor a las flores, de Philippe la afición a los viajes, de Celeste el amor a la medicina, de Alexis el gusto por los encajes. Y de ti ¿por qué no el amor a la Muerte?

Safo o el suicidio

Acabo de ver, reflejada en los espejos de un palco, a una mujer que se llama Safo. Está tan pálida como la nieve, como la muerte o como el rostro blanco de las leprosas. Y como se pinta para disimular su palidez, parece el cadáver de una mujer asesinada que lleve en las mejillas un poco de su propia sangre. Sus ojos son como cuevas que se hunden para escapar de la luz del día, lejos de unos áridos párpados que ya ni sombra le proporcionan. Sus largos bucles se le caen a puñados, como las hojas del bosque en precoces tempestades. Todos los días se arranca una nueva cana y estos hilos de seda pálida pronto serán tan numerosos como para tejerle una mortaja. Llora su juventud, como si fuera una mujer que la hubiese traicionado. Llora su infancia, como si se tratara de una niña que hubiera muerto. Está muy flaca: cuando se baña, se da la vuelta para no ver sus senos tristes en el espejo. Va errante de ciudad en ciudad, con tres grandes maletas llenas de perlas falsas y de restos de pájaros. Es acróbata, como en otros tiempos fue poetisa, pues la índole especial de sus pulmones le obliga a escoger un oficio que pueda ejercerse entre la tierra y el cielo. Todas las noches, entregada a las fieras del Circo que la devoran con los ojos, mantiene sus promesas de estrella en un espacio repleto de poleas y mástiles. Su cuerpo pegado a la pared, cortado en menudos trocitos por las letras luminosas, forma parte de ese grupo de fantasmas de moda que planean por las ciudades grises. Criatura imantada, con demasiadas alas para estar en la tierra y demasiado carnal para estar en el cielo, sus pies untados de cera han roto el pacto que nos une al suelo; la Muerte agita por debajo de ella los chales del vértigo, sin conseguir jamás enturbiarle los ojos. Desde lejos, desnuda, cubierta de lentejuelas de astros, parece un atleta que se negara a ser ángel para no restarle mérito a sus saltos prodigiosos; de cerca, envuelta en largos albornoces que le restituyen sus alas, parece haberse disfrazado de mujer. Sólo ella sabe que su pecho contiene un corazón demasiado pesado y grande para alojarse en sitio distinto de un pecho ensanchado por unos senos; ese peso escondido en la jaula de huesos proporciona —a cada uno de sus saltos en el vacío— el sabor mortal de la inseguridad. Medio devorada por esa fiera implacable, trata de ser en secreto la domadora de su corazón. Nació en una isla, lo que ya es un principio de soledad; luego, intervino su oficio para obligarla cada noche a una especie de aislamiento en la altura; tendida en el tablado de su destino de estrella, expuesta medio desnuda a todos los vientos del abismo, la falta de dulzura le hace sufrir como la falta de almohadas. Los hombres de su vida sólo fueron escalones que ella subió no sin mancharse los pies. El director, el músico que tocaba el trombón, el agente de publicidad, terminaron por hacerle sentir asco de los bigotes engomados, de las corbatas rayadas, de las carteras de cuero y de todos los atributos exteriores de la virilidad que hacen soñar a las mujeres. Sólo el cuerpo de las muchachas jóvenes sería lo bastante suave, lo bastante flexible, lo bastante fluido para dejarse manejar por las manos de aquel ángel, que fingiría por juego soltarlas en el vacío. No consiguió que ellas permanecieran durante mucho tiempo en aquel espacio abstracto, limitado por las barras de los trapecios. Enseguida se asustaban de aquella geometría que se transformaba en batir de alas, y todas renunciaron a ser sus compañeras en el cielo. Tuvo que bajar de nuevo a la tierra para hallarse a la misma altura que la vida de ellas, remendada con trapos que ni siquiera son pañales, de manera que aquella ternura infinita acabó por adquirir el aspecto de un permiso de sábado, de un día de asueto que el gaviero pasa en compañía de las mujeres. Ahogándose en aquellas habitaciones que no son más que una alcoba, abre al vacío la puerta de la desesperación, con el gesto de un hombre obligado por amor a vivir con las muñecas. Todas las mujeres aman a una mujer: se aman apasionadamente a sí mismas, y su propio cuerpo suele ser la única forma que ellas consienten en hallar hermosa. Los penetrantes ojos de Safo van mucho más lejos, présbitas del dolor. Pregunta a las jóvenes qué esperan de los espejos esas coquetas ocupadas en ataviar a su ídolo: una sonrisa que responda a la suya temblorosa, hasta que el aliento de los labios cada vez más cercanos empañen el reflejo y calienten el cristal. Narciso ama lo que él es. Safo, en sus compañeras, adora amargamente lo que ella no ha sido. Pobre, cargada con el desprecio que es para el artista el envés de la gloria, sin más futuro que las perspectivas del abismo, acaricia la dicha en el cuerpo de sus amigas menos amenazadas. Los velos de las niñas de primera comunión que llevan su alma al exterior de sí mismas le hacen soñar con una infancia más límpida de lo que fue la suya, pues aun agotadas las ilusiones, continuamos imaginando en otros una infancia sin pecado. La blancura de las muchachas despierta en ella el recuerdo casi increíble de la virginidad. Amó el orgullo de Gyrinno y acabó por rebajarse hasta besarle los pies. El amor de Anactoria le reveló el sabor de los buñuelos que se comen a mordisco limpio en las ferias, de los caballitos de madera y del heno de los almiares cosquilleando la nuca de una bella tumbada. Attys le enseñó a amar la desgracia. Encontró a Attys perdida en una gran ciudad, asfixiada por el aliento de las multitudes y la niebla del río; su boca aún conservaba el olor a caramelo de jengibre que acababa de chupar; los churretes de hollín se pegaban a sus mejillas escarchadas de lágrimas; corría por un puente, vestida con pieles falsas y calzada con unos zapatos agujereados. Su rostro de cabritilla rebosaba de despavorida dulzura. Para explicar sus labios apretados, pálidos como la cicatriz de una herida, y sus ojos semejantes a turquesas enfermas, Attys poseía en el fondo de su memoria tres relatos diferentes que no eran sino las tres caras de una misma desgracia. Su amigo, con quien ella acostumbraba a salir los domingos, la había abandonado, porque una noche, en un taxi al volver del teatro, no había consentido en dejarse acariciar. Una amiga que le prestaba su diván para dormir en un rincón de su cuarto de estudiante, la había echado tras acusarla falsamente de haber querido robar el corazón de su prometido. Finalmente, su padre le pegaba. Todo le daba miedo: los fantasmas, los hombres, el número trece y los ojos verdes de los gatos. El comedor del hotel la deslumbró como un templo donde ella se creía obligada a hablar en voz baja; tanto la impresionó el cuarto de baño que se puso a aplaudir. Safo derrocha por aquella niña fantástica el capital acumulado en sus años de flexibilidad y temeridad. Impone a los directores de circo a la mediocre artista que no sabe hacer más que juegos malabares con ramos de flores. Ambas mujeres dan vueltas por las pistas y tablados de todas las capitales, con esa regularidad en el cambio propia de los artistas nómadas y de los libertinos tristes. Por las mañanas, en los cuartos donde se hospedan, arreglan sus trajes de teatro y las carreras de sus medias demasiado estrechas. A fuerza de cuidar de aquella muchacha enfermiza, de apartar de su camino a los hombres que pudieran tentarla, el taciturno amor de Safo adquiere, sin que ella se dé cuenta, una forma maternal, como si quince años de voluptuosidades estériles hubieran dado como resultado el nacerle aquella niña. Los jóvenes vestidos de esmoquin con los que tropiezan por los pasillos de los camerinos le recuerdan a Attys al amigo cuyos besos en un tiempo rechazó y que ahora echa de menos: Safo la ha oído hablar tan a menudo de la hermosa ropa blanca de Philippe, de sus gemelos azules y de la estantería llena de libros licenciosos que adornaba su habitación de Chelsea... que acaba por tener de aquel hombre correctamente vestido una imagen tan neta como la de algunos amantes que ella admitió en su vida sin poder evitarlo: lo archiva distraídamente entre sus recuerdos. Los párpados de Attys van adquiriendo poco a poco reflejos color violeta; va a buscar a Correos unas cartas que acaba por romper tras haberlas leído. Parece extrañamente bien informada sobre los viajes de negocios que podrían obligar al joven a cruzarse por casualidad en su camino de nómadas pobres. Safo sufre al no poder darle a Attys más que un refugio apartado de la vida, y porque sólo el miedo mantiene apoyada contra su fuerte hombro la cabecita frágil. Esta mujer, amargada por todas las lágrimas que con valor no derramó jamás, se da cuenta de que sólo puede ofrecer a sus amigas un acariciador desamparo; su única disculpa es decirse que el amor, en todas sus formas, no tiene nada mejor que ofrecer a las temblorosas criaturas, y que Attys, al alejarse de ella, tendría muy pocas probabilidades de dirigirse hacia una mayor felicidad. Una noche, Safo regresa del circo más pronto que de costumbre, cargada con unos manojos de flores que ha recogido para dárselas a Attys. La portera, al verla pasar, hace una mueca distinta de la de todos los días; la espiral de la escalera se parece de repente a los anillos de una serpiente. Safo se percata de que la botella de leche no está en la esterilla que hay delante de la puerta, en el sitio de costumbre; ya en el vestíbulo, olfatea el olor a colonia y a tabaco rubio. Comprueba en la cocina la ausencia de una Attys ocupada en freír los tomates; en el cuarto de baño, la ausencia de una muchacha que juega con el agua; en el dormitorio, el rapto de una Attys dispuesta a dejarse mecer. Al abrir de par en par las puertas del armario de luna, llora por la ropa desaparecida de la joven amada. Un gemelo de color azul yace en el suelo como una rúbrica del autor de aquel rapto, de aquella partida que Safo se obstina en no creer eterna por miedo a no poder soportarlo sin morir. Vuelve a recorrer ella sola la pista de las ciudades, y busca ávidamente en todos los palcos un rostro que su delirio prefiere a cualquier cuerpo. Al cabo de unos años, una de las giras por Levante la devuelve a su tierra natal; se entera de que Philippe dirige ahora en Esmirna una manufactura de tabacos de Oriente; acaba de casarse con una mujer rica e importante que no puede ser Attys: se cree que la joven abandonada ha entrado a formar parte de una compañía de bailarinas. Safo recorre otra vez todos los hoteles de Levante, cada uno de cuyos porteros posee su peculiar manera de ser insolente, desvergonzado o servil; los tugurios del placer donde el olor a sudor envenena los perfumes; los bares donde una hora de embrutecimiento en el alcohol y en el calor humano no deja más huella que el redondel de un vaso en una mesa de madera oscura; registra hasta los asilos del Ejército de Salvación, con la vana esperanza de recuperar a una Attys empobrecida y dispuesta a dejarse amar. En Estambul, la casualidad hace que se siente todas las noches al lado de un joven descuidadamente vestido, que dice ser empleado de una agencia de viajes; su mano más bien sucia sostiene perezosamente la carga de su frente triste. Intercambian unas cuantas palabras banales que en ocasiones sirven de pasarela al amor entre dos criaturas. Él dice llamarse Faón y pretende ser hijo de una griega de Esmirna y de un marino de la flota británica: el corazón de Safo torna a latir de nuevo al oír el acento delicioso que ella besaba en los labios de Attys. Él arrastra tras de sí recuerdos de huida, de miseria y de peligros independientes de las guerras y más secretamente emparentados con las leyes de su propio corazón. También él parece pertenecer a una raza amenazada, a quien una indulgencia precaria y siempre provisional permite permanecer con vida. Aquel muchacho sin permiso de residencia está lleno de preocupaciones; es defraudador, traficante de morfina, tal vez agente de la policía secreta; vive en un mundo de conciliábulos y de consignas donde no entra Safo. No necesita contarle su historia para establecer entre ellos una fraternidad en la desgracia. Ella le confiesa sus lágrimas; se detiene a hablarle de Attys. Él cree haber conocido a ésta: recuerda vagamente haber visto en un cabaret de Pera a una mujer desnuda haciendo juegos malabares con las flores. Él tiene un barquito de vela con el que pasea por el Bósforo los domingos; ambos buscan por todos los cafés pasados de moda que hay en las orillas, por los restaurantes de las islas, por las pensiones de la costa de Asia donde viven modestamente algunos extranjeros pobres... Sentada en la popa, Safo contempla, a la luz de un farol, cómo tiembla aquel hermoso rostro de hombre joven que es ahora su único sol humano. Descubre en sus facciones ciertas características antaño amadas en la muchacha desaparecida: la misma boca tumefacta como si la hubiera picado una misteriosa abeja, la misma frente pequeña y dura bajo unos cabellos diferentes y que ahora parecen empapados de miel, los mismos ojos semejantes a dos largas turquesas turbias, pero engarzadas en un rostro tostado en lugar de ser blanco, de suerte que la pálida joven de cabellos oscuros le parece haber sido una simple reproducción de aquel dios de bronce y oro. Safo, sorprendida, comienza a preferir lentamente aquellos hombros rígidos como la barra del trapecio, aquellas manos endurecidas por el contacto de los remos, todo aquel cuerpo en el que subsiste la suficiente dulzura femenina para que ella lo ame. Tendida en el fondo de la barca, se abandona a las nuevas pulsaciones de las olas por donde se abre paso aquel barquero. Ya no le habla de Attys sino para decirle que la muchacha perdida se le parece, aunque es menos bella: Faón acepta estos homenajes con una alegría inquieta mezclada de ironía. Ella rompe ante sus ojos una carta donde Attys le anuncia su regreso, y cuya dirección ni siquiera se ha molestado en descifrar. Él la mira con una sonrisa en sus labios temblorosos. Por primera vez, descuida ella las disciplinas de su oficio severo; interrumpe sus ejercicios que ponen cada músculo bajo el control del alma; cenan juntos y, cosa inaudita para ella, come demasiado. Sólo le quedan unos días de estar con él en aquella ciudad de donde la echan los contratos que la obligan a planear por otros cielos. Él consiente por fin en pasar con ella esa última noche, en el pisito que ella habita en el puerto. Safo mira cómo pasea de un lado a otro de la habitación aquel ser semejante a una voz en que las notas claras se mezclan con otras profundas. Inseguro de sus ademanes, como si temiera romper una ilusión frágil, Faón se inclina con curiosidad para ver los retratos de Attys. Safo se sienta en el diván vienés cubierto de bordados turcos; se aprieta la cara entre las manos como si se esforzara por borrar las huellas de los recuerdos. Aquella mujer que, hasta ahora, tomaba sobre sí la opción, la oferta, la seducción, la protección de sus amigas más frágiles, se relaja y naufraga por fin, blandamente abandonada al peso de su propio sexo y de su propio corazón, dichosa por no tener que hacer en lo sucesivo, sino el gesto de aceptación. Oye moverse al joven en la habitación contigua, donde la blancura de una cama se extiende como una esperanza, pese a todo maravillosamente abierta; oye cómo destapa unos frascos en el tocador, cómo registra en los cajones con el aplomo de un ladrón o de un amigo íntimo que piensa que todo le está permitido, cómo abre al fin las dos puertas del armario donde cuelgan los vestidos como si fueran suicidas, mezclados con algunas fruslerías que aún le quedan de Attys. De repente, un ruido sedoso, parecido al estremecimiento de los fantasmas, se acerca como una caricia que podría hacer gritar. Ella se levanta, se da la vuelta: el ser amado aparece envuelto en una bata que Attys dejó al marcharse. La muselina, que se pega a la carne desnuda, acusa la gracia casi femenina de las largas piernas de bailarín. Sin sus estrictos trajes de hombre, aquel cuerpo flexible y liso es casi un cuerpo de mujer. Aquel Faón que tan cómodo se encuentra con su disfraz no es sino un sustituto de la bella ninfa ausente; es una mujer la que llega hasta ella con risa de manantial. Safo, loca, corre con la cabeza desnuda hacia la puerta, huye de aquel espectro de carne que sólo podrá darle los mismos tristes besos de siempre. Baja corriendo por las calles sembradas de desechos y de basuras que conducen al mar, irrumpe en la marejada de los cuerpos. Sabe que ningún encuentro llevará dentro de sí la salvación, puesto que allí donde ella vaya siempre encontrará a Attys. Aquel rostro desmesurado le tapa todas las salidas que no dan a la muerte. Cae la noche, semejante a un cansancio que borrase su memoria; aún persiste un poco de sangre por el lado de poniente. De repente, suenan los címbalos como si la fiebre los entrechocara en su corazón: sin darse cuenta, la costumbre la ha llevado hasta el circo a la hora en que ella lucha cada noche con el ángel del vértigo. Por última vez se embriaga con el olor a fiera que acompañó su vida, con aquella música desafinada y enorme como el amor. Una camarera le abre a Safo su camerino de condenada a muerte: se desnuda como para ofrecerse a Dios. Se frota con un color blanco grasiento que la transforma ya en fantasma; se ata apresuradamente al cuello el collar de un recuerdo. Un empleado vestido de negro viene a avisarla de que ha llegado su hora. Trepa por la escala de cuerda de su patíbulo celeste. Huye hacia las alturas de la irrisión de haber creído que existía un hombre joven. Deja a un lado la perorata de los vendedores de naranjada, las risas desgarradoras de los niños de color de rosa, las faldas de las bailarinas, las mil mallas de las redes humanas. Sube de un solo impulso por el único punto de apoyo que le consiente su amor al suicidio: la barra del trapecio, que se balancea en el vacío y cambia en pájaro a la criatura cansada de no ser más que medio mujer; flota, alción de su propio abismo, suspendida por un pie ante los ojos del público que no sabe su desgracia. Su habilidad la perjudica: a pesar de sus esfuerzos, no consigue perder el equilibrio. Como un turbio profesor de equitación, la Muerte vuelve a sentarla en la silla del próximo trapecio. Sube cada vez más arriba, a la región de los focos: los espectadores se cansan de aplaudirla, pues ya no la ven. Colgada de la cuerda que domina la bóveda tatuada de estrellas pintadas, su único recurso para superarse es reventar su cielo. El viento del vértigo hace chirriar bajo sus pies cuerdas, poleas y cabrestantes de un destino ya superado. El espacio oscila y cabecea como en la mar, cuando sopla el cierzo, se tambalea el firmamento cuajado de estrellas entre las vergas de los mástiles. La música allá abajo se ha convertido en una ola grande y lisa que lava todos los recuerdos. Sus ojos ya no distinguen las luces rojas de las luces verdes; los focos azules que barren la negra multitud hacen brillar a un lado y a otro los hombros desnudos de las mujeres que semejan dulces rocas. Safo, agarrada a su Muerte como a un promontorio, escoge para caer el lugar donde las mallas de la red no puedan detenerla. Pues su suerte de acróbata sólo ocupa la mitad del inmenso circo: en la otra parte de la arena, donde se desarrollan los juegos de foca de los payasos, no hay nada preparado para impedirla morir. Safo se sumerge, con los brazos abiertos como si quisiera abrazar la mitad del infinito, dejando tras de sí el balanceo de una cuerda como prueba de su partida al cielo. Pero los que fracasan en sus vidas corren asimismo el riesgo de malograr su suicidio. Su caída oblicua choca con uno de los focos que parece una gran medusa azul. Aturdida, pero intacta, el choque rechaza a la inútil suicida hacia las redes que prenden y se desprenden de las espumas de luz; las mallas se hunden sin ceder bajo el peso de aquella estatua repescada de las profundidades del cielo. Y pronto los peones no tendrán más que halar sobre la arena ese cuerpo de mármol pálido, chorreando sudor como una ahogada en el agua del mar.

No me mataré. Se olvidan tan pronto de los muertos...

*
* *

No puede construirse una felicidad sino sobre unos cimientos de desesperación. Creo que voy a poder ponerme a construir.

*
* *

Que no se acuse a nadie de mi vida.

*
* *

No se trata de un suicidio. Sólo se trata de batir un récord.

Cuentos orientales

A André L. Embiricos

Cómo se salvó Wang-Fô[*]

* *Revue de Paris*, 1936.

El anciano pintor Wang-Fô y su discípulo Ling erraban por los caminos del reino de Han.

Avanzaban lentamente, pues Wang-Fô se detenía durante la noche a contemplar los astros y durante el día a mirar las libélulas. No iban muy cargados, ya que Wang-Fô amaba la imagen de las cosas y no las cosas en sí mismas, y ningún objeto del mundo le parecía digno de ser adquirido a no ser pinceles, tarros de laca y rollos de seda o de papel de arroz. Eran pobres, pues Wang-Fô trocaba sus pinturas por una ración de mijo y despreciaba las monedas de plata. Su discípulo Ling, doblándose bajo el peso de un saco lleno de bocetos, encorvaba respetuosamente la espalda, como si llevara encima la bóveda celeste, ya que aquel saco, a los ojos de Ling, estaba lleno de montañas cubiertas de nieve, de ríos en primavera y del rostro de la luna de verano.

Ling no había nacido para correr los caminos al lado de un anciano que se apoderaba de la aurora y apresaba el crepúsculo. Su padre era cambista de oro; su madre era la hija única de un comerciante de jade, que le había legado sus bienes maldiciéndola por no ser un hijo. Ling había crecido en una casa donde la riqueza abolía las inseguridades. Aquella existencia, cuidadosamente resguardada, lo había vuelto tímido: tenía miedo de los insectos, de la tormenta y del rostro de los muertos. Cuando cumplió quince años, su padre le escogió una esposa, y la eligió muy bella, pues la idea de la felicidad que proporcionaba a su hijo lo consolaba de haber llegado a la edad en que la noche sólo sirve para dormir. La esposa de Ling era frágil como un junco, infantil como la leche, dulce como la saliva, salada como las lágrimas. Después de la boda, los padres de Ling llevaron su discreción hasta el punto de morirse, y su hijo se quedó solo en su casa pintada de cinabrio, en compañía de su joven esposa, que sonreía sin cesar, y de un ciruelo que daba flores rosas cada primavera. Ling amó a aquella mujer de corazón límpido igual que se ama a un espejo que no se empaña nunca, o a un talismán que siempre nos protege. Acudía a las casas de té para seguir la moda, y favorecía moderadamente a bailarinas y acróbatas.

Una noche, en una taberna, tuvo por compañero de mesa a Wang-Fô. El anciano había bebido, para ponerse en un estado que le permitiera pintar con realismo a un borracho; su cabeza se inclinaba hacia un lado, como si se esforzara por medir la distancia que separaba su mano de la taza. El alcohol de arroz desataba la lengua de aquel artesano taciturno, y aquella noche, Wang hablaba como si el silencio fuera una pared y las palabras unos colores destinados a embadurnarla. Gracias a él, Ling conoció la belleza que reflejaban las caras de los bebedores, difuminadas por el humo de las bebidas calientes, el esplendor tostado de las carnes lamidas de una forma desigual por los lengüetazos del fuego, y el exquisito color de rosa de las manchas de vino esparcidas por los manteles como pétalos marchitos. Una ráfaga de viento abrió la ventana; el aguacero penetró en la habitación. Wang-Fô se agachó para que Ling admirase la lívida veta del rayo y Ling, maravillado, dejó de tener miedo a las tormentas.

Ling pagó la cuenta del viejo pintor; como Wang-Fô no tenía ni dinero ni morada, le ofreció humildemente un refugio. Hicieron juntos el camino; Ling llevaba un farol; su luz proyectaba en los charcos inesperados destellos. Aquella noche, Ling se enteró con sorpresa de que los muros de su casa no eran rojos, como él creía, sino que tenían el color de una naranja que se empieza a pudrir. En el patio, Wang-Fô advirtió la forma delicada de un arbusto, en el que nadie se había fijado hasta entonces, y lo comparó a una mujer joven que dejara secar sus cabellos. En el pasillo, siguió con arrobo el andar vacilante de una hormiga a lo largo de las grietas de la pared, y el horror que Ling sentía por aquellos bichitos se desvaneció. Entonces, comprendiendo que Wang-Fô acababa de regalarle un alma y una percepción nuevas, Ling acostó respetuosamente al anciano en la habitación donde habían muerto sus padres.

Hacía años que Wang-Fô soñaba con hacer el retrato de una princesa de antaño tocando el laúd bajo un sauce. Ninguna mujer le parecía lo bastante irreal para servirle de modelo, pero Ling podía serlo, puesto que no era una mujer. Más tarde, Wang-Fô habló de pintar a un joven príncipe tensando el arco al pie de un alto cedro. Ningún joven de la época actual era lo bastante irreal para servirle de modelo, pero Ling mandó posar a su mujer bajo el ciruelo del jardín. Después, Wang-Fô la pintó vestida de hada entre las nubes de poniente, y la joven lloró, pues aquello era un presagio de muerte. Desde que Ling prefería los retratos que le hacía Wang-Fô a ella misma, su rostro se marchitaba como la flor que lucha con el viento o con las lluvias de verano. Una mañana la encontraron colgada de las ramas del ciruelo rosa: las puntas de la bufanda de seda que la estrangulaba flotaban al viento mezcladas con sus cabellos; parecía aún más esbelta que de costumbre, y tan pura como las beldades que cantan los poetas de tiempos pasados. Wang-Fô la pintó por última vez, pues le gustaba ese color verdoso que adquiere el rostro de los muertos. Su discípulo Ling desleía los colores y este trabajo exigía tanta aplicación que se olvidó de verter unas lágrimas.

Ling vendió sucesivamente sus esclavos, sus jades y los peces de su estanque para proporcionar al maestro tarros de tinta púrpura que venían de Occidente. Cuando la casa estuvo vacía, se marcharon y Ling cerró tras él la puerta de su pasado. Wang-Fô estaba cansado de una ciudad en donde ya las caras no podían enseñarle ningún secreto de belleza o de fealdad, y juntos ambos, maestro y discípulo, vagaron por los caminos del reino de Han.

Su reputación los precedía por los pueblos, en el umbral de los castillos fortificados y bajo el pórtico de los templos donde se refugian los peregrinos inquietos al llegar el crepúsculo. Se decía que Wang-Fô tenía el poder de dar vida a sus pinturas gracias a un último toque de color que añadía a los ojos. Los granjeros acudían a suplicarle que les pintase un perro guardián, y los señores querían que les hiciera imágenes de soldados. Los sacerdotes honraban a Wang-Fô como a un sabio; el pueblo lo temía como a un brujo. Wang se alegraba de estas diferencias de opiniones que le permitían estudiar a su alrededor las expresiones de gratitud, de miedo o de veneración.

Ling mendigaba la comida, velaba el sueño de su maestro y aprovechaba sus éxtasis para darle masaje en los pies. Al apuntar el día, mientras el anciano seguía durmiendo, salía en busca de paisajes tímidos, escondidos detrás de los bosquecillos de juncos. Por la noche, cuando el maestro, desanimado, tiraba sus pinceles al suelo, él los recogía. Cuando Wang-Fô estaba triste y hablaba de su avanzada edad, Ling le mostraba sonriente el tronco sólido de un viejo roble; cuando Wang-Fô estaba alegre y soltaba sus chanzas, Ling fingía escucharlo humildemente.

Un día, al atardecer, llegaron a los arrabales de la ciudad imperial, y Ling buscó para Wang-Fô un albergue donde pasar la noche. El anciano se envolvió en sus harapos y Ling se acostó junto a él para darle calor, pues la primavera acababa de llegar y el suelo de barro estaba helado aún. Al llegar el alba, unos pesados pasos resonaron por los pasillos de la posada; se oyeron los susurros amedrentados del posadero y unos gritos de mando proferidos en lengua bárbara. Ling se estremeció, recordando que el día anterior había robado un pastel de arroz para la comida del maestro. No puso en duda que venían a arrestarlo y se preguntó quién ayudaría mañana a Wang-Fô a vadear el próximo río.

Entraron los soldados provistos de faroles. La llama, que se filtraba a través del papel de colores, ponía luces rojas y azules en sus cascos de cuero. La cuerda de un arco vibraba en sus hombros, y, de repente, los más feroces rugían sin razón alguna. Pusieron su pesada mano en la nuca de Wang-Fô, quien no pudo evitar fijarse en que sus mangas no hacían juego con el color de sus abrigos.

Ayudado por su discípulo, Wang-Fô siguió a los soldados, tropezando por unos caminos desiguales. Los transeúntes, agrupados, se mofaban de aquellos dos criminales a quienes probablemente iban a decapitar. A todas las preguntas que hacía Wang, los soldados contestaban con una mueca salvaje. Sus manos atadas le dolían y Ling, desesperado, miraba a su maestro sonriendo, lo que era para él una manera más tierna de llorar.

Llegaron a la puerta del palacio imperial, cuyos muros color violeta se erguían en pleno día como un trozo de crepúsculo. Los soldados obligaron a Wang-Fô a franquear innumerables salas cuadradas o circulares, cuya forma simbolizaba las estaciones, los puntos cardinales, lo masculino y lo femenino, la longevidad, las prerrogativas del poder. Las puertas giraban sobre sí mismas mientras emitían una nota de música, y su disposición era tal que podía recorrerse toda la gama al atravesar el palacio de Levante a Poniente. Todo se concertaba para dar idea de un poder y de una sutileza sobrehumanas y se percibía que las más ínfimas órdenes que allí se pronunciaban debían de ser definitivas y terribles, como la sabiduría de los antepasados. Finalmente, el aire se enrareció; el silencio se hizo tan profundo que ni un torturado se hubiera atrevido a gritar. Un eunuco levantó una cortina; los soldados temblaron como mujeres, y el grupito entró en la sala en donde se hallaba el Hijo del Cielo sentado en su trono.

Era una sala desprovista de paredes, sostenida por unas macizas columnas de piedra azul. Florecía un jardín al otro lado de los fustes de mármol y cada una de las flores que encerraban sus bosquecillos pertenecía a una exótica especie traída de allende los mares. Pero ninguna de ellas tenía perfume, por temor a que la meditación del Dragón Celeste se viera turbada por los buenos olores. Por respeto al silencio en que bañaban sus pensamientos, ningún pájaro había sido admitido en el interior del recinto y hasta se había expulsado de allí a las abejas.

Un alto muro separaba el jardín del resto del mundo, con el fin de que el viento, que pasa sobre los perros reventados y los cadáveres de los campos de batalla, no pudiera permitirse ni rozar siquiera la manga del Emperador.

El Maestro Celeste se hallaba sentado en un trono de jade y sus manos estaban arrugadas como las de un viejo, aunque apenas tuviera veinte años. Su traje era azul, para simular el invierno, y verde, para recordar la primavera. Su rostro era hermoso, pero impasible como un espejo colocado a demasiada altura y que no reflejara más que los astros y el implacable cielo. A su derecha tenía al Ministro de los Placeres Perfectos y a su izquierda al Consejero de los Tormentos Justos. Como sus cortesanos, alineados al pie de las columnas, aguzaban el oído para recoger la menor palabra que de sus labios se escapara, había adquirido la costumbre de hablar siempre en voz baja.

—Dragón Celeste —dijo Wang-Fô, prosternándose—, soy viejo, soy pobre y soy débil. Tú eres como el verano; yo soy como el invierno. Tú tienes Diez Mil Vidas; yo no tengo más que una y pronto acabará. ¿Qué te he hecho yo? Han atado mis manos que jamás te hicieron daño alguno.

—¿Y tú me preguntas qué es lo que me has hecho, viejo Wang-Fô? —dijo el Emperador.

Su voz era tan melodiosa que daban ganas de llorar. Levantó su mano derecha, que los reflejos del suelo de jade transformaban en glauca como una planta submarina, y Wang-Fô, maravillado por aquellos dedos tan largos y delgados, trató de hallar en sus recuerdos si alguna vez había hecho del Emperador o de sus ascendientes un retrato tan mediocre que mereciese la muerte. Mas era poco probable, pues Wang-Fô, hasta aquel momento, apenas había pisado la corte de los Emperadores, prefiriendo siempre las chozas de los granjeros o, en las ciudades, los arrabales de las cortesanas y las tabernas del muelle en las que disputan los estibadores.

—¿Me preguntas lo que me has hecho, viejo Wang-Fô? —prosiguió el Emperador, inclinando su cuello delgado hacia el anciano que lo escuchaba—. Voy a decírtelo. Pero como el veneno ajeno no puede entrar en nosotros, sino por nuestras nueve aberturas, para ponerte en presencia de tus culpas deberé recorrer los pasillos de mi memoria y contarte toda mi vida. Mi padre había reunido una colección de tus pinturas en la estancia más escondida de palacio, pues sustentaba la opinión de que los personajes de los cuadros deben ser sustraídos a las miradas de los profanos, en cuya presencia no pueden bajar los ojos. En aquellas salas me educaron a mí, viejo Wang-Fô, ya que habían dispuesto una gran soledad a mi alrededor para permitirme crecer. Con objeto de evitarle a mi candor las salpicaduras humanas, habían alejado de mí las agitadas olas de mis futuros súbditos, y a nadie se le permitía pasar ante mi puerta, por miedo a que la sombra de aquel hombre o mujer se extendiera hasta mí. Los pocos y viejos servidores que se me habían concedido se mostraban lo menos posible; las horas daban vueltas en círculo; los colores de tus cuadros se reavivaban con el alba y palidecían con el crepúsculo. Por las noches, yo los contemplaba cuando no podía dormir, y durante diez años consecutivos estuve mirándolos todas las noches. Durante el día, sentado en una alfombra cuyo dibujo me sabía de memoria, reposando la palma de mis manos vacías en mis rodillas de amarilla seda, soñaba con los goces que me proporcionaría el porvenir. Me imaginaba al mundo con el país de Han en medio, semejante al llano monótono y hueco de la mano surcada por las líneas fatales de los Cinco Ríos. A su alrededor, el mar donde nacen los monstruos y, más lejos aún, las montañas que sostienen el cielo. Y para ayudarme a imaginar todas esas cosas, yo me valía de tus pinturas. Me hiciste creer que el mar se parecía a la vasta capa de agua extendida en tus telas, tan azul que una piedra al caer no puede por menos de convertirse en zafiro; que las mujeres se abrían y se cerraban como las flores, semejantes a las criaturas que avanzan, empujadas por el viento, por los senderos de tus jardines, y que los jóvenes guerreros de delgada cintura que velan en las fortalezas de las fronteras eran como flechas que podían traspasarnos el corazón. A los dieciséis años, vi abrirse las puertas que me separaban del mundo: subí a la terraza del palacio para mirar las nubes, pero eran menos hermosas que las de tus crepúsculos. Pedí mi litera: sacudido por los caminos, cuyo barro y piedras yo no había previsto, recorrí las provincias del Imperio sin hallar tus jardines llenos de mujeres parecidas a luciérnagas, aquellas mujeres que tú pintabas y cuyo cuerpo es como un jardín. Los guijarros de las orillas me asquearon de los océanos; la sangre de los ajusticiados es menos roja que la granada que se ve en tus cuadros; los parásitos que hay en los pueblos me impiden ver la belleza de los arrozales; la carne de las mujeres vivas me repugna tanto como la carne muerta que cuelga de los ganchos en las carnicerías, y la risa soez de mis soldados me da náuseas. Me has mentido, Wang-Fô, viejo impostor: el mundo no es más que un amasijo de manchas confusas, lanzadas al vacío por un pintor insensato, borradas sin cesar por nuestras lágrimas. El reino de Han no es el más hermoso de los reinos y yo no soy el Emperador. El único imperio sobre el que vale la pena reinar es aquel donde tú penetras, viejo Wang-Fô, por el camino de las Mil Curvas y de los Diez Mil Colores. Sólo tú reinas en paz sobre unas montañas cubiertas por una nieve que no puede derretirse y sobre unos campos de narcisos que nunca se marchitan. Y por eso, Wang-Fô, he buscado el suplicio que iba a reservarte, a ti cuyos sortilegios han hecho que me asquee de cuanto poseo y me han hecho desear lo que jamás podré poseer. Y para encerrarte en el único calabozo de donde no vas a poder salir, he decidido que te quemen los ojos, ya que tus ojos, Wang-Fô, son las dos puertas mágicas que abren tu reino. Y puesto que tus manos son los dos caminos, divididos en diez bifurcaciones, que te llevan al corazón de tu imperio, he dispuesto que te corten las manos. ¿Me has entendido, viejo Wang-Fô?

Al escuchar esta sentencia, el discípulo Ling se arrancó del cinturón un cuchillo mellado y se precipitó sobre el Emperador. Dos guardias lo apresaron. El Hijo del Cielo sonrió y añadió con un suspiro:

—Y te odio también, viejo Wang-Fô, porque has sabido hacerte amar. Matad a ese perro.

Ling dio un salto para evitar que su sangre manchase el traje de su maestro. Uno de los soldados levantó el sable, y la cabeza de Ling se desprendió de su nuca, semejante a una flor tronchada. Los servidores se llevaron los restos y Wang-Fô, desesperado, admiró la hermosa mancha escarlata que la sangre de su discípulo dejaba en el pavimento de piedra verde.

El Emperador hizo una seña y dos eunucos limpiaron los ojos de Wang-Fô.

—Óyeme, viejo Wang-Fô —dijo el Emperador—, y seca tus lágrimas, pues no es el momento de llorar. Tus ojos deben permanecer claros, con el fin de que la poca luz que aún les queda no se empañe con tu llanto. Ya que no deseo tu muerte sólo por rencor, ni sólo por crueldad quiero verte sufrir. Tengo otros proyectos, viejo Wang-Fô. Poseo, entre la colección de tus obras, una pintura admirable en donde se reflejan las montañas, el estuario de los ríos y el mar, infinitamente reducidos, es verdad, pero con una evidencia que sobrepasa a la de los objetos mismos, como las figuras que se miran a través de una esfera. Pero esta pintura se halla inacabada, Wang-Fô, y tu obra maestra no es más que un esbozo. Probablemente, en el momento en que la estabas pintando, sentado en un valle solitario, te fijaste en un pájaro que pasaba, o en un niño que perseguía al pájaro. Y el pico del pájaro o las mejillas del niño te hicieron olvidar los párpados azules de las olas. No has terminado las franjas del manto del mar, ni los cabellos de algas de las rocas. Wang-Fô, quiero que dediques las horas de luz que aún te quedan a terminar esta pintura, que encerrará de esta suerte los últimos secretos acumulados durante tu larga vida. No me cabe duda de que tus manos, tan próximas a caer, temblarán sobre la seda y el infinito penetrará en tu obra por esos cortes de la desgracia. Ni me cabe duda de que tus ojos, tan cerca de ser aniquilados, descubrirán unas relaciones al límite de los sentidos humanos. Tal es mi proyecto, viejo Wang-Fô, y puedo obligarte a realizarlo. Si te niegas, antes de cegarte quemaré todas tus obras y entonces serás como un padre cuyos hijos han sido todos asesinados y destruidas sus esperanzas de posteridad. Piensa más bien, si quieres, que esta última orden es una consecuencia de mi bondad, pues sé que la tela es la única amante a quien tú has acariciado. Y ofrecerte unos pinceles, unos colores y tinta para ocupar tus últimas horas es lo mismo que darle una ramera como limosna a un hombre que va a morir.

A una seña del dedo meñique del Emperador, dos eunucos trajeron respetuosamente la pintura inacabada donde Wang-Fô había trazado la imagen del cielo y del mar. Wang-Fô se secó las lágrimas y sonrió, pues aquel apunte le recordaba su juventud. Todo en él atestiguaba una frescura de alma a la que ya Wang-Fô no podía aspirar, pero le faltaba, no obstante, algo, pues en la época en que la había pintado Wang, todavía no había contemplado lo bastante las montañas, ni las rocas que bañan en el mar sus flancos desnudos, ni tampoco se había empapado lo suficiente de la tristeza del crepúsculo. Wang-Fô eligió uno de los pinceles que le presentaba un esclavo y se puso a extender, sobre el mar inacabado, amplias pinceladas de azul. Un eunuco, en cuclillas a sus pies, desleía los colores; hacía esta tarea bastante mal, y más que nunca Wang-Fô echó de menos a su discípulo Ling.

Wang empezó por teñir de rosa la punta del ala de una nube posada en una montaña. Luego añadió a la superficie del mar unas pequeñas arrugas que no hacían sino acentuar la impresión de su serenidad. El pavimento de jade se iba poniendo singularmente húmedo, pero Wang-Fô, absorto en su pintura, no advertía que estaba trabajando sentado en el agua.

La frágil embarcación, agrandada por las pinceladas del pintor, ocupaba ahora todo el primer plano del rollo de seda. El ruido acompasado de los remos se elevó de repente en la distancia, rápido y ágil como un batir de alas. El ruido se fue acercando, llenó suavemente toda la sala y luego cesó; unas gotas temblaban, inmóviles, suspendidas de los remos del barquero.

Hacía mucho tiempo que el hierro al rojo vivo destinado a quemar los ojos de Wang se había apagado en el brasero del verdugo. Con el agua hasta los hombros, los cortesanos, inmovilizados por la etiqueta, se alzaban sobre la punta de los pies. El agua llegó por fin a nivel del corazón imperial. El silencio era tan profundo que hubiera podido oírse caer las lágrimas.

Era Ling, en efecto. Llevaba puesto su traje viejo de diario, y su manga derecha aún llevaba la huella de un enganchón que no había tenido tiempo de coser aquella mañana, antes de la llegada de los soldados. Pero lucía alrededor del cuello una extraña bufanda roja.

Wang-Fô le dijo dulcemente, mientras continuaba pintando:

—Te creía muerto.

—Estando vos vivo —dijo respetuosamente Ling—, ¿cómo podría yo morir?

Y ayudó al maestro a subir a la barca. El techo de jade se reflejaba en el agua, de suerte que Ling parecía navegar por el interior de una gruta. Las trenzas de los cortesanos sumergidos ondulaban en la superficie como serpientes, y la cabeza pálida del Emperador flotaba como un loto.

—Mira, discípulo mío —dijo melancólicamente Wang-Fô—. Esos desventurados van a perecer, si no lo han hecho ya. Yo no sabía que había bastante agua en el mar para ahogar a un Emperador. ¿Qué podemos hacer?

—No temas nada, Maestro —murmuró el discípulo—. Pronto se hallarán a pie enjuto, y ni siquiera recordarán haberse mojado las mangas. Tan sólo el Emperador conservará en su corazón un poco de amargor marino. Estas gentes no están hechas para perderse por el interior de una pintura.

Y añadió:

—La mar está tranquila y el viento es favorable. Los pájaros marinos están haciendo sus nidos. Partamos, Maestro, al país de más allá de las olas.

—Partamos —dijo el viejo pintor.

Wang-Fô cogió el timón y Ling se inclinó sobre los remos. La cadencia de los mismos llenó de nuevo toda la estancia, firme y regular como el latido de un corazón. El nivel del agua iba disminuyendo insensiblemente en torno a las grandes rocas verticales que volvían a ser columnas. Muy pronto, tan sólo unos cuantos charcos brillaron en las depresiones del pavimento de jade. Los trajes de los cortesanos estaban secos, pero el Emperador conservaba algunos copos de espuma en la orla de su manto.

El rollo de seda pintado por Wang-Fô permanecía sobre una mesita baja. Una barca ocupaba todo el primer término. Se alejaba poco a poco, dejando tras ella un delgado surco que volvía a cerrarse sobre el mar inmóvil. Ya no se distinguía el rostro de los dos hombres sentados en la barca, pero aún podía verse la bufanda roja de Ling y la barba de Wang-Fô, que flotaba al viento.

La pulsación de los remos fue debilitándose y luego cesó, borrada por la distancia. El Emperador, inclinado hacia delante, con la mano a modo de visera delante de los ojos, contemplaba alejarse la barca de Wang-Fô, que ya no era más que una mancha imperceptible en la palidez del crepúsculo. Un vaho de oro se elevó, desplegándose sobre el mar. Finalmente, la barca viró en derredor a una roca que cerraba la entrada a la alta mar; cayó sobre ella la sombra del acantilado; borrose el surco de la desierta superficie y el pintor Wang-Fô y su discípulo Ling desaparecieron para siempre en aquel mar de jade azul que Wang-Fô acababa de inventar.

La sonrisa de Marko[*]

[*] *Nouvelles littéraires*, 1936-1937.

El buque flotaba blandamente sobre las aguas lisas, como una medusa descuidada. Un avión daba vueltas, con el insoportable zumbido de un insecto irritado, por el estrecho espacio de cielo encajonado entre las montañas. Aún no había transcurrido más que la tercera parte de una hermosa tarde de verano y ya el sol había desaparecido por detrás de los áridos contrafuertes de los Alpes montenegrinos sembrados de desmedrados árboles. El mar, tan azul de mañana por el horizonte, adquiría tintes sombríos en el interior de aquel fiordo largo y sinuoso, extrañamente situado en las cercanías de los Balcanes. Las formas humildes y recogidas de las casas y la franqueza salubre del paisaje eran ya eslavos, pero la apagada violencia de los colores, el orgullo desnudo del cielo, recordaban todavía al Oriente y al Islam. La mayoría de los pasajeros había bajado a tierra y trataba de entenderse con los aduaneros, vestidos de blanco, y con unos admirables soldados, provistos de una daga triangular, hermosos como el Ángel exterminador. El arqueólogo griego, el bajá egipcio y el ingeniero francés se habían quedado en la cubierta superior. El ingeniero había pedido una cerveza, el bajá bebía whisky y el arqueólogo se refrescaba con una limonada.

—Este país me excita —dijo el ingeniero—. El muelle de Kotor y el de Ragusa son seguramente las únicas salidas mediterráneas de este gran territorio eslavo que se extiende desde los Balcanes al Ural, ignora las delimitaciones variables del mapa de Europa y le vuelve resueltamente la espalda al mar, que no penetra en él más que por las complicadas angosturas del Caspio, de Finlandia, del Ponto Euxino o de las costas dálmatas. Y en este vasto continente humano, la infinita variedad de las razas no destruye la unidad misteriosa del conjunto, del mismo modo que la diversidad de las olas no rompe la majestuosa monotonía del mar. Pero lo que a mí en estos momentos me interesa no es ni la geografía, ni la historia: es Kotor. Las bocas de Cattaro, como dicen... Kotor, tal y como la vemos desde la cubierta de este buque italiano; Kotor la indómita, la bien escondida, con su camino que asciende en zigzag hacia Cetinje, y la Kotor apenas más ruda de las leyendas y cantares de gesta eslavos. Kotor la infiel, que antaño vivió bajo el yugo de los musulmanes de Albania y a los que no siempre rindió justicia la poesía épica de los serbios, ¿lo comprende usted, verdad, bajá? Y usted, Lukiadis, que conoce el pasado igual que un granjero conoce los menores recovecos de su granja. ¿No van a decirme que nunca oyeron hablar de Marko Kralievitch?

—Soy arqueólogo —respondió el griego dejando su vaso de limonada—. Mi saber se limita a la piedra esculpida, y sus héroes serbios tallaban más bien en la carne viva. No obstante, ese Marko me interesó a mí también, y encontré sus huellas en un país muy alejado de la cuna de su leyenda, en un suelo puramente griego, aun cuando la piedad serbia haya elevado unos monasterios asaz hermosos...

—En el monte Athos —interrumpió el ingeniero—. Los huesos gigantescos de Marko Kralievitch reposan en alguna parte de esa santa montaña en donde nada ha cambiado desde la Edad Media, salvo, quizá, la calidad de las almas, y donde seis mil monjes con moños y flotantes barbas oran todavía hoy por la salvación de sus piadosos protectores, los príncipes de Trebisonda, cuya raza se ha extinguido seguramente hace siglos. ¡Qué sosiego produce pensar que el olvido no llega tan rápidamente como creemos, ni es tan absoluto como se supone, y que aún existe un lugar en el mundo donde una dinastía de la época de las Cruzadas sobrevive en las oraciones de unos cuantos monjes ancianos! Si no me equivoco, Marko murió en una batalla contra los otomanos, en Bosnia o en un país croata, pero su último deseo fue que lo inhumaran en ese Sinaí del mundo ortodoxo, y una barca logró transportar hasta allí su cadáver, pese a los escollos del mar oriental y a las emboscadas de las galeras turcas. Una hermosa historia, y que me hace recordar, no sé por qué, la última travesía de Arturo...

»Existen héroes en Occidente, pero parecen sostenidos por su armadura de principios al igual que los caballeros de la Edad Media por su armadura de hierro. En ese serbio salvaje hallamos al héroe al desnudo. Los turcos sobre los que Marko se precipitaba debían de tener la impresión de que un roble de la montaña se les venía encima. Ya les dije a ustedes que, en aquellos tiempos, Montenegro pertenecía al Islam: las bandas serbias no eran muy numerosas y no podían disputar abiertamente a los circuncisos la posesión de la Tzernagora, la Montaña Negra de la que toma su nombre aquella tierra. Marko Kralievitch establecía relaciones secretas en tierra infiel con unos cristianos falsamente conversos, con funcionarios descontentos y con bajás en peligro de desgracia o muerte; le era cada vez más y más necesario entrevistarse directamente con sus cómplices. Pero su alta estatura le impedía deslizarse en el campo enemigo disfrazado de mendigo, de músico ciego o de mujer, aun cuando este último disfraz hubiera sido posible gracias a su gran belleza: lo hubieran reconocido por la longitud desmesurada de su sombra. Tampoco podía pensar en amarrar una barca en algún rincón desierto de la orilla: innumerables centinelas, al acecho detrás de las rocas, oponían a un Marko solitario y ausente su presencia múltiple e infatigable. Pero allí donde una barca es visible, un buen nadador puede pasar inadvertido, y sólo los peces descubren su pista entre dos aguas. Marko hechizaba a las olas; nadaba tan bien como Ulises, su antiguo vecino de Ítaca. También hechizaba a las mujeres: los complicados canales del mar llevábanle a menudo a Kotor, al pie de una casa de madera toda carcomida, que jadeaba ante el empuje de las olas; la viuda del bajá de Scutari pasaba allí sus noches soñando con Marko, y sus mañanas esperándolo. Frotaba con aceite su cuerpo helado por los besos blandos del mar; lo calentaba en su cama sin que lo supieran sus sirvientas; le facilitaba los encuentros nocturnos con agentes y cómplices. En las primeras horas del día, bajaba a la cocina aún vacía para prepararle los platos que más le gustaba comer. Él se resignaba a sus pesados senos, a sus gruesas piernas y a las cejas que se le juntaban en medio de la frente; se tragaba la rabia al verla escupir cuando él se arrodillaba para hacer la señal de la cruz. Una noche, la víspera del día en que Marko se proponía llegar a nado hasta Ragusa, la viuda bajó como de costumbre a hacerle la cena. Las lágrimas le impidieron cocinar con el mismo cuidado de siempre; le subió, por desgracia, un plato de cabrito demasiado hecho. Marko acababa de beber; su paciencia se había quedado en el fondo de la jarra: la cogió por los cabellos con las manos pegajosas de salsa y aulló:

»—¡Perra del diablo! ¿Pretendes que me coma una vieja cabra centenaria?

»—Era un hermoso animal —respondió la viuda—. Y la más joven del rebaño.

»—¡Estaba tan correosa como tu carne de vieja bruja, y tenía el mismo maldito olor! —dijo el joven cristiano, que estaba borracho—. ¡Ojalá ardas tú como ella en el Infierno!

»Y de una patada lanzó el plato de guisado por la ventana que daba al mar y que estaba abierta de par en par.

»La viuda lavó silenciosamente el piso, manchado de grasa, y su propio rostro, hinchado por las lágrimas. No estuvo ni menos tierna, ni menos apasionada que el día anterior, y al apuntar el alba, cuando el viento del Norte empezó a soplar sembrando la rebelión en las olas del Golfo, aconsejó suavemente a Marko que retrasara su marcha. Él accedió. Cuando llegaron las horas ardientes del día, volvió a acostarse para dormir la siesta. Al despertarse, en el momento en que se estiraba perezosamente delante de las ventanas, protegido de la mirada de los transeúntes por unas complicadas persianas, vio brillar las cimitarras: una tropa de soldados turcos rodeaba la casa, tapando todas las salidas. Marko se precipitó hacia el balcón, que dominaba al mar desde muy alto: las olas, saltarinas, rompían en las rocas haciendo el mismo ruido que el trueno en el cielo. Marko se arrancó la camisa y se tiró de cabeza en medio de aquella tempestad donde ni siquiera una barca se hubiese aventurado. Rodaron montañas de agua bajo su cuerpo; rodó él bajo aquellas montañas. Los soldados registraron la casa, conducidos por la viuda, sin encontrar ni la menor huella del gigante desaparecido; por fin, la camisa desgarrada y las rejas arrancadas del balcón los pusieron sobre la verdadera pista; se abalanzaron en dirección a la playa aullando de despecho y de terror. Retrocedían a pesar suyo cada vez que una ola, más furiosa que las demás, rompía a sus pies, y los embates del viento les parecían la risa de Marko; y la insolente espuma, un salivazo suyo en la cara. Durante dos horas estuvo nadando Marko sin conseguir avanzar ni una brazada; sus enemigos le apuntaban a la cabeza, pero el viento desviaba sus dardos; Marko desaparecía y volvía a aparecer debajo del mismo verde almiar. Finalmente, la viuda ató fuertemente su pañuelo de seda a la esbelta y flexible cintura de un albanés; un hábil pescador de atunes consiguió apresar a Marko con aquel lazo de seda, y el nadador, medio estrangulado, no tuvo más remedio que dejarse arrastrar hasta la playa. Durante las partidas de caza, allá en las montañas de su país, Marko había visto a menudo cómo los animales se fingen muertos para evitar que los rematen; su instinto lo llevó a imitar esta astucia: el joven de tez lívida que los turcos llevaron a la playa estaba rígido y frío como un cadáver de tres días; sus cabellos, sucios de espuma, se le pegaban a las sienes hundidas; sus ojos, fijos, ya no reflejaban la inmensidad del cielo ni de la noche; sus labios, salados por el mar, se hallaban inmóviles entre sus mandíbulas contraídas; sus brazos, muertos, dejábanse caer, y el pecho hinchado impedía oír su corazón. Los notables del pueblo se inclinaron sobre Marko, cosquilleándole el rostro con sus largas barbas y después, levantando todos a un tiempo la cabeza, exclamaron, con una única y misma voz:

»—¡Por Alá! Ha muerto como un topo podrido, como un perro reventado. Arrojémosle de nuevo al mar, que lava las basuras, con el fin de que nuestro suelo no se manche con su cuerpo.

»Pero la malvada viuda se puso a llorar, y luego a reír:

»—Hace falta algo más que una tempestad para ahogar a Marko —dijo—, y más que un nudo para estrangularlo. Tal como lo veis aquí, todavía no está muerto. Si lo arrojáis al mar, hechizará a las olas, igual que me hechizó a mí, pobre mujer. Coged unos clavos y un martillo; crucificad a ese perro igual que crucificaron a su Dios, que no acudirá aquí a ayudarle, y ya veréis cómo sus rodillas se retuercen de dolor y cómo su condenada boca empieza a vomitar alaridos.

»Los verdugos cogieron unos clavos y un martillo del banco del carpintero, que calafateaba las barcas, y agujerearon las manos del joven serbio, y atravesaron sus pies de parte a parte. Pero el cuerpo torturado permaneció inerte: ningún estremecimiento agitaba aquel rostro, que parecía insensible, y ni la sangre chorreaba de sus carnes abiertas a no ser a gotitas lentas y escasas, pues Marko mandaba en sus arterias lo mismo que mandaba en su corazón. Entonces, el más viejo de los notables arrojó el martillo a lo lejos y exclamó, quejumbrosamente:

»—¡Que Alá nos perdone por haber tratado de crucificar a un muerto! Vamos a atar una gruesa piedra al cuello de este cadáver para que el abismo se trague nuestro error, y para que el mar no nos lo devuelva.

»—Hacen falta más de mil clavos y más de cien martillos para crucificar a Marko Kralievitch —dijo la malvada viuda—. Tomad carbones encendidos y ponédselos en el pecho, y ya veréis cómo se retuerce de dolor, tal un gusano largo y desnudo.

»Los verdugos cogieron brasas del hornillo de un calafate y trazaron un amplio círculo en el pecho del nadador helado por el mar. Los carbones se encendieron, después se apagaron y se volvieron negros como unas rosas rojas que mueren. El fuego recortó en el pecho de Marko un amplio anillo carbonoso, parecido a esos redondeles trazados en la hierba por la danza de los brujos, pero el muchacho no gemía y ni una sola de sus pestañas se estremeció.

»—¡Oh, Alá! —dijeron los verdugos—; hemos pecado, pues sólo Dios tiene derecho a torturar a los muertos. Sus sobrinos y los hijos de sus tíos vendrán a pedirnos cuentas de este ultraje: por eso, lo mejor será meterlo en un saco medio lleno de pedruscos con el fin de que ni siquiera el mar sepa quién es el cadáver que le damos a comer.

»—Desgraciados —dijo la viuda—, reventará con los brazos todas las telas y escupirá todas las piedras. Pero mandad que acudan las muchachas del pueblo, y ordenadles que bailen en corro sobre la arena. Ya veremos si el amor continúa torturándolo.

»Llamaron a las muchachas, quienes se pusieron a toda prisa los trajes de fiesta; trajeron tamboriles y flautas; juntaron las manos para bailar en corro alrededor del cadáver, y la más hermosa de todas, con un pañuelo rojo en la mano, dirigía el baile. Les llevaba a sus compañeras la altura de la cabeza morena y de su cuello blanco. Era como el corzo cuando salta, como el halcón cuando vuela. Marko, inmóvil, dejaba que lo rozase con sus pies descalzos, pero su corazón, agitado, latía de manera cada vez más violenta, tan desordenada y fuertemente que tenía miedo de que todos los espectadores acabasen por oírlo, y a pesar suyo, una sonrisa de dicha casi dolorosa se dibujaba en sus labios, que se movían como para dar un beso. Gracias al crepúsculo, que oscurecía lentamente, los verdugos y la viuda no se habían dado cuenta de aquellas señales de vida, pero los ojos claros de Haisché permanecían fijos en el rostro del joven, pues lo encontraba hermoso. De repente, dejó caer su pañuelo rojo para ocultar aquella sonrisa y dijo con tono de orgullo:

»—No me gusta bailar delante del rostro desnudo de un cristiano muerto, y por eso acabo de taparle la boca, ya que sólo verla me da horror.

»Pero continuó bailando, con el fin de distraer la atención de los verdugos y para que llegase la hora de la oración, en que se verían forzados a alejarse de la orilla. Por fin, una voz gritó desde lo alto del minarete que ya era hora de adorar a Dios. Los hombres se encaminaron hacia la pequeña mezquita tosca y bárbara; las cansadas jóvenes se desgranaron hacia la ciudad arrastrando sus babuchas; Haisché se fue, sin dejar de mirar atrás; tan sólo la viuda se quedó allí para vigilar el falso cadáver. De repente, Marko se enderezó; con la mano derecha se quitó el clavo de la mano izquierda, agarró a la viuda por los pelos rojizos y se lo clavó en la garganta; luego, tras quitarse el clavo de la mano derecha con la mano izquierda, se lo clavó en la frente. Arrancó después las dos espinas de piedra que le atravesaban los pies y con ellas le reventó los ojos. Cuando regresaron los verdugos, encontraron en la playa el cadáver convulso de una vieja, en lugar del cuerpo desnudo del héroe. La tempestad había amainado, pero las lentas barcas trataron en vano de dar alcance al nadador desaparecido en el vientre de las olas. Ni que decir tiene que Marko reconquistó el país y raptó a la hermosa muchacha que había despertado su sonrisa, pero ni su gloria ni la dicha de ambos es lo que a mí me conmueve, sino ese exquisito eufemismo, esa sonrisa en los labios de un hombre sometido a suplicio y para quien el deseo es la tortura más dulce. Observen ustedes: empieza a caer la noche; casi podríamos imaginar, en la playa de Kotor, al grupito de verdugos trabajando a la luz de los carbones encendidos, a la joven bailando y al muchacho que no sabe resistirse a la belleza.

—Una extraña historia —dijo el arqueólogo—. Pero la versión que usted nos ofrece es sin duda reciente. Debe de existir alguna otra, más primitiva. Ya me informaré

—Haría usted mal —dijo el ingeniero—. Se la he contado tal y como a mí me la contaron los campesinos del pueblo donde pasé mi último invierno, ocupado en abrir un túnel para el Orient-Express. No quisiera hablar mal de sus héroes griegos, Lukiadis: se encerraban en su tienda en un ataque de despecho; aullaban de dolor cuando morían sus amigos; arrastraban por los pies el cadáver de sus enemigos alrededor de las ciudades conquistadas, pero, créame usted, le faltó a la Ilíada una sonrisa de Aquiles.

La leche de la muerte[*]

* *Nouvelles littéraires*, 1936-1937.

La larga fila beige y gris de los turistas se extendía por la calle ancha de Ragusa; los gorros adornados con trencilla y las opulentas chaquetas bordadas, que se mecían al viento a la puerta de las tiendas, encendían los ojos de los viajeros a la búsqueda de regalos baratos, o de disfraces para los bailes de a bordo. Hacía un calor como sólo puede hacerlo en el infierno. Las montañas peladas de Herzegovina proyectaban en Ragusa sus fuegos de espejos ardientes. Philip Mide entró en una cervecería alemana en donde zumbaban unas cuantas moscas enormes en medio de una asfixiante penumbra. La terraza del restaurante daba paradójicamente al Adriático, que reaparecía allí, en plena ciudad, en el lugar donde menos se le esperaba, sin que aquella súbita escapada azul sirviera de otra cosa que no fuera añadir un color más a lo abigarrado del mercado. Un hedor pestilente ascendía de un montón de desperdicios de pescado que estaban limpiando unas gaviotas, de blancura casi insoportable. No llegaba brisa alguna del mar. El compañero de camarote de Philip, el ingeniero Jules Boutrin, bebía ante una mesa redonda de zinc, a la sombra de una sombrilla color de fuego, que recordaba desde lejos una gruesa naranja flotando en el mar.

—Cuénteme otra historia, viejo amigo —dijo Philip dejándose caer pesadamente en una silla—. Necesito un whisky y una historia cuando estoy delante del mar... Que sea la historia más hermosa y menos verdadera posible, y que me haga olvidar las mentiras patrióticas y contradictorias de algunos periódicos que acabo de comprar en el muelle. Los italianos insultan a los eslavos, los eslavos a los griegos, los alemanes a los rusos, los franceses a Alemania, y a Inglaterra, casi tanto como a esta última.

Todos tienen razón, supongo. Hablemos de otra cosa... ¿Qué hizo usted ayer en Scutari, luego de saciar su curiosidad por ver con sus propios ojos no sé qué clase de turbinas?

—Nada —dijo el ingeniero—. Aparte de echar una ojeada a las azarosas obras de un pantano, dediqué la mayor parte del tiempo a buscar una torre. Tantas veces oí a las viejas de Serbia contarme la historia de la Torre de Scutari que necesitaba localizar sus ladrillos desmoronados e inspeccionar si en ellos se encontraba, como dicen, un reguero blanco... Pero el tiempo, las guerras y los aldeanos de la vecindad, preocupados por consolidar los muros de sus granjas, la han derribado piedra a piedra, y su recuerdo no se mantiene en pie, sino en los cuentos... A propósito, Philip, ¿tiene usted la suerte de poseer lo que se llama una buena madre?

—¡Qué pregunta...! —dijo con indiferencia el joven inglés—. Mi madre es hermosa, delgada, va muy bien maquillada y sus carnes son tan prietas y duras como el cristal de un escaparate. ¿Qué más queréis que os diga? Cuando salimos juntos se creen que yo soy su hermano mayor.

—Eso es. Le pasa a usted como a todos nosotros. Cuando pienso que hay idiotas que pretenden que nuestra época carece de poesía, como si no tuviera sus surrealistas, sus estrellas de cine y sus dictadores... Créame, Philip, lo que nos falta precisamente son realidades. La seda es artificial, las comidas aborreciblemente sintéticas se parecen a esos falsos alimentos con que se atraca a las momias, y las mujeres, esterilizadas contra la desdicha y la vejez, han dejado de existir. Ya sólo en las leyendas de los países medio bárbaros encontramos a esas criaturas ricas en leche y en lágrimas, de las que uno se sentiría orgulloso de ser hijo... ¿Dónde oí yo hablar de un poeta que no pudo amar a ninguna mujer porque en otra vida se había encontrado con Antígona? Un tipo que se me parecía... Unas cuantas docenas de madres y de enamoradas, desde Andrómaca hasta Griselda, me han vuelto exigente con respecto a esas muñecas irrompibles que pasan por ser hoy la realidad.

»Isolda por amante, y por hermana a la hermosa Alda... Sí, pero la que me hubiera gustado tener por madre es una niña que pertenece a la leyenda albanesa, la mujer de un joven reyezuelo de por aquí.

»Éranse tres hermanos que trabajaban construyendo una torre desde donde pudieran vigilar a los bandidos turcos. Habían emprendido la tarea ellos mismos, sea porque la mano de obra fuese cara, sea porque, como buenos campesinos, no se fiaban más que de sus propios brazos, y sus mujeres se turnaban para llevarles la comida. Pero cada vez que conseguían llevar a buen término su trabajo para colocar un ramo de hierbas en el tejado, el viento de la noche y las brujas de la montaña derribaban su torre lo mismo que Dios derribó la de Babel. Puede haber múltiples razones para que una torre no se mantenga en pie, y puede culparse de ello a la torpeza de los obreros, a la mala voluntad del terreno o a la insuficiencia del cemento que traba las piedras. Pero los campesinos serbios, albaneses o búlgaros no reconocen más que una causa de semejante desastre: saben que un edificio se hunde por no haber tenido cuidado de encerrar en sus cimientos a un hombre o a una mujer, cuyo esqueleto sostendrá, hasta que llegue el día del Juicio Final, la carne pesada de las piedras. En Arta, en Grecia, enseñan un puente en donde fue emparedada de este modo una muchacha: parte de su cabellera se escapa por una grieta y cuelga sobre el agua como una planta rubia. Los tres hermanos empezaban a mirarse con desconfianza y ponían gran cuidado en no proyectar su sombra sobre el muro inacabado, ya que es posible, a falta de algo mejor, encerrar dentro de un edificio en construcción a esa negra prolongación del hombre, que tal vez sea su alma, y aquel cuya sombra es apresada de esta manera muere como un desventurado que padece penas de amores.

»Por la noche, cada uno de los tres hermanos trataba de sentarse lo más lejos posible del fuego, por miedo a que alguien se le acercara cautelosamente por detrás, le arrojara un saco sobre su sombra y se la llevara, medio estrangulada, como una paloma negra. Empezaba a flojear su entusiasmo por el trabajo, y la angustia, ya que no la fatiga, bañaba de sudor sus frentes morenas. Por fin, un día, el mayor de los hermanos reunió a su alrededor a los más pequeños y les dijo:

»—Hermanitos, hermanos en la sangre, la leche y el bautismo, si nuestra torre se queda sin terminar, los turcos volverán a penetrar por las márgenes del lago, escondidos tras los juncos. Violarán a las hijas de nuestros granjeros, quemarán en nuestros campos la promesa del pan futuro, crucificarán a nuestros campesinos en los espantapájaros que hay en nuestros huertos y que se transformarán de este modo en pasto para los cuervos. Hermanitos, nos necesitamos unos a otros y nunca el trébol sacrificó una de sus tres hojas. Pero cada uno de nosotros tiene una mujer joven y vigorosa, cuyos hombros y cuya hermosa nuca están acostumbrados a soportar el peso de la carga. No decidamos nada, hermanos míos: dejemos que elija el Azar, ese testaferro de Dios. Mañana, cuando llegue el alba, cogeremos, para emparedarla en los cimientos de la torre, a aquella de nuestras mujeres que venga a traernos la comida. No os pido más que el silencio de una noche, hermanos míos, y asimismo que no abracéis hoy con demasiadas lágrimas y suspiros a la que, al fin y al cabo, tiene dos probabilidades sobre tres de seguir respirando cuando se ponga el sol.

»Le era fácil hablar así, pues aborrecía a su mujer y quería deshacerse de ella para sustituirla por una hermosa muchacha griega de pelo rojizo. El hermano segundo no hizo ninguna objeción, ya que contaba prevenir a su mujer en cuanto regresara, y el único que protestó fue el pequeño, pues tenía por costumbre cumplir sus promesas. Enternecido por la magnanimidad de sus hermanos mayores, dispuestos a renunciar a lo que más querían en favor de la obra, acabó por dejarse convencer y prometió callar toda la noche.

»Regresaron al campamento a la hora del crepúsculo, cuando el fantasma de la luz moribunda ronda aún por los campos. El hermano segundo entró en su tienda de muy mal humor y ordenó con rudeza a su mujer que le ayudara a quitarse las botas. Cuando la vio agachada delante de él, le arrojó las botas a la cara y dijo:

»—Hace ocho días que llevo puesta la misma camisa, y llegará el domingo sin que pueda ponerme ropa blanca. ¡Maldita gandula! Mañana, en cuanto apunte el día, marcharás al lago con tu cesto de ropa y te quedarás allí hasta la noche, entre tu cepillo y tu pala. Si te alejas del lago un solo paso, morirás.

»Y la joven prometió temblando que dedicaría todo el día siguiente a la colada.

»El mayor volvió a casa muy decidido a no decirle nada a su mujer, cuyos besos le cansaban y cuya rolliza belleza había dejado de agradarle. Pero tenía una debilidad: hablaba en sueños. La opulenta matrona albanesa no durmió bien aquella noche, pues se preguntaba en qué podía haber desagradado a su señor. De repente oyó a su marido gruñir, mientras tiraba de la manta hacia él:

»—Corazón, corazón mío... pronto serás viudo... ¡Qué tranquilos vamos a estar, separados de esa morenota por los buenos y fuertes ladrillos de la torre!...

»Pero el más pequeño entró en su tienda pálido y resignado, como un hombre que acabara de tropezar con la Muerte en persona, con su guadaña al hombro, camino de la siega. Besó a su hijo en su cuna de mimbre y cogió tiernamente en brazos a su mujer; durante toda la noche le oyó ella llorar contra su corazón. Pero la joven era discreta y no le preguntó la causa de aquella pena tan grande, pues no quería obligarle a que le hiciese confidencias y no necesitaba saber cuáles eran sus penas para tratar de consolarlo.

»Al día siguiente, los tres hermanos cogieron sus picos y sus martillos y salieron en dirección a la torre. La mujer del hermano segundo preparó su cesto de ropa y fue a arrodillarse delante de la mujer del hermano mayor.

»—Hermana —le dijo—, querida hermana, hoy me toca a mí ir a llevarles la comida a los hombres, pero mi marido me ha ordenado, bajo pena de muerte, que le lave sus camisas blancas, y mi cesto está lleno.

»—Hermana, querida hermana —dijo la mujer del hermano mayor—, con mucho gusto iría yo a llevarles la comida a nuestros hombres, pero un demonio se me metió anoche en una muela... ¡Huy, huy, huy..., estoy que no sirvo para nada..., todo lo más para gritar de dolor!

»Y dio una palmada, sin más preámbulos, para llamar a la mujer del hermano pequeño.

»—Mujer de nuestro hermano pequeño —dijo—, querida mujercita del menor de los nuestros, vete tú hoy en nuestro lugar a llevar la comida a los hombres, pues el camino es largo, nuestros pies están cansados, y somos menos jóvenes y menos ligeras que tú. Ve, querida muchacha, que vamos a llenarte la cesta con un montón de cosas suculentas, para que nuestros hombres te acojan con una sonrisa, a ti que serás la mensajera que vas a aplacar su hambre.

»Y le llenaron la cesta con peces del lago confitados en miel y pasas de Corinto, con arroz envuelto en hojas de parra, con queso de cabra y con pastelillos de almendras saladas. La joven puso tiernamente a su hijo en brazos de sus cuñadas y se fue sola por el camino, con su fardo a la cabeza, y su destino alrededor del cuello como una medalla bendita, invisible para todos, en la que Dios mismo había escrito a qué clase de muerte se hallaba destinada y cuál era el lugar que ocuparía en el cielo.

»Cuando los tres hombres la vieron llegar desde lejos, figurilla pequeña que aún no se distinguía, corrieron hacia ella; los dos primeros, inquietos por saber si había tenido éxito su estratagema. El mayor se tragó una blasfemia al descubrir que no era su morenaza, y el segundo dio gracias al Señor en voz alta por haber salvado a su lavandera. Pero el pequeño se arrodilló, rodeando con sus brazos las caderas de la muchacha, y le pidió perdón gimiendo. Después, se arrastró a los pies de sus hermanos y les suplicó que tuvieran piedad. Finalmente, se levantó y el acero de su cuchillo brilló al sol. Un martillazo en la nuca lo arrojó, aún palpitante, a orillas del camino. La joven, horrorizada, había dejado caer su cesta y las vituallas dispersas fueron el deleite de los perros del rebaño. Cuando comprendió de qué se trataba, tendió las manos al cielo:

»—Hermanos a los que yo jamás falté, hermanos por el anillo de boda y la bendición del sacerdote, no me matéis; avisad a mi padre, que es jefe de clan en la montaña, y él os proporcionará mil sirvientas, a quienes podréis sacrificar. No me matéis, ¡amo tanto la vida!... No pongáis, entre mi bienamado y yo, una pared de piedras.

»Pero se calló de repente, pues advirtió que su marido, tendido a la orilla del camino, ya no movía los párpados, y que sus cabellos negros estaban manchados de sesos y de sangre. Entonces, sin gritos ni lágrimas, se dejó arrastrar por los dos hermanos hasta el nicho que habían horadado en la muralla redonda de la torre: puesto que iba a morir, para qué llorar. Pero en el momento en que colocaban el primer ladrillo ante sus pies calzados con sandalias rojas, recordó a su hijo, que acostumbraba a mordisquear sus zapatos como un perrillo juguetón. Unas cálidas lágrimas resbalaron por sus mejillas y fueron a mezclarse con el cemento que la llana alisaba sobre la piedra.

»—¡Ay, piececitos míos! —dijo—. Ya no me llevaréis como solíais hasta la cumbre de la colina, para que mi bienamado viera antes mi cuerpo. Ya no sabréis del frescor del agua que corre: tan sólo os lavarán los Ángeles, en la mañana de la Resurrección...

»La construcción de ladrillos y de piedras se alzaba ya hasta sus rodillas, tapadas con una falda dorada. Muy erguida en el fondo de su nicho, parecía una Virgen María de pie tras de su altar.

»—Adiós, mis queridas rodillas —dijo la joven—. Ya no podréis mecer a mi hijo, ni sentada bajo el hermoso árbol del huerto, que da al mismo tiempo alimento y sombra, podré yo llenaros de rica fruta...

»El muro se elevó un poco más y la joven prosiguió:

»—Adiós, mis manos queridas, que colgáis a ambos lados de mi cuerpo, manos que ya no podréis hacer la comida, ni hilar la lana, manos que ya no abrazarán a mi bienamado. Adiós, mis caderas y mi vientre, que ya no conocerá lo que es dar a luz ni amar. Hijos que yo hubiera podido traer al mundo, hermanos que no tuve tiempo de darle a mi hijo, me acompañaréis dentro de esta prisión, que será mi tumba, y donde tendré que permanecer de pie, sin dormir, hasta el día del Juicio Final.

»El muro le llegaba ya al pecho. En aquel momento, un estremecimiento recorrió la parte superior del cuerpo de la joven, y sus ojos suplicaron con una mirada semejante al ademán de dos manos tendidas.

»—Cuñados —dijo—, por consideración no a mí, sino a vuestro hermano muerto, pensad en mi hijo y no lo dejéis morir de hambre. No emparedéis mis pechos, hermanos, que mis dos senos permanezcan libres bajo mi camisa bordada, y que me traigan todos los días a mi hijo, por la mañana, a mediodía y al crepúsculo. Mientras me queden unas gotas de vida, bajarán hasta la punta de mis senos para alimentar al hijo que traje al mundo, y el día en que ya no me quede leche, beberá mi alma. Consentid esto, malvados hermanos, y si lo hacéis así, ni mi marido ni yo os pediremos cuentas cuando nos encontremos en la casa de Dios.

»Los hermanos, intimidados, consintieron en satisfacer aquel último deseo y dejaron un intervalo de dos ladrillos a la altura de los pechos. Entonces, la joven murmuró:

»—Hermanos queridos, poned vuestros ladrillos delante de mi boca, pues los besos de los muertos dan miedo a los vivos, mas dejad una ranura delante de mis ojos, para que yo pueda ver si mi leche le aprovecha a mi niño.

»Hicieron como ella les pedía y dejaron abierta una ranura horizontal a la altura de los ojos. Al llegar el crepúsculo, a la hora en que su madre tenía por costumbre darle de mamar, trajeron al niño por el camino polvoriento, bordeado de arbustos pequeños, medio comidos por las cabras, y la emparedada saludó la llegada del niño con gritos de alegría y bendiciones a los dos hermanos. Unos chorros de leche empezaron a brotar de sus dos senos, duros y tibios, y cuando el niño, hecho de la misma sustancia que su corazón, se durmió contra sus pechos, empezó a cantar con voz amortiguada por el muro de ladrillos. En cuanto le quitaron al niño del pecho, ordenó que lo llevaran al campamento para dormir, pero durante toda la noche se oyó la tierna melopea bajo las estrellas, y aquella canción de cuna, a pesar de la distancia, bastaba para impedir que el niño llorase. Al día siguiente, ella ya no cantaba y su voz era muy débil cuando preguntó cómo había pasado Vania la noche. Al día siguiente, calló, pero aún respiraba, pues sus pechos, todavía habitados por su aliento, subían y bajaban imperceptiblemente dentro de su jaula. Unos días más tarde, su soplo de vida fue a juntarse con su voz, pero sus senos inmóviles no habían perdido nada de su dulce abundancia de fuentes, y el niño, dormido en el hueco que formaban, oía aún latir su corazón. Luego, aquel corazón tan acorde con la vida fue espaciando sus latidos. Sus ojos lánguidos se apagaron como el reflejo de las estrellas en una cisterna sin agua y a través de la ranura ya no se vio nada más que dos pupilas vidriosas, que ya no miraban al cielo. Aquellas pupilas acabaron por licuarse y dejaron lugar a dos órbitas huecas, en cuyo fondo veíase la Muerte, pero el pecho joven permanecía intacto y durante dos años más, al llegar la aurora, al mediodía y al crepúsculo, continuaba manando el surtidor milagroso, hasta que ya el niño dejó de mamar por su propia voluntad.

»Tan sólo entonces los pechos agotados se redujeron a polvo y en el borde de ladrillo ya no quedaron más que unas pocas cenizas blancas. Durante varios siglos, las madres enternecidas acudieron a la torre, para seguir con el dedo, a lo largo del ladrillo rojizo, los surcos trazados por la leche maravillosa, y luego la misma torre desapareció, y el peso de la bóveda dejó de aplastar al ligero esqueleto de mujer. Por último, hasta los mismos frágiles huesos acabaron por dispersarse y ahora ya no queda en pie más que este viejo francés, achicharrado por un calor de infierno, que repite machaconamente, al primero que encuentra, esta historia que es digna de inspirar tantas lágrimas a los poetas como la historia de Andrómaca.

En aquel momento, una gitana, cubierta de una espantosa suciedad dorada, se acercó a la mesa en que se acodaban los dos hombres. Llevaba en brazos a un niño, cuyos ojos enfermos desaparecían bajo un vendaje de harapos. Se dobló en dos, con el insolente servilismo que caracteriza a ciertas razas miserables y reales, y sus faldas amarillas barrieron el suelo. El ingeniero la apartó bruscamente, sin preocuparse de su voz, que pasaba del tono de la súplica al de las maldiciones. El inglés la llamó para darle un denario de limosna.

—¿Qué es lo que le pasa a usted, viejo soñador? —dijo con impaciencia—. Los senos y los collares de esta mujer valen tanto como los de su heroína albanesa. Y el niño que la acompaña es ciego.

—Conozco a esa mujer —respondió Jules Boutrin—. Un médico de Ragusa me relató su historia. Hace unos meses que viene colocando en los ojos de su hijo unos asquerosos emplastes que le inflaman la vista y provocan la compasión de los transeúntes. El niño todavía ve, pero pronto será lo que ella desea: un ciego. Entonces esta mujer tendrá asegurado su peculio para toda la vida, pues cuidar de un impedido es una profesión lucrativa. Hay madres y madres.

El último amor del príncipe Genghi*

* *Revue de Paris,* 1937.

Cuando Genghi el Resplandeciente, el mayor seductor que jamás se vio en Asia, cumplió los cincuenta años, se dio cuenta de que era forzoso empezar a morir. Su segunda mujer, Murasaki, la princesa Violeta, a quien tanto había amado, pese a muchas infidelidades contradictorias, lo había precedido por el camino que lleva a uno de esos Paraísos adonde van los muertos que han adquirido algunos méritos en el transcurso de esta vida cambiante y difícil, y Genghi se atormentaba por no poder recordar con exactitud su sonrisa, ni la mueca que hacía cuando lloraba. Su tercera esposa, la Princesa-del-Palacio-del-Oeste, lo había engañado con un pariente joven, al igual que él engañó a su padre, en los días de su juventud, con una emperatriz adolescente. Volvía a representarse la misma obra en el teatro del mundo, pero él sabía que esta vez sólo le tocaba hacer el papel de viejo, y prefería el de fantasma. Por eso distribuyó sus bienes, dio pensiones a sus servidores y se dispuso a terminar sus días en una ermita que había mandado construir en la ladera de la montaña. Atravesó la ciudad por última vez, seguido tan sólo por dos o tres adictos compañeros que no se resignaban a decirle adiós a su propia juventud. Pese a ser hora temprana, algunas mujeres pegaban el rostro contra los listones de las persianas. Comentaban en voz alta que Genghi era muy apuesto aún, lo que demostró una vez más al príncipe que ya era hora de marcharse.

Tardó tres días en llegar a la ermita situada en medio de un paisaje fragoso. La casita se erguía al pie de un arce centenario; como era otoño, las hojas de aquel hermoso árbol cubrían el techo de paja con techumbre de oro. La vida en aquellas soledades resultó ser más sencilla y más dura todavía de lo que había sido durante un largo exilio en el extranjero, que Genghi tuvo que soportar allá en su juventud tempestuosa, y aquel hombre refinado pudo gozar por fin a gusto del lujo supremo que consiste en prescindir de todo. Pronto se anunciaron los primeros fríos; las laderas de la montaña se cubrieron de nieve, como los amplios pliegues de esas vestiduras acolchadas que se llevan en el invierno, y la niebla terminó por ahogar al sol. Desde el alba al crepúsculo, a la débil luz de un escaso brasero, Genghi leía las Escrituras y encontraba un sabor a los versículos austeros del que carecían, según él, los patéticos versos de amor. Mas pronto advirtió que la vista se le debilitaba, como si todas las lágrimas vertidas por sus frágiles amantes le hubieran quemado los ojos, y se vio obligado a percatarse de que, para él, las tinieblas empezarían antes de que llegara la muerte. De cuando en cuando, un correo aterido de frío llegaba renqueando hasta él desde la capital, con los pies hinchados de cansancio y de sabañones, y le presentaba respetuosamente unos mensajes de parientes o de amigos que deseaban ir a visitarlo una vez más en este mundo, antes de que llegara la hora de los encuentros infinitos e inciertos en el otro. Pero Genghi temía inspirar a sus huéspedes respeto o compasión, dos sentimientos que le horrorizaban y a los que prefería el olvido. Movía tristemente la cabeza, y aquel príncipe —en otros tiempos famoso por su talento de poeta y de calígrafo— enviaba al mensajero con una hoja de papel en blanco. Poco a poco, las comunicaciones con la capital se fueron espaciando; el ciclo de las fiestas estacionales continuaba girando lejos del príncipe que antaño las dirigía con un movimiento de su abanico, y Genghi, abandonándose sin pudor a las tristezas de la soledad, empeoraba sin cesar la enfermedad de sus ojos, pues ya no le daba vergüenza llorar.

Dos de sus antiguas amantes le habían propuesto compartir con él su aislamiento lleno de recuerdos. Las cartas más tiernas provenían de la Dama-del-pueblo-de-las-flores-que-caen: era una antigua concubina de no muy alta cuna y de mediana belleza; había servido fielmente como dama de honor a las demás esposas de Genghi y, durante dieciocho años, amó al príncipe sin cansarse jamás de sufrir. Él le hacía visitas nocturnas de vez en cuando, y aquellos encuentros, aunque escasos como las estrellas en la noche de lluvia, habían bastado para iluminar la pobre vida de la Dama-del-pueblo-de-las-flores-que-caen. Al no hacerse ilusiones ni sobre su belleza, ni sobre su talento, ni sobre la nobleza de su linaje, sólo la Dama entre tantas amantes conservaba una dulce gratitud hacia Genghi, pues no le parecía natural que él la hubiera amado.

Como sus cartas permanecían sin respuesta, alquiló un modesto carruaje y subió a la cabaña del príncipe solitario. Empujó tímidamente la puerta, hecha de un entramado de ramas; se arrodilló con una humilde sonrisa, para disculparse por estar allí. Era la época en que Genghi aún reconocía el rostro de sus visitantes cuando se acercaban mucho. Le invadió una amarga rabia ante aquella mujer que despertaba en él los más punzantes recuerdos de los días muertos, menos a causa de su propia presencia que por su perfume, que todavía impregnaba sus mangas, perfume que habían llevado sus difuntas mujeres. Ella le suplicó tristemente que la dejara quedarse al menos como sirvienta. Implacable por primera vez, la echó de allí, mas ella había conservado algunos amigos entre los pocos ancianos que se encargaban del servicio del príncipe y éstos, en ocasiones, le comunicaban noticias suyas. Cruel a su vez contra su costumbre, vigilaba desde lejos cómo progresaba la ceguera de Genghi lo mismo que una mujer, impaciente por reunirse con su amante, espera que caiga por completo la noche.

Cuando supo que estaba casi del todo ciego, se despojó de sus vestiduras de ciudad y se puso un vestido corto y de tela basta, como los que llevan las jóvenes aldeanas; trenzó su pelo a la manera de las campesinas y cargó con un fardo de telas y cacharros de barro, como los que se venden en las ferias de los pueblos. Vestida de aquel modo tan ridículo, pidió que la llevaran al lugar donde vivía el exiliado voluntario, en compañía de los corzos y de los pavos reales del bosque; hizo a pie la última parte del trayecto, para que el barro y el cansancio le ayudaran a representar bien su papel. Las lluvias tempranas de primavera caían del cielo sobre la blanda tierra, ahogando las últimas luces del crepúsculo: era la hora en que Genghi, envuelto en su estricto hábito de monje, se paseaba lentamente a lo largo del sendero del que sus viejos servidores habían apartado cuidadosamente el menor guijarro, para impedir que tropezara. Su rostro, como vacío, ausente, deslustrado por la proximidad de la vejez, parecía un espejo emplomado donde antaño se reflejó la belleza, y la Dama-del-pueblo-de-las-flores-que-caen no necesitó fingir para ponerse a llorar.

Aquel rumor de sollozos femeninos hizo estremecerse a Genghi, quien se orientó lentamente hacia el lado de donde procedían aquellas lágrimas.

—¿Quién eres tú, mujer? —preguntó con inquietud.

—Soy Ukifine, la hija del granjero So-Hei —dijo la Dama sin olvidarse de adoptar un acento de pueblo—. Fui a la ciudad con mi madre, para comprar unas telas y unas cacerolas, pues me voy a casar para la próxima luna. Me he perdido por los senderos de la montaña, y lloro porque me dan miedo los jabalíes, los demonios, el deseo de los hombres y los fantasmas de los muertos.

—Estás empapada, jovencita —le dijo el príncipe poniéndole la mano en el hombro.

Y en efecto, estaba calada hasta los huesos. El contacto de aquella mano tan familiar la hizo estremecerse desde la punta de los cabellos hasta los dedos de sus pies descalzos, pero Genghi supuso que tiritaba de frío.

—Ven a mi cabaña —dijo el príncipe con voz prometedora—. Podrás calentarte en mi fuego, aunque hay en él menos carbón que cenizas.

La Dama lo siguió, poniendo gran cuidado en imitar los andares torpes de las campesinas. Ambos se pusieron en cuclillas delante del fuego, que estaba casi apagado. Genghi tendía sus manos hacia el calor, pero la Dama disimulaba sus dedos, harto delicados para pertenecer a una muchacha del campo.

—Estoy ciego —suspiró Genghi al cabo de un instante—. Puedes quitarte sin ningún escrúpulo tus vestidos mojados, jovencita, y calentarte desnuda delante de mi fuego.

La Dama se quitó dócilmente su traje de campesina. El fuego ponía un color rosado en su esbelto cuerpo, que parecía tallado en el más pálido ámbar. De repente, Genghi murmuró:

—Te he engañado, jovencita, pues aún no estoy completamente ciego. Te adivino a través de una neblina que quizá no sea sino el halo de tu propia belleza. Déjame poner la mano en tu brazo, que tiembla todavía.

Y así fue como la Dama-del-pueblo-de-las-flores-que-caen volvió a ser amante del príncipe Genghi, a quien había amado humildemente durante más de dieciocho años. No se olvidó de imitar las lágrimas y las timideces de una doncella en su primer amor. Su cuerpo se conservaba asombrosamente joven, y la vista del príncipe era demasiado débil para distinguir sus canas.

Cuando acabaron de acariciarse, la Dama se arrodilló ante el príncipe y le dijo:

—Te he engañado, príncipe. Soy Ukifine, es verdad, la hija del granjero So-Hei, mas no me perdí en la montaña; la fama del príncipe Genghi se extendió hasta el pueblo y vine por mi propia voluntad, con el fin de descubrir el amor entre tus brazos.

Genghi se levantó tambaleándose, como un pino que vacila, sometido a los embates del invierno y del viento. Exclamó con voz sibilante:

—¡Caiga la desgracia sobre ti, que me traes el recuerdo de mi primer enemigo, el apuesto príncipe de agudos ojos, cuya imagen me hace estar despierto todas las noches!... Vete...

Y la Dama-del-pueblo-de-las-flores-que-caen se alejó, arrepentida del error que acababa de cometer.

En las semanas que siguieron, Genghi permaneció solo, sufría mucho. Se percataba con desaliento de que aún se hallaba a la merced de las añagazas de este mundo y muy poco preparado para las renovaciones de la otra vida. La visita de la hija del granjero So-Hei había despertado en él la afición por las criaturas de estrechas muñecas, largos pechos cónicos y risa patética y dócil. Desde que se estaba quedando ciego, el sentido del tacto era su único medio de comunicación con la belleza del mundo, y los paisajes en donde había venido a refugiarse no le dispensaban ya ningún consuelo, pues el ruido de un arroyo es más monótono que la voz de una mujer, y las curvas de las colinas o los jirones de las nubes están hechos para los que ven, y además se hallan harto lejos de nosotros para dejarse acariciar.

Dos meses más tarde, la Dama-del-pueblo-de-las-flores-que-caen hizo una segunda tentativa. Esta vez se vistió y perfumó con cuidado, pero puso atención en que el corte de sus vestidos fuera algo raquítico y poco atrevido en su misma elegancia, y que el perfume, discreto pero banal, sugiriese la falta de imaginación de una joven que procede de una honorable familia de provincias, y que nunca vio la corte.

En aquella ocasión alquiló unos porteadores y una silla imponente, aunque careciese de los últimos perfeccionamientos de las de la ciudad. Se las arregló para no llegar a los alrededores de la cabaña de Genghi hasta que no fuera noche cerrada. El verano se le había adelantado por la montaña. Genghi, sentado al pie del arce, oía cantar a los grillos. Se acercó a él ocultando a medias su rostro detrás de un abanico y murmuró confusa:

—Soy Chujo, la mujer de Sukazu, un noble de séptima fila de la provincia de Yamato. Me dirijo en peregrinación al templo de Isé, pero uno de mis porteadores acaba de torcerse el tobillo y no puedo continuar mi camino hasta que llegue la aurora. Indícame una cabaña donde yo pueda alojarme sin temor a las calumnias, para que mis siervos puedan descansar.

—¿Y dónde puede hallarse más resguardada una mujer de las calumnias que en casa de un anciano ciego? —dijo amargamente el príncipe—. Mi cabaña es demasiado pequeña para que quepan en ella tus servidores, pero pueden instalarse debajo de este árbol. Yo te cederé a ti el único colchón de mi refugio.

Se levantó a tientas para mostrarle el camino. Ni una vez había levantado la mirada hacia ella, y por esta señal la Dama comprendió que se había quedado completamente ciego.

Cuando ella se hubo tendido en el colchón de hojas secas, Genghi volvió a ocupar melancólico su puesto en el umbral de la cabaña. Estaba triste y ni siquiera sabía si aquella mujer era hermosa.

La noche era cálida y clara. La luna ponía su reflejo en el rostro alzado del ciego, que parecía esculpido en jade blanco. Al cabo de un buen rato, la Dama abandonó su rústico lecho y fue a sentarse a su vez a la puerta. Dijo con un suspiro:

—La noche es hermosa y no tengo sueño. Permíteme que cante una de las canciones que llenan mi corazón.

Y sin esperar la respuesta cantó una romanza que le gustaba mucho al príncipe, por haberla oído antaño muchas veces en labios de su mujer preferida, la princesa Violeta. Genghi, turbado, se acercó insensiblemente a la desconocida.

—¿De dónde vienes, mujer, que sabes unas canciones que gustaban en tiempos de mi juventud? Arpa donde florecen tonadas de otros tiempos, déjame pasear la mano por tus cuerdas.

Y le acarició los cabellos. Tras un instante, preguntó:

—¡Ay! ¿No es tu marido más joven y más apuesto que yo, muchacha del país de Yamato?

—Mi marido es menos guapo y parece menos joven —respondió sencillamente la Dama-del-pueblo-de-las-flores-que-caen.

Y de este modo, la Dama fue, bajo un nuevo disfraz, la amante del príncipe Genghi, al que antaño había pertenecido. Por la mañana, le ayudó a preparar una papilla caliente y el príncipe Genghi le dijo:

—Eres hábil y tierna, mujer, y no creo que ni siquiera el príncipe Genghi, que tan afortunado fue en amores, tuviera una amiga más dulce que tú.

—Nunca oí hablar del príncipe Genghi —dijo la Dama moviendo la cabeza.

—¿Cómo? —exclamó amargamente Genghi—. ¿Tan pronto lo han olvidado?

Y permaneció sombrío durante todo el día. La Dama comprendió entonces que acababa de equivocarse por segunda vez, pero Genghi no habló de echarla y parecía feliz al escuchar el roce de su vestido de seda en la hierba.

Llegó el otoño, y convirtió a los árboles de la montaña en otras tantas hadas vestidas de púrpura y oro, aunque destinadas a morir en cuanto llegaran los primeros fríos. La Dama le describía a Genghi todos aquellos pardos grises, castaños dorados, marrones malvas, poniendo gran cuidado en no hacer alusión a ello sino como por casualidad, y evitando siempre parecer que le ayudaba demasiado ostensiblemente. Sorprendía y encantaba a Genghi inventando ingeniosos collares de flores, platos refinados a fuerza de sencillez, letras nuevas adaptadas a viejas músicas conmovedoras y lastimeras. Ya había hecho alarde de estos mismos talentos en su pabellón de quinta concubina, en donde Genghi la visitaba antaño, pero éste, distraído por otros amores, no se había dado cuenta.

A finales de otoño subieron las fiebres de los pantanos. Los insectos pululaban en el aire infectado, y cada vez que se respiraba era como si se bebiera un sorbo de agua en una fuente envenenada.

Genghi cayó enfermo y se acostó en su lecho de hojas muertas comprendiendo que no tornaría a levantarse. Se avergonzaba ante la Dama de su debilidad y de los humildes cuidados a los que la obligaba su enfermedad, mas aquel hombre, que durante toda su vida había buscado en cada experiencia lo que tenía a la vez de más insólito y de más desgarrador, no podía por menos de gozar con lo que aquella nueva y miserable intimidad añadía a las estrechas dulzuras del amor entre dos seres.

Una mañana en que la Dama le daba masaje en las piernas, Genghi se incorporó apoyándose en el codo y, buscando a tientas las manos de la Dama, murmuró:

—Mujer que cuidas al que va a morir, te he engañado. Soy el príncipe Genghi.

—Cuando vine hacia ti no era más que una ignorante provinciana —dijo la Dama—, y no sabía quién era el príncipe Genghi. Ahora sé que ha sido el más hermoso y el más deseado de todos los hombres, pero tú no tienes necesidad de ser el príncipe Genghi para ser amado.

Genghi le dio las gracias con una sonrisa. Desde que callaban sus ojos, parecía como si su mirada se moviera en sus labios.

—Voy a morir —profirió trabajosamente—. No me quejo de una suerte que comparto con las flores, con los insectos y con los astros. En un universo en donde todo pasa como un sueño, sentiría remordimientos de durar para siempre. No me quejo de que las cosas, los seres, los corazones sean perecederos, puesto que parte de su belleza se compone de esta desventura. Lo que me aflige es que sean únicos. Antaño, la certidumbre de obtener en cada instante de mi vida una revelación que no se renovaría nunca constituía lo más claro de mis secretos placeres: ahora muero confuso como un privilegiado que ha sido el único en asistir a una fiesta que se dará sólo una vez. Queridos objetos, no tenéis por testigo sino a un ciego que muere... Otras mujeres florecerán, igual de sonrientes que aquellas que yo amé, mas su sonrisa será diferente, y el lunar que me apasiona se habrá desplazado en su mejilla de ámbar la distancia de un átomo. Otros corazones se romperán bajo el peso de un insoportable amor, mas sus lágrimas no serán nuestras lágrimas. Unas manos húmedas de deseo continuarán juntándose bajo los almendros en flor, pero la misma lluvia de pétalos nunca se deshoja dos veces sobre la misma ventura humana. ¡Ay! Me siento igual que un hombre arrastrado por una inundación y que quisiera hallar al menos un rinconcito de tierra seca donde depositar unas cuantas cartas amarillentas y algunos abanicos de marchitos colores... ¿Qué será de ti cuando yo ya no exista para enternecerme al recrearte, Recuerdo de la Princesa Azul, mi primera mujer, en cuyo amor no creí hasta el día siguiente a su muerte? ¿Y de ti, Recuerdo desolado de la Dama-del-pabellón-de-las-campanillas, que murió en mis brazos porque una rival celosa se había empeñado en ser la única en amarme? ¿Y de vosotros, Recuerdos insidiosos de mi hermosísima madrastra y de mi jovencísima esposa, que se encargaron de enseñarme alternativamente lo que se sufre siendo el cómplice o la víctima de una infidelidad? ¿Y de ti, Recuerdo sutil de la Dama Cigarra-del-jardín, que me esquivó por pudor, de suerte que tuve que consolarme con su joven hermano, cuyo rostro infantil reflejaba algunos rasgos de aquella tímida sonrisa de mujer? ¿Y de ti, querido Recuerdo de la Dama-de-la-larga-noche, que fue tan dulce y que consintió en ser la tercera tanto en mi casa como en mi corazón? ¿Y de ti, pequeño Recuerdo pastoral de la hija del granjero So-Hei, que no amaba de mí más que mi pasado? ¿Y de ti, sobre todo, Recuerdo delicioso de la pequeña Chujo que en estos momentos me da masaje en los pies, y que no tendrá tiempo de convertirse en recuerdo? Chujo, a quien yo hubiera deseado encontrar antes en mi vida, aunque también sea justo reservar alguna fruta para finales de otoño...

Embriagado de tristeza, dejó caer su cabeza en la dura almohada. La Dama-del-pueblo-de-las-flores-que-caen se inclinó sobre él y murmuró temblorosa:

—¿Y no había en tu palacio otra mujer, cuyo nombre no has pronunciado? ¿No era acaso dulce? ¿No se llamaba la Dama-del-pueblo-de-las-flores-que-caen? Ay, recuerda...

Pero las facciones del príncipe habían adquirido ya esa serenidad reservada tan sólo a los muertos. El fin de todos los dolores había borrado de su rostro toda huella de saciedad o de amargura, y parecía haberle persuadido de que aún tenía dieciocho años. La Dama-del-pueblo-de-las-flores-que-caen se echó al suelo gritando, olvidando todo recato. Las lágrimas, saladas, arrasaban sus mejillas como una lluvia de tormenta y sus cabellos arrancados volaban por el aire como borra de seda. El único nombre que Genghi había olvidado era precisamente el suyo.

El hombre que amó a las Nereidas[*]

* *Revue de France*, 1937.

Estaba de pie, descalzo entre el polvo, el calor y los hedores del puerto, bajo el deteriorado toldo de un café donde unos cuantos clientes se habían desplomado en las sillas con la vana esperanza de protegerse del sol. Los pantalones, viejos y rojizos, apenas le llegaban a los tobillos y el huesecillo puntiagudo, la arista del talón, las plantas largas y llenas de callosidades y escoriaduras, los dedos flexibles y táctiles, pertenecían a esa raza de pies inteligentes, acostumbrados al contacto del aire y del sol, endurecidos por las asperezas de las piedras, que aún conservan en los países mediterráneos algo de la libre soltura del hombre desnudo en el hombre vestido. Pies ágiles, tan diferentes de los torpes soportes encerrados en los zapatos del norte... El azul desvaído de su camisa armonizaba con las tonalidades del cielo desteñido por la luz del verano; sus hombros y omoplatos se vislumbraban por los rotos de la tela como descarnadas rocas; tenía las orejas un poco alargadas y encuadraban oblicuamente su rostro a la manera de las asas de un ánfora; incontestables rastros de belleza veíanse todavía en su rostro maciento y ausente, como el aflorar, en un terreno ingrato, de una antigua estatua rota. Sus ojos de animal enfermo se escondían sin desconfianza tras unas pestañas tan largas como las que orlan los párpados de las mulas; llevaba la mano derecha continuamente tendida, con el ademán obstinado e importuno de los ídolos arcaicos que hay en los museos y que parecen reclamar a los visitantes la limosna de su admiración, y unos balidos desarticulados se escapaban de su boca abierta de par en par, que dejaba ver unos dientes espléndidos.

—¿Es sordomudo?

—Sordo no es.

Jean Demetriadis, el propietario de las grandes fábricas de jabón de la isla, aprovechó un momento de desatención, en que la mirada vaga del idiota se perdía del lado del mar, para dejar caer una dracma en las lisas baldosas. El ligero tintineo, medio ahogado por la fina capa de arena, no se perdió para el mendigo, quien recogió ávidamente la monedita de blanco metal y volvió de inmediato a su postura contemplativa y quejumbrosa, como una gaviota a orillas del muelle.

—No está sordo —repitió Jean Demetriadis dejando ante él la taza medio llena de untuosos posos negros—. La palabra y el entendimiento le fueron arrebatados en tales condiciones que, en algunas ocasiones, hasta llego a envidiarle; yo, que soy un hombre razonable y rico, pues no encuentro a menudo en mi camino más que aburrimiento y vacío. Ese Panegyotis (así se llama) se quedó mudo a los dieciocho años por haber tropezado con las Nereidas desnudas.

Una sonrisa tímida se dibujó en los labios de Panegyotis, que había oído pronunciar su nombre. No parecía entender el sentido de las palabras que decía aquel hombre tan importante, en quien él reconocía vagamente a un protector, pero el tono, ya que no las palabras mismas, le llegaba. Contento de saber que hablaban de él y pensando que tal vez convendría esperar de nuevo una limosna, avanzó la mano imperceptiblemente, con el movimiento temeroso de un perro que roza con la pata la rodilla de su amo para que no se olvide de darle de comer.

—Es hijo de uno de los campesinos más acomodados de mi pueblo —prosiguió Jean Demetriadis—, y por excepción entre nosotros, estas gentes son ricas de verdad. Sus padres poseen tantos campos que no saben qué hacer con ellos, una buena casa de piedra sillar, un vergel con diversas variedades de árboles frutales y un huerto con verduras, un despertador en la cocina, una lámpara encendida ante la pared de los iconos; en fin, que disponen de todo lo necesario. Podía decirse de Panegyotis lo que pocas veces se puede decir de un joven griego: que tenía asegurado su pan para toda la vida. También podía decirse que ya tenía trazado el camino que debería seguir, un camino griego, polvoriento, lleno de guijarros y bastante monótono, aunque con unos cuantos grillos cantarines aquí y allá, y la posibilidad de hacer de cuando en cuando un alto agradable a la puerta de la taberna. Ayudaba a las viejas a varear las aceitunas; vigilaba el embalaje de los cajones de uvas y el peso de los fardos de lana; en las discusiones con los compradores de tabaco apoyaba discretamente a su padre escupiendo con asco ante cualquier proposición que no rebasara el precio apetecido; era novio de la hija del veterinario, una agraciada muchachita que trabajaba en mi fábrica. Como era muy apuesto, se le atribuían tantas amantes como mujeres existen en la comarca aficionadas al amor; se llegó incluso a decir que se acostaba con la mujer del sacerdote; si así era, el sacerdote no le guardaba rencor, pues no le gustaban las mujeres y se desinteresaba de la suya, que, por lo demás, suele ofrecerse a cualquiera. Imagínese la humilde felicidad de un Panegyotis; poseía el amor de las hermosas, la envidia de los hombres y, en algunas ocasiones, su deseo; un reloj de plata, cada dos o tres días una camisa maravillosamente blanca planchada por su madre, arroz "pilaf" al mediodía y el "ouzo" glauco y perfumado antes de la cena. Pero la felicidad es frágil y, cuando no la destruyen las circunstancias o los hombres, se ve amenazada por los fantasmas. Acaso no sepa usted que nuestra isla se halla poblada de presencias misteriosas. Nuestros fantasmas no se parecen a sus espectros del norte, que sólo salen a medianoche y se alojan durante el día en los cementerios. Nuestros fantasmas olvidan cubrir su cuerpo con una sábana blanca y su esqueleto se halla recubierto de carne. Pero tal vez sean más peligrosos que las almas de los muertos, ya que éstos, al menos, han sido bautizados y han conocido la vida, han sabido lo que es sufrir. Las Nereidas de nuestros campos son inocentes y malvadas como la naturaleza misma, que tan pronto protege al hombre como lo destruye. Los dioses y las diosas de la antigüedad están bien muertos, y los museos sólo conservan sus cadáveres de mármol. Nuestras ninfas se parecen más a las hadas de su país que a la imagen que de ellas tienen ustedes, según el modelo de Praxíteles. Pero nuestro pueblo cree en ellas y en sus poderes; existen igual que la tierra, el agua y el peligroso sol. En ellas, la luz del verano se hace carne, y, por eso, verlas dispensa vértigo y estupor. Sólo salen a la hora trágica del mediodía; están como inmersas en el misterio de la luz del día. Si los campesinos atrancan la puerta de sus casas antes de echarse la siesta, es por ellas; estas hadas auténticamente fatales son hermosas, van desnudas y son refrescantes y nefastas como el agua en que bebemos los gérmenes de la fiebre; los que las vieron se consumen lentamente de languidez y de deseo. Los que tuvieron el atrevimiento de acercarse a ellas se quedan mudos para toda la vida, pues no deben revelarse al vulgo los secretos del amor. Pues bien, una mañana de julio dos corderos del padre de Panegyotis se pusieron a dar vueltas. La epidemia se propagó rápidamente a las más bellas reses del rebaño y el cuadro de tierra apisonada que había delante de la casa tuvo que transformarse rápidamente en asilo para ganado alienado. Panegyotis se fue solo, en plena canícula, bajo el sol, a buscar a un veterinario que vive en la otra vertiente del Monte de San Elías, en un pueblecito agazapado a orillas del mar. Al llegar el crepúsculo, aún no estaba de vuelta. La inquietud del padre de Panegyotis pasó de sus corderos a su hijo; registraron en vano todo el campo y los valles de los alrededores; durante toda la noche, las mujeres de la familia estuvieron rezando en la capilla del pueblo, que no es más que un granero iluminado por dos docenas de cirios, donde parece que a cada momento vaya a entrar la Virgen para dar a luz a Jesús. Al día siguiente por la noche, a la hora del descanso, cuando los hombres se sientan en la plaza del pueblo, ante una taza de café, un vaso de agua o una cucharada de mermelada, vieron volver a un Panegyotis muy cambiado, tanto como si hubiera pasado por la muerte. Sus ojos centelleaban, pero parecía como si el blanco del ojo y la pupila hubieran devorado al iris; dos meses de malaria no lo hubieran puesto más amarillo; una sonrisa un poco repugnante deformaba sus labios, de los que ya no salían palabras. No obstante, aún no estaba completamente mudo. Unas sílabas entrecortadas se le escapaban de la boca como los últimos gorgoteos de un manantial que muere:

»—Las Nereidas... Las señoras... Nereidas... Hermosas... Desnudas... Es estupendo... Rubias... Todo el cabello rubio...

»Éstas fueron las únicas palabras que se le pudieron sacar. Varias veces, en los días que siguieron, se le oyó de nuevo repetir despacio, para sí mismo: "Pelo rubio... rubio", como si estuviera acariciando seda. Sus ojos dejaron de brillar, pero su mirada, que se hizo vaga y fija, adquirió unas propiedades peculiares: puede contemplar el sol sin pestañear; tal vez encuentra un gran placer en contemplar este astro de un rubio tan deslumbrador. Yo estaba en el pueblo durante las primeras semanas de su delirio: no tenía fiebre, ni síntomas de insolación o ataque alguno. Sus padres lo llevaron para que lo exorcizasen a un célebre monasterio que había en la vecindad: se dejó conducir con la misma dulzura que un cordero enfermo, pero ni las ceremonias de la Iglesia, ni las fumigaciones de incienso, ni los ritos mágicos de las viejas del pueblo pudieron liberar su sangre de las ninfas locas de color del sol. Los primeros días de su nuevo estado transcurrieron en incesantes idas y venidas; retornaba incansablemente al lugar donde había surgido la aparición: hay allí una fuente, donde van los pescadores algunas veces para proveerse de agua dulce, un valle pequeño y encajonado, un campo de higueras y un sendero que desciende hasta el mar. Las gentes han creído ver en la hierba rala unas huellas ligeras de pies femeninos, algún espacio que otro hollado por el peso de unos cuerpos. Puede uno imaginar fácilmente la escena: los rayos de sol abriéndose camino por la sombra de las higueras, que no es una sombra, sino una forma más verde y más suave que la luz; el joven lugareño inquieto al oír unas risas y unos gritos de mujer, lo mismo que un cazador ante un batir de alas; las divinas muchachas levantando sus brazos con el vello dorado interceptando el sol; la sombra de una hoja que se desplaza sobre un vientre desnudo; un seno claro, cuyo pezón es rosa y no violeta; los besos de Panegyotis devorando aquellas cabelleras, lo que daría la impresión de estar masticando miel; su deseo perdiéndose por entre aquellas piernas doradas. Del mismo modo que no existe amor sin arrebato del corazón, apenas existe auténtica voluptuosidad sin la fascinación de la belleza. El resto no es más que funcionamiento maquinal, como la sed o el hambre. Las Nereidas dieron acceso al joven insensato a un mundo femenino tan diferente de las muchachas de la isla como éstas lo son de las hembras del ganado; le trajeron la embriaguez de lo desconocido, el agotamiento del milagro, las malignidades centelleantes de la felicidad. Se pretende que sigue viéndose con ellas en las horas cálidas, cuando esos hermosos demonios del mediodía rondan en busca de amor; parece haber olvidado hasta el rostro de su antigua novia, de la que se aparta como si fuera una repugnante mona; escupe cuando pasa la mujer del pope, que estuvo llorando dos meses antes de consolarse. Las ninfas lo han idiotizado, para poder mezclarlo más fácilmente en sus juegos, como una especie de fauno inocente. Ya no trabaja; no se preocupa ni de los meses ni de los días; se ha hecho mendigo, de suerte que casi siempre logra comer lo necesario. Vagabundea por la comarca evitando las carreteras anchas; se mete por los campos y por los bosques de pinos, así como por los desfiladeros de las desiertas colinas, y se cuenta que una flor de jazmín colocada encima de una tapia de adobe, una piedrecilla blanca al pie de un ciprés son otros tantos mensajes en los que descifra la hora y el lugar de la próxima cita con las hadas. Los campesinos pretenden que nunca envejecerá: como todos aquellos a quienes han echado mal de ojo, se marchitará sin que se sepa si tiene dieciocho o cuarenta años. Pero sus rodillas tiemblan, su entendimiento se fue para no volver jamás y la palabra no renacerá en sus labios. Homero ya sabía cómo ven consumirse su inteligencia y sus fuerzas aquellos que se acuestan con las diosas de oro. Mas yo envidio a Panegyotis. Ha salido del mundo de los hechos para entrar en el de las ilusiones, y a veces se me ocurre pensar que tal vez la ilusión sea la forma que adoptan a los ojos del vulgo las más secretas realidades.

—Pero, vamos, Jean —dijo irritada la señora Demetriadis—, ¿no creerás de verdad que Panegyotis se encontró con las Nereidas?

Jean Demetriadis no contestó, ocupado como estaba en levantarse de su silla para devolver su altivo saludo a tres extranjeras que pasaban por allí. Aquellas tres jóvenes americanas, muy bien vestidas con trajes de tela blanca, caminaban con paso ligero por el muelle inundado de sol, seguidas de un viejo mozo de cuerda, doblado en dos bajo el peso de las vituallas compradas en el mercado; y lo mismo que tres niñas pequeñas al salir del colegio, se cogían de la mano. Una de ellas no llevaba sombrero, sino unas briznas de mirto prendidas en su rojiza cabellera; la segunda llevaba un enorme sombrero mexicano, y la tercera, gafas de sol con cristales ahumados que la protegían como si fuera una máscara. Aquellas tres jóvenes se habían instalado en la isla, donde habían comprado una casa situada lejos de las carreteras importantes: pescaban por las noches con un tridente, a bordo de su barca, y cazaban codornices en el otoño. No se hablaban con nadie y ellas mismas realizaban las tareas de la casa, por miedo a introducir una criada en la intimidad de su existencia; se aislaban, hurañas, para evitar murmuraciones, prefiriendo tal vez las calumnias. Traté en vano de interceptar la mirada que echó Panegyotis a aquellas tres diosas, pero sus ojos distraídos seguían vagos y sin luz: era manifiesto que no reconocía a sus Nereidas vestidas de mujer. De repente, se agachó con el movimiento ágil de un animal, para recoger la dracma que había caído de nuestros bolsillos y pude observar, entre el basto pelo del chaquetón que llevaba al hombro, sujeto a sus tirantes, el único objeto que podía proporcionar una prueba imponderable a mi convicción: el hilo sedoso, el delgado hilo, el hilo perdido de un cabello rubio.

Nuestra Señora de las Golondrinas[*]

El monje Therapion había sido en su juventud el discípulo más fiel del gran Atanasio; era brusco, austero, dulce tan sólo con las criaturas en quienes no sospechaba la presencia de los demonios. En Egipto había resucitado y evangelizado a las momias; en Bizancio había confesado a los Emperadores: había venido a Grecia obedeciendo a un sueño, con la intención de exorcizar a aquella tierra aún sometida a los sortilegios de Pan. Se encendía de odio cuando veía los árboles sagrados donde los campesinos, cuando enferman de fiebre, cuelgan unos trapos encargados de temblar en su lugar al menor soplo de viento de la noche; se indignaba al ver los falos erigidos en los campos para obligar al suelo a producir buenas cosechas, y los dioses de arcilla escondidos en el hueco de los muros y en la concavidad de los manantiales. Se había construido con sus propias manos una estrecha cabaña a orillas del Cefiso, poniendo gran cuidado en no emplear más que materiales bendecidos. Los campesinos compartían con él sus escasos alimentos y aunque aquellas gentes estaban macilentas, pálidas y desanimadas, debido al hambre y a las guerras que les habían caído encima, Therapion no conseguía acercarlos al cielo. Adoraban a Jesús, Hijo de María, vestido de oro como un sol naciente, mas su obstinado corazón seguía fiel a las divinidades que viven en los árboles o emergen del burbujeo de las aguas; todas las noches depositaban, al pie del plátano consagrado a las Ninfas, una escudilla de leche de la única cabra que les quedaba; los muchachos se deslizaban al mediodía bajo los macizos de árboles para espiar a las mujeres de ojos de ónice, que se alimentan de tomillo y miel. Pululaban por todas partes y eran hijas de aquella tierra seca y dura donde, lo que en otros lugares se dispersa en forma de vaho, adquiere enseguida figura y sustancia reales. Veíanse las huellas de sus pasos en la greda de sus fuentes, y la blancura de sus cuerpos se confundía desde lejos con el espejo de las rocas. Incluso sucedía a veces que una Ninfa mutilada sobreviviese todavía en la viga mal pulida que sostenía el techo y, por la noche, se la oía quejarse o cantar. Casi todos los días se perdía alguna cabeza de ganado, a causa de sus hechicerías, allá en la montaña, y hasta meses más tarde no lograban encontrar el montoncito que formaban sus huesos. Las Malignas cogían a los niños de la mano y se los llevaban a bailar al borde de los precipicios; sus pies ligeros no tocaban la tierra, pero en cambio el abismo se tragaba los pesados cuerpecillos de los niños. O bien alguno de los muchachos jóvenes que les seguían la pista regresaba al pueblo sin aliento, tiritando de fiebre y con la muerte en el cuerpo tras haber bebido agua de un manantial. Cuando ocurrían estos desastres, el monje Therapion mostraba el puño en dirección a los bosques donde se escondían aquellas Malditas, pero los campesinos continuaban amando a las frescas hadas casi invisibles y les perdonaban sus fechorías igual que se le perdona al sol cuando descompone el cerebro de los locos, y al amor que tanto hace sufrir.

El monje las temía como a una banda de lobas, y le producían tanta inquietud como un rebaño de prostitutas. Aquellas caprichosas beldades no lo dejaban en paz: por las noches sentía en su rostro su aliento caliente como el de un animal a medio domesticar que rondase tímidamente por la habitación. Si se aventuraba por los campos, para llevar el viático a un enfermo, oía resonar tras sus talones el trote caprichoso y entrecortado de aquellas cabras jóvenes. Cuando, a pesar de sus esfuerzos, terminaba por dormirse a la hora de la oración, ellas acudían a tirarle inocentemente de la barba. No trataban de seducirlo, pues lo encontraban feo, ridículo y muy viejo, vestido con aquellos hábitos de estameña parda y, pese a ser muy bellas, no despertaban en él ningún deseo impuro, pues su desnudez le repugnaba igual que la carne pálida de los gusanos o el dermo liso de las culebras. No obstante, lo inducían a tentación, pues acababa por poner en duda la sabiduría de Dios, que ha creado tantas criaturas inútiles y perjudiciales, como si la Creación no fuera sino un juego maléfico con el que Él se complaciese. Una mañana, los aldeanos encontraron a su monje serrando el plátano de las Ninfas y se afligieron por partida doble, pues, por una parte, temían la venganza de las hadas —que se marcharían llevándose consigo fuentes y manantiales—, y por otra parte, aquel plátano daba sombra a la plaza, en donde acostumbraban a reunirse para bailar. Mas no hicieron reproche alguno al santo varón, por miedo a malquistarse con el Padre que está en los cielos y que suministra la lluvia y el sol. Se callaron, y los proyectos del monje Therapion contra las Ninfas viéronse respaldados por aquel silencio.

Ya no salía nunca sin coger antes dos pedernales, que escondía entre los pliegues de su manga, y por la noche, subrepticiamente, cuando no veía a ningún campesino por los campos desiertos, prendía fuego a un viejo olivo, cuyo cariado tronco le parecía ocultar a unas diosas, o a un joven pino escamoso, cuya resina se vertía como un llanto de oro. Una forma desnuda se escapaba de entre las hojas y corría a reunirse con sus compañeras, inmóviles a lo lejos como corzas asustadas, y el santo monje se regocijaba de haber destruido uno de los reductos del Mal. Plantaba cruces por todas partes y los jóvenes animales divinos se apartaban, huían de la sombra de aquel sublime patíbulo, dejando en torno al pueblo santificado una zona cada vez más amplia de silencio y de soledad. Pero la lucha proseguía pie tras pie por las primeras cuestas de la montaña, que se defendía con sus zarzas cuajadas de espinas y sus piedras resbaladizas, haciendo muy difícil desalojar de allí a los dioses. Finalmente, envueltas en oraciones y fuego, debilitadas por la ausencia de ofrendas, privadas de amor desde que los jóvenes del pueblo se apartaban de ellas, las Ninfas buscaron refugio en un vallecito desierto, donde unos cuantos pinos negros plantados en un suelo arcilloso recordaban a unos grandes pájaros que cogiesen con sus fuertes garras la tierra roja y moviesen por el cielo las mil puntas finas de sus plumas de águila. Los manantiales que por allí corrían, bajo un montón de piedras informes, eran harto fríos para atraer a lavanderas y pastores. Una gruta se abría a mitad de la ladera de una colina y a ella se accedía por un agujero apenas lo bastante ancho para dejar pasar un cuerpo. Las Ninfas se habían refugiado allí desde siempre en las noches en que la tormenta estorbaba sus juegos, pues temían al rayo, como todos los animales del bosque, y era asimismo allí donde acostumbraban a dormir en las noches sin luna. Unos pastores jóvenes presumían de haberse introducido una vez en aquella caverna, con peligro de su salvación y del vigor de su juventud, y no cesaban de alabar aquellos dulces cuerpos, visibles a medias en las frescas tinieblas, y aquellas cabelleras que se adivinaban, más que se palpaban. Para el monje Therapion, aquella gruta escondida en la ladera de la peña era como un cáncer hundido en su propio seno, y de pie a la entrada del valle, con los brazos alzados, inmóvil durante horas enteras, oraba al cielo para que le ayudase a destruir aquellos peligrosos restos de la raza de los dioses.

Poco después de Pascua, el monje reunió una tarde a los más fieles y más recios de sus feligreses; les dio picos y linternas; él cogió un crucifijo y los guió a través del laberinto de colinas, por entre las blandas tinieblas repletas de savia, ansioso de aprovechar aquella noche oscura. El monje Therapion se paró a la entrada de la gruta y no permitió que entraran allí sus fieles, por miedo a que fuesen tentados. En la sombra opaca oíanse reír ahogadamente los manantiales. Un tenue ruido palpitaba, dulce como la brisa en los pinares: era la respiración de las Ninfas dormidas, que soñaban con la juventud del mundo, en los tiempos en que aún no existía el hombre y en que la tierra daba a luz a los árboles, a los animales y a los dioses. Los aldeanos encendieron un gran fuego, mas hubo que renunciar a quemar la roca; el monje les ordenó que amasaran cemento y acarreasen piedras. A las primeras luces del alba empezaron a construir una capillita adosada a la ladera de la colina, delante de la entrada de la gruta maldita. Los muros aún no se habían secado, el tejado no estaba puesto todavía y faltaba la puerta, pero el monje Therapion sabía que las Ninfas no intentarían escapar atravesando el lugar santo, que él ya había consagrado y bendecido. Para mayor seguridad había plantado al fondo de la capilla, allí donde se abría la boca de la gruta, un Cristo muy grande, pintado en una cruz de cuatro brazos desiguales, y las Ninfas, que sólo sabían sonreír, retrocedían horrorizadas ante aquella imagen del Ajusticiado. Los primeros rayos del sol se estiraban tímidamente hasta el umbral de la caverna: era la hora en que las desventuradas acostumbraban a salir, para tomar de los árboles cercanos su primera colación de rocío; las cautivas sollozaban, suplicaban al monje que las ayudara y en su inocencia le decían que —en caso de que les permitiera huir— lo amarían. Continuaron los trabajos durante todo el día y hasta la noche se vieron lágrimas resbalando por las piedras, y se oyeron toses y gritos roncos parecidos a las quejas de los animales heridos. Al día siguiente colocaron el tejado y lo adornaron con un ramo de flores; ajustaron la puerta y la cerraron con una gruesa llave de hierro. Aquella misma noche, los cansados aldeanos regresaron al pueblo, pero el monje Therapion se acostó cerca de la capilla que había mandado edificar y, durante toda la noche, las quejas de sus prisioneras le impidieron deliciosamente dormir. No obstante, era compasivo, se enternecía ante un gusano hollado por los pies o ante un tallo de flor roto por culpa del roce de su hábito, pero en aquel momento parecía un hombre que se regocija de haber emparedado, entre dos ladrillos, un nido de víboras.

Al día siguiente, los aldeanos trajeron cal y embadurnaron con ella la capilla, por dentro y por fuera; adquirió el aspecto de una blanca paloma acurrucada en el seno de la roca. Dos lugareños menos miedosos que los demás se aventuraron dentro de la gruta para blanquear sus paredes húmedas y porosas, con el fin de que el agua de las fuentes y la miel de las abejas dejaran de chorrear en el interior del hermoso antro, y de sostener así la vida desfalleciente de las mujeres hadas. Las Ninfas, muy débiles, no tenían ya fuerzas para manifestarse a los humanos; apenas podía adivinarse aquí y allá, vagamente, en la penumbra, una boca joven contraída, dos frágiles manos suplicantes o el pálido color de rosa de un pecho desnudo. O asimismo, de cuando en cuando, al pasar por las asperidades de la roca sus gruesos dedos blancos de cal, los aldeanos sentían huir una cabellera suave y temblorosa como esos culantrillos que crecen en los sitios húmedos y abandonados. El cuerpo deshecho de las Ninfas se descomponía en forma de vaho, o se preparaba a caer convertido en polvo, como las alas de una mariposa muerta; seguían gimiendo, pero había que aguzar el oído para oír aquellas débiles quejas; ya no eran más que almas de Ninfas que lloraban.

Durante toda la noche siguiente el monje Therapion continuó montando su guardia de oración a la entrada de la capilla, como un anacoreta en el desierto. Se alegraba de pensar que antes de la nueva luna las quejas habrían cesado y las Ninfas, muertas ya de hambre, no serían más que un impuro recuerdo. Rezaba para apresurar el instante en que la muerte liberaría a sus prisioneras, pues empezaba a compadecerlas a pesar suyo, y se avergonzaba de su debilidad. Ya nadie subía hasta donde él estaba; el pueblo parecía tan lejos como si se hallara al otro extremo del mundo; ya no vislumbraba, en la vertiente opuesta al valle, más que la tierra roja, unos pinos y un sendero casi tapado por las agujas de oro. Sólo oía los estertores de las Ninfas, que iban disminuyendo, y el sonido cada vez más ronco de sus propias oraciones.

En la tarde de aquel día vio venir por el sendero a una mujer que caminaba hacia él, con la cabeza baja, un poco encorvada; llevaba un manto y un pañuelo negros, pero una luz misteriosa se abría camino a través de la tela oscura, como si se hubiera echado la noche sobre la mañana. Aunque era muy joven, poseía la gravedad, la lentitud y la dignidad de una anciana y su dulzura era parecida a la del racimo de uvas maduras y a la de la flor perfumada. Al pasar por delante de la capilla miró atentamente al monje, que se vio turbado en sus oraciones.

—Este sendero no lleva a ninguna parte, mujer —le dijo—. ¿De dónde vienes?

—Del Este, como la mañana —respondió la joven—. ¿Y qué haces tú aquí, anciano monje?

—He emparedado en esta gruta a las Ninfas que infestaban la comarca —dijo el monje—, y delante de su antro he edificado una capilla. Ellas no se atreven a atravesarla para huir porque están desnudas, y a su manera tienen temor de Dios. Estoy esperando a que se mueran de hambre y de frío en la caverna y cuando esto suceda, la paz de Dios reinará en los campos.

—¿Y quién te dice que la paz de Dios no se extiende también a las Ninfas lo mismo que a los rebaños de cabras? —respondió la joven—. ¿No sabes que en tiempos de la Creación, Dios olvidó darles alas a ciertos ángeles, que cayeron en la tierra y se instalaron en los bosques, donde formaron la raza de Pan y de las Ninfas? Y otros se instalaron en una montaña, en donde se convirtieron en dioses olímpicos. No exaltes, como hacen los paganos, la criatura a expensas del Creador, pero no te escandalices tampoco de Su Obra. Y dale gracias a Dios en tu corazón por haber creado a Diana y a Apolo.

—Mi espíritu no se eleva tan alto —dijo humildemente el monje—. Las Ninfas importunan a mis feligreses y ponen en peligro su salvación, de la que yo soy responsable ante Dios, y por eso las perseguiré aunque tenga que ir hasta el Infierno.

—Y se tendrá en cuenta tu celo, honrado monje —dijo sonriendo la joven—. Pero ¿no puede haber un medio de conciliar la vida de las Ninfas y la salvación de tus feligreses?

Su voz era dulce, como la música de una flauta. El monje, inquieto, agachó la cabeza. La joven le puso la mano en el hombro y le dijo con gravedad:

—Monje, déjame entrar en esa gruta. Me gustan las grutas, y compadezco a los que en ellas buscan refugio. En una gruta traje yo al mundo a mi Hijo, y en una gruta lo confié sin temor a la Muerte, con el fin de que naciera por segunda vez en su Resurrección.

El anacoreta se apartó para dejarla pasar. Sin vacilar, se dirigió ella a la entrada de la caverna, escondida detrás del altar. La enorme cruz tapaba la abertura; la apartó con cuidado, como un objeto familiar, y se introdujo en el antro.

Se oyeron en las tinieblas unos gemidos aún más agudos, un piar de pájaros y roces de alas. La joven hablaba con las Ninfas en una lengua desconocida, que acaso fuera la de los pájaros o la de los ángeles. Al cabo de un instante volvió a aparecer al lado del monje, que no había parado de rezar.

—Mira, monje... —le dijo—. Y escucha...

Innumerables gritos estridentes salían de debajo de su manto. Separó las puntas del mismo y el monje Therapion vio que llevaba entre los pliegues de su vestido centenares de golondrinas. Abrió ampliamente los brazos, como una mujer en oración, y dio así suelta a los pájaros. Luego dijo, con una voz tan clara como el sonido del arpa:

—Id, hijas mías...

Las golondrinas, libres, volaron en el cielo de la tarde, dibujando con el pico y las alas signos indescifrables. El anciano y la joven las siguieron un instante con la mirada, y luego la viajera le dijo al solitario:

—Volverán todos los años, y tú les darás asilo en mi iglesia. Adiós, Therapion.

Y María se fue por el sendero que no lleva a ninguna parte, como mujer a quien poco importa que se acaben los caminos, ya que conoce el modo de andar por el cielo. El monje Therapion bajó al pueblo y al día siguiente, cuando subió a decir misa en la capilla, la gruta de las Ninfas se hallaba tapizada de nidos de golondrinas. Volvieron todos los años y se metían en la iglesia, muy ocupadas en dar de comer a sus pequeñuelos o consolidando sus casas de barro, y muy a menudo, el monje Therapion interrumpía sus oraciones para seguir con mirada enternecida sus amores y sus juegos, pues lo que les está prohibido a las Ninfas les está permitido a las golondrinas.

La viuda Afrodisia[*]

* Escrito entre 1932 y 1937.

Le llamaban Kostis el Rojo porque tenía el pelo de color rojizo, porque su conciencia se hallaba manchada con una gran cantidad de sangre vertida y, sobre todo, porque solía llevar una chaqueta roja cuando bajaba insolentemente a la feria de ganado para obligar a cualquiera de los aterrorizados campesinos que allí había a que le vendiese su mejor montura a bajo precio, so pena de exponerse a diversas variedades de muerte súbita. Había vivido oculto en la montaña, a unas horas de camino de su pueblo natal, y sus fechorías se limitaron, durante mucho tiempo, a diversos asesinatos políticos y al rapto de una docena de corderos flacos. Hubiera podido volver a la fragua sin que nadie le molestara, pero pertenecía a esa clase de hombres que prefieren el sabor del aire libre y de la comida robada a cualquier otra cosa. Más tarde, dos o tres crímenes de derecho común pusieron en pie de guerra a los habitantes del pueblo. Lo acorralaron, como si de un lobo se tratase, y lo acosaron como a un jabalí. Finalmente, lograron atraparlo en la noche de San Jorge, y lo habían llevado al pueblo atravesado en la silla de un caballo, con la garganta abierta, como uno de esos animales que cuelgan en las carnicerías; los tres o cuatro jóvenes a quienes había arrastrado consigo en su vida aventurera terminaron igual que él, agujereados por las balas y por las cuchilladas. Pusieron sus cabezas en unas horcas y con ellas adornaron la plaza del pueblo; los cuerpos yacían uno encima de otro a la entrada del cementerio; los aldeanos vencedores festejaban su victoria protegidos del sol y de las moscas por las persianas echadas, y la viuda del viejo pope al que Kostis había asesinado seis años antes, en un camino desierto, lloraba en la cocina mientras enjuagaba los vasos que acababa de ofrecer, llenos de aguardiente, a los campesinos que la habían vengado.

La viuda Afrodisia se limpió las lágrimas y se sentó en el único taburete que había en la cocina, apoyando las dos manos en el borde de la mesa, y en sus manos la barbilla, que temblaba como la de una anciana. Unos sollozos reprimidos le sacudían el pecho por debajo de los profundos pliegues de su vestido de estameña. Se adormecía sin querer, mecida por su propia queja; se enderezó, sobresaltada: aún no le había llegado la hora de la siesta y del olvido. Durante tres días y tres noches, las mujeres del pueblo habían estado esperando en la plaza, chillando cada vez que resonaba un disparo, allá en la montaña, y era devuelto por el eco, y los gritos de Afrodisia eran más fuertes aún que los de sus compañeras, tal como corresponde a la mujer de un personaje tan respetado como el anciano pope, tendido en su tumba desde hacía seis años. Se había sentido enferma cuando volvieron los campesinos, al alba del tercer día, con su sangrienta carga sobre una mula derrengada, y sus vecinos habían tenido que acompañarla hasta la casita en donde vivía apartada desde que se había quedado viuda; no obstante, en cuanto había vuelto en sí, había insistido para ofrecer alguna bebida a sus vengadores. Con las piernas y manos todavía temblorosas, se acercó alternativamente a cada uno de aquellos hombres, que dejaban en la estancia un olor casi insoportable a cuero y a cansancio y, como no le fue posible aliñar con veneno las rebanadas de pan y de queso que les había ofrecido, se contentó con escupir encima a escondidas, deseando que la luna de otoño se levantara sobre sus tumbas.

Era en aquel momento cuando ella hubiese debido confesarles toda su vida, confundir su estupidez o justificar sus peores sospechas, gritarles al oído aquella verdad que había sido, a la vez, tan fácil y tan duro disimular durante diez años: su amor por Kostis, su primera cita en un camino encajonado, al pie de una morera que les resguardó de una granizada, y su pasión, nacida con la velocidad del rayo en aquella noche de tormenta;

su regreso al pueblo, con el alma agitada por un remordimiento en el que entraba más miedo que arrepentimiento; la semana intolerable en que trató de olvidar a aquel hombre, que se había convertido en algo más necesario para ella que el pan y el agua, y su segunda visita a Kostis, con el pretexto de llevarle harina a la madre del pope, que cuidaba ella sola de una granja en la montaña; y la falda amarilla que llevaba puesta entonces y con la que se habían tapado a modo de manta: parecía como si se hubieran acostado bajo un jirón de sol; y la noche en que tuvieron que esconderse en el establo de una caravanera turca; y las ramas nuevas del castaño que le asestaban, al pasar, sus bofetadas de frescor; y la espalda encorvada de Kostis, que la precedía por los senderos en donde un movimiento excesivamente brusco hubiera podido irritar a una víbora; y la cicatriz que ella no había advertido el primer día, y que serpenteaba sobre su nuca; y las miradas locas y codiciosas que él le echaba, como si fuera un objeto robado de mucho valor; y su cuerpo fuerte, de hombre acostumbrado a vivir una vida dura; y su risa, que la tranquilizaba; y la manera muy suya que tenía de balbucear su nombre cuando hacían el amor.

Se levantó y sacudió con amplio ademán la blanca pared por donde zumbaban dos o tres moscas. Las pesadas moscas, que se alimentan de inmundicias, no sólo eran unos insectos algo inoportunos, cuyo ir y venir impreciso y ligero soportamos sobre nuestra piel: tal vez se habían posado en aquel cuerpo desnudo, en aquella cabeza sanguinolenta; acaso habían añadido sus insultos a las patadas de los niños y a las miradas curiosas de las mujeres. ¡Ay, si ella hubiera podido, de un simple escobazo, barrer todo aquel pueblo lleno de viejas de lengua envenenada, como los dardos de las avispas! Y asimismo al joven sacerdote, ebrio del vino de la Misa, que echaba pestes contra el asesino de su predecesor, y a los campesinos, que se encarnizaban con el cuerpo de Kostis como los zánganos con la fruta chorreando miel. No imaginaban que el duelo de Afrodisia pudiera tener otro motivo que no fuera el viejo pope, enterrado desde hacía seis años en el rincón mejor situado del cementerio: no había podido ella gritarles que la vida de aquel pomposo borracho le importaba tan poco como el banco de madera que había en el fondo del jardín.

Y, no obstante, pese a sus ronquidos que le impedían dormir y a su manera insoportable de carraspear, casi había echado de menos al crédulo anciano que se había dejado engañar, y luego atemorizar, con la cómica exageración de uno de esos celosos que hacen reír en la pantalla de un teatro de sombras: añadía un elemento de farsa al drama de su amor. Y se habían divertido retorciéndoles el cuello a los pollos del pope; Kostis se los llevaba, escondidos debajo de la chaqueta, en las noches en que se introducía disimuladamente en el presbiterio; luego, ella acusaba a los zorros de aquel robo. Incluso fue agradable —aquella noche en que el viejo se levantó, por haberle despertado sus susurros de amor bajo el plátano— adivinar al anciano asomado a la ventana, espiando cada uno de los movimientos de sus sombras en la tapia del jardín, grotescamente indeciso entre el miedo al escándalo, el temor a un balazo y las ganas de vengarse. Lo único que Afrodisia tenía que reprocharle a Kostis era precisamente el asesinato de aquel anciano, que servía, a pesar suyo, de tapadera a sus amores.

Desde que se quedó viuda, nadie había sospechado las peligrosas citas que le daba a Kostis en las noches sin luna, de suerte que al plato de su alegría le había faltado la pimienta de un espectador. Cuando los desconfiados ojos de las matronas se posaron en la ancha cintura de la joven, se imaginaron todo lo más que la viuda del pope se había dejado seducir por algún vendedor ambulante o por el obrero de alguna fábrica, como si esa clase de gentes fueran de aquellos con quienes Afrodisia hubiera consentido acostarse. Y no tuvo más remedio que aceptar con gozo aquellas humillantes sospechas y tragarse su orgullo con más cuidado aún del que ponía en tragarse sus náuseas. Y cuando la habían vuelto a ver, unas semanas más tarde, con el vientre plano por debajo de sus anchas faldas, todas se habían preguntado qué era lo que Afrodisia había podido hacer para librarse tan fácilmente de su carga.

Nadie se imaginaba que la visita al santuario de San Lucas no había sido sino un pretexto, y que Afrodisia se había quedado encerrada a unas cuantas leguas del pueblo, en la cabaña de la madre del pope, quien ahora consentía en hacerle el pan a Kostis y remendar su chaqueta. La vieja hacía esto no porque fuese tierna de corazón, sino porque Kostis le traía aguardiente y, además, porque allá en su juventud a ella también le había gustado hacer el amor. Y allí fue donde el niño vino al mundo; tuvieron que ahogarlo entre dos jergones, débil y desnudo como un gatito recién nacido, sin tomarse siquiera la molestia de lavarlo después de nacer.

Y finalmente, uno de los compañeros de Kostis asesinó al alcalde, y las delgadas manos del hombre amado habían apretado más y más rabiosamente su viejo fusil de caza; y llegaron aquellos tres días y aquellas tres noches en que el sol parecía salir y ponerse envuelto en sangre. Y esta noche todo acabaría en una fogata, para la que ya habían juntado un montón de latas de petróleo a la puerta del cementerio; Kostis y sus compañeros serían tratados igual que la carroña de las mulas, a las que se riega con petróleo para no tomarse el trabajo de enterrarlas, y ya no le quedaban a Afrodisia más que unas cuantas horas de sol y de soledad para llevarle luto.

Levantó el picaporte y salió al estrecho terraplén que la separaba del cementerio. Los cuerpos, amontonados, yacían junto a la tapia de adobe, pero no le fue difícil reconocer a Kostis; era el más alto y ella lo había amado. Un campesino codicioso le había quitado el chaleco para lucirlo los domingos; ya había unas cuantas moscas pegadas en las lágrimas de sangre de los párpados; estaba casi desnudo. Dos o tres perros lamían en el suelo unos regueros negros y luego, jadeantes, volvían a echarse en una estrecha franja de sombra. Al atardecer, a la hora en que el sol se hace inofensivo, los grupitos de mujeres empezarían a reunirse en aquella estrecha terraza; contemplarían la verruga que Kostis tenía entre los dos hombros. Los hombres, a patadas, le darían la vuelta al cadáver para empapar bien de gasolina los pocos harapos que le habían dejado; abrirían las latas con la basta alegría de los vendimiadores que destapan un tonel. Afrodisia tocó la manga desgarrada de la camisa que ella había cosido con sus propias manos para ofrecérsela a Kostis como regalo de Pascua, y reconoció de repente su nombre tatuado en el brazo izquierdo de Kostis. Si otros ojos que no fueran los suyos veían aquellas letras toscamente dibujadas en la piel, la verdad iluminaría bruscamente su espíritu, como las llamas de la gasolina empezando a bailar sobre la tapia del cementerio. Se imaginó lapidada, enterrada debajo de las piedras. Sin embargo, era incapaz de arrancar aquel brazo que la acusaba con tanta ternura, o de calentar unos hierros para borrar aquellas marcas que la perdían. No podía infligirle una nueva herida al cuerpo que tanto había sangrado ya...

Las coronas de latón que llenaban la tumba del pope brillaban al otro lado del recinto sagrado, y aquel montículo le recordó bruscamente el vientre adiposo del anciano. Después de su muerte habían relegado a la viuda del difunto pope a una chabola que había a dos pasos del cementerio: no se quejó por vivir en aquel lugar tan apartado, donde sólo crecían las tumbas, pues, en algunas ocasiones, Kostis había podido aventurarse al caer la noche por aquel camino, por donde nunca pasaba alma viviente, y el sepulturero, que vivía en la casa de al lado, estaba sordo como una tapia. La fosa del pope Esteban se hallaba separada de la chabola sólo por la tapia del cementerio, y les había parecido que continuaban acariciándose ante las narices del difunto. Hoy, aquella misma soledad le permitía a Afrodisia llevar a cabo un proyecto digno de su vida de estratagemas e imprudencias, y empujando la barrera de madera desconchada por el sol se apoderó de la pala y el pico del sepulturero.

La tierra estaba seca y dura, y el sudor de Afrodisia corría más abundante que sus lágrimas. De cuando en cuando la pala sonaba al dar contra una piedra, pero aquel ruido en un lugar desierto no iba a alertar a nadie, y el pueblo entero dormía después de haber comido. Por fin, oyó el sonido seco de la madera vieja: el pico chocaba con el ataúd del pope Esteban, más frágil que la madera de una guitarra y que se rajó con el choque, enseñando los pocos huesos y la casulla arrugada, que era cuanto quedaba del anciano. Afrodisia amontonó aquellos restos y los empujó cuidadosamente a un rincón del ataúd, luego cogió por los sobacos el cuerpo de Kostis y lo arrastró hasta la fosa. El amante de antaño le llevaba toda la cabeza a su marido, pero el ataúd sería lo bastante grande para Kostis decapitado. Afrodisia volvió a poner la tapa, amontonó de nuevo la tierra sobre la tumba, recubrió el montículo recién removido con las coronas compradas antaño en Atenas con el dinero de los feligreses, igualó el polvo del sendero por donde había arrastrado a su muerto. Ahora faltaba un cuerpo en el montón que yacía a la puerta del cementerio, pero los campesinos no registrarían todas las tumbas para encontrarlo.

Se sentó sin aliento y se levantó casi de inmediato, pues se había aficionado a su tarea de enterradora. La cabeza de Kostis aún estaba allá arriba, expuesta a los insultos, ensartada en una horca, allí donde el pueblo cede el sitio a las rocas y al cielo. Nada estaría terminado hasta que no hubiera consumado su rito funerario; y había que darse prisa y aprovechar las horas de calor en que las gentes se encierran en sus casas y duermen, cuentan sus dracmas, hacen el amor y le dejan todo el campo libre al sol.

Dándole la vuelta al pueblo tomó, para subir hasta lo alto, la cuesta por donde pasaba menos gente. Unos perros flacos dormitaban a la escasa sombra de las puertas; Afrodisia les lanzaba una patada al pasar, pagando con ellos el rencor que no podía saciar en sus amos. Luego, cuando uno de aquellos animales se levantó completamente erizado y gimiendo, tuvo que detenerse un instante para tranquilizarlo a fuerza de halagos y de caricias. El aire abrasaba como un hierro al rojo vivo, y Afrodisia se puso el mantón en la cabeza para no caer fulminada antes de haber acabado su tarea.

El sendero desembocaba, por fin, en una explanada blanca y redonda. Más arriba sólo quedaban unas rocas grandes que formaban varias cavernas, donde sólo los desesperados como Kostis se atrevían a internarse; y cuando los extranjeros se aventuraban por allí, siempre se oía la voz áspera de algún aldeano llamándolos. Más arriba ya no quedaban más que las águilas y el cielo, cuyas pistas sólo las águilas conocen. Las cinco cabezas, de Kostis y sus compañeros, clavadas en las horcas, hacían esas muecas que sólo pueden hacer los muertos. Kostis apretaba los labios, como si meditara un problema que aún no hubiera tenido tiempo de resolver en vida, algo así como la compra de un caballo o el rescate de una nueva captura, y era el único entre sus amigos a quien la muerte no había cambiado mucho, pues siempre fue muy pálido. Afrodisia cogió la cabeza y tiró de ella, con un ruido como de seda desgarrada. Se proponía esconderla en su casa, debajo del suelo de la cocina, o tal vez en alguna caverna que ella sola conocía, y acariciaba aquellos restos prometiéndoles que los pondría a salvo.

Fue a sentarse al pie del plátano que crecía más abajo de la explanada, en el terreno del granjero Basilio. Bajo sus pies, las rocas se precipitaban hacia el llano, y los bosques que tapizaban la tierra hacían el efecto, desde lejos, de matas de minúsculos musgos. Muy al fondo se vislumbraba el mar, entre dos labios de montaña, y Afrodisia se decía que hubiera podido incitar a Kostis para que huyese sobre aquellas olas, y así no se vería ahora obligada a mecer en sus rodillas su cabeza sanguinolenta. Sus lamentos, contenidos desde el principio de la desgracia, estallaron en vehementes sollozos como los de las plañideras en los funerales y, con los codos en las rodillas y las húmedas mejillas apoyadas en las manos, dejaba caer sus lágrimas sobre el rostro del muerto.

—¡Eh, tú, ladrona! Viuda de cura, ¿qué estás haciendo en mi huerto?

El anciano Basilio, armado con una hoz y un palo, se asomaba en lo alto del camino, y su aspecto de desconfianza y de furor no hacía sino acentuar su semejanza con un espantapájaros. Afrodisia se levantó de un salto, tapando la cabeza con su delantal.

—Sólo te he robado un poco de sombra, tío Basilio, un poco de sombra para refrescarme la frente...

—¿Y qué es lo que escondes en el delantal, ladrona, viuda maldita? ¿Una calabaza? ¿Una sandía?

—Soy pobre, tío Basilio, y sólo te he cogido una sandía muy roja. Sólo una sandía roja, con sus pepitas negras...

—Enséñamela, mentirosa, especie de topo negro, y devuélveme lo que me has robado...

El viejo Basilio bajó por la cuesta enarbolando su palo. Afrodisia echó a correr del lado del precipicio, sujetando con las manos las puntas del delantal. La cuesta se hacía cada vez más empinada, el sendero más resbaladizo, como si la sangre del sol, que ya se preparaba a ponerse, hubiera vuelto pegajosas las piedras. Hacía mucho rato que Basilio se había parado y daba grandes voces para avisar del peligro a la que huía, diciéndole que volviera sobre sus pasos. El sendero ya no era más que una trocha resbaladiza, de donde se desprendían las piedras. Afrodisia le oía, mas aquellas palabras desmenuzadas por el viento no las entendía, sólo comprendía una cosa: la necesidad de huir del pueblo, de escapar a la mentira, a la pesada hipocresía, al largo castigo de convertirse un día en una mujer vieja a la que ya nadie querría. Una piedra, por fin, se desprendió bajo sus pies, cayó al fondo del precipicio como para enseñarle el camino, y la viuda Afrodisia se hundió en el abismo y en la noche, llevándose con ella la cabeza manchada de sangre.

Kali decapitada[*]

* *Revue Européenne,* abril de 1928.

Kali, la terrible diosa, merodea por las llanuras de la India.

Puede vérsela simultáneamente en el Norte y en el Sur, y al mismo tiempo en los lugares santos y en los mercados. Las mujeres se estremecen al verla pasar, los hombres jóvenes, dilatando las ventanas de la nariz, salen a la puerta para verla, y los niños recién nacidos ya saben su nombre. Kali, la negra, es horrible y bella. Tan delgada es su cintura que los poetas que la cantan la comparan con la palmera. Tiene los hombros redondos como el salir de la luna de otoño; unos senos turgentes como capullos a punto de abrirse; sus muslos ondean como la trompa del elefante recién nacido, y sus pies danzarines son como tiernos brotes. Su boca es cálida, como la vida; sus ojos profundos, como la muerte. Tan pronto se mira en el bronce de la noche como en la plata de la aurora o en el cobre del crepúsculo, y se contempla en el oro del mediodía. Pero sus labios no han sonreído jamás; un collar de huesecillos rodea su alto cuello y en su rostro, más claro que el resto del cuerpo, sus grandes ojos son puros y tristes. El rostro de Kali, eternamente mojado por las lágrimas, está pálido y cubierto de rocío como la faz inquieta de la mañana.

Kali es abyecta. Ha perdido su casta divina a fuerza de entregarse a los parias y a los condenados, y su rostro, al que besan los leprosos, se halla cubierto de una costra de astros. Se aprieta contra el pecho sarnoso de los camelleros procedentes del Norte, que nunca se lavan a causa de los grandes fríos; se acuesta en los lechos infestados de piojos con los mendigos ciegos; pasa de los brazos de los brahmanes al abrazo de los miserables —raza fétida, deshonra de la luz— encargados de bañar los cadáveres; y Kali, tendida en la sombra piramidal de las hogueras, se abandona sobre las tibias cenizas. Ama asimismo a los barqueros, que son fuertes y ásperos; acepta hasta a los negros que sirven en los bazares, a quienes se azota más que a las bestias de carga; frota su cabeza contra sus hombros, cuajados de rozaduras por el ir y venir de los fardos. Triste como una enferma con fiebre que no consiguiera encontrar agua fresca, va de pueblo en pueblo, de encrucijada en encrucijada, a la búsqueda de los mismos monótonos deleites.

Sus piececitos bailan frenéticamente, moviendo las ajorcas, que tintinean, pero sus ojos no cesan de llorar, su boca amarga nunca besa, sus pestañas no acarician las mejillas de los que la abrazan, y su rostro permanece eternamente pálido como una luna inmaculada.

Hace mucho tiempo, Kali, nenúfar de la perfección, se sentaba en el trono del cielo de Indra como en el interior de un zafiro; los diamantes de la mañana brillaban en su mirada y el universo se contraía o se dilataba según los latidos de su corazón.

Pero Kali, perfecta como una flor, ignoraba su perfección y, pura como el día, no conocía su pureza.

Los dioses celosos acecharon a Kali una noche de eclipse, en un cono de sombra, en el rincón de un planeta cómplice. Fue decapitada por el rayo. En vez de sangre, brotó un chorro de luz de su nuca cortada. Su cadáver, dividido en dos trozos y arrojado al Abismo por los Genios, rodó hasta llegar al fondo de los Infiernos, por donde se arrastran y sollozan aquellos que no han visto o han rechazado la luz divina. Sopló un viento frío, condensó la claridad que se puso a caer del cielo; una capa blanca se acumuló en la cumbre de las montañas, bajo unos espacios estrellados donde empezaba a hacerse de noche. Los dioses-monstruos, el dios-ganado, los dioses de múltiples brazos y múltiples piernas, semejantes a unas ruedas que dan vueltas, huían a través de las tinieblas, cegados por sus aureolas, y los Inmortales, despavoridos, se arrepintieron de su crimen.

Los dioses contritos bajaron del Techo del Mundo hasta el abismo lleno de humo por donde se arrastran los que existieron. Franquearon los nueve purgatorios; pasaron por delante de los calabozos de barro y de hielo en donde los fantasmas, roídos por el remordimiento, se arrepienten de las faltas que cometieron, y por delante de las prisiones en llamas donde otros muertos, atormentados por una codicia vana, lloran las faltas que no cometieron. Los dioses se sorprendían al hallar en los hombres aquella imaginación infinita del Mal, aquellos recursos y aquellas innumerables angustias del placer y del pecado. Al fondo del osario, en un pantano, la cabeza de Kali sobrenadaba como un loto, y sus largos y negros cabellos se extendían a su alrededor como raíces flotantes.

Recogieron piadosamente aquella hermosa cabeza exangüe y se pusieron a buscar el cuerpo que la había llevado. Un cadáver decapitado yacía en la orilla. Lo cogieron, colocaron la cabeza de Kali encima de aquellos hombros y reanimaron a la diosa.

Aquel cuerpo pertenecía a una prostituta, ajusticiada por haber tratado de entorpecer las meditaciones de un brahmán. Sin sangre, aquel cadáver parecía puro. La diosa y la cortesana tenían ambas, en el muslo izquierdo, el mismo lunar.

Kali no volvió, nenúfar de perfección, a sentarse en el trono del cielo de Indra. El cuerpo, al que habían unido la cabeza divina, sentía nostalgia de los barrios de mala fama, de las caricias prohibidas, de los cuartos en donde las prostitutas meditan secretas orgías, acechan la llegada de los clientes a través de las persianas verdes. Se convirtió en seductora de niños, incitadora de ancianos, amante despótica de jóvenes, y las mujeres de la ciudad, abandonadas por sus esposos y considerándose ya viudas, comparaban el cuerpo de Kali con las llamas de la hoguera. Fue inmunda como una rata de alcantarillas y odiada como la comadreja de los campos. Robó los corazones como si fueran un pedazo de entraña expuesto en los escaparates de los casqueros. Las fortunas licuadas se pegaban a sus manos como panales de miel. Sin descanso, de Benarés a Kapilavastu, de Bangalore a Srinagar, el cuerpo de Kali arrastraba consigo la cabeza deshonrada de la diosa, y sus ojos límpidos continuaban llorando.

Una mañana, en Benarés, Kali, borracha, haciendo muecas de cansancio, salió de la calle de las cortesanas. En el campo, un idiota que babeaba tranquilamente sentado en un montón de estiércol se levantó al verla pasar y echó a correr tras ella. Ya sólo le separaba de la diosa la longitud de su sombra. Kali aminoró el paso y dejó que el hombre se acercara.

Cuando él la dejó, emprendió de nuevo el camino hacia una ciudad desconocida. Un niño le pidió limosna; ella no le avisó de que una serpiente dispuesta a morder se erguía entre dos piedras. Sentía un gran furor contra todo ser viviente y al mismo tiempo un deseo atroz de aumentar con ello su sustancia, de aniquilar a las criaturas saciándose con ellas. Se la pudo ver en cuclillas junto a los cementerios; su boca masticaba los huesos como los dientes de las leonas. Mató como el insecto hembra que devora a sus machos; aplastó a los hijos que paría como una cerda que se revuelve contra su carnada. Y a los que exterminaba, los remataba después bailando encima de ellos. Sus labios, maculados de sangre, exhalaban el mismo olor insípido de las carnicerías, pero sus abrazos consolaban a sus víctimas y el calor de su pecho hacía olvidar todos los males.

En la linde de un bosque, Kali tropezó con el Sabio.

Se hallaba sentado, con las piernas cruzadas, con las palmas unidas, y su cuerpo descarnado estaba tan seco como la leña preparada para encender la hoguera. Nadie hubiera podido adivinar si era muy joven o muy viejo; sus ojos, que todo lo percibían, apenas eran visibles por debajo de sus párpados medio cerrados. La luz se disponía en torno a él en forma de aureola, y Kali sintió subir de las profundidades de sí misma el presentimiento del gran descanso definitivo, parada de los mundos, liberación de los seres, día de bienaventuranza en que la vida y la muerte serían igualmente inútiles, edad en que Todo se resorbe en Nada, como si esa pura nada que acababa de concebir se estremeciera en ella a la manera de un futuro hijo.

El Maestro de la gran compasión levantó la mano para bendecir a la que pasaba.

—Mi cabeza muy pura fue soldada a la infamia —dijo ella—. Quiero y no quiero; sufro y, no obstante, gozo; me da horror vivir y miedo morir.

—Todos estamos incompletos —dijo el Sabio—. Todos nos hallamos divididos y somos fragmentos, sombras, fantasmas sin consistencia. Todos creemos llorar y gozar desde hace siglos.

—Yo fui diosa en el cielo de Indra —dijo la cortesana.

—Y tampoco estabas libre del encadenamiento de las cosas, y tu cuerpo de diamante no estaba más resguardado de la desgracia que tu cuerpo de barro y carne. Tal vez, mujer sin ventura, al errar deshonrada por los caminos te hallas más cerca de acceder a lo que no tiene forma.

—Estoy cansada —gimió la diosa.

Entonces, tocando las trenzas negras y manchadas de ceniza con la punta de los dedos, dijo el Sabio:

—El deseo te enseñó la inanidad del deseo; el arrepentimiento te enseña la inutilidad de arrepentirte. Ten paciencia, ¡oh, Error!, del que todos formamos parte... ¡Oh, Imperfecta!, en quien la perfección toma conciencia de sí misma, ¡oh, Furor!, que no eres necesariamente inmortal...

La muerte de Marko Kralievitch*

* *Nouvelle Revue Française*, 1878.

Las campanas tocaban a muerto en el cielo casi insoportablemente azul. Parecían más fuertes y más estridentes que en cualquier otro sitio, como si en aquel país, situado en la linde de las regiones infieles, hubiesen querido afirmar muy alto que quienes las tocaban eran cristianos, y cristiano asimismo el muerto que acababan de enterrar. Pero allá abajo, en el pueblo blanco de patios estrechos, donde los hombres se sentaban en el lado de la sombra, su sonido llegaba mezclado con gritos, llamadas, balidos de corderos, relinchar de caballos y rebuznos de asnos, así como, en ocasiones, unido al ulular y a las oraciones de las mujeres por el alma que acababa de partir, o a la risa de un idiota a quien aquel duelo público no interesaba en absoluto. En el barrio de los estañadores, el alboroto de los martillos cubría su sonido. El anciano Stevan, que remataba delicadamente, a golpecitos secos, el cuello de una jarra, vio que alguien apartaba la cortina que tapaba la entrada. Un poco más de calor y de sol —que ya empezaba a ponerse en aquella tarde que iba tocando a su fin— invadió la oscura tienda. Su amigo Andrev entró como si estuviera en su propia casa y se sentó en una alfombra con las piernas cruzadas.

—¿Te has enterado de que Marko ha muerto? Yo estaba allí cuando ocurrió —dijo.

—Unos clientes me dijeron que murió —replicó el viejo sin soltar el martillo—. Como veo que tienes ganas de contármelo todo, cuéntamelo mientras trabajo.

—Tengo un amigo que trabaja en las cocinas de Marko. Los días de fiesta me deja servir la mesa: siempre cae algún buen bocado.

—Hoy no es día de fiesta —dijo el viejo acariciando el pitorro de cobre.

—No, pero en casa de Marko siempre se ha comido bien, hasta los días de diario, incluso cuando es vigilia. Y siempre acude mucha gente a su mesa; los lisiados viejos en primer lugar, ésos no hacen más que hablar de sus hazañas cuando estuvieron en Kosovo. Aunque de éstos cada año iban viniendo menos, incluso disminuían cada temporada. Y hoy Marko había invitado también a unos ricos comerciantes, a unos notables y jefes de poblados de los que viven en las montañas, tan cerca de los turcos que pueden disparar flechas de una orilla a otra del torrente que corre entre las rocas, y cuando en verano falta el agua, entonces lo que corre es la sangre. La comida se celebraba con motivo de la expedición que estaban preparando, como todos los años, para traer caballos y ganado turcos. Servían unos platos muy abundantes en los que no habían escatimado las especias: eran muy pesados y resbaladizos a causa de la grasa. Marko comió y bebió como diez, habló aún más que comió; se reía y daba puñetazos en la mesa; y de cuando en cuando intervenía, cuando dos se peleaban pensando en el futuro botín.

»Y cuando nosotros, los criados, acabamos de verter el agua sobre todas las manos y de limpiar todos los dedos, salió al patio grande que estaba lleno de gente. En la ciudad es sabido que distribuye los restos de la comida a quien los quiera, y los restos de los restos van a parar a los perros. La mayoría de la gente suele traerse un puchero, o una escudilla, o al menos una canasta. Marko los conocía a casi todos. No hay nadie que recuerde tan bien como él las caras y los nombres, ni que conozca el nombre que corresponde a cada una de esas caras. A uno de ellos, un hombre impedido que llevaba muletas, le hablaba de cuando combatieron juntos al rey Constantino; a un ciego que tocaba la cítara le canturreaba el primer verso de una balada que el hombre había compuesto en su honor cuando era joven; a una vieja muy fea le cogía la barbilla y le recordaba que habían dormido juntos en sus buenos tiempos. Y había veces en que él mismo cogía de un plato la cuarta parte de un cordero y se lo daba a alguien diciendo: "¡Come!". En fin, que estaba igual que siempre.

»Y, de repente, se paró ante un viejecillo sentado en un banco, con los pies colgando.

»—Y tú —le dijo—, ¿por qué no te has traído una escudilla? No recuerdo tu nombre.

»—Unos me llaman de una manera y otros de otra —dijo el viejo—. No tiene importancia.

»—Tampoco recuerdo tu cara —dijo Marko—. Tal vez sea porque no te pareces a nadie. No me gustan los desconocidos, ni los mendigos que no piden limosna. ¿Y si por casualidad fueras un espía de los turcos?

»—Hay quien dice que no hago más que espiar continuamente —repuso el viejo—, pero se equivocan: dejo que la gente haga lo que quiera.

»—¡Y a mí también me gusta hacer lo que quiero! —aulló Marko—. Tu cara no me agrada. ¡Sal de aquí!

»Y le puso la zancadilla para hacerlo caer, pero se hubiera dicho que el viejecillo era de piedra. Y el caso es que no parecía más fuerte que cualquier otro; sus pies, calzados con alpargatas, colgaban del banco, pero no daba la impresión de que Marko lo hubiera tocado siquiera.

»Y cuando Marko lo agarró por los hombros para obligarle a levantarse, pasó lo mismo. El viejo movió la cabeza.

»—¡Levántate y lucha como un hombre! —gritó Marko con la cara toda colorada.

»El viejecillo se levantó. La verdad es que era muy bajito: ni siquiera le llegaba al hombro a Marko. Se quedó allí parado, sin decir nada. Marko se le tiró encima, peleando a brazo partido; pero se hubiera dicho que sus golpes no alcanzaban al hombrecillo y, sin embargo, los puños de Marko estaban ensangrentados.

»—¡Vosotros no os mezcléis en esto! —gritó Marko a los de su escolta—. Sólo me concierne a mí esta vez...

»Pero se iba quedando sin aliento. De súbito tropezó y cayó como una masa. Te juro que el viejo ni se había movido.

»—Mala caída has tenido, Marko —le dijo—. No volverás a levantarte. Creo que tú ya lo sabías antes de empezar.

»—No obstante, me queda por hacer esa expedición contra los turcos... La tenía ya preparada... Puede decirse que el asunto estaba resuelto... —dijo trabajosamente el hombre tendido en el suelo—. Pero si las cosas tienen que ser así, así serán.

»—¿Contra los turcos o a su favor? —preguntó el viejecillo—. La verdad es que te pasabas fácilmente de un lado a otro.

»—A una muchacha a quien yo cortejaba, le corté el brazo derecho por decirme eso —dijo el moribundo—. Y también recuerdo a unos prisioneros a quienes mandé degollar, a pesar de haberles prometido... Pero no sólo hice cosas malas, después de todo. También les di dinero a los popes... y a los pobres...

»—No empieces ahora a repasar tus cuentas —dijo el viejo—. Siempre es demasiado pronto o demasiado tarde, y no sirve de nada. Deja más bien que te ponga mi chaqueta debajo de la cabeza para que estés más cómodo en el suelo.

»Se quitó la chaqueta, como había dicho. Todos estaban tan estupefactos que a nadie se le ocurrió apresarlo. Y además, pensándolo bien, no había hecho nada. Se encaminó hacia la puerta, que estaba abierta de par en par. Con la espalda un poco encorvada, parecía más que nunca un mendigo, pero un mendigo que nada pedía. Había dos perros en la entrada, atados con una cadena; él le puso la mano en la cabeza al Gran Negro, que es muy fiero, y el Gran Negro no le enseñó los dientes. Ahora que se sabía que Marko había muerto, todos se volvían a mirar al viejecillo que se marchaba. Afuera, como sabes, el camino se estira, muy recto entre dos colinas, tan pronto subiendo como bajando para luego subir otra vez. El viejo ya estaba lejos. Aún se divisaba su figura caminando entre el polvo y arrastrando un poco los pies, con unos pantalones muy anchos que le golpeaban las piernas y la camisa al viento. Iba muy deprisa para ser tan viejo. Y por encima de su cabeza, en el cielo completamente vacío, volaba una bandada de patos salvajes...

La tristeza de Cornelius Berg

Desde que había regresado a Ámsterdam, Cornelius Berg vivía en una posada. Cambiaba a menudo de alojamiento, mudándose cuando había que pagar el alquiler, aunque seguía pintando algunos retratillos, unos cuantos cuadros de costumbres que le encargaban, algún desnudo para un aficionado, y buscando por las calles algún que otro cartel que pintar. Por desgracia, le temblaban las manos y tenía que cambiar con mucha frecuencia los cristales de sus gafas por otros más fuertes; el vino, al que se había aficionado en Italia, junto con el tabaco, acababa de arrebatarle la poca seguridad que aún conservaba su pincelada y de la que seguía presumiendo. Lleno de despecho, se negaba entonces a entregar su obra y lo estropeaba todo con excesivos retoques o raspados, acabando por abandonar su trabajo.

Pasaba largas horas en las tabernas saturadas de humo como la conciencia de un borracho, donde algunos alumnos de Rembrandt, que había sido condiscípulo suyo en otros tiempos, le pagaban la consumición con la esperanza de que él les relatara sus viajes. Pero los países polvorientos de sol por donde Cornelius había paseado sus pinceles y sus colores se dibujaban con menos precisión en su memoria de lo que lo habían hecho sus proyectos de porvenir, y ya no se le ocurrían, como en su juventud, aquellas toscas chanzas que hacían reír por lo bajo a las criadas. Los que recordaban al Cornelius alborotador de antaño se extrañaban de hallarlo tan taciturno; sólo la embriaguez conseguía desatarle la lengua y entonces soltaba unos discursos incomprensibles. Se sentaba, con la cara vuelta hacia la pared y con el sombrero echado sobre los ojos, para no ver a la gente que, según decía, le repugnaba. Cornelius, el viejo pintor de retratos que vivió durante mucho tiempo en una buhardilla de

Roma, había escrutado durante toda su vida la expresión de los rostros humanos. Ahora se apartaba de ellos con una indiferencia irritada; incluso llegaba a decir que no le gustaba pintar a los animales porque se parecían demasiado a los hombres.

A medida que iba perdiendo el poco talento que poseía, parecía llegarle el genio. Se instalaba ante el caballete, en su desordenada buhardilla, y colocaba a su lado una hermosa y rara fruta que costaba muy cara, y a la que había que reproducir a toda prisa en el lienzo, antes de que su piel brillante perdiera su frescura; o bien pintaba un caldero, o mondaduras. Una luz amarillenta inundaba la estancia; la lluvia lavaba humildemente los cristales; la humedad se colaba por todas partes. El elemento húmedo hinchaba en forma de savia la esfera granulosa de la naranja, levantaba el artesonado, que crujía un poco, y empañaba el cobre del caldero. Pero Cornelius pronto descansaba sus pinceles: sus dedos torpes, antaño tan dispuestos a pintar encargos de Venus tendidas o de Jesucristos de barba rubia, bendiciendo a niños desnudos y a mujeres envueltas en mantos, renunciaban a reproducir en el lienzo aquel doble reguero luminoso y húmedo que impregnaba las cosas y empañaba el cielo. Sus manos deformadas ponían, al tocar los objetos que ya no sabían pintar, todas las solicitudes de la ternura. Por las calles tristes de Ámsterdam soñaba con campiñas temblorosas de rocío, más hermosas que las orillas crepusculares del Anio, pero desiertas, demasiado sagradas para el hombre. Aquel anciano, a quien la miseria parecía abotargar, se hubiera dicho que padecía una hidropesía al corazón. Cornelius Berg, que pintaba chapuceramente algunos cuadros lamentables, igualaba a Rembrandt con sus sueños.

No había reanudado sus relaciones con la poca familia que aún le quedaba. Algunos de sus parientes ni siquiera lo habían reconocido, y otros fingían ignorarlo. El único que aún lo saludaba era el viejo Síndico de Haarlem.

Durante toda una primavera estuvo trabajando en aquella pequeña ciudad clara y limpia, donde le mandaban pintar falsos recubrimientos de madera en las paredes de la iglesia. Por la noche, una vez terminada su tarea, no se negaba a entrar en casa de aquel hombre viejo, algo embrutecido por la rutina de una existencia sin azares, y que vivía solo, cómodamente atendido por una criada, sin saber nada de arte. Cornelius empujaba la frágil barrera de madera; en el jardincillo, cerca del canal, el aficionado a los tulipanes lo esperaba entre las flores. Cornelius no sentía la misma pasión por aquellos inestimables bulbos, pero era muy hábil distinguiendo los menores detalles de sus formas, los menores matices de sus colores, y sabía que el anciano Síndico sólo lo invitaba a su casa por conocer su opinión sobre las nuevas variedades. Nadie hubiera podido indicar con palabras la diversidad infinita de blancos, azules, rosas y malvas. Frágiles, rígidos, los cálices patricios sobresalían de la tierra rica y negra: un olor a tierra mojada flotaba sobre aquellas floraciones sin perfume. El viejo Síndico cogía un tiesto, se lo ponía en las rodillas y, sosteniendo el tallo con dos dedos, como si fuera a cortarlo, se lo enseñaba a Cornelius sin decir ni una palabra, para que admirase aquella delicada maravilla. Intercambiaban pocos comentarios: Cornelius Berg daba su opinión con un movimiento de la cabeza.

Aquel día, el Síndico se sentía muy feliz, pues había conseguido una variedad más peculiar que todas las demás: la flor, blanca y violácea, casi poseía las estriaciones de un lirio. La observaba, le daba vueltas por todas partes y, cuando la volvió a poner en el suelo, dijo:

—Dios es un gran pintor.

Cornelius Berg no contestó. El apacible anciano prosiguió:

—Dios es el pintor del universo.

Cornelius Berg miraba alternativamente la flor y el canal. Aquel empañado espejo plomizo sólo reflejaba arriates, muros de ladrillo y la ropa tendida de las lavanderas, pero el viejo vagabundo, cansado, contemplaba en él toda su vida. Volvían a su memoria determinados rasgos de algunas fisonomías vislumbradas en sus largos viajes: el Oriente sórdido, el Sur desmantelado, las expresiones de avaricia, de estupidez o de ferocidad observadas bajo tantos hermosos cielos; los refugios miserables, las vergonzosas enfermedades, las reyertas a navajazos a la puerta de las tabernas, el rostro seco de los prestamistas y el hermoso cuerpo, bien metido en carnes, de su modelo Frédérique Gerritsdocheter, tendido encima de la mesa de anatomía en la Escuela de Medicina de Friburgo. Luego se dibujó en su mente otro recuerdo: en Constantinopla, en donde estuvo pintando algunos retratos de sultanes para el embajador de las Provincias-Unidas, tuvo la ocasión de admirar otro jardín de tulipanes, orgullo y gozo de un bajá, que contaba con el pintor para inmortalizar, en su breve perfección, su harén floral. En el interior de un patio de mármol, todos los tulipanes juntos palpitaban y casi parecían susurrar, con sus colores chillones o suaves. Cantaba un pájaro, posado en la pileta de una fuente. Las copas de los cipreses agujereaban el cielo pálidamente azul. Pero el esclavo que enseñaba al extranjero todas aquellas maravillas era tuerto, y en el ojo que había perdido recientemente se acumulaban las moscas. Cornelius Berg suspiró largamente. Después, quitándose las gafas, dijo:

—Es verdad, Dios es el pintor del universo.

Y luego añadió en voz baja con amargura:

—Pero, qué pena, señor Síndico, que Dios no se haya limitado a pintar paisajes...

Post-Scriptum

Esta reimpresión de los *Cuentos orientales,* pese a muchas correcciones únicamente de estilo, nos los presenta en sustancia tal y como eran cuando se publicaron por primera vez, en 1938. Tan sólo modifiqué la conclusión del relato «Kali decapitada», con el fin de destacar ciertas facetas metafísicas de las que esta leyenda es inseparable, y sin las cuales, tratada al modo occidental, no es más que una vaga «India galante». Otro de los cuentos, «Los sepultados del Kremlin», antiguo intento mío de interpretar una leyenda eslava de manera moderna, ha sido suprimido por parecerme poco acertado para merecer ser retocado.

De los diez cuentos presentados, cuatro de ellos son retranscripciones, desarrolladas por mí de manera más o menos libre, de fábulas o leyendas auténticas: «Cómo se salvó Wang-Fô» se inspira en un apólogo taoísta de la antigua China; «La sonrisa de Marko» y «La leche de la muerte» provienen de unas baladas balcánicas de la Edad Media; «Kali decapitada» deriva de un inagotable mito hindú, el mismo que —aunque interpretado de modo muy distinto— proporcionó a Goethe el tema de «El Dios y la bayadera» y a Thomas Mann *Las cabezas trocadas.* Por otra parte, «El hombre que amó a las Nereidas» y «La viuda Afrodisia» («El jefe rojo» en la edición original) tienen como punto de partida unos sucesos o supersticiones de la Grecia de hoy, o más bien de ayer, ya que su redacción se sitúa entre 1932 y 1937. «Nuestra Señora de las Golondrinas» representa, en cambio, una fantasía personal del autor, nacida del deseo de explicar el nombre encantador de una capillita existente en la campiña ática. En «El último amor del príncipe Genghi», los personajes y el marco del relato han sido extraídos no de un mito, ni de una leyenda, sino de un gran texto literario del pasado, de la admirable novela japonesa del siglo XI *Genghi Monogatari,* de la escritora Murasaki Shikibu, que narra en seis o siete tomos las aventuras de un Don Juan asiático de gran estilo. Pero por un refinamiento muy característico, Murasaki «escamotea», por decirlo así, la muerte de su héroe, y pasa del capítulo en que Genghi se queda viudo y decide retirarse del mundo a aquel en que su propia muerte es ya un hecho realizado. El cuento que acabamos de leer tiene por objeto colmar esta laguna, o al menos hacer imaginar lo que hubiera sido este epílogo si la misma Murasaki lo hubiera redactado. «La muerte de Marko Kralievitch», relato que me proponía escribir hace muchos años, fue redactado en 1978. El cuento parte del fragmento de una balada serbia, que evoca la muerte del héroe en manos de un misterioso, banal y alegórico personaje. Mas ¿dónde leí yo, o escuché, esta historia en la que tantas veces he pensado después? Ya no lo sé, y no la encuentro entre algunos textos del mismo estilo que tengo a mano y que dan diversas versiones de la muerte de Marko Kralievitch, pero no ésta. Finalmente, «La tristeza de Cornelius Berg» («Los tulipanes de Cornelius Berg» en el texto anterior) fue concebido como conclusión de una novela hasta ahora inacabada. Nada tiene de oriental, salvo dos breves alusiones a un viaje que hizo el artista a Asia Menor (e incluso uno de ellos es un añadido reciente), y este relato no pertenece, en realidad, a la colección que precede. Pero no he sabido resistirme a las ganas de situar, enfrente del gran pintor chino que se salva y se pierde en el interior de su obra, a ese ignorado contemporáneo de Rembrandt que medita tranquilamente sobre la suya.

Para los aficionados a la bibliografía, recordaré que «Kali decapitada» se publicó en *La Revue Européenne,* en 1928; «Wang-Fô» y «Genghi», respectivamente, en *La Revue de Paris,* en 1936 y 1937, y, durante esos mismos años, «La sonrisa de Marko» y «La leche de la muerte», en *Les Nouvelles Littéraires,* así como «El hombre que amó a las Nereidas» en *La Revue de France.* «La muerte de Marko» fue publicado en *La Nouvelle Revue Française* en 1978.

Como el agua que fluye

Ana, soror...[*]

Había nacido en Nápoles en el año 1575, tras las gruesas murallas del Fuerte de San Telmo, del que su padre era gobernador. Don Álvaro, instalado en la península desde hacía muchos años, se había granjeado los favores del virrey, pero también la hostilidad del pueblo y la de los miembros de la nobleza campaniense, que soportaban mal los abusos de los funcionarios españoles. Al menos, nadie ponía en duda su integridad ni la excelencia de su sangre. Gracias a un pariente suyo, el cardenal Maurizio Garaffa, había contraído matrimonio con la nieta de Inés de Montefeltro, Valentina, última flor en que una raza, favorecida entre todas, había agotado su savia. Valentina era hermosa, clara de rostro, delgada de cintura: su perfección desanimaba a los hacedores de sonetos de las Dos Sicilias. Inquieto por el peligro que tal maravilla hacía correr a su honor, y naturalmente propenso a desconfiar de las mujeres, don Álvaro imponía a la suya una existencia casi monacal, y los años de Valentina se repartían entre las melancólicas propiedades que su marido poseía en Calabria, el convento de Ischia, en donde pasaba la Cuaresma, y las pequeñas estancias abovedadas de la fortaleza, en cuyas mazmorras se pudrían los sospechosos de herejía y los adversarios del régimen.

La joven aceptó su suerte de buen grado. Su infancia había transcurrido en Urbino, en la más refinada de las sociedades cultas, en medio de manuscritos antiguos, doctas conversaciones y violas de amor. Los últimos versos de Pietro Bembo agonizante fueron compuestos para celebrar su próxima llegada al mundo. Su madre, apenas pasada la cuarentena, la llevó ella misma a Roma, al convento de Santa Ana. Una mujer pálida, con la boca marcada por un pliegue triste, cogió a la niña en brazos y le dio su bendición. Era Vittoria Colonna, viuda de Ferrante de Avalos, el que venció en Pavía, mística amiga de Miguel Ángel. Al crecer al lado de aquella musa austera, Valentina adquirió, desde muy joven, una singular gravedad y ese ánimo sereno de los que ni siquiera aspiran a la felicidad.

Absorbido por la ambición y las crisis de hipocondría religiosa, su marido, que le hacía poco caso, no volvió a acercarse a ella a partir del nacimiento de su segundo hijo, que fue un varón. No le impuso rivales, ni tuvo más aventuras galantes, en la corte de Nápoles, que las precisas para dejar asentada una reputación de gentilhombre. Bajo la máscara, en las horas de abatimiento en que uno se entrega a sí mismo, don Álvaro pasaba por preferir a las prostitutas moriscas, cuyos favores se regatean en el barrio del puerto a las encargadas de los burdeles, sentadas en cuclillas bajo una lámpara humeante o al lado del brasero. Doña Valentina no albergaba por ello ningún resentimiento. Esposa irreprochable, nunca tuvo amantes, escuchaba con indiferencia a los galantes petrarquistas, no participaba en las cábalas que formaban entre sí las diversas amigas del virrey, ni elegía entre las damas de su séquito a confidentes ni a favoritas. Por decoro, en las fiestas de la corte, solía ponerse los magníficos atavíos que correspondían a su edad y a su rango, mas no se detenía a mirarse en los espejos, rectificando un pliegue o arreglando un collar. Todas las noches don Álvaro encontraba encima de su mesa las cuentas de la casa revisadas por la mano clara de Valentina. Era la época en que el Santo Oficio, recientemente introducido en Italia, espiaba los menores estremecimientos de las conciencias; Valentina evitaba cuidadosamente toda conversación que versara sobre materia de fe, y su asiduidad en asistir a los oficios respetaba las conveniencias. Nadie sabía que enviaba en secreto ropa y bebidas reconfortantes a los prisioneros en los calabozos de la fortaleza. Más tarde, su hija Ana no pudo recordar haberla oído rezar, pero sí haberla visto muy a menudo, en su celda del convento de Ischia, con un *Fedón* o *El banquete* en las rodillas, con sus hermosas manos descansando en el antepecho de la ventana abierta, meditando largamente ante la maravillosa bahía.

Sus hijos veneraban en ella a una Madona. Don Álvaro, que pensaba enviar muy pronto a su hijo a España, pocas veces exigía la presencia del joven en las antesalas del virrey. Miguel pasaba largas horas sentado al lado de Ana, en un cuartito dorado como el interior de una arqueta, por cuyas paredes tapizadas corría la divisa bordada de Valentina: *Ut crystallum*. Desde su infancia, ella les había enseñado a leer a Cicerón y a Séneca: mientras ambos escuchaban aquella voz cariñosa explicarles un argumento o una máxima, sus cabellos se entremezclaban sobre las páginas. Miguel, a esa edad, se asemejaba mucho a su hermana; a no ser por las manos, delicadas en ella, endurecidas en él por el manejo de las riendas y de la espada, hubieran podido confundirlos. Los dos niños, que se amaban, callaban con frecuencia, no necesitaban palabras para gozar del hecho de estar juntos; doña Valentina tampoco era muy locuaz, advertida por el justo instinto de los que se saben amados sin sentirse comprendidos. Conservaba en un cofrecillo una colección de entalles griegos, adornados algunos con figuras desnudas. Subía en ocasiones los dos escalones que llevaban a los profundos huecos de las ventanas para exponer a los últimos rayos del sol la transparencia de las sardónices y, envuelta por completo en el oro oblicuo del crepúsculo, la misma Valentina parecía diáfana, como sus gemas.

Ana bajaba la mirada, con ese pudor que aún suele acentuarse más en las muchachas piadosas al acercarse a la nubilidad. Doña Valentina decía, con su fluctuante sonrisa:

—Todo lo que es hermoso se ilumina de Dios.

Les hablaba en lengua toscana; ellos respondían en español.

En el mes de agosto de 1595, don Álvaro manifestó a su hijo que antes de llegar las fiestas de Navidad debería dirigirse a Madrid, en donde su pariente, el duque de Medina, le hacía el honor de aceptarlo por paje. Ana lloró a escondidas, pero se contuvo por orgullo delante de su hermano y de su madre. Al revés de lo que esperaba don Álvaro, doña Valentina no hizo ninguna objeción al viaje de Miguel.

El marqués de la Cerna había heredado, de su familia italiana, extensas tierras cortadas por zonas pantanosas y que no le producían grandes rentas. Siguiendo el consejo de sus intendentes, intentó aclimatar en su tierra de Acropoli las mejores cepas de Alicante. El resultado fue mediocre; don Álvaro no se desanimaba: todos los años supervisaba personalmente la vendimia. Valentina y los niños le acompañaban. Aquel año, don Álvaro, ocupado, rogó a su mujer que vigilara ella sola las tierras.

El viaje duraba tres días. La carroza de doña Valentina, seguida por los coches en dónde se hacinaban los criados, avanzaba por el desigual adoquinado hacia el valle del Sarno. Doña Ana se había sentado enfrente de su madre; don Miguel, pese a su afición a los caballos, tomó asiento al lado de su hermana.

La vivienda, edificada en tiempos de los angevinos de Sicilia, presentaba el aspecto de una fortaleza. Hacia comienzos de siglo le habían adosado una construcción encalada, especie de granja con su porche, que invadía parte del patio interior, con un tejado plano, en donde secaban las frutas del huerto, y una hilera de lagares de piedra. El intendente se alojaba allí con su mujer, siempre embarazada, y con una caterva de chiquillos. El tiempo, la falta de reparaciones, las intemperies habían hecho inhabitable la enorme sala, invadida por la superabundancia de la granja. Montones de uvas, ya confitadas en su propio jugo, llenaban de un líquido pegajoso el embaldosado de estilo morisco, plagado de moscas; manojos de cebollas colgaban del techo; la harina que se derramaba de los sacos se infiltraba por todas partes junto con el polvo; el olor a queso de búfala se agarraba a la garganta.

Doña Valentina y sus hijos se instalaron en el primer piso. Las habitaciones de ambos hermanos se hallaban situadas una frente a otra; por las ventanas, estrechas como aspilleras, Miguel vislumbraba a veces la sombra de Ana, yendo y viniendo a la luz de una lámpara pequeña. Se quitaba horquilla tras horquilla para deshacerse el peinado y luego tendía el pie a una sirvienta para que le quitase el zapato. Don Miguel, por pudor, corría las cortinas.

Los días se sucedían todos iguales, cada uno tan largo como todo un verano. El cielo, casi siempre cargado de calina pegada, por decirlo así, al llano, ondulaba desde la parte baja de la montaña hasta el mar. Valentina y su hija trabajaban en la destartalada farmacia, confeccionando pócimas que luego repartirían a los enfermos de malaria. Diversos contratiempos retrasaban el final de la vendimia; algunos obreros, atacados por la fiebre, no podían levantarse de sus camastros; otros, debilitados por la enfermedad, se tambaleaban por la viña como si estuvieran borrachos. Aunque doña Valentina y sus hijos no hablaran nunca de ello, la próxima partida de Miguel los ensombrecía a los tres.

Por las noches, en la oscuridad repentina del crepúsculo, cenaban juntos en una salita del piso de abajo. Valentina, cansada, se acostaba temprano; Ana y Miguel, cuando se quedaban solos, se miraban en silencio y pronto se oía la voz clara de Valentina llamando a su hija. Ambos subían entonces las escaleras. Don Miguel, tumbado en la cama, contaba el número de semanas que le separaban de su partida y, aunque sufriera por dejar a Ana y a su madre, se percataba con alivio de que la proximidad de ese viaje lo alejaba ya de aquellas dos mujeres.

Ciertos disturbios se habían producido en Calabria. Doña Valentina encarecía a su hijo que no se alejara mucho del pueblo ni de la mansión. Entre los humildes se incubaba el descontento contra los oficiales e intendentes españoles y, sobre todo, algunos monjes se agitaban en sus pobres monasterios colgados en la ladera de la montaña. Los más ilustrados, los que habían estudiado durante unos años en Nola o en Nápoles, recordaban los tiempos en que su país era tierra griega, llena de mármoles, de dioses y de hermosas mujeres desnudas. Los más atrevidos negaban o maldecían a Dios y conspiraban, según se decía, con los piratas turcos que echaban el ancla al fondo de las calas. Se hablaba de extraños sacrilegios, de Cristos pisoteados y de hostias consagradas colocadas entre las partes viriles para aumentar el vigor; una banda de frailes había raptado y encerrado en su convento a una parte de la juventud de un pueblo y la adoctrinaba con la idea de que Jesús había amado carnalmente a la Magdalena y a San Juan. Valentina, con sólo una palabra, atajaba las habladurías que circulaban por casa del intendente o por las cocinas. Miguel pensaba en ellas a menudo, a pesar suyo, mas luego las ahuyentaba de su mente como si se despojara de un sucio insecto, turbado, sin embargo, ante la imagen de aquellos hombres a quienes el deseo llevaba tan lejos como para osarlo todo. Ana aborrecía el mal, pero algunas veces, en el pequeño oratorio, ante la imagen de la Magdalena desfallecida a los pies de Cristo, pensaba que debía de ser muy dulce abrazar a quien se ama y que tal vez la Santa ardiera en deseos de ser levantada por Jesús.

Algunos días, haciendo caso omiso de las prohibiciones de doña Valentina, Miguel dejaba la cama al llegar el alba, ensillaba su caballo y se lanzaba a la aventura muy lejos, hacia las tierras bajas. El suelo se extendía, negro y desnudo; búfalos inmóviles, tumbados en el suelo, formaban masas sombrías y semejaban, a lo lejos, bloques de rocas que hubieran resbalado de las montañas; montículos volcánicos sembraban la landa de pequeñas jorobas; soplaba siempre un fuerte viento. Don Miguel, al ver el barro graso que salpicaba al paso de su caballo, frenaba bruscamente a la orilla de una ciénaga.

Una vez, justo antes de ponerse el sol, llegó hasta una columnata erguida ante el mar. Unos fustes estriados yacían en el suelo como gruesos troncos de árboles; otros, en pie, duplicados horizontalmente por su sombra, se destacaban en el cielo rojo; el mar neblinoso y pálido se adivinaba tras ellos. Miguel ató su caballo al fuste de una columna y se puso a caminar por entre las ruinas, cuyo nombre ignoraba. Aún aturdido por el largo galopar a través de las landas, experimentaba esa sensación de ligereza y flojera que en ocasiones se siente en sueños. Sin embargo, la cabeza le dolía. Sabía vagamente que se hallaba en una de aquellas ciudades en donde habían vivido los sabios y los poetas de quienes les hablaba doña Valentina; estas gentes vivieron sin la angustia del infierno abierto de par en par bajo sus pasos; angustia que incesantemente atormentaba a don Álvaro, tan torturado cuando esto ocurría, como los detenidos del Fuerte de San Telmo; no obstante, también esos pueblos antiguos habían tenido sus leyes. Incluso en su época, uniones que tal vez pudieran parecer legítimas a los vástagos de Adán y Eva en el comienzo de los días, fueron severamente castigadas; hubo un cierto Caunos que había escapado de país en país a las proposiciones de la dulce Biblis... ¿Por qué pensaba él en ese Caunos, él, a quien nadie todavía requería de amores? Se perdía por aquel laberinto de piedras derrumbadas. En las escaleras de lo que, con toda probabilidad, había sido un templo, vio a una muchacha sentada. Se dirigió hacia ella.

Puede que no fuera más que una niña, pero el viento y el sol le habían surcado la cara. Don Miguel se fijó en sus ojos amarillos, que le produjeron cierta inquietud. Tenía la piel y la cara grises como el polvo, y la falda que llevaba puesta descubría sus piernas hasta la rodilla. Estaba descalza y apoyaba los pies en las losas.

—Hermana —dijo, turbado a pesar suyo por aquel encuentro en la soledad—, ¿cómo se llama este lugar?

—Yo no tengo ningún hermano —dijo la muchacha—. Hay muchos nombres que es mejor no conocer. Este lugar es pernicioso.

—Tú pareces hallarte a gusto en él.

—Estoy entre los míos.

Adelantó los labios dando un breve silbido y con un dedo del pie, como haciendo una señal, apuntó hacia un intersticio entre las piedras. Una estrecha cabeza triangular surgió de la fisura. Don Miguel aplastó la víbora con la bota.

—¡Que Dios me perdone! —exclamó—. ¿Eres acaso bruja?

—Mi padre era domador de reptiles —dijo la muchacha—. Para serviros. Y ganaba mucho. Que las víboras, mi señor, se arrastran por todas partes, sin contar con las que llevamos en el corazón...

Sólo entonces creyó percibir Miguel que el silencio estaba lleno de estremecimientos, de roces, de murmullos de agua. Toda suerte de bichos venenosos reptaban por la hierba. Corrían las hormigas, y las arañas tejían su tela entre dos fustes. E innumerables ojos amarillos como los de la muchacha sembraban la tierra de estrellas.

Don Miguel quiso dar un paso atrás y no se atrevió.

—Marchaos, mi señor —dijo la muchacha—, y acordaos de que no sólo aquí existen serpientes...

Don Miguel regresó ya tarde a la mansión de Acropoli. Quiso enterarse por el granjero del nombre de la ciudad en ruinas; el hombre ignoraba su existencia. En cambio, Miguel supo que al llegar la noche, doña Ana, mientras escogía unas frutas, había visto una víbora entre la paja. Se había puesto a gritar: la criada, que acudió al oírla, había matado a la serpiente de una pedrada.

Aquella noche Miguel tuvo una pesadilla. Se hallaba acostado, con los ojos abiertos. Un enorme escorpión salía de la pared, y luego otro, y otro más; trepaban por el colchón, y los dibujos entrelazados que orlaban su colcha se transformaban en nidos de víboras. Los pies morenos de la muchacha reposaban encima tranquilamente, como si de un lecho de hierbas secas se tratara. Los pies avanzaban danzando; Miguel los sentía andar sobre su corazón; a cada paso que daban se iban haciendo más blancos; ahora tocaban su almohada. Miguel, al inclinarse para besarlos, reconoció los pies de Ana, desnudos en sus zapatillas de raso negro.

Poco antes de maitines abrió la ventana y se acodó en ella para respirar. Un vientecillo fresco, que soplaba del golfo, helaba el sudor. Las ventanas de Ana estaban abiertas; don Miguel se obstinaba en mirar a otro lado, hacia un rebaño de cabras que llevaban a pacer a lo largo del muro; las contaba con maniática terquedad; se hizo un lío y acabó por volver la cabeza. Doña Ana estaba arrodillada en su reclinatorio. Miguel, al empinarse, creyó ver, entre el camisón y el raso de la zapatilla, la palidez dorada de un pie descalzo. Ana le saludó con una sonrisa.

Pasó a la galería para lavarse. El frío del agua, al despertarle del todo, le serenó.

Tuvo otros sueños. Por la mañana, al despertarse, no conseguía distinguirlos muy bien de la realidad. Hacía por cansarse, con la esperanza de poder dormir mejor.

A menudo, en la soledad, se orientaba hacia las ruinas. Pero en cuanto llegaba a ver las columnas, retrocedía. No obstante, en algunas ocasiones, arrastrado a pesar suyo o avergonzado de sí mismo, se adentraba en ellas. Las lagartijas se perseguían por entre la hierba. Jamás volvió a ver don Miguel ninguna víbora, y la muchacha había desaparecido.

Se informó sobre ella. Todos los campesinos la conocían. Su padre, nativo de Lucera, era de raza sarracena; la hija había heredado su don; iba de pueblo en pueblo, bien recibida en las granjas, a las que limpiaba de alimañas. El temor al maleficio y tal vez, sin saberlo él mismo, el instinto de una raza cruzada con sangre mora le impidieron hacer ningún daño a la muchacha.

Se confesaba todos los sábados con un ermitaño de la vecindad, hombre piadoso y de buena fama. Pero no se confiesan los sueños. Como su conciencia no estaba tranquila, le sorprendía no tener que reprocharse falta alguna. Atribuía su nerviosismo a su próximo viaje a España. No obstante, apenas hacía ya preparativos para el mismo.

Al volver de un largo paseo, un día de mucho calor, bajó del caballo y se arrodilló para beber de un manantial. Un hilillo de agua saltaba del venero, a unos pasos del camino; algunas hierbas altas crecían por allí como podían, en torno a aquel frescor. Don Miguel se tendió en el suelo para beber mejor, como un animal. Percibió un roce entre los matorrales; se sobresaltó al ver aparecer a la muchacha sarracena.

—¡Ah! ¡Falsa serpiente!

—Desconfiad, mi señor —dijo la poseedora de hechizos—. El agua repta, se retuerce, se estremece y espejea, y su veneno os hiela el corazón.

—Tengo sed —replicó don Miguel.

Estaba aún lo bastante cerca del círculo que formaba el manantial para percibir en el agua, débilmente agitada, el reflejo de aquel rostro alargado, de ojos amarillos. La voz de la muchacha se había hecho sibilante.

—Mi señor —creyó oír él—, vuestra hermana os espera cerca de aquí con una copa llena de agua pura. Beberéis juntos.

Don Miguel, vacilante, volvió a montar a caballo. La muchacha había desaparecido y lo que él había tomado por una presencia y unas palabras no eran sino fantasmas. Probablemente tuviera fiebre. Mas puede que la fiebre permita ver y oír lo que de otro modo ni se ve ni se oye.

La cena fue taciturna. Don Miguel, con los ojos bajos puestos en el mantel, creía sentir la mirada de Valentina posada sobre él. Como de costumbre, ella sólo se alimentaba de frutas, verduras y hierbas, pero aquella noche parecía incapaz de llevarse los alimentos a los labios. Ana ni hablaba ni comía.

Don Miguel, a quien asustaba la idea de encerrarse en su cuarto, propuso salir a la explanada a respirar un poco.

El viento había amainado al bajar la luz. El calor cuarteaba la tierra del jardín; los pequeños charcos relucientes de las ciénagas se iban apagando uno a uno; no se vislumbraban las luces de ningún pueblo; sobre el negro denso de las montañas y del llano se abovedaba la oscuridad límpida del cielo. El cielo, el cielo de diamante y de cristal, giraba lentamente en torno al polo. Los tres, con la cabeza echada hacia atrás, lo contemplaban. Don Miguel se preguntaba qué nefasto planeta se alzaría para él en su signo, que era el de Capricornio. Ana seguramente pensaba en Dios. Valentina quizá imaginara las esferas musicales de Pitágoras.

Dijo ella entonces:

—Esta noche, la tierra recuerda...

Su voz era clara como una campanilla de plata. Don Miguel dudaba si no valdría más comunicar sus angustias a su madre. Al tratar de hallar las palabras se dio cuenta de que no tenía nada que confesarle.

Además, Ana estaba allí presente.

—Regresemos —dijo bajito doña Valentina.

Al volver, Ana y Miguel caminaban delante; Ana se acercó a su hermano y él se apartó; parecía como si temiera comunicarle su propio mal.

Doña Valentina tuvo que pararse varias veces para apoyarse en el brazo de su hija. Tiritaba bajo el manto.

Subió lentamente la escalera. Una vez en el rellano del primer piso, recordó que había olvidado fuera, en un banco, un pañuelo de encaje de Venecia. Don Miguel bajó a buscarlo y, cuando volvió, doña Valentina y su hija estaban ya en sus aposentos; mandó a una doncella que les entregara el pañuelo y se retiró sin haber besado, como de costumbre, la mano de su madre y la de su hermana.

Don Miguel se acodó en la mesa, sin preocuparse siquiera de quitarse el jubón, y pasó toda la noche tratando de ordenar sus pensamientos. Sus ideas daban vueltas alrededor de un punto fijo, lo mismo que las falenas en torno a la luz; no conseguía fijar sus pensamientos; lo más importante se le escapaba. Ya tarde en la noche se adormeció, aunque no del todo. Estaba justo lo bastante despierto para darse cuenta de que dormía. Pudiera ser que aquella muchacha le hubiera embrujado. Y no le gustaba. Ana, por ejemplo, era mucho más blanca.

Apuntaba el alba cuando llamaron a la puerta. Sólo entonces se dio cuenta de que ya era de día.

Era Ana, también por completo vestida. Él pensó que se había levantado muy temprano. Aquel rostro asustado se parecía tanto al suyo que creyó ver su propio reflejo en un espejo.

Su hermana le dijo:

—Nuestra madre ha cogido las fiebres... Está muy decaída.

Dejándose conducir por ella, entró en el cuarto de doña Valentina.

Las contraventanas de la habitación estaban cerradas. Al fondo de la cama grande, Miguel distinguió apenas a su madre; se movía lentamente, más aletargada que dormida. Su cuerpo, caliente al tacto, temblaba como si el viento de las marismas no hubiera cesado de soplar sobre ella. La mujer que había estado velando a doña Valentina los llevó hacia un rincón.

—La señora está enferma desde hace mucho tiempo —les dijo—. Ayer le cogió tal debilidad que creímos que se moría. Está mejor, aunque demasiado tranquila, y eso es mala señal.

Como era domingo, Miguel y su hermana oyeron misa en la capilla de la mansión. El cura de Acropoli, hombre tosco y algo dado al vino, oficiaba para ellos. Don Miguel, que se arrepentía de haber propuesto el paseo por la explanada del día anterior, con el relente mortal de la noche, buscaba ya en el rostro de Ana la palidez plomiza de la fiebre. Unos cuantos criados asistían también a la misa. Ana rezaba con fervor.

Ambos comulgaron. Los labios de Ana se adelantaron para recibir la hostia consagrada y Miguel pensó que aquel movimiento les daba la forma de un beso; rechazó la idea inmediatamente, como si fuera un sacrilegio.

Cuando regresaban, Ana le dijo:

—Habría que ir a buscar un médico.

Unos minutos más tarde galopaba hacia Salerno.

El aire fresco y la velocidad borraron las huellas de su noche de insomnio. Galopaba contra el viento. Era como esa embriaguez que produce la lucha contra un adversario que retrocede, sin dejar por ello de resistir. La borrasca echaba tras él los temores, como si fueran pliegues de un largo manto. Los delirios y escalofríos del día anterior habían cesado, derrotados por un arrebato de juventud y de fuerza. La fiebre de doña Valentina podía no ser más que una crisis pasajera. Por la noche volvería a ver el hermoso rostro sosegado de su madre.

Al llegar a Salerno puso el caballo al paso. Renacieron sus angustias. Quizá la fiebre fuera como un maleficio del que uno puede librarse pasándoselo a otra persona, y él, aun sin saberlo, podía habérselo contagiado a su madre.

Le costó mucho encontrar la vivienda del médico. Por fin, ya cerca del puerto, en un callejón sin salida, le señalaron una casa de pobre apariencia; una de las contraventanas, mal enganchada, daba golpes. Cuando él llamó con el aldabón, una mujer despechugada apareció gesticulando; preguntó al caballero qué deseaba; tuvo que explicarlo detalladamente y a gritos, para que le oyeran; varias otras mujeres empezaron a compadecerse ruidosamente de la desconocida enferma. Don Miguel acabó por sacar en claro que Micer Francesco Cicinno estaba en la misa mayor.

Ofrecieron al joven gentilhombre un taburete en la calle. La misa mayor había terminado ya; Micer Francesco Cicinno caminaba a pasitos cortos, enfundado en su toga doctoral, eligiendo con cuidado las mejores piedras del pavimento para no tropezar. Era un viejecito tan pulcro que conservaba el aspecto nuevo e insignificante de los objetos que nunca se utilizaron. Cuando don Miguel le dijo su nombre, se deshizo en cortesías. Tras muchos titubeos consintió en montar a la grupa del caballo. No obstante, pidió que primero le permitieran comer algo; la sirvienta le trajo a la puerta un pedazo de pan untado en aceite; empleó mucho tiempo en limpiarse los dedos.

El mediodía les cogió en plena marisma. Hacía mucho calor para estar a finales de septiembre. El sol, que caía a plomo, aturdía a don Miguel; Micer Francesco Cicinno también se hallaba incómodo.

Un poco más lejos, cerca de una desmedrada pineda que bordeaba el camino, el caballo de don Miguel dio una espantada al ver una víbora. Don Miguel creyó oír una carcajada, mas todo estaba desierto a su alrededor.

—Vuestro caballo es muy espantadizo, señor —dijo el médico, a quien pesaba el silencio. Y añadió, gritando un poco para que le oyera el caballero—: El caldo de víbora no es medicina que deba despreciarse...

Las mujeres estaban esperando al médico con impaciencia. Pero Micer Francesco Cicinno era tan modesto que nadie advertía su presencia. Dio muchas explicaciones sobre lo seco y lo húmedo y propuso sangrar a doña Valentina.

Salió muy poca sangre del pinchazo. Doña Valentina sufrió un desmayo aún peor que el primero y del que a duras penas consiguieron reanimarla. Como Ana preguntase a Micer Francesco Cicinno qué otra cosa podían intentar, el mediquillo hizo un ademán de desaliento:

—Esto se acaba —susurró.

Con la agudeza de oído de los moribundos, doña Valentina volvió su hermoso rostro hacia Ana, sonriendo aún. Las criadas creyeron oírla murmurar:

—Nada se acaba.

La vida se alejaba de ella a ojos vistas. En la cama grande, coronada de un baldaquino, su delgado cuerpo se alargaba, moldeado por la sábana, como el de una estatua yacente en su lecho de piedra. El mediquillo, sentado en un rincón, parecía tener miedo de entorpecer a la Muerte. Hubo que mandar callar a las criadas, que proponían curas maravillosas; una de ellas hablaba de humedecer la frente de la enferma con sangre de una liebre despedazada viva. Miguel suplicó repetidas veces a su hermana que se fuera de la habitación.

Ana ponía muchas esperanzas en la extremaunción; doña Valentina la recibió sin emoción alguna. Pidió que acompañaran hasta su casa al cura, que se deshacía en ruidosas homilías. Cuando hubo salido, Ana se arrodilló al pie de la cama llorando.

—Nos abandonáis, señora madre.

—He visto pasar treinta y nueve inviernos —murmuró imperceptiblemente doña Valentina— y treinta y nueve veranos. Ya es suficiente.

—Pero nosotros somos aún tan jóvenes —dijo Ana—. No veréis instruirse a Miguel; y a mí no me veréis...

Iba a decir que su madre no la vería casada, mas la idea la horrorizó de repente. Tuvo que interrumpirse.

—Ambos estáis ya tan lejos de mí... —dijo en voz baja doña Valentina.

Creyeron que estaba delirando. No obstante, todavía los reconocía, ya que tendió su mano a don Miguel, también arrodillado, para que la besara. Les dijo:

—Pase lo que pase, no lleguéis nunca a odiaros.

—Nos amamos —dijo Ana.

Doña Valentina cerró los ojos. Luego, muy dulcemente, añadió:

—Eso ya lo sé.

Parecía estar más allá del sufrimiento, del temor o de la incertidumbre. Siguió diciendo, sin que pudiera saberse si hablaba del porvenir de sus hijos o de sí misma:

—No os inquietéis. Todo está bien.

Después calló. Su muerte sin agonía fue asimismo casi sin palabras; la vida de Valentina no había sido más que un largo deslizarse hacia el silencio; se abandonaba sin luchar. Cuando sus hijos comprendieron que había muerto, ningún asombro vino a mezclarse con su tristeza. Doña Valentina era de esas personas que uno se extraña de ver existir.

Decidieron trasladarla a Nápoles. Don Miguel tuvo que ocuparse de la caja mortuoria.

El velatorio se celebró en la gran sala destartalada, tras haber sacado de allí los productos de la granja, quedando amueblada tan sólo con unas cuantas arcas de tablas desvencijadas. El tiempo y los insectos habían hecho su labor en el cordobán de las colgaduras. Doña Valentina yacía entre cuatro candelabros, ataviada con su largo vestido de terciopelo blanco; su sonrisa, entre desdeñosa y tierna, subsistía aún en sus labios, y su rostro de anchos párpados, profundamente tallados, recordaba al de las estatuas que en ocasiones se exhuman al excavar la tierra de la Magna Grecia, entre Crotona y Metaponte.

Don Miguel pensaba en los presagios que le asaltaban desde hacía varias semanas. Recordó que la madre de doña Valentina, descendiente por línea materna de los Lusignan de Chipre, consideraba la súbita aparición de una serpiente como un augurio de muerte. Esto le tranquilizó vagamente. Aquella desgracia que justificaba sus presentimientos le devolvía la calma.

El viento, precipitándose por las grandes ventanas abiertas, hacía temblar la llama de las lámparas. Hacia el este, las montañas de la Basilicata ensombrecían aún más la noche. Incendios de matojos permitían adivinar el curso de los torrentes secos. Las mujeres vociferaban fúnebres plañidos en el hablar de Nápoles o en el dialecto de Calabria.

Una impresión de infinita soledad envolvió a los dos hijos de Valentina. Ana le hizo jurar a su hermano que jamás la abandonaría. De vuelta a su habitación para preparar la marcha, éste recordó que, felizmente, al llegar la Navidad, embarcaría para España.

El retorno, infinitamente más lento que la ida, duró cerca de una semana. Ana y Miguel se habían sentado uno al lado de otro, enfrente del ataúd de su madre, colocado al fondo de la pesada carroza que los había traído de Nápoles. Los criados los seguían en unos coches forrados de negro. Marchaban al paso; unos cuantos penitentes daban escolta a la carroza y recitaban letanías, con cirios en las manos.

Se relevaban a cada etapa. Por la noche, a falta de un convento, Ana y sus doncellas se acomodaban como podían en cualquier miserable albergue. Cuando el pueblo no poseía iglesia, el féretro de Valentina permanecía en la plaza; un velatorio fúnebre se improvisaba a su alrededor. Don Miguel, que se acostaba lo menos posible, pasaba la mayor parte de la noche rezando.

El calor, que seguía siendo excesivo, iba acompañado de una perpetua polvareda. Ana aparecía grisácea. Sus negros bandós se hallaban cubiertos por una espesa capa blanca; ya no se le veían ni las cejas ni las pestañas. Los rostros de ambos hermanos tomaban las tonalidades de la arcilla seca. Les ardía la garganta. Miguel, por miedo a las fiebres, se oponía a que Ana bebiera el agua de las cisternas. Afuera, la cera se derretía entre las manos de los penitentes. El acoso de las moscas sucedía por el día al nerviosismo nocturno causado por insectos y mosquitos. Para descansar los ojos de la reverberación del camino y del temblor de las velas, Ana mandaba cerrar las cortinas del coche; don Miguel protestaba violentamente, afirmando que allí se ahogaban.

Se veían asaltados sin cesar por mendigos que gimoteaban oraciones. Chiquillos vociferantes se agarraban a los ejes del carruaje, corriendo el riesgo, cada vez que la rueda daba una vuelta, de ser arrollados por ella y de morir aplastados. Don Miguel les arrojaba de cuando en cuando una moneda, con la vana esperanza de quitarse de encima a toda aquella chiquillería. A mediodía, el campo estaba casi siempre vacío; avanzaban como en un espejismo. Por la tarde, los desharrapados campesinos traían, ya que no flores, grandes brazadas de hierbas aromáticas. Las amontonaban como podían encima del féretro.

Doña Ana no lloraba, pues sabía cuánto importunaban las lágrimas a su hermano.

Éste se mantenía hundido en un rincón, lo más lejos posible de ella, con objeto de dejarle más sitio. Ana se tapaba la boca con un pañuelito de encaje. El lento movimiento del coche y la letanía de los portadores de cirios los sumergían en una especie de somnolencia alucinada. En los peores baches del camino, los tumbos que daba el coche los arrojaban al uno contra el otro. A veces tenían miedo de que la caja, confeccionada a toda prisa por el carpintero de Acropoli, cayera y se rajara. Muy pronto, pese a los dobles listones, un olor desvaído mezclose al perfume de las hierbas secas. Las moscas se multiplicaron. Todas las mañanas, ambos hermanos se empapaban de aguas perfumadas.

Al cuarto día, a mediodía, Ana se desmayó.

Mandó llamar don Miguel a una de las doncellas de su hermana. La muchacha tardaba en llegar y Ana estaba como muerta; desabrochó su corpiño; buscaba con inquietud el lugar del corazón; notó que volvían las pulsaciones bajo sus dedos.

La doncella de Ana acabó por traer el vinagre aromatizado. Se arrodilló ante su ama para humedecerle el rostro. Al volverse para coger un frasco, se levantó bruscamente al ver a don Miguel.

—¿Mi señor se encuentra mal?

Se mantenía en pie, apoyado en la puertecilla del coche, con las manos temblorosas y más lívido que su hermana. No podía hablar. Hizo una seña para decir que no.

Como había sitio para tres personas en la parte delantera de la carroza, Miguel pretextó que Ana podía desmayarse de nuevo y dio orden a la muchacha para que se instalara a su lado.

El viaje duró dos días más. El calor y el polvo persistían; de cuando en cuando la doncella limpiaba la cara de Ana con un paño húmedo. Don Miguel se frotaba continuamente las manos una contra otra, como si quisiera borrar algo.

Entraron en Nápoles al caer el crepúsculo. El pueblo se arrodillaba al paso del féretro de Valentina: todos la querían. Algunas murmuraciones hostiles al gobernador del Fuerte de San Telmo se mezclaban con las exclamaciones compasivas: los enemigos del régimen acusaban a don Álvaro de haber enviado a su mujer a morir de fiebre en aquellas tierras malsanas.

Los funerales se celebraron solemnemente dos días después, en la iglesia española de Santo Domingo. Ambos hermanos asistieron a ellos uno al lado de otro. Al volver, don Miguel rogó a su padre que le concediera una entrevista.

El marqués de la Cerna le recibió en su gabinete, ante una mesa cubierta de denuncias de soplones y listas de prisioneros políticos o de sospechosos vigilados por orden del virrey. La principal función de don Álvaro consistía en reprimir los motines y, en caso necesario, suscitar alguno para mejor cazar en sus redes a los agitadores. Sus vestiduras negras no eran sólo por Valentina: desde la muerte del hijo habido años atrás de una primera esposa, aquel hombre, fiel a su manera, iba siempre vestido de luto.

No inquirió ningún detalle sobre la muerte de doña Valentina. Miguel, alegando que Nápoles le parecía muy triste sin su madre, le preguntó si no era posible adelantar su viaje a España.

Don Álvaro, que continuaba leyendo el correo recién llegado de Madrid, respondió sin levantar la cabeza:

—No me parece oportuno, señor.

Y como don Miguel permanecía mudo, mordiéndose los labios, añadió para despedirlo:

—Me hablaréis de ello en otra ocasión.

No obstante, una vez en su habitación, Miguel emprendió algunos preparativos para dicho viaje. Ana, por su lado, ordenaba los objetos que habían pertenecido a su madre. Le parecía que el amor filial de Miguel era más fuerte que la amistad fraterna; apenas se veían; su intimidad parecía haber muerto con doña Valentina. Sólo entonces comprendió ella el cambio que esta desaparición producía en su vida.

Una mañana, al volver de misa, Miguel tropezó con Ana en la escalera. Estaba muy triste y le dijo:

—Hace más de una semana que no os veo, hermano.

Le tendió las manos. La orgullosa Ana se humillaba hasta el punto de decir:

—¡Ay, hermano! Y estoy tan sola...

Sintió compasión por ella y se avergonzó de sí mismo. Se reprochaba no amarla lo bastante.

Reanudaron su vida de antes.

Llegaba él por las tardes, a la hora en que el sol invadía la estancia; se instalaba frente a ella. Ana solía estar cosiendo, pero casi todo el rato la labor reposaba en sus rodillas, entre sus manos indolentes. Ambos hermanos permanecían silenciosos; por la puerta entreabierta podía oírse el zumbido tranquilizador de la rueca que manejaban las criadas.

No sabían en qué ocupar sus horas. Emprendieron nuevas lecturas, pero Séneca y Platón perdían mucho al no ser modulados por la tierna boca de Valentina ni comentados por su sonrisa. Miguel hojeaba con impaciencia los volúmenes, leía unas cuantas líneas y pasaba a otros, que abandonaba con la misma premura. Un día encontró sobre la mesa una Biblia latina, que uno de sus parientes napolitanos, convertido a la fe evangélica, le había dejado a Valentina antes de pasarse a Basilea o a Inglaterra. Don Miguel, después de abrir el libro por diversos sitios, como quien echa a suertes, leyó de aquí y de allá unos versículos. Bruscamente se interrumpió y dejó con descuido el libro. Al marcharse se lo llevó.

Estaba impaciente por encerrarse en su habitación y volverlo a abrir por la página que había señalado; cuando acabó su lectura, volvió a empezar. Era el pasaje del libro de los Reyes, en donde se habla de la violencia que Amnón hizo a su hermana Tamar. Se le apareció una posibilidad que jamás había osado mirar de frente. Le dio horror. Tiró la Biblia al fondo de un cajón. Doña Ana, que ponía gran empeño en ordenar los libros de su madre, se la pidió varias veces. Siempre se olvidaba él de devolvérsela. Ana acabó por no pensar más en ello.

En ocasiones, Ana entraba en su habitación durante su ausencia. Él temblaba ante la idea de que pudiera abrir el libro por aquella página y, cuando iba a salir, lo escondía cuidadosamente.

Le leyó a los místicos: Luis de León, el hermano Juan de la Cruz, la piadosa madre Teresa. Pero aquellos suspiros mezclados con sollozos los dejaban agotados. El vocabulario ardiente y vago del amor de Dios conmovía más a Ana que el de los poetas del amor terrestre, aunque en el fondo era casi idéntico. Las efusiones emanadas, no hacía mucho, de los santos personajes a quienes ella no conocería nunca, por hallarse encerrados tras los muros de sus conventos, allá en España, se convertían en un mosto que la embriagaba. Con la cabeza un poco echada hacia atrás y los labios entreabiertos le recordaba a Miguel el muelle abandono de las santas en éxtasis, que los pintores representaban casi voluptuosamente penetradas por Dios. Ana sentía la mirada de su hermano sobre ella; confusa, sin saber por qué, se incorporaba en su asiento; la entrada de una sirvienta los hacía cambiar de color como si fueran cómplices.

Miguel se volvía duro con ella. Le dirigía incesantes reproches sobre su inactividad, su manera de comportarse, sus atavíos. Ella lo escuchaba sin quejarse. Como a él le horrorizaban los grandes escotes que solían llevar las patricias, Ana, por complacerlo, se ahogaba con sus camisolines de cuello alto. Él vituperaba con aspereza sus efusiones de lenguaje y ella acabó por imitar la adusta reserva de Miguel. Entonces éste, temiéndose que hubiera adivinado algo, la observaba a escondidas; ella se sentía espiada y los más insignificantes incidentes eran motivo de querella. Había dejado de tratarla como a una hermana. Ana se dio cuenta y lloraba por las noches, preguntándose en qué había podido ofenderle.

Iban juntos a menudo a la iglesia de los Dominicos. Para ello había que atravesar todo Nápoles; el carruaje, impregnado de recuerdos del viaje fúnebre, le era odioso a Miguel; insistía para que su hermana llevara consigo a su doncella Inesina. Ana empezó a sospechar que se hubiera enamorado de ésta. No podía soportar una relación semejante; el descaro de aquella muchacha siempre la había desagradado y, con un pretexto cualquiera, acabó por despedirla.

Corría la primera semana de diciembre; don Miguel mandó subir sus baúles e incluso contrató a un escudero para el viaje. Contaba los días, tratando de alegrarse de que pasaran tan velozmente, aunque en el fondo se sentía más abrumado que aliviado. Solo en su habitación, se esforzaba por grabar en su memoria los menores rasgos del rostro de Ana, como los recordaría seguramente cuando estuviera lejos de ella, en Madrid. Cuanto más lo intentaba, menos la veía, y la imposibilidad de recordar exactamente el pliegue de los labios, la forma particular de un párpado o el lunar en el dorso de una de sus manos pálidas lo atormentaban de antemano. Entonces, con una resolución repentina, penetraba en el cuarto de Ana y la contemplaba con silenciosa avidez. Un día, ella le dijo:

—Hermano, si este viaje os aflige, nuestro padre no os obligará a hacerlo.

Él no contestó nada. Pensó ella que estaba contento de poder marcharse y, pese a que ese sentimiento fuera prueba de escaso amor, Ana no se sintió dolorida: ahora sabía que ninguna otra mujer retenía a don Miguel en Nápoles.

Al día siguiente, a las diez, don Álvaro lo mandó llamar.

Miguel no ponía en duda que se tratara de alguna recomendación concerniente al viaje. El marqués de la Cerna le pidió que se sentara y, tomando una carta abierta de encima de la mesa, se la tendió.

Venía de Madrid. Un agente secreto del gobernador narraba en ella, en términos prudentemente disfrazados, la brusca desgracia del duque de Medina. Era éste el pariente a cuya casa debía ir Miguel de paje, allá en Castilla. Miguel leyó lentamente las hojas y devolvió la carta en silencio. Su padre le dijo:

—Ya habéis regresado de España.

Don Miguel parecía hasta tal punto trastornado que el marqués no pudo por menos de añadir:

—No os creía yo tan impaciente por dar libre curso a vuestra ambición.

Y le prometió vagamente, con una condescendencia cortés, que ya se le ocurriría cualquier otra idea para compensarlo, proporcionándole en Nápoles una colocación tan digna como aquella de su cuna y rango. Y añadió:

—El cariño a vuestra hermana debería haceros preferible no abandonar ahora Nápoles.

Don Miguel levantó los ojos hacia su padre. El rostro del gentilhombre era tan impenetrable como siempre. Un criado, con un turbante a la usanza turca de los *itch-oglân*, trajo al gobernador el vino que solía tomar por las noches. Don Miguel se retiró.

Una vez fuera, sintió un feliz aturdimiento. Se repetía continuamente: «Dios no ha querido».

Y como si el involuntario cambio de su fortuna, al descargarlo de toda responsabilidad, lo justificase de antemano, experimentaba, junto con una especie de embriaguez, una súbita facilidad para precipitarse por la pendiente. Corrió a los aposentos de Ana, que a aquellas horas estaría seguramente sola. Él mismo le anunciaría que se quedaba en Nápoles. Se pondría muy contenta.

El pasillo y la antesala de Ana se hallaban sumidos en la oscuridad. Un débil rayo de luz pasaba por debajo de la puerta. Al acercarse, Miguel oyó la voz de Ana, que estaba rezando.

Inmediatamente se la imaginó más blanca que su propio camisón y ocupada por completo de Dios. En la inmensa fortaleza dormida, el único ruido que se percibía era aquella voz monótona y baja. Las palabras latinas se desgranaban en el silencio como las gotas de un aguacero frío y calmante. Don Miguel, insensiblemente, juntó las manos y se unió a la plegaria.

Ana calló; se apagó el rayo de luz; seguramente se había acostado ya. Don Miguel se fue alejando de la puerta poco a poco. Se le ocurrió entonces que alguno de los criados podía tropezar con él en la antesala o en el rellano de la escalera. Volvió a sus habitaciones.

Un furioso anhelo de distracciones se apoderó de él. Don Ambrosio Caraffa, su padrino, acababa de enviarle dos caballos berberiscos por su decimonoveno aniversario. No se cansaba de hacerlos correr. Dejó su habitación, situada en el mismo piso que la de doña Ana y en la misma ala de la fortaleza, y se instaló en otra, en el extremo opuesto del castillo, no lejos de las caballerizas particulares del gobernador.

Su padre le creía ocupado en lamentar la pérdida de sus ambiciones en España. Ana, que tomó la separación como un ultraje, pensó que él sospechaba alguna intervención suya en el aplazamiento de su marcha. No osaba justificarse con claridad; su orgullo le impedía quejarse, mas su pena era harto visible y don Miguel, en las pocas ocasiones en que tropezaba con ella en la sala grande o en los pasillos del Fuerte de San Telmo, preguntaba desabridamente por qué razón afectaba tanta tristeza.

Miguel se esforzaba por alternar en la corte del virrey. Tenía en ella pocos amigos. La intransigencia española del gobernador empezaba a levantar contra éste a la nobleza de la península. Miguel vagaba solo por entre aquel bullicio, y las opulentas bellezas napolitanas, cubiertas de afeites y de joyas, con grandes escotes bajo el esplendor de las arañas de cristal, le irritaban con su lascivia revestida de petrarquismo. Ana se veía a veces obligada a comparecer en aquellas fiestas. Él la veía desde lejos, toda vestida de negro, con las caderas monstruosamente ensanchadas por el guardainfante: la gente los separaba; un aburrimiento cada vez más hondo se desprendía de los techos con molduras, y el resto de los vivos no eran para él más que opacos fantasmas. Por las mañanas, en el umbral de alguna inmunda taberna del puerto, don Miguel, enfermo, tiritaba de frío, muerto de cansancio, tan apagado como el cielo cuando se aproxima el alba.

Más de una vez, en el pasillo de algún burdel, había tropezado con don Álvaro. Ni uno ni otro quisieron reconocerse; además, don Álvaro llevaba siempre puesta una máscara, según la costumbre en esa clase de antros. No obstante, cuando al día siguiente Miguel se cruzaba con su padre bajo la poterna del Fuerte de San Telmo, creía descifrar, en aquel rostro herméticamente cerrado, el sarcasmo de una sonrisa.

Probó con las cortesanas. Pero la más joven le pareció tan vieja como los pecados de Herodes, y permanecía acodado en una mesa, perdido en sus pensamientos —siempre los mismos—, e invitando a beber a los amigos de paso, mientras las mujeres de la taberna se recostaban en su hombro.

Una noche, en un tugurio de la calle de Toledo, sentado con los codos en las rodillas y la cabeza entre las manos, contemplaba bailar a una muchacha. No era hermosa; su rostro era desabrido y en las comisuras de los labios tenía ese pliegue amargo de los que sirven al placer de los demás. Tal vez no tuviera más de veinte años, mas no podía verse aquella carne miserable sin pensar en los innumerables abrazos que ya la habían ajado. Un cliente, que la estaba esperando arriba, se impacientaba quizá. La dueña del burdel se inclinó en la balaustrada del piso y le gritó:

—Ana, ¿subes o qué?

Ebrio de repugnancia, Miguel se levantó y se fue.

Inmediatamente creyó percibir que alguien le seguía. Se metió por una travesía. No era la primera vez que experimentaba la sensación de llevar a un espía tras sus talones. Apresuró el paso. La subida al Fuerte de San Telmo era bastante dura y muy larga. Al llegar vio que, como siempre cuando volvía de madrugada, las contraventanas de Ana estaban entreabiertas. Una vez en la explanada se dio la vuelta y vislumbró, subiendo las cuestas de Vomero, a su propio escudero, Meneguino d'Aia.

Aquel hombre, antes de entrar a su servicio, había pertenecido durante mucho tiempo a don Ambrosio Caraffa, que tenía en él puesta su confianza. Pertenecía a una buena familia y, según decían, había conocido tiempos mejores. Su aire de franqueza había agradado desde un principio a su nuevo amo; no obstante, desde hacía unas semanas, Miguel se sentía espiado por aquel criado demasiado perfecto. Sorprendió por los pasillos del castillo misteriosos conciliábulos entre Meneguino d'Aia y las doncellas de su hermana. Finalmente, en dos o tres ocasiones, lo había visto entrar en los aposentos de doña Ana, conducido por una sirvienta. Sus luchas interiores, que fatigaban su espíritu, lo dejaban indefenso ante unas sospechas que él mismo juzgaba viles. Sus relaciones con la corte y con las tabernas le habían enseñado a temer los peligrosos caprichos de las mujeres.

Pensó en ponerse a escuchar detrás de las puertas. Su orgullo se irritó ante tal bajeza.

Ana, por ser época de Carnavales, multiplicaba las oraciones. Estaba al corriente por Meneguino d'Aia de las andanzas, hechos y milagros de don Miguel; aquellos banales pecados le parecían aún más execrables desde que sabía que los cometía su hermano. Lo que ella iba imaginando la desesperaba y la turbaba al mismo tiempo. Postergaba día tras día el momento de hablarle.

Una mañana, cuando Miguel se disponía a ir a misa, la vio entrar en su habitación. Se detuvo ella, muy desconcertada, al ver que no estaba solo. Meneguino d'Aia se hallaba al lado de la ventana, tratando de arreglar un arnés. Miguel le dijo a Ana, mostrándole a aquel hombre:

—Aquí tenéis al que estáis buscando.

Doña Ana se puso pálida; el silencio de ambos se hubiera prolongado durante largo tiempo a no ser por el sirviente de don Ambrosio Caraffa, que dio un paso adelante:

—Mi señor —dijo—, he hecho mal en ocultaros algo. Doña Ana, muy inquieta por vuestra conducta, me rogó que velara por vos. Es vuestra hermana mayor y no creo que debáis enfadaros con ella por su gran ternura.

El rostro de Miguel cambió súbitamente de expresión y pareció iluminarse. Sin embargo, su cólera parecía ir en aumento y exclamó:

—¡Perfecto!

Y volviéndose hacia su hermana:

—¡De modo que os ganasteis la confianza de este hombre para espiarme! Por las mañanas, cuando yo regresaba, me estabais esperando igual que una amante a quien se abandona. ¿Tenéis acaso derecho a ello? ¿Estoy yo bajo vuestra custodia? ¿Soy vuestro hijo o vuestro amante?

Ana, con la cabeza escondida en el respaldo de un sillón, sollozaba. Viendo sus lágrimas, don Miguel pareció aplacarse. Dijo a Meneguino d'Aia:

—Acompañadla a sus habitaciones.

Cuando se quedó solo, se sentó en el sillón que ella acababa de abandonar.

Estaba loco de alegría y se repetía: «Está celosa».

Levantándose, se acodó ante el espejo hasta que sus ojos, cansados de contemplar la propia imagen, no le presentaron más que una neblina. Cuando Meneguino d'Aia regresó, don Miguel le entregó su salario y lo despidió sin decir una palabra.

La ventana de su cuarto daba a los contrafuertes. Al asomarse a ella, se dominaba un antiguo camino de ronda que ya no se usaba, y al que sólo el gobernador tenía acceso. La escalera del baluarte arrancaba de un poco más lejos; don Álvaro, según decían, llevaba de cuando en cuando mujeres perdidas a esas celdas abandonadas. Por la noche, a veces, se oía la risa sofocada de las alcahuetas y las rameras. Subían por la escalera y sus rostros maquillados se aparecían al temblor de un farol. Todas estas cosas, aunque repugnaban a don Miguel, acababan por abolir sus escrúpulos, al probarle el universal poder de la carne.

Unos días más tarde, al volver a su cuarto, Ana encontró la Biblia de doña Valentina que tan a menudo le había pedido a su hermano. El libro estaba abierto y vuelto contra la mesa, como si el que lo estuviera leyendo, al interrumpirse, hubiera querido señalar un pasaje. Doña Ana lo cogió, puso un papel entre las hojas y lo colocó cuidadosamente en una estantería. Al día siguiente, don Miguel le preguntó si había echado una mirada a esas páginas. Al contestarle ella que no, temió insistir.

Ya no rehuía Miguel su presencia. Su actitud se modificó. No se privaba de ciertas alusiones que imaginaba claras: sólo lo estaban para él; ahora le parecía que todo guardaba una relación evidente con su obsesión. Tantos enigmas trastornaban a Ana, sin que tratase de buscarles ningún sentido. Le entraban angustias inexplicables ante su hermano; él la sentía estremecerse al menor contacto de sus manos. Entonces se apartaba. Por las noches, ya en su habitación y nervioso hasta tal punto que sentía ganas de llorar, se llenaba de rencor hacia sí mismo, tanto por sus deseos como por sus escrúpulos, y se preguntaba con espanto qué es lo que sucedería al día siguiente a la misma hora. Los días transcurrían sin que nada cambiase. Pensó que ella no quería comprender. Estaba empezando a odiarla.

Ya no rechazaba sus fantasías nocturnas. Esperaba con impaciencia la llegada de esa semiinconsciencia del espíritu cuando se adormece; con el rostro hundido en las almohadas, se abandonaba a sus sueños. Despertaba con las manos ardiendo y mal sabor de boca, como si hubiera tenido fiebre, aún más desamparado que el día anterior.

El Jueves Santo, Ana mandó preguntar a su hermano si deseaba acompañarla en su recorrido por las siete iglesias. Él le contestó que no. Como la carroza estaba esperando, se fue ella sola.

Él continuó yendo y viniendo por la habitación. Al cabo de algún tiempo, sin poder resistirlo más, se vistió y salió.

Ana había visitado ya tres iglesias. La cuarta iba a ser la de los Lombardos; la carroza se detuvo en la plaza del Monte Olivete, delante de un pórtico bajo, cerca del cual se reunían, chillando destempladamente, una caterva de mendigos inválidos. Doña Ana atravesó la nave y entró en la capilla del Santo Sepulcro.

Uno de los reyes de la Nápoles aragonesa se había hecho reproducir allí, con sus amantes y sus poetas, en las actitudes de un velatorio fúnebre que duraría eternamente. Siete personajes de terracota, de tamaño natural, arrodillados o agachados en las mismas losas, se lamentaban en torno al cadáver del Hombre Dios a quien habían seguido y amado. Cada uno de aquellos personajes era el fiel retrato de un hombre o de una mujer que habían fallecido un siglo antes, todo lo más, pero sus efigies desoladas parecían hallarse allí desde la Crucifixión. Aún podían verse restos de color: el rojo de la sangre de Cristo se desconchaba como las costras de una antigua llaga. La mugre almacenada por el tiempo, los cirios, una falsa luz del día que reinaba en la capilla daban a aquel Jesús el aspecto atrozmente muerto que debió de tener el del Gólgota, unas horas antes de Pascua, cuando la podredumbre trataba de realizar su labor e incluso los ángeles empezaban a dudar. La muchedumbre, que se renovaba continuamente, hollaba el suelo del angosto espacio. Los andrajosos se codeaban con los gentileshombres; unos eclesiásticos, tan atareados como en un funeral, se abrían paso por entre los soldados de la flota, de rostros curtidos por el mar y señalados por los sables del turco. Dominando desde lo alto las frentes inclinadas, diversas estatuas de vírgenes y de santos se alineaban en hornacinas, cubiertas, a la antigua usanza, de velos morados, en honor a ese duelo que sobrepasa a todos los demás duelos.

Se apartaban al paso de Ana para dejarle sitio; su nombre, susurrado de boca en boca, su belleza y la magnificencia de sus atavíos detuvieron un instante el movimiento de los rosarios. Pusieron un cojín de terciopelo negro delante de ella; doña Ana se arrodilló. Inclinada sobre el cadáver de arcilla tendido en las losas, besó con devoción las llagas del costado y de las manos taladradas. Llevaba sobre la cara un velo que la molestaba. Al levantárselo un poco para echarlo hacia atrás, creyó sentir que alguien la miraba y, volviendo la cabeza hacia la derecha, divisó a don Miguel.

La violencia con que éste la miraba la asustó. Un banco los separaba. Él iba vestido de negro igual que ella, y Ana, aterrorizada y más blanca que la carne de los cirios, miraba a aquella estatua sombría al pie de las estatuas de color violeta.

Después, recordando que estaba allí para orar, se inclinó de nuevo a besar los pies del Cristo. Alguien se inclinaba a su lado. Sabía que era su hermano. Él le dijo:

—No.

Y continuando en voz baja:

—Nos veremos en el atrio de la iglesia.

Ana ni siquiera pensó en desobedecer. Se levantó y, atravesando el templo lleno del rumor de las letanías, alcanzó el ángulo del pórtico.

Miguel la estaba esperando. Ambos, al final de la Cuaresma, luchaban contra ese nerviosismo que causan las largas abstinencias. Él le dijo:

—Espero que habréis acabado con vuestras devociones.

Y como ella esperaba que continuase, prosiguió:

—¿No hay otras iglesias más solitarias? ¿No os han admirado ya lo bastante? ¿Es necesario que mostréis a la gente de qué manera besáis?

—Hermano —contestó Ana—, estáis muy enfermo.

—¿Ahora os dais cuenta? —dijo él.

Y le preguntó por qué no había ido al convento de Ischia, al retiro que solía hacer allí por Semana Santa. Ella no se atrevió a decirle que no había querido dejarlo solo.

La carroza esperaba. Ana subió a ella y él la siguió. Sin continuar la visita de las iglesias, dio ella órdenes de que los llevaran al Fuerte de San Telmo. Se mantenía erguida en su asiento, preocupada y rígida. Don Miguel, al mirarla, pensaba en el desvanecimiento de su hermana, camino de Salerno.

Llegaron al fuerte y la carroza se paró bajo la poterna. Subieron ambos a la habitación de Ana. Miguel comprendía que ella tenía algo que decirle. Y, en efecto, quitándose el velo, le dijo:

—¿Sabíais que nuestro padre me ha propuesto un matrimonio en Sicilia?

—¿Ah, sí? —dijo él—. ¿Y con quién?

Ella respondió humildemente:

—Muy bien sabéis que no pienso aceptar.

Y diciendo que prefería retirarse del mundo, tal vez para siempre, habló de entrar en el convento de Ischia, o en el de las Clarisas de Nápoles, cuyo hermoso claustro había visitado a menudo doña Valentina.

—¿Estáis loca? —exclamó él.

Parecía fuera de sí.

—¿Y vais a vivir allí, bañada en lágrimas, consumiéndoos de amor por una estatua de cera? Ya os vi antes. ¿Cómo voy yo a permitir que tengáis un amante sólo porque esté crucificado? ¿Estáis ciega o bien mentís? ¿Creéis que yo deseo cederos a Dios?

Ana retrocedió, muy asustada. Él repitió varias veces:

—¡Jamás!

Se mantenía adosado a la pared, levantando ya la cortina con una mano para salir. Un estertor le llenaba la garganta. Exclamó:

—¡Amnón, Amnón, hermano de Tamar!

Y salió dando un portazo.

Ana permanecía hundida en el asiento. El grito que acababa de oír resonaba aún dentro de ella; vagos relatos de las Santas Escrituras le vinieron a la memoria; sabiendo ya lo que iba a leer, cogió la Biblia de doña Valentina y la abrió por la página señalada, leyó el pasaje en que Amnón violenta a su hermana Tamar. No pasó de los primeros versículos. El libro se le resbaló de las manos y, recostada en el respaldo del sillón, estupefacta por haberse mentido a sí misma durante tanto tiempo, escuchaba latir su corazón.

Le pareció que aquel corazón suyo se dilataba hasta el punto de llenar todo su ser. Una indolencia irresistible la invadía. Atravesada por bruscos espasmos, con las rodillas juntas, permanecía replegada sobre aquel latido interior.

A la noche siguiente, Miguel, que estaba tendido en la cama, sin dormir, creyó oír algo. No estaba seguro de ello: era menos un ruido que el estremecimiento de una presencia. Por haber vivido muchas veces con la imaginación instantes semejantes pensó que debía de tener fiebre y, tratando de calmarse, recordó que la puerta tenía el cerrojo echado.

No quería levantarse; se incorporó y se sentó en la cama. Parecía como si la conciencia que de sus actos poseía se hiciera más clara cuanto más involuntarios eran éstos. Asistiendo por primera vez a esa invasión de sí mismo, sentía vaciarse gradualmente su espíritu de todo lo que no fuese aquella espera.

Puso los pies en las baldosas y, muy despacito, se levantó. Contenía la respiración por instinto. No quería asustarla; no quería que ella supiera que la estaba oyendo. Tenía miedo de que huyese y aún más de que se quedara. El suelo de madera, al otro lado de la puerta, crujía un poco bajo dos pies descalzos. Se acercó a la puerta sin ruido, parándose repetidas veces, y acabó por apoyarse en ella. Sintió que Ana se apoyaba también;

el temblor de sus dos cuerpos se comunicaba a la madera. Estaba oscuro por completo: cada uno de ellos escuchaba en la sombra el jadeo de un deseo igual al suyo. Ella no osaba suplicarle que abriese. Para atreverse a abrir, él esperaba sus palabras. El sentimiento de algo inmediato e irreparable le helaba la sangre; deseaba que ella no hubiera venido nunca y, al mismo tiempo, que estuviera ya dentro de la habitación. El latido de sus arterias le impedía oír. Dijo bajito:

—Ana...

Ella no contestó. Él corrió los cerrojos con premura. Sus manos agitadas palpaban sin conseguir levantar el pestillo. Cuando por fin abrió, ya no había nadie al otro lado del umbral.

El largo pasillo abovedado estaba tan oscuro como el interior de la habitación. La oyó huir y perderse en la lejanía con el ruido mate, ligero y precipitado de sus pies descalzos.

Estuvo esperando mucho tiempo. Ya no oía nada. Dejó la puerta abierta de par en par y se volvió a meter entre las sábanas. A fuerza de espiar los menores estremecimientos del silencio, acababa por imaginarse tan pronto el roce de una tela como una débil y tímida llamada. Pasaron las horas. Se detestaba por su cobardía, mas se consolaba pensando cuánto debía ella sufrir.

Cuando se hizo por completo de día, se levantó a cerrar la puerta. Solo en el cuarto vacío, pensaba: «Ella podría estar aquí».

Las mantas revueltas formaban grandes masas de sombra. Se enfureció consigo mismo. Se tiró en la cama dando vueltas y gritando.

Ana pasó el día siguiente en su habitación. Las contraventanas estaban cerradas. Ni siquiera se había vestido: el largo traje negro en que la envolvían cada mañana sus doncellas flotaba en pliegues sueltos alrededor de su cuerpo. Había prohibido que dejaran entrar a nadie. Sentada, con la cabeza apoyada en las asperezas del respaldo, sufría sin lágrimas, sin pensar, humillada por lo que había intentado hacer y, al mismo tiempo, por haberlo intentado en vano, demasiado agotada incluso para sentir su sufrimiento.

No obstante, al llegar la noche, sus criadas le trajeron nuevas noticias.

Don Miguel, a mediodía, se había presentado en los aposentos de su padre. El caballero se hallaba postrado en una de aquellas crisis de terror místico durante las cuales se veía condenado al infierno. Ante la insistencia de Miguel, los criados le dejaron entrar en el oratorio donde estaba don Álvaro, quien cerró con impaciencia su libro de horas.

Don Miguel le anunció que próximamente embarcaría en una de las galeras armadas que daban caza a los piratas que cruzan de Malta a Tánger. En aquellos barcos, por lo general vetustos y mal equipados, y cuya tripulación se componía de aventureros, de antiguos piratas o de turcos conversos, a las órdenes de cualquier improvisado capitán, se aceptaba a todo el mundo. Los criados, informados no se sabe cómo, creían estar seguros de que don Miguel había firmado su enrolamiento aquella mañana.

Don Álvaro le dijo con sequedad:

—Singulares ideas tenéis para ser un gentilhombre.

Sin embargo, aquél era un golpe duro para él. Se le vio palidecer y dijo a su hijo:

—Pensad, señor, que no tengo más heredero que vos.

Don Miguel miraba fijamente al vacío. Algo desesperado se dibujó en su mirada y, sin que un solo músculo de su rostro se estremeciera, su cara se cubrió de lágrimas. Sólo entonces pareció comprender don Álvaro que un cruel combate se estaba librando, acaso desde hacía mucho tiempo, en el alma de su hijo.

Don Miguel se disponía a hablar, a confiarse probablemente. Su padre lo detuvo con un ademán:

—No —le dijo—. Supongo que Dios os envía alguna prueba. No tengo por qué conocerla. Nadie tiene derecho a entremeterse entre una conciencia y Dios. Haced lo que mejor os plazca. Para cargarme con vuestros pecados, pesan ya demasiado los míos.

Estrechó la mano de su hijo; los dos hombres se abrazaron solemnemente. Miguel salió. A partir de entonces, no se sabía dónde se hallaba.

Las criadas de Ana, viendo que ella no les respondía, la dejaron sola.

Había oscurecido por completo. El calor, en aquel cuarto día de abril, era precoz y sofocante. Ana sentía de nuevo alterarse su corazón; presentía con espanto que la fiebre del día anterior aparecería de nuevo a la misma hora. Se ahogaba. Tuvo que levantarse.

Acercándose al balcón, abrió las contraventanas para que penetrara la noche y se apoyó en la pared para respirar.

El balcón, muy amplio, comunicaba con diversas habitaciones. Don Miguel estaba sentado en el ángulo opuesto, acodado en la balaustrada. No se volvió. Un temblor le advertía que ella estaba allí. No hizo ni un movimiento.

Doña Ana miraba fijamente en la oscuridad. El cielo, en aquella noche de Viernes Santo, parecía resplandeciente de llagas. Doña Ana, en tensión por tanto sufrimiento, le dijo por fin:

—¿Por qué me habéis matado, hermano?

—Pensé en ello —contestó él—. Pero creo que seguiría amándoos aun después de muerta.

Sólo entonces se dio la vuelta. Ella entrevió, en la penumbra, su rostro deshecho, al que parecían corroer las lágrimas. Las palabras que había preparado murieron en sus labios. Se inclinó sobre él con desolada compasión. Cayeron uno en brazos del otro.

Tres días más tarde, en la iglesia de los Dominicos, don Miguel asistía a misa.

Había abandonado el Fuerte de San Telmo con las primeras luces del alba, en ese lunes que el pueblo llama la Pascua del Ángel, para rememorar que un enviado celestial habló antaño a unas mujeres, al lado de un sepulcro. Allá arriba, en la fortaleza gris, alguien lo había acompañado hasta el umbral de una habitación. Los adioses se habían prolongado en silencio. Él había tenido que desprenderse, muy suavemente, de aquellos brazos tibios que se apretaban contra su nuca. Sus labios conservaban todavía el sabor áspero de las lágrimas.

Rezaba desesperadamente. A cada oración sucedía otra, aún más ardiente; cada vez un nuevo impulso lo llevaba a una tercera oración. Experimentaba, junto con un aturdimiento similar a la embriaguez, ese aligeramiento del cuerpo que parece liberar el alma. No se arrepentía de nada. Daba gracias a Dios por no haber permitido que él se fuera sin aquel viático final. Ella le había suplicado que se quedara; no obstante, él se había marchado en el día fijado para ello. Esta palabra cumplida consigo mismo lo confirmaba en sus tradiciones de honor, y la inmensidad de su sacrificio parecía comprometer a Dios. Las manos en que encerraba su rostro para mejor abstraerse de todo le devolvían el perfume de la piel que había acariciado. Al no esperar más de la vida, se lanzaba hacia la muerte como hacia un fin necesario. Y, seguro de consumar su muerte de la misma manera que había consumado su vida, sollozaba por su felicidad.

Varios fieles se levantaron para ir a comulgar. Miguel no los siguió. No se había confesado para la comunión pascual; algo parecido a los celos le impedía revelar su secreto, incluso a un sacerdote. Tan sólo se aproximó lo más posible al oficiante, de pie al otro lado del banco de piedra, con el fin de que la virtud de la hostia consagrada descendiese sobre él. Un rayo de sol resbalaba a lo largo de un pilar muy cercano. Apoyó la mejilla en la piedra lisa y suave como un contacto humano. Cerró los ojos y volvió a rezar.

No rezaba por sí mismo. Un oscuro instinto, quizá heredado de algún antepasado desconocido o renegado, que en tiempos pasados combatió a las órdenes de la media luna, le aseguraba que todo hombre que muere en combate contra los infieles se salva forzosamente. La muerte, en cuya búsqueda partía, le dispensaba del perdón. Rogaba a Dios apasionadamente para que perdonase a su hermana. No dudaba de que Dios lo haría así. Lo exigía como si fuera un derecho. Le parecía que, al envolverla con su sacrificio, la elevaba con él a una eterna bienaventuranza. La había dejado, aunque pensaba que no la abandonaba. La llaga de la separación había cesado de sangrar. En aquella mañana en que unas mujeres afligidas habían encontrado ante ellas una tumba vacía, don Miguel dejaba elevarse su gratitud hacia la vida, hacia la muerte, hacia Dios.

Alguien le puso la mano en el hombro. Abrió los ojos: era Fernão Bilbaz, el capitán del navío en que iba a embarcarse. Juntos salieron de la iglesia. Una vez fuera, el aventurero portugués le dijo que la calma chicha no permitía que saliese la galera, que podía volver a su casa, pero que estuviera dispuesto para la marcha en cuanto soplara la más ligera brisa. Don Miguel regresó al Fuerte de San Telmo, pero no se olvidó de atar, en las contraventanas de Ana, un largo chal de seda que oirían restallar al viento.

Dos días después, al amanecer, oyeron el crujido de la seda. Repitiéronse los mismos adioses y las mismas lágrimas de la primera separación, como si se repitiera un sueño. Mas puede que ya no creyeran, ni uno ni otro, en la perpetuidad de aquellos adioses.

Pasaron varias semanas: a finales de mayo, Ana se enteró de cómo había hallado la muerte don Miguel.

La galera, al mando de Fernão Bilbaz, había dado con un corsario argelino, a mitad de camino entre África y Sicilia. Tras el cañoneo vino el abordaje. La nave sarracena se hundió, pero el barco español, desamparado aunque victorioso, con los aparejos rotos y el mástil partido en dos, anduvo errante varios días, presa del viento y de las olas. Por fin, una ráfaga lo había empujado hasta una playa, no lejos de la pequeña ciudad siciliana de Cattolica. Entretanto, la mayoría de los hombres heridos durante el combate habían muerto.

Los campesinos de un pueblo muy cercano, movidos, quizá, por el afán de sacar alguna ganancia, bajaron hacia el barco perdido. Fernão Bilbaz mandó cavar una fosa y, con la ayuda del vicario de Cattolica, dio sepultura a los difuntos. Mas don Álvaro poseía extensas propiedades en esa parte de Sicilia; en cuanto las gentes del lugar oyeron el nombre de don Miguel, depositaron cuidadosamente su cuerpo, por la noche, en la iglesia de Cattolica; seguidamente, trasladaron el féretro a Palermo para, de allí, embarcarlo hacia Nápoles.

Cuando don Álvaro se enteró del triste fin de su hijo, se limitó a decir:

—Es una hermosa muerte.

No obstante, se hallaba consternado. Su primer hijo, siendo niño aún, le había sido arrebatado por la peste al mismo tiempo que su madre, unos años antes de que naciera don Miguel. Aquel doble luto hizo que don Álvaro contrajese nuevas nupcias, mas éstas, a su vez, habían resultado ser peor que inútiles. Al desaparecer Miguel, no sólo deploraba su pérdida, sino asimismo los inanes esfuerzos que había realizado por aumentar y consolidar el edificio de su fortuna que, aún inacabado, pronto se quedaría sin poseedor. Su sangre y su nombre no le sobrevivirían. Sin desviarlo enteramente del cumplimiento de sus deberes nobiliarios, aquella muerte de su hijo, al recordarle la vanidad de todas las cosas, contribuyó a precipitarlo más en sus crisis de ascetismo o de libertinaje.

El cuerpo de don Miguel fue desembarcado al crepúsculo y provisionalmente depositado en la iglesia de San Juan del Mar, no lejos del puerto. Era una tarde de junio algo brumosa, sofocante y grata. Ana, que acudió ya de noche cerrada, dio órdenes de abrir el ataúd.

Unos cuantos candelabros iluminaban la iglesia. La herida visible en el costado derecho de su hermano dio esperanzas a Ana de que éste no hubiera sufrido demasiado. Pero ¿quién podía estar seguro de ello? Tal vez, al contrario, había tenido una larga agonía entre otros moribundos, en el puente medio roto de la nave... El mismo Fernão Bilbaz ya no se acordaba. Dos o tres frailes salmodiaban. Ana se decía que aquel cuerpo medio descompuesto continuaría deshaciéndose entre las tablas y que ella envidiaba esa podredumbre. Al ver que iban a clavar la tapa de la caja, Ana buscó alguna cosa suya personal que le fuera posible meter en el ataúd. No había pensado en traer flores.

Llevaba puesto al cuello un escapulario del Carmen. Miguel, al marchar, lo había besado repetidas veces. Se lo quitó y lo puso en el pecho de su hermano.

El marqués de la Cerna, que veía crecer de día en día entre el pueblo la hostilidad hacia él, creyó prudente no asistir al traslado del cuerpo a Santo Domingo, en donde debían celebrarse las exequias. Se hizo durante la noche, sin boato alguno; Ana seguía la comitiva en una carroza. Inspiraba gran compasión a sus criadas.

Al día siguiente se celebraron los funerales ante toda la corte. Arrodillado al lado del coro, don Álvaro contemplaba fijamente el alto catafalco. El féretro desaparecía bajo un montón de colgaduras y emblemas. Por la mente del gentilhombre pasaban toda clase de visiones, áridas como el sol de la sierra, ásperas como un cilicio, punzantes como un *Dies Irae*. Contemplaba todos aquellos blasones, vanidad de los linajes, que sólo sirven para recordar a las familias el número de sus muertos. El mundo, con sus vanidades y placeres, le recordaba un sudario de seda ostentado por un esqueleto. Su hijo, lo mismo que él, había gustado de esta ceniza. Sin duda, don Miguel estaba en el infierno. Don Álvaro, con religioso espanto, pensaba que él también iría probablemente allí, y se ensimismaba pensando en los castigos eternos infligidos a las criaturas de carne, en pago a los breves estremecimientos de un placer que no procura la felicidad. A su hijo, al que no había amado mucho en vida, lo sentía ahora más cerca, unido a él por un parentesco más íntimo y misterioso: el que establecen entre los hombres, a través de la lúgubre diversidad de las culpas, las mismas angustias, las mismas luchas, los mismos remordimientos, el mismo polvo.

Ana se hallaba frente a él, al otro lado de la nave. A don Álvaro, aquel rostro reluciente de lágrimas le recordaba el de Miguel, el día de Viernes Santo, cuando su hijo le anunció su marcha, ya en el umbral de la muerte y, seguramente, del pecado. Algunos indicios que su mente había acabado por relacionar, la salvaje desesperación de Ana y hasta ciertas inquietantes reticencias de las sirvientas, le hacían sospechar lo que él no quería saber. Miraba a Ana con odio. Aquella mujer le daba horror. Se decía: «Ella lo ha matado».

La impopularidad de don Álvaro se agravó bruscamente.

Don Ambrosio Caraffa tenía un hermano: Liberio. Este joven, cuyo espíritu se alimentaba de los poetas y oradores de la antigüedad, se había dedicado al servicio de su patria italiana. Con la emoción que siguió a los tumultos de Calabria, incitó a los campesinos contra los recaudadores de impuestos, conspiró y se vio obligado a huir. Pusieron precio a su cabeza. Lo creían a salvo en uno de los castillos de su familia cuando, de repente, se supo que acababa de ser encarcelado en el Fuerte de San Telmo.

El virrey se hallaba ausente. Don Ambrosio Caraffa fue a casa del gobernador, rogándole que aplazase la ejecución. El padrino de don Miguel dijo al marqués de la Cerna:

—No os pido sino un aplazamiento. Amo a Liberio como si fuera mi propio hijo. Pensad que no tiene más edad de la que tenía don Miguel.

Don Álvaro respondió:

—Mi hijo ha muerto.

Don Ambrosio Caraffa comprendió que toda esperanza estaba perdida. Aborrecía a don Álvaro, pero lo compadecía. Además, no podía por menos de admirar su inquebrantable firmeza. Más la hubiera admirado de haber sabido que el gobernador obedecía órdenes dadas de viva voz por el conde de Olivares, aun sabiendo que éste, en público, lo desautorizaría.

Horas más tarde corrió la noticia de que la cabeza de Liberio había caído ya. En lo sucesivo, don Álvaro no se atrevió a bajar, sino muy pocas veces y con numerosa escolta, o enmascarado y ya de noche cerrada, a la ciudad adonde lo llevaban sus devociones y sus placeres. Lo reconocieron y le arrojaron piedras; se encerró en el Fuerte de San Telmo y no volvió a salir de allí. La ciudadela, que aplastaba a Nápoles como el puño del Rey Católico, era odiada por el pueblo.

Ana iba todas las tardes a la iglesia de Santo Domingo. Hasta los peores enemigos de su padre se compadecían de su dolor cuando ella pasaba. Mandaba abrir la capilla y permanecía allí, inerte y sin lágrimas, olvidándose hasta de rezar. Los fieles que acudían a la iglesia a esas horas tardías la miraban a través de la reja, sin atreverse siquiera a pronunciar su nombre, por miedo a molestar a aquella figura que parecía una estatua sobre un sepulcro.

Se creyó que entraría en un convento. Jamás consintió en ello. Su vida, en apariencia, no había cambiado, aun cuando una regla casi monástica regía sus días, y llevaba puesto un cilicio para recordar su pecado. Por las noches se acostaba en una estrecha cama de madera, que había mandado instalar al lado del enorme lecho donde ya no quería dormir. Las pesadillas la despertaban; estaba sola. Entonces se desesperaba diciéndose que todo aquello había pasado igual que un sueño, y que no tenía pruebas de nada, que acabaría por olvidar. Para revivirlo todo, se adentraba en su memoria. Ninguna posibilidad de porvenir se estremecía en ella. Tan agudo era el sentimiento de su soledad, que Ana hubiera deseado ardientemente aquello cuya espera, en un caso como el suyo, espanta a la mayoría de las mujeres.

Regresó el virrey de Nápoles, el conde de Olivares. Mandó llamar a don Álvaro a sus aposentos y le dijo, sin más preámbulos:

—Sabíais que yo iba a desautorizaros.

Don Álvaro se inclinó. El conde de Olivares prosiguió:

—No creáis que yo actúo así en mi propio interés. Acabo de recibir unas cartas de llamada del rey, y un monarca mucho más poderoso me llamará seguramente muy pronto a su lado.

No estaba mintiendo. Se hallaba enfermo, hinchado por la hidropesía. Añadió seguidamente:

—El marqués de Espínola anda buscando, para la guerra de Flandes, un lugarteniente que conozca los Países Bajos. Vos combatisteis no hace mucho en esa provincia. Precisamente enviamos allí, a través de Saboya, un convoy de hombres y dinero. Vos lo conduciréis.

Aquello significaba el exilio. Don Álvaro, al despedirse del conde de Olivares, besó su mano fláccida y dijo pensativamente:

—Todo es nada.

Al volver, mandó prevenir a Ana para que se ocupase de hacer los preparativos del próximo viaje.

El gobernador pasó sus últimos días en Nápoles recluido en la cartuja de San Martín, fortaleza dedicada a la oración, lindante con la suya. Ana procedió a hacer un inventario. Llegaron al cuarto de don Miguel. Ana no se había acercado a aquella puerta desde el día en que Miguel la había reñido a causa de un escudero. Al abrir, sintió como un vahído: aquel incidente olvidado se reproducía ante ella; Miguel se esforzaba por gritarle insultos, con el rojo de la vida y de la cólera en sus mejillas morenas. La estancia, en donde aún podían verse unos cuantos arneses de gran valor tirados por el suelo, estaba impregnada de olor a cuero. Ella se decía —y al decírselo sabía que estaba mintiendo— que, en aquel momento, aún no había sucedido nada irreparable y que las cosas bien hubieran podido ocurrir de distinta manera. Se sintió mal. Las criadas abrieron las ventanas para que penetrara el aire. No se recuperaba. Salió.

El gobernador había decidido, por prudencia, que la salida tendría lugar muy temprano. Las doncellas de Ana la vistieron a la luz de los candelabros. Después bajaron con los baúles. Ana, al quedarse sola, salió al balcón para contemplar Nápoles y el golfo, en la blancura mate de la mañana.

Era un día de mediados de septiembre. Ana, inclinada sobre la balaustrada, miraba hacia abajo buscando, como si fuesen las estaciones de un camino que jamás volvería a recorrer, cada uno de los lugares en que su vida se había detenido un momento. El declive de una colina, a la derecha, le tapaba la isla de Ischia en donde dos niños pensativos habían deletreado juntos una página de *El banquete*. El camino de Salerno, a la izquierda, se perdía en la distancia. Ana reconocía, cerca del puerto, la iglesia de San Juan del Mar, donde se reunió con Miguel por última vez, y, surgiendo de entre el escalonamiento de los tejados que formaban terraza, el campanil de Santo Domingo de los Aragoneses. Cuando subieron las criadas, encontraron a su ama tendida en la cama grande y deshecha, postrada sobre un recuerdo.

Un coche de caballos esperaba en el patio de armas. Ana ocupó dócilmente su sitio en el vehículo donde su padre se había instalado ya. Delante de la entrada, unos criados del nuevo gobernador que transportaban enseres y muelles se querellaban con los que partían. El carruaje se puso en marcha. Al atravesar la ciudad, casi desierta a esas horas, Ana pidió que se detuvieran un instante delante de Santo Domingo, que acababa de abrir sus puertas. Don Álvaro no se opuso a ello.

Pasaron unos instantes. El marqués se impacientaba. Las criadas, por orden suya, entraron en la iglesia para rogarle a doña Ana que saliera. Reapareció enseguida.

Se había echado el velo por la cara. Volvió a ocupar su sitio sin decir ni una palabra, dura, indiferente, impasible, como si en aquella capilla, a modo de exvoto, hubiera dejado su corazón.

Doña Ana había compuesto, para el sepulcro, el acostumbrado epitafio. Podía leerse en el plinto:

LUCTU MEO VIVIT

Seguían, en español, el nombre y los títulos. Luego, en el zócalo:

ANA DE LA CERNA Y LOS HERREROS,
SOROR
CAMPANIAE CAMPOS PRO BATAVORUM CEDANS
HOC POSUIT MONUMENTUM
AETERNUM AETERNI DOLORIS
AMORISQUE

La Infanta, en Flandes, se hallaba agradecida a Monsieur de Wirquin, capitán coronel de una tropa reclutada cerca de Arras, en sus tierras, por haber pagado de su bolsillo la soldada ya muy atrasada de sus hombres; también sabía que sus jefes apreciaban su brutal valentía. Mas aquel francés, que se obligaba a hablar el español de la corte como quien pone el adorno engañoso de un encaje en una armadura, parecía de esas gentes que han nacido provistas de una doble faz, y a quienes un guiño basta para tornarse en tránsfugas. De hecho, ninguna clase de lealtad vinculaba a Egmont de Wirquin con aquellos italianos parlanchines, ni con los fanfarrones españoles, dorados pícaros, en ocasiones bastardos y cuya sangre corrompida, de hacerle caso a él, no valía lo que la suya. Más tarde sabría vengarse, con algún estudiado insulto, de aquellos que le recalcaban que su título de nobleza databa de anteayer y, en caso de que la fortuna tardase demasiado en llegar, o de que la brisa política soplara en otra dirección, siempre podría pasarse del lado francés.

En Brabante, la noche antes de ser recibido por la Infanta, en el vehículo que los llevaba al campamento, el duque de Parma dibujó a su subordinado el perfil de los acontecimientos. Las siete provincias del Norte se hallaban, a decir verdad, definitivamente perdidas. España, mal repuesta de la tempestad que arrasó sus naves, ya no podía pretender patrullar aquellas largas costas, cuyas dunas tantos muertos encerraban. Cierto era que, hacia el interior, volvía a florecer la lealtad en las buenas ciudades. No obstante, confesó que resultaba difícil pagar los suministros que se adeudaban a los ricos burgueses de Arras, comerciantes en paños y en vinos, y con los que estaba emparentado Monsieur de Wirquin por parte de madre. Un préstamo a la causa real constituía un honor y una promesa de porvenir; la suma le sería devuelta en cuanto regresaran los galeones. El capitán coronel sonrió sin contestar.

Después de esto, el hábil italiano dejó caer, como quien no quiere la cosa, que un matrimonio con alguna de las jóvenes beldades que habían venido de España y a quienes la Infanta, por razones de política, se proponía casar en Flandes, garantizaría a cualquier hombre bien nacido, pero sin influencia en la corte, una ocasión para abrirse camino cerca del archiduque y de su real esposa. A Monsieur de Wirquin no le tentaba gran cosa el estado conyugal, mas sí la idea de un brillante enlace. Se contentó con decir que ya vería.

Habíase casado la Infanta siendo ya mayor. Vestida con austeridad monacal, por su gusto hubiera confinado a sus meninas en una penumbra eclesial. No obstante, no se oponía a que lucieran los atavíos dignos de su rango, ni a los juegos permitidos, ni al homenaje de ciertos galanes cuidadosamente elegidos, con vistas a las buenas alianzas que cimentarían su política de conciliación. Quizá envidiara aquellos ojos reidores, o llenos de lágrimas infantiles, no obsesionados por la visión de ejércitos, flotas y fortalezas. Aquel día, sentada al lado de la alta chimenea, al final de una tarde lluviosa, contemplaba melancólicamente a sus damas de honor, preguntándose a cuál de ellas iba a sacrificar. De sus labios caían palabras tales como abnegación a la causa real y sumisión al cielo. Las jóvenes retrocedían ante su mirada escrutadora: las que tenían amantes temían verse obligadas a abandonarlos, y Pilar, Mariana o Soledad rezaban para que no las escogiesen a ellas.

Pero la Infanta se volvió hacia Ana de la Cerna, de veinticinco años, la más reciente de sus damas de honor y también la de más edad. Iba de negro desde la muerte de su hermano, caído tres años antes en servicio del rey, y la suntuosidad de las telas que la vestían ponía un toque fastuoso en su luto.

—Ya hablé con vuestro padre sobre este matrimonio —dijo la Infanta—. Os deja escoger entre aceptar este contrato o el convento.

Todas sus compañeras se esperaban que optase por el convento. Se quedaron muy sorprendidas al oírla decir, en voz baja:

—No me atrae mucho el matrimonio, señora, mas tampoco me siento preparada para consagrarme a Dios.

Anunciaron la llegada del caballero. La Infanta se levantó para pasar a la estancia contigua. Ana de la Cerna se vio obligada a seguirla. Monsieur de Wirquin —quien, sin embargo, no solía apreciar más que a las rollizas beldades flamencas— quedó seducido por aquella muchacha a quien el negro de su vestido hacía parecer más blanca y más esbelta. Ana de la Cerna lo conmovía como si fuera un estandarte.

Además, murmuraban que ella heredaría de su padre, el marqués de la Cerna, inmensas propiedades en Italia. Como si todas esas riquezas, que por lo lejanas casi eran fabulosas, le pertenecieran ya, escribió a su madre para que acondicionase su mansión de Baillicour.

El marqués de la Cerna, miembro desde hacía poco tiempo del Consejo privado, tropezó por casualidad con su hija en la corte de la Infanta, unos días después de los esponsales. Se hallaba manifiestamente sumido en uno de los ataques de humildad en que se extraviaba su razón. Dijo a su hija:

—Ya no os guardo rencor.

Ana comprendió que seguía odiándola.

La misa de esponsales de Ana se celebró el 7 de agosto de 1600, en Bruselas, en la iglesia de Sablon, en presencia de la Infanta. Al llegar al ofertorio, doña Ana se desmayó, lo que fue atribuido al calor, a la extrema incomodidad causada por el gentío y a su corpiño de tejido de plata, que la apretaba demasiado. Don Álvaro, de pie al lado del coro, conservó una calma imperturbable durante toda la ceremonia, cosa que sus mismos detractores admiraban: acababan de detener a dos calvinistas apostados para apuñalarlo, y los guardias de su séquito no podían evitar volver la cabeza en cuanto oían el menor ruido.

También don Álvaro miraba hacia atrás, pues no cesó de acordarse de su pasado en aquel día. Este hombre, que no recordaba haber amado a ninguna criatura viva en cuerpo y alma, pensaba ahora más en su hijo, al haber éste pasado a ocupar un puesto en la tropa de sus fantasmas. Su cabeza se debilitaba; en ocasiones caía en unas ausencias misteriosas, que lo llevaban desde las fronteras del país ardiente, pero sin color ni forma, en donde, de todas nuestras acciones, sólo sobreviven los remordimientos. No osando mirar de frente la falta de Miguel, tal vez por miedo a no horrorizarse lo bastante, experimentaba, sin embargo, una especie de envidia ante aquella pasión que lo había barrido todo a su alrededor, incluso el miedo al pecado. El amor había ahorrado a Miguel el espanto de estar solo, como su padre, en un universo vacío de todo lo que no es Dios. Lo envidiaba sobre todo por haber sido ya juzgado. El matrimonio de Ana cortaba el último hilo, muy tenue, que lo unía a su raza en la tierra; la ambición no era más que un engaño, y ya no le hacía caer en sus redes; las exigencias de la carne se iban acallando con la edad; esta triste victoria lo obligaba a mirar por su alma. Inquieto, pero agotado, el marqués sentía llegado el momento de abandonarse a la gran mano terrible que tal vez se hiciera clemente en cuanto él hubiera dejado de luchar.

Unos meses más tarde participó por última vez en el Consejo privado de la Infanta. Su dimisión fue aceptada fácilmente. Sufrió por ello: había esperado que el mundo lo disputase a Dios con mayor empeño.

Egmont de Wirquin llevó a su mujer a Picardía, a sus tierras. Ante aquel extranjero que creía poseer a Ana —¡como si pudiera poseerse a una mujer cuando se ignoran las razones de su llanto!—, el marqués, a pesar del resentimiento que seguía sintiendo hacia su hija, se sentía ligado a ella por una muda complicidad. No obstante, sus adioses fueron secos; a pesar suyo, don Álvaro la despreciaba por seguir todavía con vida; la misma Ana también reprochaba a la desgracia el que no la hubiera destrozado más. Resignada a soportar a un marido al que, por lo menos, no amaba, se alegraba de que su rostro, sus manos y sus pechos hubieran adelgazado y fuesen diferentes de aquellos que unas manos, ya convertidas en polvo, habían acariciado.

Inquietudes de guerra y de dinero impedían a Monsieur de Wirquin preocuparse mucho de ella. Harto desdeñoso para buscarle un motivo a las fantasías de una mujer, nunca se extrañó de que Ana, cuando llegaba la Semana Santa, pasara las noches rezando.

En Nápoles, una noche de julio de 1602, un hombre pobremente vestido llamó a la puerta del monasterio de San Martín.
La mirilla enrejada se abrió con prudencia y el hermano portero, en un principio, se negó a dejar entrar al extranjero, por
ser hora muy tardía. Sorprendido por un tono de mando que
no estaba acostumbrado a oír en los mendigos de aquella especie, el fraile descorrió por fin el cerrojo e introdujo al desconocido. Una vez en el umbral, el hombre se volvió. Era ese instante
en que el sol, ya rojo, se desliza por detrás de los Camaldulen-
ses. El hombre contempló, sin decir una palabra, la mar pálida, las enormes cortinas del Fuerte de San Telmo enlucidas por
el oro del crepúsculo y, más allá de las almenas que le tapaban
la vista del puerto, el triángulo hinchado de un galeón saliendo
de la rada. Después, con un brusco movimiento de hombros,
se hundió el sombrero sobre los ojos y siguió a su guía por un
largo pasillo. Al pasar por la iglesia, que era nueva y estaba ri-
camente ornamentada, se arrodilló durante un buen rato, mas
se percató de que el fraile no le quitaba los ojos de encima,
como si temiera hallarse frente a un ladrón. Ambos entraron
por fin en un locutorio lindante a la sacristía. El hermano, entonces, cerró la puerta tras el extranjero, dio varias vueltas a la
llave, que chirrió con ruido de chatarra, y fue a prevenir al
prior.

El extranjero, con la mirada perdida como en una oración,
esperó durante un tiempo indefinido. El mismo chirrido se dejó
oír, y el prior de San Martín, don Ambrosio Caraffa, apareció
por fin. Dos frailes que le daban escolta se pararon en el lum-
bral de la puerta. Cada uno de ellos llevaba una vela. Las pálidas llamas se reflejaban en el artesonado.

El prior era un hombre obeso, ya de cierta edad, de rostro benevolente y sereno. El hombre se quitó el sombrero, desabrochó su capa y dobló la rodilla sin hablar. Al agachar la cabeza, su barba áspera y gris rozó el terciopelo del jubón. En su rostro demacrado, todo él una pura red de músculos, los ojos miraban hacia delante, más allá del prior, como si se esforzara por no ver a ese fraile a quien, sin embargo, quería pedir algo.

—Padre —le dijo—, soy viejo. La vida ya no tiene nada que ofrecerme, a no ser la muerte, y espero que ésta será mejor de lo que fue aquélla. Os pido que me aceptéis como al más humilde y desvalido de vuestros hermanos.

El prior examinaba en silencio al altivo suplicante. El hombre que estaba hablando no llevaba joyas, ni cuello, ni adornos de pasamanería, pero alrededor del cuello tenía una cadena de la que colgaba, por descuido o por postrera vanidad, el Toisón de oro español. Advertido por la mirada del prior, el extranjero llevó a él su mano y se lo quitó.

—Sois noble —dijo el prior.

El hombre respondió:

—Lo he olvidado todo.

El prior levantó la cabeza:

—Sois rico.

—Todo lo di —dijo el hombre.

En aquel momento, un prolongado grito monótono ascendió, se estiró, descendió. Era la consigna de los centinelas, el relevo en el Fuerte de San Telmo, y el prior vio al extranjero estremecerse al oír ese eco repentino del mundo. Hacía ya un buen rato que don Ambrosio Caraffa había reconocido a don Álvaro.

—Sois el marqués de la Cerna —le dijo.

Don Álvaro contestó humildemente:

—Lo he sido.

—Sois el marqués de la Cerna —prosiguió el prior—. Si se hubiera sabido que estabais en Nápoles, más de uno cuya existencia acaso ignoréis habría acudido a desearos la bienvenida con un puñal. Hace diez años yo hubiera hecho lo mismo. Mas el golpe que de vos recibí me arrojó fuera del mundo. Os ha llegado el turno de desear morir para él. Los fantasmas no se matan entre sí en este lugar de paz.

Y al levantarse don Álvaro, añadió:

—Don Álvaro, seréis mi huésped, como en aquellos tiempos en que yo os recibía en mi cenador de las Cascatella.

Y una fina sonrisa de patricio, medio escondida entre la grasa, pasó por el rostro del cartujo. Don Álvaro se ensombreció y el prior se dio cuenta de ello.

—Hice mal en evocar el pasado —dijo—. Aquí no sois más que el huésped de Dios.

Entonces, don Álvaro se volvió para contemplar no sé qué en la sombra. Le asaltaron algunos de sus antiguos temores, junto con el horror del gran abismo. Mas las murallas del monasterio lo defendían del vacío y, tras ellas, otras murallas aún más fuertes que elevaba en torno a él la Iglesia. Y don Álvaro sabía que las puertas del infierno no prevalecerían contra ella.

Desde entonces su vida se convirtió en penitencia.

Don Ambrosio Caraffa, dentro de la sencillez cisterciense, conservaba esa afición al arte que lo había distinguido en el siglo. Los claustros fueron reconstruidos, con su dinero, en estricta conformidad con los órdenes de Vitruvio y, para inclinar a las meditaciones de un piadoso epicureísmo, cada pilastra lucía, primorosamente esculpida, una calavera. Las manos gordezuelas del prior comprobaban cuidadosamente el pulido de la piedra. Aquel patricio, para quien la religión tal vez no fuese sino el coronamiento de la sabiduría humana, hallaba a Dios tanto en las vetas de un hermoso mármol como en la lectura del *Cármides*. Sin infringir la regla del silencio, cuando una flor de sus jardines le parecía especialmente hermosa, la señalaba con una sonrisa.

Entonces don Álvaro pensaba en el combate que desarrollan bajo tierra las raíces, en el calor de la savia, que hace de cada corola un receptáculo de lujuria. Las construcciones inacabadas, cuyo aspecto, como si quisieran descorazonar al maestro cantero, imita de antemano la ruina en que se convertirán un día, le recordaban que todo constructor, a la larga, sólo edifica un derrumbamiento. Aún le quedaba cierto dolor, como secuela de una fiebre, de sus ambiciones cansadas, y el asombro que produce, tras el ruido, el ensordecedor silencio. Los arcos del claustro —en los que la luz del mediodía, al proyectar cada arcada en la pared opuesta, ponía una columna de sombra que hacía juego con la de piedra— alternaban negros y blancos cual doble fila de monjes. Don Ambrosio y don Álvaro se saludaban al pasar. El uno, al repetirse los versos de un poeta de Chiraz que, en tiempos de sus embajadas romanas, le había explicado un enviado del Sultán, hallaba en cada anémona la fresca juventud de Liberio. La tierra árida, en donde a veces cavaban una tumba, recordaba al otro a don Miguel. De esta manera, cada uno de ellos leía de forma distinta ese libro de la creación, que puede descifrarse en dos sentidos, y en ambos sentidos posee un mismo valor, pues nadie ha averiguado aún si todo vive para morir, o si sólo muere para vivir de nuevo.

La historia de Ana tuvo en lo sucesivo la monotonía de una prueba durante largo tiempo soportada. Monsieur de Wirquin abandonó muy pronto los intereses de España para mirar por Francia, lo que aumentó el desdén que Ana sentía hacia él. En diversas ocasiones, la guerra asoló sus tierras; hubo que salvaguardar, en la medida de lo posible, a campesinos, ganado y enseres, aunque estas preocupaciones comunes no consiguieron acercarlos. Por su parte, el marido de Ana nunca perdonó a su suegro el haber donado su fortuna a instituciones piadosas; los bienes casi fabulosos, que habían contribuido, al menos en parte, a hacerle contraer aquel matrimonio, no fueron más que espejismos. Entre Ana y él, la cortesía ocupaba el lugar de la ternura, sentimiento que, por lo demás, él no consideraba necesario en sus relaciones con una mujer. Ana soportó con repulsión, al principio, sus atenciones nocturnas; luego, el placer se insinuó en algunas ocasiones en ella, siempre a su pesar, y limitado a una parte baja y estrecha de su carne, sin conmover todo su ser. Agradeció que, pasado el tiempo, él se buscara amantes que lo alejaban de ella.

Unos cuantos embarazos, soportados con resignación, le dejaron sobre todo el recuerdo de largas náuseas. Quiso, no obstante, a sus hijos, aunque con un amor animal que disminuía en cuanto ya no la necesitaban. Dos varones murieron de niños: lloró sobre todo por el más pequeño, cuyas facciones infantiles le recordaban a Miguel, pero a la larga pasó también aquella pena. El hijo mayor, que sobrevivió, era hombre de guerra y de corte, y se debatía con los acreedores que le había dejado su padre, muerto en duelo a consecuencias de un misterioso asunto de honor. Su hija era religiosa en Douai. Pocos meses después de la muerte de Monsieur de Wirquin, un amigo del difunto que daba escolta a Ana desde Arras a París, en donde estaba su hijo, aprovechó una estancia casual para asediar a la viuda, aún hermosa. Demasiado cansada para luchar o acaso impulsada por su propia carne, Ana lo recibió con la misma emoción, ni más ni menos, que la que había sentido en el lecho conyugal. Este incidente no tuvo mayores consecuencias; el galán partió a reunirse con su regimiento en Alemania; la verdad era que nada de aquello tenía importancia. Durante las escasas estancias de Ana en el Louvre, la reina se encaprichó con aquella española de alto linaje, con la que se entretenía hablando en su lengua materna. Mas la viuda de Egmont de Wirquin rechazó el puesto de azafata que le ofrecía. La pompa francesa y el lujo de Flandes, bajo sus cielos sombríos, no representaban nada si se los comparaba con el recuerdo de los fastos de Nápoles y con su puro cielo.

Con los años, la soledad, el cansancio y una especie de estupor cayeron sobre ella. No tenía el consuelo de las lágrimas: se consumía en aquella sequedad como en el interior de un árido desierto. En ciertos momentos, algunos delicados retazos del pasado se insertaban inexplicablemente en el presente, sin que se supiera de dónde provenían: un ademán de doña Valentina, el enredarse de una parra en torno a la polea de un pozo viejo en el patio de Acropoli, un guante de don Miguel encima de una mesa, con el calor de su mano todavía... En aquellos momentos parecía como si corriese una brisa tibia: se sentía casi desfallecer. Luego, durante meses, el aire le faltaba. El oficio de Difuntos, recitado a diario desde hacía casi cuarenta años, a fuerza de repetirlo, perdía súbitamente todo sentido. El rostro del amado se le aparecía a veces en sueños, con tal precisión, que veía hasta los menores detalles, hasta la ligera pelusilla de encima del labio; el resto del tiempo, yacía descompuesto en su memoria como el mismo don Miguel en su sepulcro, y tan pronto le parecía que Miguel jamás había existido sino en su imaginación, como que estaba obligando, de manera casi sacrílega, a revivir al muerto. Del mismo modo que hay gentes que se azotan para excitar su sentidos, Ana se flagelaba con sus pensamientos para reavivar su aflicción; mas su dolor, agotado, se había convertido en lasitud. El corazón mortificado se negaba a sangrar.

Al llegar a los sesenta años, dejó la propiedad a su hijo y se instaló como pensionista en el convento de Douai, donde su hija había tomado los hábitos. Había también otras damas nobles con intención de acabar allí lo que les quedaba de vida. Poco después de la llegada de Ana, prepararon una habitación para una tal Madame de Borsèle, una de las amantes por quien se había arruinado Egmont de Wirquin. El tiempo que todas aquellas señoras no dedicaban a los oficios lo pasaban bordando, leyendo en voz alta las cartas que sus hijos les escribían y organizando meriendas y delicadas cenas que se ofrecían entre sí. La conversación solía versar sobre las modas imperantes en su juventud, los méritos respectivos de los difuntos maridos o de los presentes confesores, los amantes que presumían haber o no tenido. Aunque siempre volvían, con insistencia repugnante y casi grotesca, a hablar de sus males corporales visibles u ocultos. Parecía como si el exponer de este modo sus enfermedades se convirtiera para ellas en una nueva forma de impudicia. Una ligera sordera impedía a Ana oír sus insulseces y le permitía no mezclarse en ellas. Cada una de aquellas señoras había traído consigo a su doncella, mas en ocasiones sucedía que las muchachas eran negligentes o que, por una u otra razón, hubiera que despedirlas. Las hermanas legas no siempre se bastaban para el servicio de las pensionistas. Madame de Borsèle era obesa y se hallaba casi incapacitada para moverse. Ana la ayudaba a peinarse, y la antigua belleza se ponía a aplaudir cuando le acercaban un espejo en donde mirar su rostro. O bien gemía lastimeramente porque habían dejado fuera de su alcance la caja donde guardaba las golosinas. Ana, entonces, se levantaba de la silla, cosa que ya le costaba bastante trabajo, encontraba la caja y dejaba que Madame de Borsèle se atracara de dulces. Una vez, una vieja pensionista que volvía del refectorio vomitó en el pasillo. Ninguna criada se hallaba allí en aquel momento. Fue Ana la que tuvo que fregar las baldosas.

Las monjas admiraban su mansedumbre para con su antigua y escandalosa rival, su austeridad, su humildad y su paciencia. Pero no es que hubiera en ello ni mansedumbre, ni austeridad, ni humildad, ni paciencia en el sentido en que ellas lo entendían. Sencillamente, Ana estaba ausente.

Había vuelto a leer a los místicos: Luis de León, el hermano Juan de la Cruz, la santa madre Teresa, los mismos que antaño le leía, al sol de la tarde napolitana, un joven caballero todo vestido de negro. El libro permanecía abierto al alcance de su mirada, en la ventana; Ana, sentada al pálido sol de otoño, posaba de cuando en cuando, en alguna de sus líneas, sus ojos cansados. No trataba de seguir el sentido, pero aquellas hermosas frases ardientes formaban parte de la música amorosa y fúnebre que había acompañado su vida. Imágenes de otros tiempos resplandecían de nuevo en su juventud inmóvil, como si doña Ana, en su insensible descenso, hubiera empezado a alcanzar el lugar en donde todo se reúne. Doña Valentina no andaba lejos; don Miguel resplandecía con el fulgor de sus veinte años; estaba muy cerca. Una Ana de veinte años ardía y vivía también, inalterable, en el interior de su cuerpo de mujer ajada y envejecida. El tiempo había destruido sus barreras y roto sus rejas. Cinco días y cinco noches de una violenta dicha llenaban con sus ecos y sus reflejos todos los recovecos de la eternidad.

No obstante, su agonía fue larga y penosa. Había olvidado el francés; el capellán, que presumía de saber algunas palabras de español y un poco de italiano aprendido en los libros, acudía a veces a exhortarla en una de estas dos lenguas. Mas la moribunda ya no le escuchaba y apenas le entendía. El sacerdote, aunque ella ya no veía, continuaba presentándole un crucifijo. Al final, el rostro atormentado de Ana se sosegó; cerró poco a poco los ojos. La oyeron murmurar:

—Mi amado...[*]

Pensaron que hablaba con Dios. Acaso estuviera hablándole a Dios...

* En castellano en el original. *(N. de la T.)*

Un hombre oscuro[*]

La noticia de que Nathanael había muerto en una pequeña isla frisona no produjo gran revuelo cuando la recibieron en Ámsterdam. Su tío Elie y su tía Eva reconocieron que esperaban aquella muerte; ya dos años atrás, Nathanael casi fallece en el hospital de Ámsterdam; este segundo óbito, por decirlo así, ya no conmovía a nadie. Corrían rumores de que su mujer Sarai (¿sería en verdad su mujer?) había fallecido antes que él, y más valía no indagar cómo. En cuanto al hijo de la pareja, Lazare, Elie Adriansen no se veía a sí mismo yendo a buscar al huérfano a la Judenstraat, a casa de una vieja con los ojos excesivamente negros y vivarachos, que pasaba por ser su abuela.

El nacimiento de Nathanael también había sido harto discreto; en ambos casos no hacía sino someterse a la regla general, pues la mayoría de las personas entran y salen de este mundo sin gran estrépito. El primero de estos dos acontecimientos —si es que lo era— sólo interesó a media docena de comadres holandesas, instaladas en Greenwich con sus maridos, carpinteros de oficio, que trabajaban para el Lord del Almirantazgo y eran bien remunerados en buenos chelines y en buenos peniques. Aquel grupito de extranjeros, despreciados como tales, pero respetados por su laboriosidad y su convencido protestantismo, ocupaba una serie de limpísimas casitas a lo largo de un dique. El poblado marítimo, más abajo de Greenwich, se extendía por una parte hasta la orilla, donde los mástiles sobresalían de los tejados y las sábanas tendidas se confundían con las velas; por la otra, sus casitas se perdían por una comarca aún rústica, de bosquecillos y pastos. El padre del recién nacido era un hombre gordo y rubicundo, aunque ágil, que se pasaba la mayor parte del tiempo subido a una escalera apoyada en una obra viva inacabada. La madre, una «tragabiblias», lavaba a los niños y cocinaba unos guisos que sus vecinas inglesas se hubieran negado a tocar, del mismo modo que tampoco ella hubiese probado la carne que ellas preparaban, excesivamente cruda.

Como el pequeño Nathanael era debilucho y cojeaba un poco, no lo enviaron, como a sus hermanos, a rascar el flanco de los barcos en dique seco o a clavar clavos en las vigas. Lo encomendaron a un maestro de escuela de la vecindad, que se interesaba por él.

Mantenerlo le costaría poco a la familia. Realizaría para el maestro algunos trabajillos tales como llenar los tinteros, sacarle punta a las plumas o barrer el suelo de la sala; ayudaría a la maestra a sacar agua del pozo y a escardar el huerto. Cuando pasara el tiempo, harían de él un predicador o un magíster a su vez.

Nathanael se encontró a gusto en casa del maestro, pese a las bofetadas y golpes que llovían sobre los alumnos. Pronto le encargaron que enseñase el alfabeto a los más pequeños de sus condiscípulos, pero lo hacía muy mal, y nunca hallaba el momento oportuno para golpear con la regla de hierro los dedos de los chicos. No obstante, su aire de dulzura y su atención servían para que cundiese el buen ejemplo entre los muchachos de su edad. Por la tarde, cuando ya se habían marchado los colegiales, el maestro le permitía leer: en verano, mientras había luz, en el jardín, y en invierno, al resplandor de la lumbre, en la cocina. La escuela poseía unos cuantos libros gruesos que el maestro juzgaba demasiado valiosos y de lectura harto difícil para entregársela a la caterva de colegiales, que pronto los habrían hecho pedazos. Allí había un Cornelius Nepos, un tomo descabalado de Virgilio, otro de Tito Livio, un Atlas donde se veía Inglaterra y los cuatro continentes con el mar alrededor, y delfines en el mar, así como un planisferio celeste sobre el cual hacía el niño muchas preguntas que el maestro no siempre sabía contestar. Entre los libros menos serios, había varias obras de un tal Shakespeare, que habían obtenido grandes éxitos en sus tiempos, y la novela de Perceval, impresa en caracteres góticos muy difíciles de descifrar. El maestro le había comprado todo aquello a bajo precio a la viuda de un vicario de la vecindad, para quien los únicos libros estimables eran los sermones de su difunto marido. Nathanael aprendió de esta suerte a hablar un inglés muy puro, aunque en su casa lo destrozaban, y también un poco de latín, para el que tenía bastante facilidad. Al maestro le gustaba hacerle trabajar, pues tenía pocas ocasiones de ejercitar su propio talento, desde que ya no daba clase en un buen colegio de Londres. Era implacable con la gramática, y acompañaba a Virgilio golpeando acompasadamente con el índice la tabla de su pupitre.

Cuando Nathanael cumplió quince años empezó a salir con una rubita de su misma edad, medio descarada, medio tímida, que tenía unos ojos muy bonitos. Se llamaba Janet y era aprendiza en casa de un tapicero. Los días de sol comían y bebían juntos su pan y su sidra en el prado cercano. Más tarde, se acostumbraron a pasear por el bosque, donde Nathanael recogía plantas para el herbario de su maestro. Y así fue como acabaron por hacer el amor en un lecho de hierbas y de helechos; él tenía con ella muchas atenciones, y ambos daban por descontado que algún día se casarían.

Una vez llegó ella a una de sus citas toda asustada. Un burgués, que comerciaba con armamento y suministros marinos, bebía mucho y tenía fama de ser aficionado a la carne joven y fresca, venía soltándole, desde hacía tiempo, una retahíla de proposiciones mezcladas con amenazas. Las tardes en que salían juntos, Nathanael siempre la acompañaba a casa del tapicero y esperaba hasta que la puerta se cerraba tras ella. Un domingo de mayo en que volvían cogidos de la mano, al anochecer, el borracho les cerró el paso. Probablemente los había seguido y espiado cuando se hallaban en su cama de helechos, pues prorrumpió en sucias y precisas chanzas sobre sus amores. Más ligera y presta que una corza asustada, Janet huyó. El hombre se echó hacia adelante para perseguirla, pero, afortunadamente, se tambaleaba. Tan mal lo sostenían las piernas que tuvo que apoyarse en Nathanael; le rodeó el cuello con el brazo, no se sabe si con objeto de mantener el equilibrio o a consecuencia de una súbita y estúpida ternura. Y ahora sus proposiciones iban dirigidas al alumno del magíster. Nathanael, lleno de espanto y repugnancia (no hubiera podido decir cuál de los dos sentimientos primaba) lo rechazó, cogió una piedra y le golpeó con ella la cara.

Cuando vio al hombre en el suelo, respirando apenas y con un hilillo de sangre en la comisura de los labios, el miedo se apoderó de él. Si alguien lo había vislumbrado desde lejos, o si Janet contaba aquel incidente, lo prenderían por orden del alguacil, y ya podía prepararse a ser ahorcado al día siguiente.

Huyó a su vez, pero con su paso inseguro de cojo, y además no quería correr, para no llamar la atención de los transeúntes. Escogiendo las callejuelas más desiertas, evitando los diques en donde quizá velara todavía algún guarda, pese a la hora tardía, consiguió llegar a la orilla, donde pensaba encontrar algunas barcazas dispuestas a zarpar con el alba. Una de ellas parecía estar vacía, con la escotilla abierta en medio del puente y, colgando encima, la cuerda de un torno. Los hombres de la tripulación estaban probablemente en tierra, bebiendo una última copa. No había nadie a bordo, sólo un perro, pero Nathanael siempre hacía amistad con los perros. El muchacho se coló dentro de la cala agarrándose a la cuerda del torno y se escondió entre los barriles.

Estuvo allí toda la noche, muerto de miedo, prestando oído a los pasos de los hombres que subían a bordo, al golpe de la escotilla cuando la dejaban caer pesadamente, al rumor ligero del viento y al chapoteo del agua chocando contra el casco del barco, al chirrido de las cuerdas y al chasquido de las velas en el momento de largar. Cuando por fin llegó la mañana, sintió que se deslizaban por el río, pero su miedo aún subsistía. La calma chicha podía dejarles fondeados cerca de la costa o, contrariamente, la tempestad podía forzarles a regresar a puerto. Al cabo de dos días y tres noches, muerto de hambre, llamó con voz débil a unos hombres que bajaban con las palas para repartir mejor el lastre. En aquellos momentos estaban ya en alta mar, a la altura de las Sorlingas. Pronto supo que el barco iba camino de Jamaica.

Los hombres arrastraron al tembloroso muchacho sobre la cubierta. Propusieron arrojarlo al agua por diversión, pero el cocinero, un mestizo, intercedió por él; dijo que aquel joven bribón podría serles útil, cuidar de los pollos y del cerdo que llevaban a bordo, y hacer las faenas más pesadas de la cocina. El capitán, que no era un mal hombre, pese a su aspecto brutal, consintió en ello. Nathanael encontró en el mestizo a un protector. Y, cosa extraña, aceptó de aquel hombre, sin repugnancia, unas familiaridades que le habían horrorizado cuando se las propuso el borracho de Greenwich. Nathanael sentía afecto por aquel hombre de piel cobriza, que tan bueno era con él. No valoraba el placer que el otro podía sentir al acariciar y proteger a un joven blanco.

En Jamaica se detuvieron mucho tiempo para descargar el flete que traían de Inglaterra y para cargar valiosas maderas destinadas a ser convertidas en tablas y marquetería para las hermosas casas de Londres. El mestizo había nacido en la isla; le dio a probar a Nathanael las frutas de la tierra y lo llevó a las chozas de las rameras, muy solicitadas aquellos días, pues había varias tripulaciones en el puerto. Nathanael esperó su turno, junto con los demás. Aquellas hermosas muchachas le gustaron por la suavidad de su tez y la acentuada dulzura de sus ojos oscuros, sombreados por largas pestañas, así como por su tranquilo abandono. Pero esos amores remunerados y reducidos, por escasez de tiempo, a un breve abrazo, los hombres que se apiñaban a la puerta, todos ellos presa del mismo deseo, le pro-

ducían un poco de repugnancia. El temor a coger una enfermedad contagiosa no era la única causa: le hubiera gustado tener
para él solo a una de aquellas muchachas, durante mucho tiempo, acaso para siempre, como en tiempos creyó poseer a Janet.
No había ni que pensar en ello.

Compadecía a los negros que subían por la pasarela con la
espalda encorvada bajo el peso de vigas enormes; no es que su
vida fuera más miserable que la de los estibadores del puerto de
Londres, pero éstos, al menos, trabajaban sin recibir latigazos.
A pesar de su piel desgarrada, los negros reían, en ocasiones,
mostrando sus dientes muy blancos. En la hora de más calor,
cuando hasta los contramaestres se tendían a la sombra, Nathanael reía y chapurreaba con ellos.

Zarparon para las Barbadas. La víspera, en una riña, habían herido al mestizo de una cuchillada en un ojo. La herida se
infectó y el pobre hombre murió en medio de espantosos dolores; arrojaron su cadáver al mar, tras haber rezado un salmo
por él; la verdad era que nadie sabía si estaba o no bautizado.
Nathanael lloró mucho. Le dieron el puesto de cocinero que se
quedaba vacante; salió del paso como pudo, pero, en cuanto
llegaron al puerto de Santo Domingo, abandonó el barco. Se
enroló de marinero a bordo de una fragata inglesa armada de
cuatro morteros y que se disponía a cruzar las costas del nordeste, para poner coto a las intrusiones de los franceses.

El mar, aquel verano, estaba casi siempre tranquilo y casi
desierto por aquellos parajes. A medida que iban subiendo hacia el norte, la humedad cálida iba dejando paso a las frescas
brisas. El cielo transparente se volvía lechoso cuando por él se
extendía una delgada capa de niebla; en las orillas del continente o de las islas (no era fácil distinguir a uno de otras), bosques
impenetrables descendían hasta la orilla. Nathanael recordaba
vagamente los bosques inviolados a orillas de los santuarios
que citaba Virgilio, pero estos lugares no parecían albergar ni
antiguos dioses, ni hadas, ni duendes como los que había creído
ver en las florestas de Inglaterra, sino tan sólo aire y agua, árbo-

les y rocas. No obstante, bullía allí la vida en multitud de formas. Millares de pájaros marinos se mecían sobre las olas y se posaban en los huecos que formaban los acantilados; un hermoso ciervo o un hermoso alce atravesaban a veces a nado la angostura entre dos islas, llevando muy alta la cabeza, provista de pesada cornamenta, y luego trepaban, chapoteando por la orilla.

Indios montados en piraguas se acercaron al barco en varias ocasiones: ofrecían sus odres llenos de agua fresca, bayas, pedazos de carne de alguna res que acababan de cazar y que aún chorreaban sangre, y pedían ron a cambio. Algunos conocían unas palabras de inglés, o de francés, a fuerza de ejercer aquel tipo de comercio; a bordo, siempre cuidaban de que hubiera algún oficial o marinero que supiese al menos chapurrear una de las lenguas indígenas. Más de una vez embarcaron a uno de aquellos salvajes, para que les sirviera de piloto en un paso difícil.

Un buen día, uno de ellos les trajo una noticia: un grupito de hombres blancos, de aspecto particularmente serio y bondadoso, que se pasaban todo el día en ceremonias para honrar a sus dioses, había sido abandonado en una isla cercana por los hombres de su tripulación, que se habían amotinado. Aquellos hombres vivían allí desde hacía varios meses; los indios de tierra firme, que frecuentaban aquel lugar en la época de la pesca, les llevaban a veces comida. El jefe abenaki, inmovilizado en su campamento debido a una larga enfermedad, los había mandado llamar para exigirles un tributo de bebidas alcohólicas; no tenían alcohol, pero le habían echado agua en la cabeza, para que el Gran Espíritu le favoreciese, y desde entonces el jefe estaba mejor.

No era aquélla la primera vez que el capitán oía hablar de jesuitas, que venían de Francia para evangelizar a los salvajes del Canadá. Aparte de no soportar aquellas gazmoñerías católicas, sabido es que los reverendos no suelen instalarse en ningún sitio sin que los acompañe una retaguardia de soldados y de traficantes de su país. Aquellos piadosos personajes eran los emisarios del rey supuestamente cristianísimo.

La isla a la que se referían se hallaba señalada en los mapas desde hacía poco tiempo. Alta y rocosa, cubierta en su parte baja por abetos y robles, podían reconocerse desde lejos sus seis o siete cumbres. No había en ella nada especialmente valioso, pero un brazo de mar la penetraba profundamente al sur, formando un amplio puerto natural maravillosamente resguardado del viento; un islote de forma oval protegía la entrada; en la orilla izquierda, en la parte baja de una pradera grande, manaba un manantial de agua viva conocido por los navegantes; aquellos méritos bastaban para que el rey de Inglaterra se la disputara al rey de Francia. Al aproximarse a la orilla, cerca de un bosque de abetos y de robles ya enrojecidos por el otoño, vieron unas chozas hechas con ramajes y pieles que los intrusos habían construido, probablemente con ayuda de los indios. Una cruz muy alta se alzaba en el medio. El capitán mandó disparar. A Nathanael le horrorizaba la violencia, pero la excitación de los hombres que maniobraban los morteros acabó por contagiársele; el ruido repercutía en las montañas bajas. Sin duda era la primera vez que devolvían el eco de aquellos truenos humanos, al no haber conocido hasta entonces sino el estruendo de la tormenta y, al llegar el deshielo, los crujidos de los bloques de hielo desprendiéndose del acantilado. Desde la distancia en que se hallaban, vio a unos hombres con sotana dispersarse por entre las altas hierbas: dos de ellos cayeron, los demás se refugiaron en los bosques.

Echaron una barca al agua, barca que luego amarraron a la orilla, pero las chozas destripadas no ofrecieron más botín que un montoncito de ropas y provisiones, junto con unos libros y una caja de herramientas, de los que se apoderó el capitán. Nathanael comprobó que uno de los padres había empezado a hacer un herbario; las hojas ondeaban al viento. Había también un cuadernillo, donde el jesuita había empezado un vocabulario en lengua india, con sus equivalentes latinos escritos en tinta roja. Nathanael se lo metió en el bolsillo, ya que a nadie podía interesarle aquello, pero lo perdió poco después.

Tenía prisa por socorrer, en caso de serle posible, a los dos hombres que habían caído, pues sabía que sus compañeros no se preocuparían de semejante tarea. Pero la pradera era más extensa y accidentada de lo que había creído; se sentía como perdido en aquel mar de hierbas. Además, uno de los hombres había muerto ya. Nathanael avanzó con precaución hacia el segundo, que todavía respiraba. No prestaba gran crédito a las furibundas palabras de los predicadores que, cuando era niño, había oído en el templo de Greenwich, adonde lo llevaban sus padres, y el odio a los católicos enemigos del rey de Inglaterra no había hecho presa en él; empero, le habían enseñado a temer a los papistas y a los franceses. Aunque aquel joven no parecía peligroso: se estaba muriendo y tenía una parte del tórax hundida; la sangre empapaba casi invisiblemente su sotana negra. Nathanael le ayudó a levantar un poco la cabeza y se dirigió a él primero en inglés, luego en holandés, sin lograr que el otro lo entendiera. Se le ocurrió entonces preguntarle en latín qué podía hacer para aliviarlo, aunque el latín del magíster difería, sin duda, del latín que habla un jesuita francés. El moribundo lo entendió, sin embargo, lo bastante para decirle con una débil sonrisa de sorpresa:

—*Loquerisne sermonem latinum?*

—*Paululum* —replicó tímidamente Nathanael.

Y se quitó el capote de marino para tapar con él al moribundo, que probablemente tenía frío. Ya el francés le rogaba que sacase de su bolsillo un libro grueso, aunque de formato pequeño, que resultó ser un breviario, y que arrancase la guarda, en donde se hallaban escritas unas cuantas palabras: su nombre y el de la ciudad donde estaba su seminario.

—*Amice* —dijo el moribundo—, *si aliquando epistulam superiori meo scribebis mater et soror meae mortem meam certa fide dicerent...*

Nathanael dobló cuidadosamente la hoja y prometió escribir al superior de Angelus Guertinus, *ex seminario Annecii,* para que su madre y su hermana no permanecieran en la incertidumbre. Annecium no le decía nada, y Annecy no le hubiera dicho mucho más. Pero sólo se trataba de consolar a un agonizante. El joven sacerdote se incorporó ligeramente, apoyándose en el codo, y le pidió que abriese el libro por donde él le indicaba: Nathanael reconoció algunos salmos que había leído en la Biblia de sus padres, en lengua vulgar, pero aquellos salmos sonaban de manera extraña en las soledades que nada sabían del Dios de un reino llamado Israel, ni de la Iglesia Romana, ni de las otras fundadas por Lutero y Calvino. No obstante, algunos de aquellos versículos eran muy hermosos: los que trataban del mar, de los valles y de las montañas, y también de la inmensa angustia del hombre. La voz de Nathanael se quebraba, lo mismo que cuando leía a Virgilio en el colegio.

—*Summa voce, oro* —susurró el joven jesuita, sea porque entendiera mal las palabras latinas tal como las pronunciaba Nathanael, sea porque su oído se iba debilitando. Respiraba muy difícilmente. Nathanael dejó el breviario en la hierba y corrió hacia un arroyuelo que corría a dos pasos de allí, para coger agua en el hueco formado por sus manos. El moribundo sorbió penosamente un trago de aquella agua.

—*Satis, amice* —dijo.

Antes de que las últimas gotitas se escurrieran del todo por los dedos de Nathanael, el padre Ange Guertin, del seminario de Annecy, había dejado de existir. Había que subir de nuevo a bordo. Nathanael recogió su capote, que ya de nada le servía al difunto.

Pasado el tiempo, revivió en sueños este incidente varias veces, pero la persona a quien él llevaba agua cambió a menudo con los años. Algunas noches le parecía que aquel a quien trataba de socorrer no era otro que él mismo.

El capitán puso rumbo al nordeste. Una de sus misiones consistía en comprobar lo que quedaba de una pequeña colonia inglesa que se había establecido hacía algún tiempo un poco más al norte, en una isla situada en la desembocadura del río Santa Cruz; aquel establecimiento había decaído, según decían. Durante varios días hubo temporal; el capitán temía a las enormes marejadas que rompen por aquellas costas durante el equinoccio. Acababa de dar orden de regresar cuando una borrasca de viento los arrojó sobre la peligrosa isla que andaban buscando. La nave, cogida entre unas rocas, no había sufrido grandes averías, pero la borrasca arreció en cuanto subió la marea; unas olas enormes levantaron el casco y lo dejaron en vilo. Las vértebras de madera crujían. Nathanael consiguió escalar una roca que estaba casi seca, pero una ola más alta que las demás acabó por llevárselo. Recordaba haberse agarrado a la punta de un tablón. Más tarde se enteró de que la resaca lo había depositado, sin conocimiento, al fondo de una caleta de arena.

Cuando volvió en sí, estaba acostado en un jergón, entre dos o tres piedras gruesas que habían calentado y colocado cerca de él para que le dieran calor. Bajo unas vigas bajas vislumbró los rostros de un hombre y una mujer ya viejos (o, al menos, un aspecto de agotamiento los hacía parecer viejos) que se inclinaban sobre él; a una muchachita muy joven, de mejillas hundidas, y a un niño de unos doce años que sonreía sin cesar. También había allí algunas personas más, en cuclillas en torno a un montón de objetos que él recordó haber visto a bordo. Estaba tan cansado que volvió a dormirse. Pero su constitución era fuerte. Al cabo de unos días, ya casi no se resentía de su malaventura.

Pronto supo que era el único superviviente de la tripulación. Este desastre produjo en la escasa población de la isla unos sentimientos ambiguos. De la colonia, diezmada por los largos inviernos, la viruela y los disparos de los franceses, ya no quedaban sino siete u ocho fuegos. Aquellas gentes esperaban desde hacía mucho tiempo la llegada de un barco que les traería provisiones y que tal vez los devolviera a su país. Al menos afirmaban su deseo de regresar; de hecho las nociones de patria y de pertenencia a un señor ya no significaban nada para ellos; aquella pobre isla, cuyo nombre ni siquiera constaba en los mapas, parecía haber vuelto a la época en que a nadie pertenecía. Numerosos chamizos, construidos unos veinte años atrás, se habían derrumbado y apenas se distinguían entre la maleza y las altas hierbas. Una familia de unas diez personas que —según se murmuraba— se dedicaban, en ocasiones, a provocar naufragios, vivía en la parte norte, cerca de un banco de arena muy largo; también se contaban sobre aquellas gentes diversas historias de corderos robados. Al este y al sur, unas cuantas chozas se agazapaban bajo los árboles; vagos senderos marcados aquí y allá por unos montoncitos de piedras las unían entre sí; desaparecían en invierno, debajo de la nieve. Un corredor de bosques, al que habían expulsado de Quebec por alguna fechoría, se había instalado en un claro del bosque con su mujer Madeleine, de sangre abenaki, y sus hijos, de cabellos lacios y ojos oscuros, y no imaginaba ningún otro lugar donde poder vivir. Dos hermanos, que se habían instalado en una cala pequeña, vendían el sobrante de la sal que ellos mismos obtenían cociendo agua de mar en un caldero; también empleaban su producto, junto con otros ingredientes malolientes, para curtir las pieles que les llevaban, o que ellos mismos arrancaban a sus presas; la gente contaba con ellos para coser las botas o arreglar las raquetas de ir por la nieve; se habían acostumbrado a la isla y apenas recordaban el pueblo de Norfolk donde se criaron. Un gentilhombre que, según decían, había combatido en Flandes y frecuentado la corte del rey Jacobo, vivía aislado al pie de la escarpada costa, con su servidor indio; lo mismo que Nathanael, acaso tuviera particulares razones para abandonar Inglaterra. El antiguo pastor de la colonia ya no predicaba, imposibilitado por una congestión; iba tirando como podía en una granja pequeña, en compañía de su mujer, su hija viuda y los hijos de ésta. La familia que había recogido a Nathanael estaba integrada por el viejo —en sus tiempos había servido también él en una fragata inglesa—, por la vieja, natural de La Rochelle, a la que habían recogido allí tras el naufragio de una barca que se dirigía a una colonia francesa, y por la hija de ambos, llamada Foy, además de un muchacho anormal al que no habían puesto nombre. La vieja había olvidado su lengua materna y renegaba y vociferaba en inglés. Aquellos ancianos, sin darse cuenta, se habían encariñado con el lugar en donde penaban desde hacía veinte años y hubieran temido hacer un viaje largo por mar. Los niños, que todo lo ignoran, ni siquiera imaginaban que pudiera vivirse mejor en otro sitio.

Pero el naufragio de la nave que tanto habían esperado tenía su lado bueno. Una vez sereno el mar, aquellos desvalidos habían logrado traerse a tierra una parte importante de la carga que llevaba el barco; a nadie le faltaban ahora cubiertos de estaño, ni herramientas, ni mantas, y hasta habían conseguido salvar unas cuantas cajas de salazones casi intactas. Pronto comprendió Nathanael que el amor al prójimo no había sido la única razón que empujó a los dos viejos a reanimarlo y cuidarlo: aunque aún eran muy robustos, se habían dicho que un muchacho fuerte, de veinte años, no estaba de más para ayudarles en su tarea, y Foy se hallaba en edad de tomar marido.

En cuanto se repuso, Nathanael tomó parte en los trabajos de la estación fría, ayudando al viejo a ponerle un mango nuevo a la guadaña, calafateando la canoa y dándole de comer y de beber todos los días al caballo, a la vaca y los escasos corderos que se amontonaban en el establo. El establo era al mismo tiempo un pajar. Aquel caserón estaba pegado a la casa, para que el calor de la vivienda de los animales se comunicara a la de los hombres, e inversamente. Una cuerda, que corría a lo largo del muro exterior, llevaba desde la puerta de la casa a la del establo; cuando arreciaban las tempestades de nieve, había que cogerse a ella, por miedo a perecer allí mismo, o a dar vueltas en balde sin encontrar la entrada de la casa, después de haberle dado de comer a los animales. Cuando la nieve se endurecía, acarreaban leña seca o recién cortada; el caballito arrastraba los troncos grandes. En tiempo de heladas, bajaban a la cala y hacían agujeros en el hielo, para pescar.

La casa sólo tenía una habitación, pero una escalera conducía al desván. No pasó mucho tiempo antes de que el viejo y la vieja instalaran allí un jergón para dos, apoyado en la pared menos fría, a la que calentaba la chimenea de abajo. No se preocuparon de ir a la casa del pastor, separada de la suya por toda la extensión de la isla; pero, en cambio, los viejos pronunciaron unas palabras de bendición sobre aquella especie de cama, con su manta raída. Nathanael y Foy subían por las noches a su oscuro refugio; el ahorro y el miedo a prender fuego eran dos poderosas razones que les hacían renunciar a llevarse una vela. A Nathanael le gustaba aquella oscuridad. Era grato dormir allí, y acariciarse hasta que llegara el alba, apretados uno contra el otro para tener más calor. Foy se estremecía cuando hacían el amor, daba grititos y retenía preso a Nathanael, rodeándolo con sus brazos y con sus piernas lisas; en cambio, sus pies y sus manos estaban rugosos, por culpa de la intemperie, y llenos de sabañones.

Cuando llegó la primavera todos se pusieron a trabajar en el campo. Llegó primero la época en que los pájaros migradores suben hacia el Norte; los hijos del indio —que poseía gran destreza en el manejo del arco— llevaban a la choza ocas salvajes, muertas en pleno vuelo, para trocarlas por el trigo que quedaba. Otras veces llevaban conejos, a los que habían dado muerte golpeándolos con un mazo o tirándoles piedras con una honda: éste era uno de los juegos favoritos. Como la pólvora escaseaba, cuando querían matar a un animal de gran tamaño cavaban unas fosas que cubrían con ramajes. Allí dentro agonizaba el animal, con las patas rotas por la caída o ensartado en unos palos situados al fondo de la fosa hasta que alguien lo remataba con un cuchillo. Nathanael tuvo que encargarse una vez de hacerlo, pero tan mal cumplió con su tarea que no lo volvieron a enviar más. En el agua de la cala, casi siempre tranquila, construían una suerte de laberinto con espinas y juncos, donde atrapaban a los peces. Los llevaban después tierra adentro en una nasa, saltando y ahogándose por falta de aire, cuando no los remataban golpeándolos con el remo. Nathanael prefería ir a recoger bayas, tan abundantes en aquella estación que el color de las landas cambiaba por completo; sus manos y las de Foy se ponían rojas con el jugo de las fresas, y azuladas, con el de las endrinas demasiado maduras. Aunque escaseaban los osos en la isla, adonde no solían aventurarse sino en el invierno, sostenidos por el hielo, Nathanael divisó a uno de ellos, en plena soledad, cogiendo con su ancha pata todas las frambuesas de un matorral y llevándoselas al hocico con tal fruición que la sintió como suya. Aquellos poderosos animales, hartos de fruta y de miel, no eran peligrosos mientras no se vieran atacados. No habló con nadie de aquel encuentro, como si entre el animal y él hubiera un pacto.

Tampoco habló del zorrillo con el que tropezó en un claro del bosque, y que lo miró con una curiosidad casi amistosa, sin moverse, con las orejas tiesas como las de un perro; ni reveló a nadie la parte de la espesura en donde vio a unas culebras, pues temió que el viejo quisiera matar a lo que él llamaba «esas alimañas». El muchacho amaba asimismo a los árboles; los compadecía, por muy altos y majestuosos que fueran, por ser incapaces de huir o de defenderse, entregados al hacha del más débil leñador. No había nadie a quien pudiera confiar estos sentimientos, ni siquiera a Foy.

A pesar de su tos y de su respiración entrecortada, Foy trabajaba como un hombre. Enseñó a su joven marido la manera de atar las gavillas y cómo se construían los almiares. Arrancaba del suelo, con su ayuda, las gruesas piedras que sobresalían por todas partes y que estorbaban para el cultivo. En ocasiones, cuando los viejos no estaban presentes, se tendía en la hierba medio seca —riendo, pues le hacían cosquillas los hierbajos— y, levantando sus raídas enaguas, incitaba a Nathanael. Eran momentos deliciosos. Luego él pensaba en Janet, no porque esta última le gustara más, sino porque le parecía que Janet y Foy eran la misma mujer. A ambas les gustaba cantar, con vocecita aguda, trozos de canciones que nunca se sabían enteras. Ambas se ponían flores en el pelo. Pero las mejillas de Foy siempre estaban algo calientes, como si tuviera fiebre, y era propensa a sudar con abundancia, con un sudor que la dejaba helada de repente.

Cuando empeoró su estado, llamaron al brujo indio que exorcizaba las enfermedades. Éste quemó unos paquetes de hierba que llenaron la choza de un olor extraño y penetrante; hizo unas cuantas contorsiones, se tiró al suelo, dio unos gritos roncos que, al mismo tiempo, eran cantos, pero Foy ni empeoró ni mejoró.

Los micmacs y los abenakis que frecuentaban la isla en la estación de la pesca trataban sin malicia a aquellos hombres blancos, que extraían del suelo, a duras penas, su parco sustento. Además, el antiguo cazador gascón y su mujer india servían de intermediarios entre los hombres de tez cobriza y los hombres de piel más o menos blanca. Nathanael admiraba la resistencia de aquellos salvajes, la dureza de sus cuerpos oscuros y casi desnudos, el cuidado que ponían en no matar sino la caza necesaria para saciar su hambre, y su desdén casi total por los mil objetos fabricados que los blancos se disputaban codiciosamente tras la encalladura de la *Thétys*. No obstante, observó que aquellos mismos indios entregaban de buen grado todo lo que habían pescado por un simple cuchillo viejo. Tenían por costumbre orinar directamente en el suelo, allí donde se encontrasen, incluso en el interior de las chozas; era una costumbre sucia, pero Nathanael pensaba que también el caballo y el buey —cuya tranquila dignidad poseían— hacen lo mismo. A menudo, la guerra causaba estragos entre ellos. Infligían —según se comentaba— atroces torturas a sus prisioneros para honrarlos proporcionándoles una ocasión de demostrar su valor. Cortaban las cabelleras y se las llevaban a su cabaña tras haberlas elevado cinco veces hacia el cielo, ensartadas en la punta de sus lanzas, con el fin de liberar su alma. Pero Nathanael recordaba las cabezas de los ajusticiados colgadas a la puerta de la Torre de Londres y pensaba que los hombres son hombres en todas partes.

Sentaba a Foy por las mañanas en el banco entibiado por el sol de otoño, mas los viejos exigían sin cesar que ella cumpliera su parte de trabajo. Se la oía desde lejos toser por los campos. No se enternecieron hasta que ya no pudo abandonar el jergón. La vieja cocía para ella unos líquenes que Nathanael recogía en las rocas. Por la noche se acostaba en unos sacos para que ella pudiera dormir más cómodamente, mas Foy le suplicaba que se tendiera a su lado para tranquilizarla y darle calor. Cada vez que un vómito de sangre le venía a la boca, el miedo a morir le hacía abrir desmesuradamente los ojos. Se fue, empero, muy pronto y casi sin darse cuenta, a principios de octubre. Su muerte acaeció cuando los bosques, abrasados por el verano, formaban unas masas rojas, violáceas o amarillas como el oro. Nathanael se decía que ni las reinas, para quienes ponen colgaduras en las iglesias de Londres, tenían unos funerales tan hermosos como aquél. El viejo se distrajo de su pena cavando la fosa: al cavar descubrió a un topo, cuyo refugio subterráneo acababa de destruir, y lo cortó en dos salvajemente con la pala. Sin que Nathanael supiera el porqué, el recuerdo de Foy y el de aquel bicho asesinado permanecieron unidos uno al otro en su memoria.

Hubiera querido marcharse de allí enseguida. Era difícil, pero no imposible. Los abenakis le habían comunicado (pues las noticias corrían por el bosque) que los jesuitas de la isla de los Montes Desiertos, que sobrevivieron a los morteros de la *Thétys,* se habían refugiado en un campamento de indios y que éstos les habían ayudado a franquear la inmensa bahía en piraguas, para llevarlos más hacia el Norte, del lado francés. Si los hombres cobrizos se entretenían un poco más, aprovechando para pescar los días en que el mar está tranquilo, tal vez pudiera convencerlos de que lo llevaran también a él antes de que llegara el mal tiempo; y puede que alguno de los barcos, en los que ondeaba la flor de lis y que abordaban de cuando en cuando Nueva Francia, necesitara un marinero. Más tarde desembarcaría en algún pueblo bretón o normando, para dirigirse a Holanda o a Inglaterra, según lo encauzaran los azares del viento o lo permitiesen los de la paz y de la guerra. Si su destino era Inglaterra, se inventaría un nombre falso. Era casi seguro que, en cualquier ciudad alejada de Londres y, sobre todo, de Greenwich, existiría algún maestro que necesitase un ayudante; de este modo podría volver a estudiar. Sus años de colegial, vistos desde la distancia, le parecían maravillosamente tranquilos y fáciles. O bien, si continuaba de marinero, volvería a las Antillas, o iría a ver los puertos de Asia. Por desgracia, no surgió ninguna ocasión y, además, compadecía al viejo y a la vieja —el uno más desabrido y la otra más amarga que nunca—, que iban a pasar el invierno solos, con el niño anormal y los animales.

Cuando llegaron los grandes fríos, y como soportaba mal la atmósfera de humo que reinaba en la cabaña (tosía un poco desde que tuvo una pleuresía, en Navidad), se refugió en el establo, donde los animales difundían un agradable calorcillo. Unos pájaros de cabeza roja, que se habían introducido por las rendijas, se afanaban allá arriba, entre la paja. Sólo acudían allí en pleno invierno, tránsfugos de regiones aún más frías. Nathanael impedía que el niño los molestara cuando éste le hacía compañía en el granero. Fabricó una flauta para el pequeño y trató de enseñarle las pocas tonadas que sabía, pero el niño no conseguía retenerlas. En cambio, sí que aprendió a fabricar canastos. Nathanael le ayudaba a trenzar aquellos bonitos y frágiles recipientes. Los indios, al marcharse, se habían dejado tras de sí unos manojos de juncos que utilizaban en cestería y cuya virtud principal consistía en exhalar, cuando el tiempo era de lluvia, el olor que fue suyo meses y años atrás, cuando todavía eran verdes y frescos, a la orilla de los arroyuelos. Nathanael pensaba que era algo así como si aquellas hierbas tuvieran memoria: también a él le bastaba con poco, con unos chanclos abandonados en un rincón, con un rayo de sol que se introdujese por debajo de la puerta o con un aguacero que tamborilease en el sobrado, para devolverle la dulzura de sus primeros tiempos con Foy. Salvo en aquellos instantes, como solía estar muerto de cansancio por el mucho trabajo, nunca se acordaba de ella.

En ocasiones despiojaba la cabeza del niño, que ronroneaba en cuclillas delante del fuego. El pequeño aplaudía cada vez que él cogía un piojo. Foy, antaño, hacía lo mismo.

Volvió la primavera con sus nubes de mosquitos. A Nathanael le repugnaban ya los alrededores de la cabaña, tan pisoteados que la hierba no crecía. Las pieles colgadas de las estacas parecían cabelleras, y el pescado que ponían a secar encima de los cañizos hedía. Pero no se le ofreció ninguna ocasión de huir hasta mediados del verano. Uno de los dos hermanos salineros, un muchacho llamado Joe, acudió en barca a canjear su sal por una pieza de buena lana que la vieja había hilado y tejido en las veladas de invierno. Por él supo Nathanael que había un barco inglés anclado a la entrada de la cala, oculto a la vista desde el lugar en que se encontraban por los salientes de las rocas. El buque permanecería allí el tiempo necesario para arreglar una avería. Nathanael acompañó al hombre hasta la playa para ayudarle a poner a flote su barca. Saltó dentro y le rogó a Joe que lo llevara con él. Los viejos, en el umbral de la puerta, estupefactos ante aquella huida imprevista, gesticulaban como muñecos; el niño, sin percatarse de nada, continuaba saltando como un potrillo en la hierba. Pronto los ocultó el espolón de una roca.

Uno de los hombres del barco había muerto, enfermo de escorbuto. No le fue difícil a Nathanael ocupar su puesto. El viento los empujó hacia Terranova, y una buena brisa del Oeste los llevó hacia Inglaterra. Nathanael había aprendido a hacer las maniobras en sus dos primeras travesías. Ágil y ligero, de cabeza bien templada, trepaba con agilidad de mástil en mástil.

Apenas le molestaba su cojera. Algunas veces se quedaba allá arriba, enganchado con pies y manos a las cuerdas, ebrio de aire y de viento. Por las noches, las estrellas se movían y temblaban en el cielo; otras noches salía la luna de detrás de las nubes, como un animal grande y blanco, y se volvía a meter dentro de ellas como si fueran su madriguera; o bien, colgada de muy alto, en el espacio, allí donde no se divisaba ninguna otra cosa, reflejaba su brillo en el agua agitada. Pero lo que más le gustaba a Nathanael era el cielo oscuro, que se mezclaba con el océano, asimismo oscuro. Aquella noche inmensa le recordaba la que llenaba el desván de la cabaña, y que también le había parecido inmensa. La diferencia consistía en que aquí estaba solo. Pero se sentía vivo, respirando, situado en el mismo centro. Dilataba el pecho para mejor aspirar aquel aire puro, y luego bajaba a jugar a los dados en la entrecubierta con sus compañeros. Cada jugada desafortunada daba lugar a una serie de exabruptos y complicadas blasfemias.

El navío fondeó en Gravesend; Nathanael hizo el camino a pie hasta Greenwich. Por prudencia, entró primero a informarse en la taberna donde antaño habían ido a beber los hombres de la *Fair Lady*, mientras él se aprovechaba de su ausencia para introducirse en la cala. Nadie lo conocía en aquel establecimiento y, además, en cuatro años, había cambiado mucho. Se hizo pasar por el compañero de un marinero nativo de Greenwich y alegó que éste le había encargado llevase un recado a su familia. Desde luego, el tabernero recordaba a un maestro carpintero, de mejillas muy coloradas, muerto el año anterior de una caída en los diques del Almirantazgo. Tal vez fuera el hombre por quien preguntaba Nathanael. El joven, disimulando como pudo, desvió la conversación hacia un comerciante de productos marítimos, bastante rico, en cuya casa había trabajado su amigo de dependiente. El tabernero sabía muchas cosas de aquel bandido beato, que solía venderles galletas rancias a los capitanes cuando se preparaban para hacer un largo viaje. Era mayordomo de su parroquia y sus negocios prosperaban como nunca.

—Mi amigo lo creía muerto —dijo tímidamente Nathanael—, tras una reyerta con un transeúnte.

—¡Nada de eso! Tal vez estuviera borracho perdido, eso sí, ya que ese devoto bribón empina bien el codo. Si le hubieran dado una puñalada se hubiera sabido. No es tan fácil acabar con un tipo como ése.

Nathanael comprendió que el gordo había guardado silencio sobre aquel incidente que nada le favorecía. Debió de obsequiar con alguna mentira a los buenos samaritanos que lo recogieran y cuidasen. Janet se había callado también. Ningún alguacil había perseguido nunca a un tal Nathanael. En consecuencia, su pánico, su huida, las aventuras que había corrido en el Nuevo Mundo carecían de consistencia. Lo mismo hubieran podido no existir; le hubiera sido posible quedarse a leer en latín en la sala del colegio. Con ello se venían abajo cuatro años de su vida como uno de esos bloques de hielo que caen de los témpanos para sumergirse de golpe en el mar.

Tranquilo respecto a su propia seguridad, no ocultó su verdadero nombre a los desconocidos que vivían en Pequeña Holanda, distrito donde se hallaba situada su antigua casa. Le confirmaron el fallecimiento de Johan Adriansen, que se había caído de un andamio y había muerto en el acto. Los dos hijos trabajaban ahora en Southampton para el Almirantazgo. La madre se hospedaba —decían— en un asilo luterano para viudas.

Nathanael no fue a visitar al magíster, pues se avergonzaba de haberse escapado tan súbitamente y sin decir ni una palabra de adiós. Janet (se enteró por la mujer del tapicero) se había casado con un comerciante de paños londinense. De nada servía ir a molestarla en la trastienda.

En cambio sí tomó el camino del asilo donde vivía su madre, junto con otras viudas, todas ellas lo bastante acomodadas como para pagar una pequeña pensión a la comunidad. Cada una de estas dignas personas se alojaba en una casita independiente, de una sola habitación, que daba a un patio donde crecían árboles. La casa en donde residía su madre estaba escrupulosamente limpia: el cobre de la palmatoria y de la olla relucía. Llegó allí a la hora de comer: encima de un mantel inmaculado, su madre había puesto un tazón de sémola y un plato de arenques ahumados. No se enterneció al verlo. Era muy frecuente que los hijos se marcharan así, por una cabezonería, a ver mundo. El caso no es raro. En los primeros momentos lo creyeron muerto, pero, al no encontrar ni su cuerpo ni sus ropas, se dijeron que tal vez se hubiese embarcado. Los Adriansen lo llevaban en la sangre. Todo se daba por bien empleado con tal de que hubiera andado por los caminos del Señor allí donde se hallase. Nathanael narró, en líneas generales, sus aventuras. La viuda lo escuchaba sin decir nada, apretando los labios juiciosamente. Mas parte de su atención se hallaba distraída por el gato, que se frotaba contra sus rodillas, tirándole del delantal, engolosinado por el arenque que había en el plato. Por lo demás, mostró su habitual sentido práctico: los pocos bienes de la familia los administraba el tío Elie, quien poseía una imprenta en Ámsterdam. Los dos hijos mayores le habían entregado su peculio para que lo hiciera fructificar y encontrarse con las ganancias una vez regresaran, para acabar sus días en su tierra. Si Nathanael deseaba obtener su parte, podía pedírsela a su tío, que era un hombre justo y honrado. Además, se decía que no escaseaba el trabajo en los puertos de Holanda, y que la vida era más barata que en Greenwich.

—Dios quiera que tú también seas un hombre bueno, como tu padre y como tu tío Elie.

Nathanael no entendía muy bien lo que era un hombre bueno, ni lo que podía agradar o desagradar a Dios.

La casa de Ámsterdam presentaba buen aspecto. El tío mandó entrar a su sobrino en la pequeña estancia donde atendía a los parroquianos. Elie le había comprado el negocio al librero-impresor en cuya casa fue aprendiz; estaba bien considerado y obtenía sabrosos beneficios, aunque sin exceso. Había tenido que invertir en aquella compra el producto de la venta de la vieja granja perteneciente a la familia; de momento, no podía deducirse aquel capital, pero sus sobrinos se lo encontrarían duplicado más tarde. Nathanael asintió vagamente; no entendía aquellas combinaciones. Elie acabó por romper el hielo cuando supo que su sobrino poseía ciertos conocimientos y una bonita letra, muy legible. El tío sacaba sus más pingües beneficios de los grandes autores griegos y latinos, cuidadosamente cotejados y editados por doctos profesores de Leyde o de Utrecht, pero las correcciones salían caras cuando había que confiárselas a gentes diplomadas, aunque muertas de hambre. Allí, en la imprenta, sólo tenía a dos correctores cualificados, que se ocupaban asimismo de la paginación, de los índices, de las rúbricas marginales y de los títulos. Nathanael ganaría un poco menos que aquellos trabajadores experimentados, pero sí lo suficiente para poder vivir bien. No debía imaginarse que iba a hallar alojamiento y comida en el seno de la familia: a él le hubiera parecido muy bien, pero su mujer, que era de buena cuna y había recibido una exquisita educación, no soportaba tener a los subordinados a su alrededor. Nathanael dormiría en un rincón del taller hasta que encontrara una habitación.

El joven dio las gracias: aquel lugar, para instruirse, valía tanto como la escuela de Greenwich. Elie le enseñó todo aquello. La imprenta estaba situada en un patio cerrado por la parte que daba a la calle; se oía el murmullo de una fuente. Vio la sala en donde estaban las prensas manuales, y el cuarto de los linotipistas, inclinados sobre sus cajas; el almacén, lleno de montones de papel, y la sala de ventas y embalajes, donde ponían los volúmenes, oliendo aún a tinta fresca, antes de ser enviados a Alemania, a Inglaterra e incluso a Francia y a Italia. En la pared habían colgado una lista con el nombre de las obras prohibidas en aquellos distintos países, cuyo envío hubiera dado lugar a confiscaciones y pérdidas. Las más valiosas ediciones, que eran el orgullo de Elie, encuadernadas en vitela o en badana, tapizaban una estrecha sala de visitas, flanqueadas por unos cuantos desgastados volúmenes de genealogía y de historia, así como por diccionarios y compendios donde los correctores, en caso de duda, se suponía consultaban un nombre propio, una palabra insólita o un giro inusitado. Uno de aquellos montadores de palabras era un hombre de mediana edad, meticuloso como ninguno, pero amargado por su mala fortuna, pues era él —según decía—, y no Elie Adriansen, quien hubiera debido comprar, si hubiese sabido aprovechar la ocasión, la bien surtida librería de Johannes Jansseonius. El otro, buen compañero, había ocupado en otros tiempos una cátedra en un colegio, y la envidia de sus colegas —si se creían sus palabras— pronto lo expulsaron de ella. Este último, mientras trabajaba, tarareaba en griego versos de Anacreonte, poniéndoles una musiquilla de moda. Sin las consecuencias de la bebida, aquel prodigio de saber hubiérase bastado para todo, pero sus resacas solían durar varios días.

Aquellos dos compadres le enseñaron de buen grado las triquiñuelas del oficio, como, por ejemplo, leer un texto al revés para no dejarse distraer por el sentido de las palabras, o dedicarse por entero tan pronto a la caza de errores de puntuación como a los de sintaxis; ora a la alineación, ora a las mayúsculas. Su latín de colegial, cuyas carencias sabía, le obligaba a ser más lento y más cuidadoso que aquellos dos listos: pronto descargaron en él las tareas más fastidiosas. En ocasiones, lleno de escrúpulos y con la esperanza de instruirse, planteaba tímidamente una pregunta a los doctos que frecuentaban la espaciosa sala del librero. Aquellos sabios discutían agriamente con Elie sobre el precio de sus trabajos y luego se entretenían fumando una pipa. A uno de ellos, erudito en antigüedades romanas, le preguntó la fecha de un consulado, para ponerla al margen de una obra de Tito Livio. El sabio pensó que aquel individuo pretendía pillarle en flagrante delito de ignorancia, o al menos de duda, y le volvió la espalda.

Elie le había recomendado encarecidamente que no hablase nunca de sus años pasados junto a los mástiles. Nadie tenía por qué saber que había pertenecido a la chusma malhablada y borrachina de las gentes de mar. Nathanael callaba, pues, cuando estaba en la imprenta, pero la nostalgia le hacía tomar el camino del puerto en sus horas perdidas. Allí podía, acodado al estrecho pretil de un puente, observar desde arriba los barcos anclados en el muelle, ver el zafarrancho de salidas y llegadas y oír a los marineros —siempre desocupados cuando estaban en tierra— hablar de los incidentes y de lo larga que había sido la travesía. Raras veces les confesaba haber sido uno de ellos, acaso por sentir un poco de malestar por no serlo ya, pero tampoco presumía de ser corrector de imprenta, lo que le hubiera apartado de aquellos hombres sencillos, que firmaban su contrata con una cruz. Cuando le preguntaban, él decía que era carpintero, igual que lo fue su padre, cosa que parecían confirmar sus grandes manos. Aquel título le sirvió de garantía para obtener gratuitamente posesión, para todo el tiempo que le fuera necesario, de un chamizo situado en una callejuela que daba al puerto, a condición de que lo arreglase. Tenía los cristales rotos, la puerta arrancada y un montón de botellas hechas añicos, además de otros desperdicios arrojados por los transeúntes, que parecían crecer por sí solos en el jardín. Puso un poco de orden en todo aquello. Más tarde se enteró de que aquel desconcierto no era debido, como él creía, a las juergas celebradas por los anteriores inquilinos. El chamizo, situado entre dos canales, había servido de refugio al culto católico prohibido. Los corchetes habían irrumpido en plena misa y se habían llevado a toda la banda que allí había al puesto; más tarde, todas aquellas gentes habrían acabado sin duda en la cárcel, donde probablemente aún languidecían. Nathanael les compadecía.

Elie y su mujer creyeron y dijeron que Nathanael utilizaba aquella casucha para beber y llevar a ella mujeres. Se equivocaban: ni su cabeza ni su estómago (no sabía muy bien cuál de los dos) le permitían beber más de un vaso. En cuanto a las mujeres, hubiera temido verse importunado si les indicaba su refugio. Aunque mujeres no le faltaban, ni mucho menos. Las putas le repugnaban, con sus afeites baratos y sus vestidos comprados a los ropavejeros. No poseían la dulzura de las prostitutas de las islas. Pero le bastaba con sentarse en verano en cualquier parque, en un banco que estuviera situado en un rincón oscuro, para que alguna mujer viniese a acurrucarse a su lado y a frotarse contra él: doncellas o dependientas, o bien jóvenes burguesas lo bastante avispadas para hacerse una llave falsa y despistar a sus compañeras. Su ardor le sorprendía: nunca se había detenido a pensar que era un hombre bien parecido, pero el deseo de ellas despertaba el suyo.

Las poseía a veces allí mismo, o apoyadas en un árbol del paseo. Los tardíos paseantes no se ofuscaban al ver los movimientos de aquellos dos cuerpos. Sucedía en ocasiones que algún otro señor muy bien vestido, pero furtivo, se le acercase al anochecer. Él compadecía a aquellos hombres por verse expuestos al vituperio de Dios y de las gentes por culpa de unas apetencias tan sencillas, después de todo. Aceptaba seguirlos hasta un rincón oscuro alguna que otra vez, pero en realidad lo que a él le gustaban eran los pechos de mujer, suaves como la mantequilla; los labios lisos y las cabelleras resbaladizas como copos de seda.

Era de esos a quienes el placer, lejos de entristecer después, sosiega, y hallan en él un renacer del gusto por la vida. No obstante, solía imaginar las confidencias de aquellas muchachas en la trastienda, en el desván de la casa en donde sirvieran; sus bromas, las comparaciones y acaso algún aborto o infanticidio por su culpa o la de otro, o asimismo —lo que le parecía peor todavía— el abandono de un niño más en las calles de la ciudad. Nada de todo aquello le parecía muy limpio. O bien, al despertarse con un ataque de tos (desde un principio de pleuresía que había tenido en la primavera no se encontraba del todo bien), se arrepentía de aquellos derroches de sustancia y de fuerza, del insidioso peligro que corría de coger alguna enfermedad. Hubiera sido pagar demasiado caro por unos cuantos espasmos de placer.

Tras cuatro años vividos sin pensar (o al menos así lo creía), había vuelto al mundo de las palabras acostadas en los libros. Éstos le interesaban ahora menos que en otros tiempos. Tuvo que corregir una obra de César, a la que pronto siguió una de Tácito, pero aquellas guerras y asesinatos principescos le parecían formar parte del amasijo, supuestamente glorioso, de inquietudes inútiles que no cesan jamás y de las que nadie se toma nunca el trabajo de extrañarse. Anteayer, Julio César. Ayer, en Flandes, Farnesio o Don Juan de Austria. Hoy, Wallenstein o Gustavo Adolfo. Los eruditos, cuyas notas, explicaciones y paráfrasis abultaban, en la parte de abajo de las páginas, el corto texto de los *Comentarios,* adoptaban ante el gran capitán el mismo tono deferente que ponían en sus epístolas dedicadas a los presentes notables de este mundo; bien es verdad que de estos últimos esperaban una pensión o un estipendio, mas se hubiera dicho que lo hacían sobre todo por el gusto de adular servilmente. O si por casualidad ponían a César por los suelos, era para exaltar a Pompeyo, como si se pudiera emitir un juicio después de haber pasado tanto tiempo... Nathanael dejaba a veces de leer, apoyando los codos en la mesa, sin preocuparse de sus mechones de pelo, de un rubio casi blanco, que le tapaban los ojos.

Aquellas tribus exterminadas por el romano famoso le recordaban a los salvajes degollados aquí y explotados allá para gloria de un Felipe, de un Luis o de un Jacobo cualquiera. Aquellos legionarios, que se internaban en bosques y pantanos, debieron de parecerse a los hombres armados de mosquetes que se dispersaban por las soledades del Nuevo Mundo; aquellas extensiones de barro y agua donde bullía Ámsterdam debieron de parecerse hace no mucho a los estuarios sin nombre entrevistos allí. Pero César sólo impuso a los galos la autoridad de Roma, no tuvo la desfachatez de convertirlos a un Dios verdadero, no del todo igual en Inglaterra, en Holanda, en España o en Francia, y cuyos fieles se devoran entre sí. La chusma bátava se apresuraba a recibir a los navíos que regresaban del combate trayendo consigo las ganancias de ultramar. Veían las maderas valiosas y los fardos de especias pero, en cambio, no veían los dientes estropeados por el escorbuto, ni las ratas, ni la miseria del castillo de proa, ni las malolientes sentinas, ni al esclavo con el pie cortado, como el que vio agonizar en Jamaica. Tampoco veían el saco de oro del comerciante que financiaba aquellas grandes empresas y que, en ocasiones, les vendía sus productos averiados a los capitanes y robaba en el peso, como el gordo de Greenwich. Nathanael se preguntaba cuánto tiempo iban a durar aquellos manejos.

Leyó a los poetas. El magíster, que sólo tenía un Virgilio, había puesto en guardia a su alumno contra las lúbricas elegías de Tibulo y Propercio, que reblandecen el alma, o contra los obscenos poemillas de Catulo y de Marcial, que encienden los sentidos. Nathanael tuvo que examinar cuidadosamente un pequeño volumen de los elegíacos latinos y una edición de Ovidio. Le gustaron. Al volver una página se encontraba a veces con unos versos que parecían derramar miel, con un conjunto de sílabas que dejaban en el alma un regusto de felicidad. Como quien diría los pájaros de Venus: *Et Veneris dominae volucres, mea turba, columbae...* Pero no eran más que palabras, menos bellas, en realidad, que los pájaros de cuello tornasolado y suave... Él había amado a Janet; le pareció haber amado a Foy; el sentimiento que por ellas albergó era más sencillo, pero tal vez más fuerte que el expresado por aquellos poetas que derramaban tan abundantes lágrimas, se hinchaban a suspirar y ardían con tantos fuegos.

Leyó a Marcial; cayó en sus manos un Petronio. Algunas de sus páginas le divirtieron; pero aquellos tres bribones de Petronio, cuyas aventuras se parecían a las de algunos mozos que él conocía, por las calles de mala fama de Ámsterdam, aquellas chocarrerías de Marcial cubiertas por la pátina de los siglos, aquellas descripciones de posturas o de apareamientos extraños, todo lo que tanto excitaba a los hipócritas comentadores no era muy distinto de lo que él había hecho o visto hacer, dicho u oído decir muchas veces en el transcurso de su vida. Los exabruptos de Catulo le recordaban los «coño», los «carajo» y los «culos» con los que sus compañeros de a bordo condimentaban ingenuamente sus palabras. Era lo mismo, no era más que eso.

Los pocos tratados de teología que publicaba Elie iban siempre a parar a manos de correctores más aptos que él para descubrir un error en una cita bíblica. Pero el patrón (pues el tío Elie no era sino el «patrón» para Nathanael) exigía por decoro que sus empleados asistieran al sermón. Después de pasar un cuarto de hora preguntándose si el sermón sería peor o mejor que el domingo anterior, Nathanael recurría al método que desarrolló en su infancia, en Greenwich: dormía con los ojos abiertos. Los pájaros piaban en el jardín del maestro de escuela; el mar dejaba oír su estruendo en las playas de la Isla Perdida; la *Fair Lady* o la *Thétys* restallaban sus alas. Después, sentado otra vez en el banco del templo, oía al reverendo definir la Santísima Trinidad, vomitar injurias contra los socinianos, los anabaptistas o el papa de Roma, y asegurar que uno sólo podía salvarse por la gracia de Jesucristo. Los feligreses cantaban, o más bien berreaban unos himnos, hallando gran placer en aquellos ejercicios vocales realizados entre todos, para luego marcharse a sus casas provistos de dogmas, admoniciones y promesas para toda una semana, camino hacia el humeante puchero en donde se estaba guisando la comida. Un día en que Nathanael tuvo que volver a entrar en el templo después de la predicación, para recoger unos mitones que la antipática esposa de Elie se había dejado olvidados en un banco, vio al predicador sentado en una de las sillas vacías del coro con la cabeza entre las manos. ¿Acaso el joven de alzacuellos se daba cuenta de que sus palabras no conmovían a nadie, o bien le parecían menos verdaderas que antes las verdades que enunciaba? A Nathanael le hubiera gustado acercarse a él, como antaño hizo con el joven jesuita moribundo, pero no sabía cómo hacerlo y además puede que al reverendo simplemente le doliera la cabeza. Salió de allí despacito, andando de puntillas.

Al día siguiente, en la sala donde estaban los libros, cogió una gruesa Biblia y buscó en ella las únicas páginas verdes y frescas que recordaba en medio de aquel bosque de palabras, o sea, algunos versículos de los Evangelios. Sí, aquellas palabras nacidas en el campo, a las orillas de un lago, eran muy hermosas; del Sermón de la Montaña se desprendía una gran dulzura, aunque sus palabras mienten en la tierra en que nos hallamos, sin duda dicen la verdad en cuanto al otro reino, pues parecen escapadas de un paraíso perdido. Sí, Nathanael hubiera amado al joven agitador que vivía entre los pobres, contra el que se encarnizaban Roma y sus soldados, los doctores y su Ley, el populacho con sus gritos. Pero que aquel joven judío, separándose de la Trinidad y bajando a Palestina, hubiese venido a salvar la raza de Adán con cuatro mil años de retraso sobre la Culpa, y que sólo se pudiera alcanzar el cielo por su mediación, eso Nathanael no podía creerlo, como tampoco las otras fábulas que compilaban los sabios. Esas historias podían tolerarse mientras flotaban, como inocentes nubes, en la imaginación de los hombres; petrificadas en dogmas, gravitando sobre la tierra con todo su peso, no eran sino nefastos lugares santos frecuentados por los mercaderes del Templo, con sus mataderos de víctimas y sus patios de las lapidaciones. Y si bien era verdad que la madre de Nathanael vivía y moriría fortalecida por su Biblia, entre su caldero de cobre y su gato, en cambio Foy había vivido inocentemente y había muerto sin más religión de la que poseen la hierba y el agua de los manantiales.

De cuando en cuando se pasaba por el café cantante con el compañero a quien tanto gustaba el griego: el despreocupado Jan de Velde. Jan bebía mucho y repetía una y otra vez las mismas historietas, a menudo bastante picantes, que le hacían reír a carcajadas. Nathanael apenas tocaba su vaso de ginebra, que el otro acababa por vaciar después de haberse bebido el suyo. Pero la borrachera no sólo nacía del alcohol, sino de las luces parpadeantes, de las endiabladas danzas alemanas que bailaban algunas parejas cogidas por la cintura; de las largas pipas, que exhalaban un humo infernal, como en las escenas de diablos que se ven en algunas estampas. Las mozas de partido que allí bailaban iban mejor vestidas que las putas de la calle, o al menos lo parecían, con sus ribetes de lentejuelas brillando bajo las lámparas. Jan se eclipsaba enseguida detrás de algún rostro atractivo. Nathanael pagaba la cuenta de ambos y regresaba a casa muy soñador. Pero aquella noche, una voz que cantaba le hizo aguzar el oído.

La que cantaba era muchacha que ya había pasado de la primera juventud, con un hermoso rostro dorado como el de un melocotón. Debía de ser judía, pues sólo en las judías había visto él aquella tez cálida y aquellos ojos oscuros. Cantaba en inglés, a la mesa de unos marineros, canciones seguramente ya pasadas de moda en Londres, pues eran las que le gustaban a Nathanael en su adolescencia, cuando vivía en Greenwich. La voz, un poco ronca, era agradable, pero su hermoso rostro se transformaba a veces haciendo muecas al cantar alguna triste balada, tratando de expresar una ternura que no sentía. También guiñaba un ojo al repetir una cantilena picante, lo que la hacía bizquear. Pero esto sólo duraba un instante, y su óvalo era tan perfecto como el agua tranquila, que vuelve a recomponerse tras la caída de una piedra que la ha turbado con sus salpicaduras. Cuando la muchacha se quedó sola, Nathanael venció su timidez y se le acercó.

La llamaban Sarai. Le contó su historia en inglés sin ningún embarazo. Cuando hablaba en lugar de cantar, vencía el acento del gueto de Ámsterdam. Había hecho carrera en Londres, en casa de unas célebres alcahuetas; luego —de creerse sus palabras—, un lord le había puesto casa y carroza, pero los turbios manejos de unas rivales fueron la causa de que su protector se hastiara de ella. Al encontrarse sin dinero, había vuelto a su tierra. Aquel apestoso café no era más que un remedio provisional para salir del paso.

Pidió ella una cerveza. Aunque los marinos del rey Jacobo se hubieran marchado ya, Nathanael y Sarai continuaban hablando en inglés. Hablar en aquella lengua los aislaba del barullo del café, les daba la impresión de estar solos y calientes, como protegidos por las cortinas de una cama. Ella poseía alegría y vivacidad. Nathanael se extrañaba de sentirla ofrecida a él, pues jamás había llegado a convencerse del todo de que gustaba a las mujeres. En ocasiones paraba ella de hablar: su voz y su boca descansaban, por decirlo así; sus ojos, repentinamente serios, le parecían a él una noche llena de fuegos. Salió del café prometiéndole que volvería.

Volvió en los días siguientes; ella se sentaba a su lado cuando el trabajo escaseaba. Una noche en que hacía muy mal tiempo, regresaba Nathanael a su casa cuando la vio venir, luchando contra el viento, con una toquilla en la cabeza y un paquete de ropa apoyado en la cadera. Sarai lo arrastró lejos de la puerta; estaba jadeante.

—Me han acusado de robo —dijo—. ¡Yo, una ladrona! Fíjate las marcas que me han dejado los golpes...

Tendió los brazos, desnudos hasta el codo. A la luz del farol de una barca vio él los cardenales y se retuvo, por timidez, para no besarlos.

—¡Yo, una ladrona! La patrona me ha dicho que me largue. Todo por culpa de dos cerdos daneses que han perdido su escarcela, y uno de ellos, los encajes de sus calzas... ¡Me importan a mí un bledo sus encajes!

Nathanael comprendió que se trataba de dos capitanes de navío, libertinos y groseros, que acostumbraban repartirse sus favores.

—¿Adónde vas a ir? —le preguntó.

—No lo sé.

Le ofreció asilo por una noche en su chabola del Muelle Verde, que estaba bastante lejos del café cantante. Sarai, como no tenía costumbre de andar, tropezaba con torpeza en el suelo de ladrillos y no sabía evitar los charcos ni los hoyos. Parecía como si las lágrimas de la cólera le quemasen los ojos: en lugar de aprovechar, para orientarse, las luces de las tiendas aún abiertas, se metía como una ciega por los rincones más oscuros; él la cogía del brazo y la sentía tensa, aún más furiosa que disgustada. Aquella víctima le llenaba de compasión el corazón.

—¡Deprisa! —susurraba ella—. ¡Más deprisa!

Él entró primero en el chamizo, atizó la lumbre y le presentó el único taburete que había, tras lo cual sentose en un leño. Tenía con ella las mismas atenciones que hubiera tenido con una reina. Una vez saciada el hambre con el pan y los restos de comida que él le ofrecía, Sarai echó una mirada a su alrededor con una mueca burlona. Por primera vez lamentó él que los cristales estuvieran rotos y que una grieta muy larga cruzara la pared expuesta al Norte. Arreglaría todo aquello. Y sin embargo, desde que ella estaba allí, todo parecía dorado, como iluminado por una lámpara. Los utensilios tirados por el suelo eran bellos y bella asimismo la manta raída que había en la cama. Cuando se acostaron, la cama crujía de tal modo que se echaron a reír. Ella no escatimó sus encantos. Aquel cuerpo de curvas algo blandas, que se fundían unas en otras, le pareció más dulce que ningún otro cuerpo imaginado por él. Se contuvo para no decirle que jamás había gozado hasta tal punto con ninguna otra mujer, pues temía que lo tachase de novato o de tonto y que aprovechara la ocasión para ejercer su influencia sobre él. Y, no obstante, la intimidad del placer le parecía establecer entre ellos una inmensa confianza, como si se hubieran conocido de toda la vida.

Aquella mañana llegó tarde a la imprenta de Elie y se marchó muy pronto, para comprar unas cuantas cosas que hacían falta en casa. Sarai no se había levantado. Comieron mejillones en vinagre y pan de especias, del que vendían en los puestos de la calle. Durante unos días, o unas semanas (nunca supo cuánto tiempo), le pareció vivir como un rey o como un dios. Hacía partícipes de su dicha a todos cuantos veía y con quienes se codeaba por las calles grises: aquellos hombres vestidos con chaquetas o cazadoras usadas, aquellas mujeres feas o hermosas sólo a medias, que veía en el mercado o en las tiendas, quizá albergaran tesoros de pasión, que darían o recibirían de alguien. Sus cuerpos eran cálidos bajo sus sayas raídas. Aquellas burdas chozas, tan parecidas a la suya, habitadas por empleados del fielato o descargadores del puerto, acaso también tuvieran una cama rodeada de gloria como las que traspasan los frontispicios de los libros. La vocecilla de mujer, que desgranaba una canción inepta desde una ventana, quizá fuese —como la de Sarai— un bálsamo para el corazón de un hombre desalentado. Cuando regresaba a casa la encontraba acostada aún, recosiendo sus trapos. Igual que otras el orden, ella sembraba el desorden a su alrededor. Mas Nathanael disfrutaba colocándolo todo en su sitio. Al cabo de una semana, Sarai se atrevió a salir un poco por aquel barrio desconocido para ir a comprar pan a la panadería, leche a casa de una vecina que tenía una vaca o para llenar el cántaro en una fuente cuya agua era más limpia que la del canal. Incluso tendió una vez la ropa lavada en la punta de una larga pértiga. Por la noche, cuando él se afanaba calentando la cena de ambos en la lumbre, ella se paraba en sus idas y venidas para darle, a modo de juego, unos besitos en la nuca o alisarle el pelo. Sin embargo, en ocasiones le parecía a Nathanael que ella sólo le amaba como una gata que se frota contra las piernas de su amo.

Un día, durante una de aquellas breves salidas de Sarai, Nathanael cogió cemento y una llana y se acercó a la pared con la intención de arreglar la grieta tapada con unos trapos, que empezó por sacar de allí. Algo brilló a la luz de la vela que había puesto en el suelo. Metió la mano con precaución. Era una escarcela que contenía monedas de oro, hebillas de plata y, doblados dentro de un pañuelo, unos encajes encañonados. En aquel instante, lo mismo que en Greenwich cuando creyó haber matado al gordo agresor de Janet, se vio con la soga al cuello. Si le cogían por encubrimiento, ya podía prepararse. Luego le invadió un sentimiento de horror hacia aquella mujer, que se había escondido en su chamizo y que hacía el amor con él en pago de su alquiler. Incluso en el barrio perdido, donde nadie la iría a buscar, no se había atrevido a salir hasta que los daneses se habían hecho a la mar, probablemente. Si era verdad que le habían pegado y, sin duda, registrado antes de que la patrona la echara del café, ¿cómo conservaba aquellos objetos? ¿Los habría escondido sobre ella o en los pocos harapos que le habían permitido llevarse? Las sevicias cuyo relato tanto le había conmovido puede que no fueran sino una comedia. Sarai debió de largarse antes de que se dieran cuenta del robo. Nathanael se metió el cuerpo del delito en el bolsillo de su viejo tabardo y tapó cuidadosamente la grieta de la pared con cemento. Al llegar la noche arrojó los objetos robados al canal.

No le habló de lo que había descubierto. Por su parte, ella no pareció darse cuenta de que él había tapado la grieta. Unos días más tarde, la grieta reapareció. Nathanael comprendió que había estado rascando la pared pero, a su vez, fingió no haber reparado en ello. Pensándolo bien, se dijo que, después de todo, ella tenía tanto derecho a aquellas monedas de oro como los dos borrachos daneses. El robo, además, le indignaba menos que la dureza de corazón de aquella mujer: le había expuesto con pleno conocimiento a la vergüenza, tal vez al patíbulo. Por otra parte, él debía su felicidad a aquella sucia aventura. También él, en cierto sentido, abusaba de ella. Por las noches seguía encendiéndose su pasión, más que nunca quizá, desde que el lenguaje de los cuerpos era el único en que ambos podían expresarse francamente. Pero sentía la impresión de acostarse con una mujer contaminada.

Todo empeoró cuando ella supo que estaba embarazada. Se negaba a creerlo, pues siempre se había salvado del embarazo hasta entonces. Cuando fracasaron todos los recursos, habló de visitar a una abortera. Él la disuadió de ello, por miedo al efecto fatal de los polvos y de las largas agujas. Sarai estuvo varios días seguidos sin hablarle, tan pronto colérica como bañada en lágrimas. Se descuidaba; sus viejos vestidos olían a vomitona. Nathanael le mandó hacer uno de buen droguete, así como una cofia y un delantal de algodón, pero no quiso ponérselos. Para acabar con las murmuraciones del barrio, Nathanael decidió someterse a las formalidades del matrimonio. La cosa no era fácil de llevar a cabo; habría que encontrar a un pastor con manga ancha que consintiera en casarlos, aunque el esposo no estuviera inscrito en los registros de ninguna parroquia, y que aceptara a Sarai sin obligarla a aprender el catecismo y a bautizarse. Confió sus apuros a Jan de Velde, quien, entre sus numerosas amistades, logró encontrar a un complaciente eclesiástico. Una pequeña suma de dinero terminó de arreglar el asunto. Tras la ceremonia, que fue corta, Jan de Velde los invitó a cenar en la taberna, e hizo reír a carcajadas a la novia imitando al famélico predicador que recitaba con la nariz los versículos de la Biblia. Jan de Velde no era peligroso para las mujeres. Pero aquel matrimonio tan pronto ridiculizado por la novia misma, aquella juerga tras la ceremonia adulterada le parecieron muy amargos a Nathanael: tenía la vaga impresión de haber traicionado algo o engañado a alguien.

Aquella solemnidad no dulcificó el talante de la vecindad: compadecieron a Nathanael y le llamaron asno. Tampoco disminuyó la negra melancolía de Sarai. Súbitamente, y más de dos meses antes de llegar a término, la joven anunció que volvía a casa de su madre, a la Judenstraat. Aquella madre inesperada hizo sobresaltarse a Nathanael.

Repasó pensativamente la historia de ambos a partir de su primer encuentro. Aunque aquella madre fuera una madre postiza, ¿por qué no se refugió Sarai en su casa la noche de la algarada en el café cantante? Seguramente temió comprometer a la anciana. Por otra parte, el deseo de volver con su madre —suponiendo que la tuviese— era muy natural en aquellas circunstancias: la casucha del Muelle Verde era un chamizo húmedo. Nathanael salía muy de mañana para ir a trabajar y no regresaba hasta muy tarde. Al no tener amigas entre las vecinas, Sarai temía —no sin razón— encontrarse sola al llegarle la hora de dar a luz, mientras él estaba fuera. Como su estado era ya muy avanzado, mandó él llamar una silla de posta para hacer el trayecto, que era bastante largo. Las comadres del lugar se rieron burlonamente al verla subir a ella.

Mevrouw Loubah, más conocida por el nombre de Leah, vivía en una casa con dos puertas: una en la calle de los judíos —donde tenía un comercio de ropa vieja— y la otra —cuyo umbral era fregado y frotado con cuidado y daba acceso a una tienda de fruslerías procedentes de Francia— sita en una callejuela del barrio cristiano. La gente de postín no desdeñaba ir por allí a regatear el precio de los *rhingraves* o de las manteletas de encaje de Génova. Leah cerraba los sábados, por respeto a la ley judía, y también los domingos, ya que los clientes bautizados no acudían a comprar. El domingo era asimismo el único día en que Nathanael disponía de parte de su tiempo. Habían instalado a Sarai en el piso de arriba, en un cuartito pequeño; la Mevrouw, o una de las dos sobrinas de ésta, le hacían compañía en los intervalos libres que les dejaba su trabajo. Existía entre aquellas mujeres una amistad tumultuosa y apasionada, hecha de risas y abrazos; las voces aumentaban de repente hasta alcanzar el diapasón de la cólera, o bien se derretían en ternezas. Se lo ocultaban todo o se lo gritaban todo en voz muy alta. Leah y su supuesta hija hablaban en inglés, que era su lengua secreta delante de las sobrinas o de la criada; de cuando en cuando, una palabra hebrea o portuguesa señalaba un lugar peligroso, indicaba que se trataba de algo distinto a lo que se estaba diciendo o que se cambiaba un nombre por otro.

Nathanael no supo nunca si eran de verdad madre e hija, pero se enteró, por las bromas y recriminaciones cruzadas en su presencia, de que Leah había dirigido en Londres un elegante burdel: ella fue, sin duda, quien vendió a Sarai cuando era muy jovencita a un tal lord Osmond, y probablemente también a otros. Un escándalo parecido al del café cantante hizo perder a la hermosa su puesto de amante titular; huyó sin su madre, que siguió su ejemplo unos meses más tarde. No obstante, Mevrouw Loubah seguía yendo y viniendo de Ámsterdam a Londres, al servicio de un diamantista. Tal vez fuese a causa de una de esas ausencias por lo que Sarai prefirió refugiarse en el Muelle Verde.

Por lo demás, ahora que Nathanael vivía solo en su casa, los vecinos se paraban de nuevo a charlar con él a la orilla del canal. De este modo se enteró de que el verano anterior Sarai había salido numerosas veces estando él ausente y había tardado mucho en volver, bien porque Leah le proporcionase algunas citas pagadas, bien porque fuera allí para ayudar honradamente a aquellas mujeres a plisar encajes o a fabricar ungüentos; pero el silencio de Sarai ponía un tinte dudoso en aquellas idas y venidas. También podía ser que su chamizo, por estar tan alejado, fuera una verdadera ganga para aquellas encubridoras. Desde que había descubierto el paquete escondido en la grieta de la pared, pocos días después de la llegada de Sarai, Nathanael no había vuelto a registrar su casa. Trató de hacerlo una noche, pero la verdad era que todo allí podía servir de escondite: el techo de paja destrozado; el suelo, en el que faltaban varias losas; el montón de desperdicios al fondo del jardín... Además, Sarai seguramente se lo había llevado todo cuando dejó la casa.

Las mujeres le habían prometido avisarle cuando naciera el niño; con los apuros propios del momento, se olvidaron de hacerlo. Cuando fue a visitar a Sarai como de costumbre el domingo, después del parto, la encontró embellecida, descansada y sonriente, con las manos colocadas encima del edredón; una de las sobrinas la estaba peinando. Nathanael buscó con la mirada al recién nacido y pensó que habría muerto, al no verlo por ningún sitio. Pero no era así: aquella misma mañana le habían buscado un ama de cría, pues Sarai no tenía bastante leche para amamantarlo.

Fue a casa de la nodriza. Era una digna matrona, ya madura; una especie de madraza oriental, que se encontraba a sus anchas entre llantos y gritos de niño. Su conversación se hallaba salpicada de refranes piadosos. Una vez traspasado el umbral de la puerta, coronada por un letrero hebraico, uno se sentía lejos de la calle ruidosa, lejos asimismo del terreno cuajado de trampas que era la casa de Leah. El marido era un carnicero ritual, muy hábil para matar lentamente a los animales y vaciarlos de su sangre. En su casa era un buen hombre, de tierno corazón. La nodriza trajo una lámpara para enseñarle al niño.

—¿Es hermoso, eh?

Nathanael lo encontró muy feo, mas sabía que todos los recién nacidos les parecen hermosos a las mujeres. Se maravillaba de que los violentos placeres compartidos con Sarai, sus risas, sus lágrimas, sus meneos y sus languideces carnales hubieran dado vida a aquel frágil capullo. Una pelusilla negra, heredada de su madre, cubría la cabeza del niño, cuyas suturas apenas se habían cerrado. En todo caso, serían las mujeres las que regentarían su diminuta vida, y si algún día tenía que encargarse Nathanael de su hijo, ¿qué iba a hacer con aquel arrapiezo, a quien pronto se conocería como a un niño escapado de una calle del gueto? Acababan de circuncidar al pequeño, lo que hirió a Nathanael en el fondo de su propia carne, como si hubiera una ofensa a la integridad de los cuerpos en aquella oblación bíblica. Lazare —le habían puesto este nombre— crecería entre los usos y costumbres de la Judenstraat, unas veces peores y otras mejores, pero siempre diferentes de los del Muelle Verde o de la Kalvenstraat, donde se hallaba la imprenta de Elie. El niño asistiría probablemente a la escuela de los rabinos y lo que aprendiese no sería ni más verdadero ni más falso que lo que enseñaban en el sermón. Pero lo más seguro sería que su único maestro fuera la calle. No conocería mucho a su padre. Además, también podían hacerse muchas preguntas acerca de aquella paternidad.

Nathanael había retrocedido un paso: ya no pretendía llevarse inmediatamente a Sarai a su casa. El que ella hubiese vivido alguna vez en el Muelle Verde casi le parecía un sueño.

Sarai, no obstante, no se negaba a volver cuando hiciera mejor tiempo; de momento, no, porque uno se helaba en aquella casucha. Nathanael, que no paraba de toser, era buena prueba de ello. Entretanto, Mevrouw Loubah lo recibía bien, sobre todo desde que llevaba buenos y nuevos atavíos, medio de artesano, medio de burgués. No dejaba nunca de regalar fruslerías o golosinas a las mujeres. Sarai le decía, riendo, que para estar tan «forrado» debía de haber hecho alguna bribonada. Era casi verdad.

Poco antes del parto se había creído en la obligación de pedirle a Elie la parte que le correspondía de los bienes familiares: incluso habló de enviarle a un procurador o a un ujier. Elie tuvo que pagar. Fue como si Nathanael tirase con todas sus fuerzas de una raíz de árbol podrida, que ya sobresalía de la tierra por sí misma. El contenido de una bolsa vieja —cuatrocientos ochenta florines en total— fue vaciado sobre la mesa del cuarto de los libros, contado y recontado por el deudor y, finalmente, metido otra vez en su bolsa, que Elie cerró antes de tendérsela a su sobrino. Nathanael dejó el objeto en el suelo, avergonzado de haber puesto en duda la probidad de aquel hombre honrado. Un trozo de pergamino estaba ya preparado para hacer el recibo.

—¡Firmad!

El joven lo hizo sin tomar la precaución de leer antes lo que firmaba. Al devolver el recibo, sus ojos tropezaron por casualidad con una línea: Nathanael no sólo reconocía haber recibido los bienes que Elie decía corresponderle, sino también todas las cantidades que su tío debía a su familia. Elie guardó el recibo bajo llave.

—Ya sabéis que hemos sufrido pérdidas de rentas y grandes quiebras en el negocio de Ámsterdam desde que vuestro difunto padre me dejó este peculio para hacerlo fructificar —dijo con acritud el librero.

—¿Cómo? ¿Sólo nos corresponden estas sobras, esta miseria?

—No me considero lo bastante rico para llamar así a cuatrocientos ochenta florines —replicó el comerciante de letra impresa.

Nathanael echó una mirada a su alrededor, a todo aquel mobiliario de hombre acomodado.

—Espero que administréis los bienes de vuestra familia con el mismo cuidado que yo lo hice —repuso el tío con una pizca de sarcasmo—. Aunque tengáis probablemente otras obligaciones más acuciantes.

Nathanael volvió a dejar la bolsa encima de la mesa.

—Que os la llevéis o no lo mismo me da. Ya habéis firmado el recibo —dijo con sequedad el comerciante, que con cualquier pretexto había llamado a Jan de Velde para asegurarse la presencia de un testigo. Nathanael guardó el dinero.

Le hubiera gustado marcharse de inmediato y para siempre de aquella casa donde había estado trabajando durante cuatro años, escrutando línea tras línea un montón de doctas obras. Pero el tío le señaló con el dedo unas pruebas para corregir. Las cogió casi sin darse cuenta. El rostro de Elie estaba serio y melancólico.

—Éstos son los insultos a los que uno se expone —dijo como de mala gana— cuando hace fructificar los bienes de una familia. La ingratitud...

Se hubiera dicho que gracias a su sangre fría viril se abstenía de llorar. Nathanael salió de allí escupiendo.

Pensó escribir a sus hermanos. ¿Seguirían trabajando en Southampton para el Almirantazgo? Su madre en el hospicio (¿viviría aún?) sabía leer la Biblia, pero no sabía escribir. Además, hubiera tenido que confesar el incomprensible pudor que le impidió comprobar a tiempo aquel recibo, por miedo a parecer que desconfiaba de su tío. Nadie iba a creerle.

Decidió pedir consejo al tío Cruyt, su más antiguo compañero de imprenta, a quien una pequeña herencia había permitido por fin instalarse por su cuenta. En su imprenta no se hacían libros hermosos, encuadernados en piel. Con ayuda de tres personas y de cuatro obreros, a los que tiranizaba todavía más que Elie a los suyos, Niklaus Cruyt publicaba, en papel de mala calidad, los compendios de sermones que algunos predicadores le encargaban, henchidos de vanidad o tal vez deseosos de difundir la buena nueva. También imprimía rústicos calendarios o tratadillos de veterinaria para uso de granjeros y herradores que supieran leer. Pero las más pingües ganancias las obtenía con panfletos de su cosecha y libelos en lengua gálica sobre los escándalos de la corte de Francia, expedidos allí subrepticiamente por cuenta y riesgo de los autores. Los negocios le iban bastante bien, así que el viejo estaba aquel día fumando su pipa con satisfacción. Se encogió de hombros al oír el relato de la trampa tendida por Elie a Nathanael: de aquel réprobo no podía esperarse otra cosa.

—Oye —le dijo adelantando la cabeza con la prudencia de una tortuga—, si quieres invertir los trescientos veinte florines que has apartado para tus hermanos, yo, Niklaus Cruyt, te los puedo tomar prestados de buen grado, a un interés del doce por ciento. Y aún ganaría con ello, pues los usureros piden el doscientos por ciento. No es que me falte dinero, gracias a Dios, pero siempre hay que contar con el que tarda en entrar en caja.

Como Nathanael aborrecía la usura, insistió en un diez por ciento. Hicieron un pequeño contrato y brindaron para celebrarlo. Ya en la puerta, el viejo le gritó que buscara algún buen libelo, muy escandaloso, sobre los amores de Mazarino y de la reina, puesto que Elie despreciaba aquella clase de trabajos. Seguidamente llenó de improperios a un pobre hombre que se doblaba en dos bajo el peso del fardo que llevaba, y ante el cual se había apartado Nathanael para dejarlo pasar. Tampoco era aquél el taller de compañeros con que soñaba el joven, un negocio en donde cada cual cogiese a discreción de las ganancias comunes y lo sobrante, considerado como perteneciente a todos, fuese de nuevo invertido en el negocio. Pero era una cosa buena el que sus dos hermanos hallaran su dinero bien colocado. ¿Sus dos hermanos? Algo le decía que no podría evitar roer un poco de aquella suma para el niño, en caso de necesitarlo, o para Sarai, si es que volvía a su lado algún día. Su propia honradez tampoco carecía de fallos.

Entregó cincuenta florines a la nodriza de Lazare, de los que podría disponer para el niño en caso de extrema necesidad. La buena mujer guardó con respeto el dinero del cristiano en una arqueta. Leah pagaba la pensión, que no era mucha, pero la nodriza parecía estar muy al tanto de los altos y bajos de aquellas mujeres. No obstante, era muy probable que aquella honrada, pero charlatana criatura no callase durante mucho tiempo sobre el dinero que le habían confiado y era posible que tanto Leah como Sarai la envolviesen para que se lo entregara. Aquella previsión del porvenir no era sino un gesto supersticioso y, para Nathanael, una manera de demostrarse a sí mismo su paternidad.

Había pensado en abandonar a Elie en favor de unos rivales, los Blau; pero el taller de aquellos famosos libreros estaba de momento al completo. De todas formas, la comedia representada en la sala de los libros más bien mejoró que empeoró la posición de Nathanael en la imprenta. Como Cruyt se había despedido, era él uno de los más antiguos, privilegiado con relación a los recién llegados. Pero sobre todo, Elie —contento sin duda de haberse burlado de él— lo trataba con la simpatía de un verdadero tío carnal. En ocasiones le honraba dándole palmaditas en la espalda e incluso llegó a felicitarle por su diligencia, un día en que había mucho trabajo urgente. Lo invitó a comer un domingo, después del sermón. La comida fue taciturna: el tío y el sobrino no tenían nada que decirse. Elie, sin embargo, introdujo en la conversación una alusión relativa a los cristianos que se enamoran de muchachas infieles; Jan de Velde se había ido seguramente de la lengua. Mevrouw Eva, la esposa de Elie, tan antipática en otros tiempos, le echaba de cuando en cuando curiosas miradas de mojigata ante un muchacho con fama de gustarles a las mujeres. Nathanael la rehuyó.

Después de aquella aburrida comida la casa de Leah le pareció más acogedora que nunca. Los platos condimentados con especias, que ponían encima de la mesa las dos muchachas alegres y chillonas, le parecieron suculentos, así como los vinos generosos de Oporto y de Madeira. Se puso un poco alegre y habló de las mejoras que había introducido en la casa del Muelle Verde, y de los árboles del barrio, que pronto echarían brotes. Sarai guiñaba enigmáticamente los ojos. Trataba de recuperar fuerzas poco a poco y todavía necesitaba los mimos y cuidados de las sobrinas. Le dejaron acostarse con ella en varias ocasiones, pero ya no le parecía aquello como la nube de gloria, atravesada de rayos luminosos, que envolvía la cama de su chamizo, semejante a la descrita por Ovidio en sus ayuntamientos maravillosos. Sarai ya no empleaba con él más que sus artes de cortesana y él ya no sentía por ella sino el apetito trivial que se siente por toda mujer hermosa, y esa cortesía propia del lecho, que obliga a comer más de lo debido cuando se está acompañado o, al contrario, un poco menos. Se sabía el blanco de las bromas que tramaban las sobrinas; éstas se reían de su cojera y le enredaban el pelo llamándole «tejado de paja». Él se reía con ellas. Una noche en que a Sarai le dolía la cabeza, trató ella de empujarlo, a modo de juego, a los brazos de una de aquellas muchachas, que no deseaba otra cosa. Se sintió menos escandalizado que herido.

Padeció su acostumbrada bronquitis anual: lo cuidaron unos vecinos. Tres semanas después, ya lo bastante repuesto para hacer un recado que le había encargado Elie, fue a llevar las pruebas de unos abstrusos *Prolegómenos* a casa de un sabio judío llamado Leo Belmonte, que vivía en el barrio de Sarai. El sabio le abrió la puerta en persona; discutió afablemente con Nathanael sobre algunas correcciones al margen, relativas a dos o tres construcciones latinas. A Nathanael le hubiera gustado quedarse allí más rato, para que el autor le explicara unas palabras sobre la naturaleza del universo y sobre la de Dios, mas recordó el proverbio que aduce cómo el zapatero, en presencia de un retrato, debe limitarse a opinar no sobre el parecido o la belleza del modelo, sino sobre el buen acabado de los zapatos. Él no era ni teólogo ni filósofo, y Leo Belmonte no necesitaba para nada sus opiniones.

Al anochecer se le ocurrió pasarse por casa de Mevrouw Leah, pese a no ser uno de los días en que acostumbraba visitarla. Tal vez Sarai estuviese inquieta por su larga ausencia.

La tienda estaba oscura, pero la puerta no tenía echado el pestillo. Un poco de luz, procedente de una lámpara que había en la habitación pequeña del fondo, se filtraba a través de una cortina. Nathanael contuvo la respiración: Sarai se encontraba allí con un hombre. Era indecente espiar; no obstante, se adelantó sin hacer ruido hasta el umbral del cuartito, iluminado como un escenario. Aquel caballero, que aún llevaba puesto el sombrero de fieltro, cubría de bigotudos besos los labios de Sarai, quien le devolvía sus chupetones. Los pechos de la joven se escapaban del corpiño desabrochado; la mano del galán tiraba de ellos y los apretaba mecánicamente, como si fueran odres. La de Sarai resbaló a lo largo de las costillas del cliente con gracia juguetona, se entretuvo amorosamente en su costado y se introdujo con destreza en el bolsillo de su traje. Nathanael vio cómo sacaba algo redondo y dorado, probablemente un pastillero, que desapareció entre los amplios pliegues de la falda. Al alejarse silenciosamente, oyó la misma risa arrulladora que dejaba oír Sarai cuando estaba en sus brazos. Se encontró de nuevo en la calle y se repitió a sí mismo: «Está ejerciendo su oficio... No hace más que ejercer su oficio».

Ni siquiera estaba triste, y hubiera sido estúpido indignarse. Compadecía a aquel individuo que, sin duda, se encontraba en la gloria lo mismo que le había pasado a él, y al que engañaban de la misma manera que a él lo habían engañado. Pero Sarai estaba educada para sacar provecho de los hombres, como los hombres lo sacaban de ella. Era muy sencillo.

Regresó al Muelle Verde. Atizó el fuego de turba escondido bajo las cenizas e inspeccionó a su luz unos cuantos objetos nuevos que había adquirido con vistas al regreso de Sarai: rompió mecánicamente dos platos y dos cubiletes de loza y echó los trozos rotos a un rincón. Luego rompió los listones de madera de la cuna que había hecho para Lazare. Pensó romper asimismo la manta casi nueva que le había comprado a un marinero, quien, con toda seguridad, se la habría robado a su capitán, mas acabó por taparse con ella y echarse a dormir. Durmió mucho rato. Aquel año de pasión y de desengaños se hundía en el abismo, como cae un objeto al que arrojan por la borda; igual que cayeron, cuando regresó a Greenwich, sus pavores de haber matado al grueso comerciante aficionado a la carne joven, sus largos meses de vagabundeos en compañía del mestizo y sus dos años de amor y de penuria junto a Foy. Todo aquello igual podía no haber sucedido.

Devolvió las llaves al propietario de la casa, antiguo capitán de navío de grotesco semblante, quien tampoco parecía ignorar nada de su aventura:

—¿Qué? ¿El pájaro voló?

El lobo de mar añadió que él jamás tuvo esa clase de preocupación; a las mujeres había que cogerlas o dejarlas, y dejarlas era mejor que cogerlas. Cuando supo que Nathanael le dejaba unos cuantos muebles y utensilios a modo de alquiler, por no haber terminado los arreglos prometidos, el viejo protestó débilmente antes de aceptar. Nathanael dejó sus ropas y unos libros en casa de un vecino, que le ofreció con amabilidad un jergón. Pero aquella familia vivía amontonada en una sola habitación y, de todas maneras, el joven estaba ya harto del muelle, de los árboles y de las caras del barrio... Sentía una tremenda necesidad de hablar con alguien, con un amigo o con una persona que casi lo fuera. A falta de algo mejor, se encaminó a casa de Cruyt, quien quizá aceptase dejarle dormir en su taller a cambio de una pequeña suma de dinero.

Al entrar le dio un sobresalto. Las prensas estaban aplastadas, retorcidas, deshechas a martillazos; manivelas rotas y correas cortadas y retorcidas se mezclaban por el suelo; un enorme charco de tinta se extendía sobre el mostrador y chorreaba, formando largos regueros. El charco negro y brillante le recordó al que utilizaba Mevrouw Loubah para decir la buena ventura, una vez cerradas todas las puertas. Pero lo más extraño era el suelo, alfombrado de letras de molde procedentes de los cajones abiertos de par en par; millares de letras se enredaban unas con otras formando una suerte de insensato alfabeto. Nathanael resbalaba sobre aquella chatarra.

—¿Has venido a contemplar tu obra?

El viejo, sentado detrás del mostrador, con la cabeza apoyada en las manos y uno de los codos empapado de tinta, volvió hacia él un rostro rabioso.

—¿Te acuerdas del opúsculo sobre la corte de Francia que me trajiste de casa de Elie? Perdón, de casa de Mynheer Adriansen, maestro impresor —rectificó con ira—. Se vendió muy bien, sobre todo en París, de tapadillo. Sólo que yo ni siquiera tuve tiempo de meter en él las narices para leerlo. Eso es: Mynheer me hizo el favor de traerme de casa de su tío un panfletillo indigno de las prensas del mismo y como en él, por casualidad, se hablaba del embajador de Francia en las Provincias Unidas, de ese mequetrefe que se acuesta con la mujer del naviero Troin... Y como no faltó quien le llevase el libelo recién salido de la imprenta...

—¿Mandó a sus lacayos?

—¡Que te crees tú eso! Mandó a cuatro fuertes... del puerto, que llegaron aquí esta mañana. Lo han destrozado todo...

La voz del viejo también se quebró. Nathanael cerró la puerta tras de sí; la corriente de aire hacía revolotear aquí y allá varias manos de papel desgarrado que se habían salido de los sacos destripados. Se acercó a Cruyt para compartir con él su disgusto, mas éste le apartó con un amplio ademán que derramó por el suelo la poca tinta que aún quedaba en la garrafa a medio romper.

—¡Lárgate, sinvergüenza! ¡Urdiste todo esto con tu tío para arruinar a los pequeños competidores!... Lárgate, te digo... Vete a buscar a tu puta judía... Y todos esos embustes que me contaste sobre tu dinero... Tu dinero puedes metértelo en...

Nathanael no quiso oír más: salió de allí limpiándose con la mano la manga salpicada de tinta sin darse cuenta. Compadecía al viejo, pero lo peor era que creyó tener en él a un amigo. Para hablar con franqueza, aquella supuesta amistad sólo enmascaraba una común antipatía hacia Elie. Y Sarai era una puta, es verdad, y era judía, pero aquellas dos palabras no bastaban para definirla. Además, ni una ni otra significaban lo que en ellas ponía el pequeño Cruyt. A decir verdad, no significaban casi nada.

Lo más sencillo hubiera sido alquilar en alguna de las posadas de buena fama en la ciudad una cama fría en un cuartito glacial y encerado. Tenía dinero para ello, pero seguía añorando un poco de calor humano. Jan de Velde vivía a dos pasos de allí, en la buhardilla de un viejo almacén. Una serie de trampillas llevaban a la espaciosa estancia, bien ventilada por los vientos colados. Jan le había invitado varias veces con insistencia a que se instalara en su casa. Pensó pedirle asilo por una noche (en cuanto a una cohabitación más larga, ya se vería), sólo por el gusto de oír la voz un poco ronca de Jan soltar sus chanzas o tararear canciones en griego. Después de todo, Jan fue quien hacía no mucho había descubierto a un pastor para que lo casara con Sarai; podía hablarle de ella con toda sencillez. De subir tantos escalones se quedó sin aliento. Jan le abrió la puerta ataviado con la ropa de los domingos, lo que era natural, por ser día de fiesta. Incluso acababa de afeitarse. Detrás de su amigo, Nathanael distinguió una mesa puesta como para un festín: una jarra de cerveza, queso, dos porciones de pastel, una garrafita de ginebra. Le hizo su petición con algo de embarazo; Jan se ensombreció:

—¡Qué lástima, amigo! Hoy caes mal... Te confieso que esta noche espero los favores de Eros y la sonrisa de Afrodita celeste... Pero si vuelves mañana, a la hora de la cena...

Nathanael movió la cabeza. Los ojos un poco inexpresivos de Jan se entristecieron: no le gustaba negar la hospitalidad a un amigo. Le propuso:

—¿Quieres un poco de ginebra?

Pero ya no vislumbraba más que el busto de su visitante, al que había tragado la trampilla y que ponía toda su atención en bajar la escalera. Los favores de Eros... La sonrisa de Afrodita celeste... Jan tenía derecho a defender su buena suerte... ¿Acaso lo hubiera retenido Nathanael, en el Muelle Verde, alguna de aquellas noches en que esperaba —ardiendo todo él— a que la puerta se cerrase tras una visita importante para que Sarai se desabrochara la camisa?

Empezaba a llover; la lluvia se mezclaba con blandos copos de nieve. Nathanael se encaminó hacia el dique, allí donde amarraban los barcos que llegaban de ultramar. Sus mástiles semejaban, desde lejos, a los árboles despojados de sus hojas por el invierno y agitados por el viento. De cuando en cuando veíase brillar un farol, sin lo cual nadie hubiera sabido que allí vivían hombres, dentro de aquellos cascos negros. Ahora le parecía que lo mejor de su vida habían sido aquellas travesías, aquellas indolentes escalas en unos puertos de lánguido clima, o asimismo aquellos dos años de vida dura e ingenuo amor en la isla bautizada por sus habitantes la Isla Perdida. Mas ningún capitán lo aceptaría ya en su tripulación, pues no era sino un antiguo marinero que tosía y se sofocaba al menor esfuerzo.

Advirtió que su tabardo estaba completamente blanco. Desde luego, la lluvia se estaba convirtiendo en nieve. Debía de ser más tarde de lo que él pensaba: se habían apagado las luces de todas las casas. No obstante, ya encontraría por algún sitio de aquel barrio un tugurio con una vela encendida. Empero, se iba alejando del centro sin percatarse de ello y caminaba en dirección al campo, atento tan sólo a no acercarse mucho al canal o a la cuneta, pues morir en el agua sucia y en el barro no le seducía. A pesar de que la nieve derretida le resbalaba por la nuca, tenía mucho calor. Se preocupó de andar en línea recta, por miedo a que la gente, al verlo titubear, lo confundiera con un borracho. Pero las calles estaban vacías. Al pasar cerca de un barracón que estaban montando para la feria, reconoció —envueltos en harapos y apretados frioleramente uno contra el otro— las siluetas de dos viejos mendigos: Tim y Minne. Eran como una pareja de perros vagabundos a quienes se arrojan los desperdicios. Nathanael se sacó del bolsillo un puñado de monedas de metal, que le pesaban, y se lo tiró. Al oír el tintineo de la plata y del cobre resonar en el suelo de ladrillos, ambos viejos se precipitaron gruñendo. La paga de Elie no le llegaría hasta dentro de dos días; la ausencia de hoy y las tres semanas de bronquitis le serían descontadas del sueldo, mas poco importaba. Desembocó en una hermosa calle a medio construir, de lindas casas nuevas; las altas fachadas cubiertas de nieve parecían acantilados; verjas y tapias bajas las separaban unas de otras; el viento se colaba por aquellos callejones enladrillados como si fueran grietas. Nathanael se caló el gorro, pero una ráfaga de viento acabó por llevárselo, lo que le hizo reír. Le parecía que el viento giraba sin cesar, como sucede en ocasiones en el mar. Descubrió una oquedad en una de las tapias, que le pareció bastante resguardada, y se tendió allí para dormir. Pronto la nieve lo tapó con un leve manto.

Se despertó en una estancia espaciosa, de paredes encaladas; los cristales de las ventanas eran unos inmensos cuadros grises. Ayer, hoy y mañana formaban un único y largo día enfebrecido que contenía asimismo a la noche. Creyó haber participado en alguna reyerta y haber recibido una puñalada en un costado: no eran sino los pinchazos de su pleuresía. Unos días más tarde distinguió con más claridad aquellas mismas paredes y cristales por donde esta vez resbalaba la lluvia. La sala estaba llena de ruidos y de olores humanos. Alguien tosía, tal vez fuera él mismo. A su derecha, un hombre acurrucado en una cama gemía débilmente; a su izquierda, otro hombre que parecía robusto se quitaba la manta y se la volvía a poner, sin cansarse de repetir en voz alta, siempre con el mismo tonillo: «Maldita pierna esta...».

Más allá, un hombre viejo y de aspecto febril hablaba sin parar, muy deprisa, inagotable como el hilillo de agua que desborda de una fuente. Tal vez estuviera narrando toda su vida. Nadie le hacía caso.

Pasó por allí el médico, tocado con un sombrero de fieltro, con su cuello y puños almidonados, rodeado de un tropel de estudiantes asimismo bien vestidos. Los dedos fríos del enfermero le quitaron la camisa a Nathanael (era la misma que llevaba cuando entró en el hospital, pero alguien la había lavado y planchado recientemente), descubriendo sus flacas costillas y su espalda marcada por las sanguijuelas. Con una vara ligera en su bien cuidada mano, el elocuente médico apuntó a la espalda de Nathanael, pronunciando unas cuantas frases en latín sobre el curso de aquella enfermedad pulmonar. Gracias al vigor de la juventud, aquel sujeto se libraría una vez más de la muerte, pero en cuanto llegara el próximo invierno, las intemperies...

Nathanael pensó sorprenderle con una respuesta en buen latín, mas ¿para qué asombrar a aquel pedante? Además, estaba muy cansado para hablar. Cerró los ojos.

Cuando los volvió a abrir, se oían gritos a través de las puertas cerradas de la sala contigua. Quien gritaba era el hombre que antes estaba al lado de Nathanael; seguramente el cirujano le estaba amputando su «maldita pierna». Aquel paciente no regresó a la sala; otro ocupó su lugar bajo su manta.

Las ventanas enmarcaban ahora al crepúsculo. Nathanael se encontraba mejor y se incorporó sobre la almohada. Alguien pasaba una esponja húmeda por su cuerpo, como lo hacen con los muertos. Miró. Era una mujer alta, de mediana edad, de rostro frío y blanco, con aspecto de competencia e interés. Había traído una cesta con alimentos y le obligó a tragar unas cucharadas de una crema espesa y azucarada. Después se paró ante las otras camas, aunque con menos detenimiento. Los enfermeros la conocían: era Mevrouw Clara, ama de llaves del señor Van Herzog, el antiguo burgomaestre. Casi todos los días iba a visitar a los enfermos y a los prisioneros.

En cuanto Nathanael se halló en estado de contestar, ella se informó de su nombre, dirección y empleo. Unos días más tarde le trajo malas noticias: en la Kalverstraat —había ido a la imprenta a enterarse—, la larga ausencia de Nathanael, precedida por tres semanas de bronquitis a principios de año, obligó a Elie Adriansen a tomar a otro corrector; el de ahora cumplía bien con su tarea. Ciertamente, de cuando en cuando podrían darle algún trabajo al convaleciente; también podrían emplearlo en la sala de embalajes. Quitando a Elie, que no había dicho gran cosa, había visto a un hombre bien parecido, de pelo rizado con tenacillas, un tal Jan de Velde, que le enviaba muchos recuerdos, y a un viejo que había continuado su tarea sin inmutarse. Sin duda se trataba de Cruyt, no disgustado (¿quién sabe?) de volver al redil, tras haber conocido los apuros del empresario.

Pero ¿qué importaba todo aquello? Nathanael no deseaba volver a trabajar en casa de Elie; ya encontraría cualquier empleo en otro sitio. Luego, sintió un miedo repentino: cuando eran jóvenes, Tim y Minne probablemente se dijeron también que ya encontrarían algo. Después de todo, pensó que el porvenir que tanto le preocupaba acaso no fuera muy largo para él.

—Nosotros fuimos quienes os descubrimos en la puerta del jardín, tumbado en la nieve —dijo Mevrouw Clara, que parecía adivinar sus pensamientos—, y no dejaremos que nada os falte. Ya otras veces me han permitido ellos llevarme a casa a mis enfermos y a mis inválidos.

Mencionó a dos de sus protegidos: un viejo, paralítico del brazo derecho, para el cual había encontrado, a pesar de todo, un trabajo de portero en un pequeño templo, cerca del Kaisergracht, y una hidrópica, a la que consiguieron meter en un asilo. Al hablar de sus señores —el señor Van Herzog y su hija, la señora d'Ailly—, siempre empleaba un indefinido plural. En sus momentos de mal humor, también los llamaba «los de arriba». Puede que no los distinguiera sino vagamente, a distancia, o bien que, acordándose de que su difunto marido —comerciante de semillas— tenía un lejano parentesco con el antiguo burgomaestre, se empeñara en evitar todo lo que resaltase su inferioridad de sirvienta. Antes de despedirse de Nathanael, insistió para que recorriese el largo pasillo, con objeto de que ejercitase un poco las piernas.

Al día siguiente ayudó al convaleciente a calzarse; lo afeitó con destreza de profesional —le había crecido mucho la barba en aquellos días pasados en el hospital— y le mandó ponerse un traje usado, pero cuidadosamente remendado, de los que, al parecer, poseía toda una colección. Como el hospital estaba bastante lejos de su casa, había alquilado la barquita del jardinero. Hicieron el camino lentamente, por unos canales poco frecuentados. El aire primaveral embriagaba al joven, tendido en la barca y tapado con una manta. Se apoyó en su bienhechora para subir el escalón del desembarcadero, al fondo del jardín.

Pero cuando él le dio las gracias, ella le exhortó a que conservara su voz y su aliento. A pesar suyo, aquella mujer alta y taciturna, con la frente abombada y el pelo tirante hacia atrás, le recordaba las alegorías de la Muerte que pintan en los libros. Pero aquellas ideas supersticiosas le dieron vergüenza: la muerte, de estar en alguna parte, estaría en sus pulmones, y no tenía por qué disfrazarse de ama de llaves de casa importante.

La vio poco en lo sucesivo, aunque dormía en una de las tres habitaciones que daban a la cochera, reservada para uso exclusivo de Mevrouw Clara. Ésta dedicaba todo el día al cumplimiento de sus funciones en la rica morada; al llegar la noche descansaba, es decir, iba a cuidar a sus enfermos y a sus prisioneros. Se habían acostumbrado a su manera de ser y sólo le exigían que colgase, al llegar, para que se ventilaran, la capa y la cofia que se ponía para hacer sus visitas, y que podían traer, escondidos entre sus pliegues, malos aires y fiebres. En cuanto a ella, jamás se le había contagiado nada.

Sólo la veía a las horas de las comidas que, en un principio, tomaban juntos. La etiqueta se oponía a que el ama de llaves comiera con sus subordinados, y como Nathanael tenía lo que ella llamaba «estudios», lo trataba como si fuera un señor.

Mevrouw Clara masticaba en silencio, o relataba los incidentes del hospital o de la prisión. De este modo supo Nathanael que, cuando iban al Gran Calabozo, siempre llevaba bajo el brazo una jofaina pequeña, para baños de asiento, y una escudilla con grasa de cordero, pues así lavaba y suavizaba las llagas de los inculpados a quienes habían sometido a tormento: los sentaban, con pesos en los pies, en la afilada arista de un potro que, poco a poco, les iba serrando en dos el perineo. También se proveía de hilas, para meterlas entre los grilletes y el tobillo de los presos. En cambio, nunca la oyó indignarse por la barbarie de los verdugos o la brutalidad de los guardias, ni tampoco vituperaba a los médicos del hospital, que experimentaban con los pobres. El mundo era así. Cuando él le expresaba su admiración por no sentir repugnancia ante ninguna llaga, ella le contestaba con sencillez que Dios la había hecho de esta suerte: la señora d'Ailly, que una vez intentó acompañarla, se había puesto enferma en el patio de la cárcel; no todo el mundo tiene el temperamento necesario para soportar esa clase de espectáculos. Sin percatarse de que su comensal empezaba a tener revuelto el estómago, continuaba comiendo plácidamente, recogiendo con la punta de los dedos las miguitas que se pegaban al cuchillo. Pero insistía para que Nathanael tomara una taza de hierbas con miel para su tos.

Cuando llegó el buen tiempo, lo instaló en el jardín durante sus ausencias. En cuanto se alejaba, con paso largo y seguro, el convaleciente sentía la necesidad de hacer algo útil y de probar sus fuerzas. Le gustaba meter las manos en la tierra blanda y fértil, plantar y escardar como no lo había vuelto a hacer desde que regresó de la Isla Perdida. El jardinero estaba muy satisfecho de haber encontrado este ayudante gratuito. Un día en que llovía, resguardado en la cochera, Nathanael limpió y abrillantó los dos trineos que iban a colgar de las vigas con correas, hasta que llegaran las próximas nieves. El del señor Van Herzog, muy sencillo, llevaba un ribete dorado; el de la señora d'Ailly, más pequeño, tenía herrajes de plata y una cabeza de cisne. Pero el olor del barniz perjudicó al joven y su tos empeoró. Por otra parte, la faena al aire libre con el pico y la pala, aunque el jardinero, con una risotada, decía que era muy bueno para la salud, lo dejaba enseguida sudoroso y sin aliento. La señora d'Ailly debió de verlo en aquel estado y hablarle de ello a Mevrouw Clara, a la hora en que hacían las cuentas de la casa. Una mañana, la joven viuda se le acercó en el cenador del jardín y le dijo, algo azorada:

—Acaso sepáis que tuvimos que echar al ayuda de cámara de mi padre, pues bebía y alborotaba en la taberna. El señor Van Herzog necesita a un muchacho inteligente, de buena voluntad y algo instruido, como vos. Mevrouw Clara os dirá vuestra remuneración. No os exigiremos que os pongáis librea.

Nathanael iba a contestarle que le era indiferente ponérsela o no, pero era evidente que la señora d'Ailly le hacía una gran concesión. Lo mejor que podía hacer era darle las gracias.

Hasta aquel mismo día, apenas había conocido a ningún criado de la casa grande, a no ser al jardinero y al mozo de cuadra, cuyas mujeres se ocupaban de la colada. Pronto se familiarizó con la cocinera, una rubia gorda que dispensaba buenas escudillas de comida y buenos jarros de cerveza, y que distribuía, a modo de golosinas, los restos de «los de arriba». Hizo amistad con el marido de aquella recia mujer, un simplón canijo, a mitad de camino entre un lacayo y un mayordomo. También se hizo amigo del encerador y de la moza que ayudaba en la cocina, gentes de poca importancia, que no comían hasta que todos los demás habían abandonado la mesa, y del pilluelo encargado de los recados, y de la costurera, que en ocasiones le pedía ayuda por las tardes para poner en equilibrio un montón de ropa y que quizá se apoyaba en él algo más de lo debido al bajar de la escalera. Incluso logró amansar a la doncella de la señora d'Ailly, una gazmoña que no se mezclaba con los demás criados y que comía en bandeja, en la antesala de su señora. Pronto se enteró de que el lacayo-mayordomo empinaba el codo por las noches, ya tarde, cuando el señor Van Herzog y su hija descansaban en brazos de Morfeo; de que la costurera coqueta tenía un hijo bastardo, en casa de una nodriza, en su pueblo de Muiden; de que la fregona le pasaba clandestinamente las sobras de la cocina a cierto afilador, que era su tierno amigo; de que la doncella de la señora d'Ailly pertenecía a un conventículo menonita y recibía algunas veces, en el cuarto de abajo, a dos o tres venerables asnos vestidos de negro que le sacaban el dinero. En lo alto de esta pirámide se hallaban el señor Van Herzog —un anciano de finas facciones, aspecto enclenque y frágil salud—, que se había retirado muy pronto de los negocios públicos y que pasaba el tiempo en compañía de sus libros e instrumentos de física, y la señora d'Ailly, con sus discretos atuendos de viuda.

Nathanael se maravillaba de que aquellas gentes, de las que nada sabía un mes atrás, ocuparan ahora tanto lugar en su vida, hasta el día en que salieran de ella, igual que lo habían hecho su familia y los vecinos de Greenwich, como los compañeros de a bordo, como los habitantes de la Isla Perdida, como los empleados de Elie y las mujeres de Judenstraat. ¿Por qué éstos y no otros? Todo sucedía en la vida como si, por un camino que no conduce a ninguna parte, fuera uno tropezando sucesivamente con diversos grupos de viajeros, ignorantes ellos también de su objetivo, y con los que uno se cruzara por un espacio de tiempo tan corto como un abrir y cerrar de ojos. Otros, al contrario, nos acompañan por el camino durante más tiempo, para terminar desapareciendo sin razón alguna a la vuelta del próximo recodo, volatilizándose como si de sombras se tratara. No era fácil entender por qué esas gentes se imponían a nuestra mente, ocupaban nuestra imaginación y, en ocasiones, podían incluso devorarnos el corazón, antes de revelarse como lo que eran: unos fantasmas. Por su parte, puede que pensaran lo mismo de nosotros, suponiendo que fuesen capaces de pensar algo. Todo aquello pertenecía al mundo de la fantasmagoría y del ensueño.

Era la primera vez que vivía en una casa de ricos. Elie no había sido más que un burgués, contento de poseer unos cuantos platos de estaño y dos o tres cubiletes de plata; lo que poseía en efectivo lo guardaba en su caja fuerte. La caja fuerte de los actuales señores podía decirse que se hallaba dispersa por unos cuantos bancos y empresas. La porcelana de Cantón, en la que comía el señor Van Herzog, testimoniaba que su padre había sido uno de los primeros negociantes que enviaron a China escuadras mercantiles, viaje tan peligroso que de antemano se anotaba en el registro, en el apartado dedicado a pérdidas, una tercera parte de los barcos y tripulaciones que zarpaban hacia allí. Aquella fortuna, labrada en tiempos lejanos por sus antepasados, daba al antiguo burgomaestre las prerrogativas y el reposo de un hombre que nace ya siendo rico; la pérdida de vidas humanas, las exacciones y astucias, inseparables de la adquisición de toda opulencia, databan de antes de nacer él, con lo cual otros eran los responsables, y su boato y el de su hija recibían con ello una especie de suave pátina.

Al regresar a Londres y, más tarde, descubrir Ámsterdam, tras los dos años pasados en la Isla Perdida, Nathanael se había maravillado de las comodidades que pueden encontrarse en las grandes ciudades, ya que dispensan, incluso a los más pobres, de arrancarle a la tierra y a las aguas lo indispensable para el sustento.

Desbrozar para después arar, sembrar, plantar y recoger, cortar los troncos que luego servirían para construir, o atar los haces de leña para calentarse; esquilar los corderos, cardar, hilar y tejer la lana; matar al ganado, ahumar o poner el pescado a secar, después de haberlo sacado del agua; moler, amasar, cocer y remover, todas estas tareas las realizaban más o menos todos los habitantes de la Isla Perdida, pues de ellas dependía su vida y la de los suyos. Aquí en la ciudad, la cerveza la vendía el tabernero; el pan, el panadero, quien tocaba una trompa para avisar que ya estaba cocido; en las carnicerías, cadáveres dispuestos a ser consumidos colgaban de unos ganchos; el sastre y el zapatero cortaban, en forma de atavíos, unas telas ya tejidas y unas pieles ya raspadas y curtidas. No obstante, el cansancio del hombre que trabaja para obtener la paga del sábado no era menor: el pan cotidiano adquiría el aspecto de una monedita de cobre o —con menor frecuencia— de plata, que le permitía adquirir lo necesario para vivir. Los que poseían algunas riquezas se inquietaban por los vencimientos de la renta y alquileres; un crédito no cobrado equivalía para Elie a una cosecha perdida. La inseguridad no había hecho sino cambiar de forma. En lugar de hallarse visiblemente sometidos al rayo, a las tempestades, a la sequía y a las heladas —que no percibían sino por medios indirectos—, los hombres dependían, en lo sucesivo, del publicano, del representante de Dios que reclamaba su diezmo, del usurero, del patrón, del propietario... Cada hombre, hasta el más pobre, hacía veinte veces al día el ademán del que tiende o, al contrario, recibe un redondel de metal para comprar o vender algo. De todos los contactos humanos, aquél era el más corriente o, por lo menos, el más visible. Los domingos, en el templo, cuando Elie le obligaba a asistir a la predicación, Nathanael se esperaba oír decir: «La moneda nuestra de cada día, dánosla hoy...».

Pero en aquella casa acomodada, el dinero parecía renovarse y engendrarse a sí mismo: ni siquiera se oía su indiscreto tintineo. Se disfrazaba de mármol, enmarcando el fuego en las altas chimeneas; ronroneaba suavemente en las estufas de porcelana; aquí, parqué, allá, historiados cristales, y más lejos aún, una alfombra que amortiguaba el ruido de los pasos. El dinero engrasaba asimismo la máquina doméstica, que se encargaba de los pequeños e ingratos trabajos del día, enviaba al primer piso, al aposento del señor Van Herzog, y al segundo piso, al de la señora d'Ailly, las bandejas cargadas con delicados manjares, servidos con elegancia, así como el agua caliente para su arreglo personal; sacaba todas las mañanas y todas las noches el agua sucia y el contenido de los orinales. El dinero perfumaba las flores de las jardineras, brillaba por la noche en las arañas y en los candelabros provistos de blancas velas de cera. Disfrazado de bienestar, también lo estaba de tiempo libre: él era quien permitía al señor Van Herzog entregarse al estudio y a la señora d'Ailly tocar el clavecín en su salón azul.

Y, sin embargo, aquel hombre y aquella mujer le parecían en ocasiones a Nathanael unos cautivos, y sus criados —que al marchar los hubieran dejado tan indefensos como Tim y Minne—, una especie de carceleros. Aunque eran buenos con sus sirvientes, nadie los quería. Al señor Van Herzog le llamaban «viejo gruñón» cuando criticaba la manera de cuidar los arriates del jardín; los sabios amigos que le rodeaban eran considerados unos pedantes, dignos todo lo más de ser echados a la calle con cierta rudeza por los jóvenes criados. Su yerno, el señor d'Ailly, muerto en un duelo diez años atrás, había sido, según ellos, un correcaminos aficionado a las faldas y, para colmo de males, francés. Nadie (salvo Nathanael) advertía que la señora d'Ailly era hermosa. Le imputaban indiscretas aventuras que no concordaban con la expresión grave y dulce de su rostro. El mayordomo, al inclinarse para presentar los platos en la mesa, había vislumbrado sus senos pequeños por la abertura de su recatado escote. No paraba de describir el lunar que en él tenía. La doncella, que acompañaba a su señora cuando ésta salía, apretaba los labios como si en realidad supiera sobre ella muchas cosas que no quería contar. A Nathanael le hubiera gustado defender a la joven viuda, a quien trataban con tanta impudencia, mas le hubieran acusado de ser su galán, o de aspirar a serlo. Además, aquellas groseras habladurías no tenían mayor importancia que un eructo o un pedo.

Desde que servía al señor Van Herzog como ayuda de cámara, sus sentimientos hacia el envarado viejecillo eran cada vez más afectuosos, más filiales, con toda seguridad, de lo que habían sido para con su propio padre, del que nunca recibió, siendo niño, sino algún cachete o dos peniques para comprar caramelos. El señor Van Herzog jamás se olvidaba de darle las gracias —cuando él le arreglaba la manta, le traía el orinal o se subía a la escalera de roble para alcanzar un libro de la estantería más alta— del mismo modo que lo hubiera hecho con un igual. De cuando en cuando le encargaba a Nathanael que le leyera una página, impresa en letra demasiado pequeña para su vista. El cerebro de aquel anciano le hacía el efecto al joven criado de una estancia amueblada con esmero y cuidadosamente arreglada. No había en ella nada sucio ni desagradable, pero tampoco nada especial y único, lo que hubiera comprometido la hermosa simetría del resto. En ocasiones, cuando el señor Van Herzog levantaba hacia él sus ojos de un gris desvaído, de párpados algo irritados, Nathanael se decía que aquel señor que tanta experiencia debía de poseer tendría, allá en el fondo de su bien ordenada memoria, una especie de armario donde se amontonaban las cosas demasiado importantes o demasiado horribles para ser expuestas; no obstante, no era seguro y puede que el armario secreto estuviese vacío.

De cuando en cuando, el antiguo burgomaestre recibía a ciertos íntimos amigos suyos, aficionados como él a los problemas científicos o mecánicos del momento; se les veía sacar con premura del bolsillo el proyecto de un microscopio, o determinados pomos llenos de una mezcla química, cuando no era una rana destripada; pero aquellos eruditos estudios no le parecían muy diferentes a Nathanael de los experimentos y juegos de los pilluelos de Greenwich. Las demostraciones dejaban a veces en los veladores huellas de ácidos que Nathanael borraba como podía dándoles un barniz.

En cuanto el señor Van Herzog supo al menos algunos detalles del pasado de Nathanael, se apresuró a presentar al muchacho a sus doctos amigos, especificando que había corrido por América y hecho escala en las islas. Los viajes del joven encendían la curiosidad de todos. En vano les recordaba Nathanael que no había hecho sino costear una parte muy reducida de aquellas orillas, descubiertas en fecha muy reciente, y que sólo conocía unas cuantas islas, aunque las hubiera a centenares; el entusiasmo y el afán de fabular eran más fuertes. Oía sus propios relatos en la taberna, a través de las habladurías de aquellos señores (de los que acostumbraban a frecuentar la taberna), o de sus criados (cuando por casualidad los tenían): sus palabras salían a la superficie desfiguradas y ampulosas. Le atribuían un largo viaje en barco por el Meschacebe y el golfo de México, que ni siquiera en sueños conocía. En las pequeñas asambleas que se celebraban en casa del señor Van Herzog, algunos convidados se le acercaban con mucho misterio y le hablaban de Norumbega, la ciudad de oro, tan rica como las ciudades en ruinas del Perú y que prosperaba —según decían— entre las nieblas y robledales del Norte, no lejos de la isla de los Montes Desiertos donde él había abordado. Hasta poseían un plano que habían trazado unos exploradores de bosques. Trató en vano de convencerlos y hacerles ver que Norumbega no era sino una impostura y que aquellos bosques no albergaban más oro que el del otoño. Le llamaban pillo y se reían de él en sus mismas narices.

Por haber aludido una noche —de lo cual se arrepintió después— a su casi matrimonio con Foy delante del señor Van Herzog, pronto lo casaron con una princesa india. Otros decían que los abenakis, «la tribu de la aurora» (él les había traducido palabra por palabra este nombre), que residían en el extremo Este del país explorado recientemente, y de los que él admitió haber conocido algunos clanes, le habían hecho prisionero y, de no ser por las súplicas de su encantadora esposa, se lo hubieran comido. La avidez de aquellas doctas personas por conocer los detalles concernientes al tamaño del sexo de aquellos salvajes, varones o hembras, no conocía límites, ni tampoco el afán por saber su actitud en el aparcamiento. A Nathanael le parecía que era todo igual que aquí.

La curiosidad del señor Van Herzog no era tan cruda, ni tan ingenua como la de sus habituales amigos de por las noches, pero, lo mismo que ellos, aquel aficionado a las ciencias exactas tampoco ponía mucha atención en lo que le decían: en cuanto las palabras, por una u otra razón, dejaban de interesarle, ya no las escuchaba. Los hechos sencillos apenas le interesaban: era preciso que a ellos se mezclase algo nuevo e insólito. Igual que sus sabios amigos, comprendía mal y harto deprisa: si Nathanael describía con todo cuidado una planta de las que se criaban en la isla, inmediatamente creía reconocer en ella a una de las que tenía en su herbario o bien, al revés, se rompía la cabeza a propósito de cualquier hierbajo que hubiera podido, en realidad, encontrar en sus arriates, de haber examinado su jardín con detenimiento. Por las noches, aquellos señores se entretenían dándole vueltas a una enorme bola del mundo, colocada debajo de una araña de luz. Paseaban un farol por la superficie, para mostrar las variaciones del día y de la noche; pero cuando el joven —recordando sus horas de navegación— se esforzaba por corregir sus ideas sobre las horas y las estaciones de allá, se aburrían y lo mandaban a la cocina. La verdad era que él no deseaba otra cosa.

Aquellas noches, al acostarse, el señor Van Herzog encargaba a su criado que ventilase bien sus ropas, que apestaban a tabaco, sin jamás aludir con palabras ni sonrisas a las borracheras, ni a las agrias y ruidosas disputas de sus eruditos huéspedes. A la salida, cuando alguno de los invitados, especialmente glotón, se llevaba la mitad de una torta envuelta en una servilleta grasienta, él volvía la cabeza para no verlo.

Nathanael pensaba que aquel hombrecillo tenía buen corazón. Pero, en realidad, ¿era eso cierto? También podía ser que el señor Van Herzog disfrutara siendo superior a sus huéspedes en cortesía, como sin duda lo era por su fortuna. Era rico y considerado, así que podía permitirse el lujo de tener por amigos a un montón de «lameplatos» que halagaban sus manías. Nathanael había oído alabar, como cualidad propia de los Países Bajos, el espíritu de igualdad que reinaba en las costumbres y usos, cuya sobriedad rechazaba los galones y los lazos franceses. Pero existen muy distintos matices de tono y de calidad en un simple paño negro. Aquella igualdad, ni siquiera concebible entre el antiguo burgomaestre y su lacayo, tampoco existía entre el opulento dueño de la casa y un químico sin empleo o un anatomista sin un cuarto, pese a ser admitidos en la casa para que se atracaran con lo más exquisito de su cocina.

Las recepciones de la señora d'Ailly eran menos frecuentes y menos báquicas. Consistían casi siempre en veladas o meriendas musicales, a las que su padre no asistía jamás, pues no tenía buen oído para la música. Allí se veían a algunos jovencitos de pelo rizado, ataviados a la última moda, o bien a hombres maduros, de apariencia austera, todos ellos aficionados a la buena música y a las bellas voces. Pero las que acudían a aquellas fiestas eran sobre todo mujeres, la mayoría jóvenes, a menudo agradables, y cuyos refinados atuendos se parecían a los de la señora. También había algunas viudas, acicaladas como en tiempos del príncipe de Orange. En algunas ocasiones, podía reconocerse a un virtuoso italiano por su tez curtida y por los colores vivos de su traje, así como por su excesiva solicitud hacia las damas. En las sesiones de música de cámara, la señora tocaba el clavicordio. Nathanael, que en aquellas ocasiones se ponía la librea, introducía a los visitantes, que parecían literalmente escurrirse por las alfombras: la música imponía silencio hasta antes de empezar.

En la antecocina, el joven criado prestaba oído, tratando de amortiguar en lo posible el tintineo de la plata. Luego, de súbito, *aquello* surgía como una aparición que se oyera sin verla. Nathanael, hasta aquel momento, sólo había oído unas tonadas inseparables de las voces que las cantaban: la voz agridulce de Janet, la voz suave y un poco ronca de Foy, la hermosa voz sombría de Sarai, que removía las entrañas, o asimismo algunas estruendosas canciones que entonaban sus compañeros en la bodega del barco, y cuyo ruido, acompañado a veces por una guitarra, pese al cabeceo, invitaba a enlazarse y a bailar. También en el templo, el sonido del órgano lo había transportado a menudo hasta un mundo del que era preciso salir apenas entrado en él, pues las voces disonantes de los fieles obligaban a volver a tierra por otros tantos escalones rotos. Pero aquí la cosa era distinta.

Unos sonidos puros (Nathanael prefería ahora aquellos que no han sufrido encarnación en la voz humana) se elevaban para luego replegarse y subir más alto todavía, danzando como las llamas de una hoguera, aunque con un delicioso frescor. Se entrelazaban y besaban como los amantes, pero esta comparación aún era en exceso carnal. Podrían recordar a las serpientes, si no fuera porque no tenían nada de siniestros; y también a las clemátides o campanillas, de no ser porque sus delicados enredos no parecían tan frágiles, aunque lo eran: bastaba con que una puerta se cerrase de golpe para destrozarlos. Cuanto más se perseguían preguntas y respuestas entre violín y violonchelo, entre viola y clavicordio, más se imponía la imagen de unas pelotas de oro rodando por los escalones de una escalera de mármol, o la de unos surtidores de agua brotando en las pilas de las fuentes, en algún jardín como los que el señor Van Herzog decía haber visto en Italia o en Francia. Se llegaba a alcanzar un punto de perfección como nunca en la vida, pero aquella serenidad sin ejemplo era, sin embargo, variable y formada por momentos e impulsos sucesivos; las mismas milagrosas uniones se rehacían; uno aguardaba su retorno, latiéndole el corazón, como si fuera una alegría esperada durante mucho tiempo; cada una de las variaciones transportaba, como una caricia, de un placer a otro placer insensiblemente diferente; la intensidad del sonido crecía y disminuía, o cambiaba en su totalidad, igual que lo hace el color del cielo. El hecho mismo de que aquella felicidad transcurriese en el tiempo llevaba a creer que tampoco se hallaba uno ante una perfección por completo pura, situada en otra esfera, como se supone que lo está Dios, sino sólo frente a una serie de espejismos del oído, igual que existen espejismos de la vista. Después, alguien tosía, rompiéndose aquella gran paz, y ello bastaba para recordar que el milagro sólo podía producirse en un lugar privilegiado, meticulosamente resguardado del ruido. Afuera, en la calle, continuaban chirriando los carros; rebuznaba un burro apaleado; los animales, en el matadero, mugían o agonizaban entre estertores; niños mal cuidados y mal alimentados lloraban en la cuna; morían algunos hombres, como antaño el mestizo, con una blasfemia en los labios húmedos de sangre; en la mesa de mármol de los hospitales, los pacientes aullaban de dolor. A mil leguas de allí, quizá, al Este o al Oeste, tronaban las batallas. Era escandaloso que aquel inmenso bramido de dolor —que nos mataría si, en un momento determinado, penetrara en nosotros por entero— pudiera coexistir con aquella frágil red de deleites.

Nathanael circulaba discretamente, durante las pausas que hacían los músicos, ofreciendo café y bebidas heladas. La señora d'Ailly, sentada al teclado, se volvía para coger una taza o un vaso, separando ligeramente las rodillas bajo los hermosos plegues de su traje de tafetán moaré. Inmediatamente se empezaban a oír de nuevo las conversaciones, en las que destacaba el timbre agudo de las mujeres; se prodigaban los esperados elogios a los ejecutantes, mas pronto las frases acababan por convertirse en banales cotilleos de ciudad de provincias, en comentarios sobre la habilidad de una modista, preocupaciones de salud y, algunas veces, por detrás del abanico, en una furtiva charla con un galán. Pese a que las gentes se despidieran con el nombre de una composición italiana en los labios, sustituían sin el menor embarazo aquellos melodiosos sonidos por sus propios susurros y risitas, o por los gritos llamando al cochero o al criado encargado de llevar el farol.

Peor aún, en cuanto acababa una sonata o un cuarteto, estallaban los aplausos con tanta premura que parecía como si aquellas personas estuvieran esperando el momento de poder hacer ruido a su vez. Un horrible estruendo, como de palas, que hacía florecer una sonrisa en el rostro de los músicos y los obligaba a doblarse en dos, en una reverencia satisfecha, sucedía como una revuelta a un último acorde dulce como una reconciliación. Cuando ya el arpa se hallaba guardada en su funda y los violines en su estuche, debajo del brazo de sus dueños, la señora se quedaba sola en la estancia vacía, se acercaba soñadora a un espejo y se retocaba uno de sus rizos o se recomponía la gargantilla. Antes de cerrar el clavicordio, posaba a veces un dedo distraído sobre una tecla. Aquel sonido único se derramaba como una perla o como una lágrima. Pleno, desprendido, sencillo y natural como el de una gota de agua solitaria que cae, era más hermoso que todos los demás sonidos.

Fue asimismo en la casa grande donde Nathanael pudo contemplar por primera vez, al limpiarles el polvo, algunas pinturas. De niño, las estampas de la Biblia de su madre le habían enseñado que pueden reproducirse imágenes en un papel, con mayor o menor parecido, de las cosas visibles y aun invisibles. Recordaba sobre todo el dibujo de un ojo inserto en un triángulo. Más tarde, observó los grabados de los libros de Elie: la idea que él se había formado de los personajes de fábula de allí procedía. Pero el señor Van Herzog poseía muchas más cosas: una docena de cuadros, grandes y pequeños, embadurnados de color, que dejaban traslucir, aquí y allá, las pinceladas del pintor, y que estaban enmarcados en ébano, o en madera sobredorada. Le habían advertido que tuviera gran cuidado con ellos, pues valían mucho dinero. Llegó un día en que se puso a contemplarlos detenidamente.

El antiguo burgomaestre tenía en su gabinete dos cuadros del puerto de Ámsterdam, con unas galeras en rada. Los retratos de sus padres, vestidos como en otros tiempos, adornaban su alcoba. Se decía que en la habitación azul de la señora d'Ailly (Nathanael nunca había entrado en ella, pues la doncella la arreglaba ella misma todas las mañanas) había un cuadrito que escandalizaba mucho a las sirvientas. Lo poco que Nathanael recordaba de Ovidio le hizo adivinar que se trataba de una Diana en el baño. La señora conservaba también una miniatura de su difunto marido, que había sido un apuesto caballero con una fina perilla negra.

En la sala había dos cuadros muy grandes uno frente al otro. El señor los había comprado en Roma, en su juventud. Nathanael descifró enseguida el tema de uno de ellos: representaba a Judith. Según le dijeron después, era una obra maestra del claroscuro, es decir, que en él un poco de día se mezclaba con mucha noche. Una mujer, de suntuosos pechos desnudos, con el vientre semivelado por una gasa, llevaba en sus manos la cabeza de un decapitado. El artista se había complacido seguramente oponiendo el blanco lívido de aquella cabeza sanguinolenta al blanco dorado de aquellos pechos. El cuerpo truncado yacía en la cama; también estaba desnudo, apenas tapado por unos discretos pliegues de tela que, junto con los de la sábana arrugada, ofrecían otro efecto distinto de blancura. El pintor daría, seguramente, un paso atrás, para mejor apreciar el contraste. Una negrita abrochaba una capa negra al cuello de su señora. El cabo de vela que había en un rincón iluminaba un puñal chorreando sangre. Un poco de luz del alba entraba por el vano de la puerta. En cambio, el otro cuadro representaba una escena a plena luz del día: en una plaza rodeada de columnas se veía a un apuesto joven muy afligido, casi desnudo, pero coronado de laureles, despidiéndose de una mujer desvanecida. Según el señor Van Herzog, a quien no disgustaba instruir a su criado en historia de Roma, eran Berenice y Tito. Nathanael había leído en algún sitio que Tito era bajo y gordo, y Berenice una experta cincuentona, que sin duda no se parecía nada a la encantadora mujer desmayada. Además, pensaba para sus adentros que era muy dudoso el que un advenedizo, deseoso de casarse con una reina, y una reina que soñaba con llegar a emperatriz hubieran sido —como afirmaba devotamente el señor Van Herzog— un hermoso ejemplo de amor puro, y todavía más dudoso que unos papanatas, con cascos y turbantes, estuvieran allí contemplando sus adioses.

Cierto era que la historia no tenía por qué ser reproducida con toda fidelidad en unos lienzos enmarcados en dorado, pero le parecía que la falsedad de los sentimientos respondía en este caso a la falsedad de los ademanes.

Lo más extraño era el comportamiento del señor y de sus huéspedes ante aquellas pinturas. A decir verdad, casi nadie las miraba. No obstante, el antiguo burgomaestre las mostraba al evocar sus viajes, o recordaba —lo que parecía realzar sus méritos— que se las había comprado por mucho dinero a un tal príncipe Aldobrandini. Ni él ni sus amigos parecían asustarse ni, al parecer, conmoverse por los pechos provocativos de Judith, mientras que, en cambio, se hubieran escandalizado si la señora se hubiese puesto un corpiño más escotado de lo que autorizaba la moda. Cada una de aquellas personas y, sobre todo, el señor en sus funciones de magistrado, hubieran hecho muecas de repugnancia de haberles ofrecido la realidad aquel cuerpo obscenamente tendido en una cama deshecha, y aquella cabeza exangüe, cuyos labios entreabiertos se habían, probablemente, separado un momento antes de aquellos hermosos pechos. La Historia Sagrada servía de tapadera a muchas cosas. En cuanto a Tito y Berenice, el señor, que tan estricto era en palabras y ademanes, hubiera considerado poco decoroso que —a no ser en el teatro— unos amantes extasiados se despidieran tan tiernamente en público.

Mas, sin duda —y Nathanael se decía esto a sí mismo con humildad—, lo que importaba para los entendidos era el talento del pintor, y no el tema representado. Y así lo comprendió, al oír disertar sabiamente al embajador de Francia, al mismo que mandó asolar la imprenta de Cruyt. Aquel señor, que presumía de entender de arte, se extasiaba ante el dibujo en diagonal de la *Judith* y las sutiles proporciones existentes entre los personajes y las columnas del *Tito*. No obstante, a Nathanael le parecía que aquellas sofisticadas alabanzas no tenían en cuenta la humilde tarea del artesano dedicado a sus brochas y a sus pinceles, a machacar los colores y a utilizar los aceites. Era natural que existieran, para aquellos trabajadores como para todos los demás, caminos imprevistos y coladuras que acababan por convertirse en hallazgos. Los ricos aficionados lo simplificaban o lo complicaban todo.

Una mañana, el señor le soltó a quemarropa (solía hacerlo así) a Nathanael:

—¿Habéis oído hablar de un tal señor Leo Belmonte, que vive en la rue de los Hojalateros?

—Fui una vez a su casa, para llevarle unas galeradas, cuando trabajaba en una imprenta.

—¿Como muchacho de los recados?

—Yo era corrector —dijo con modestia Nathanael.

—Entonces ¿fuisteis uno de los primeros en leer sus extraordinarios *Prolegómenos*?

—Apenas, señor. Mi trabajo se limitó a corregir unas cuantas erratas y a señalar alguna que otra frase que no estaba muy clara, tal vez por haberse omitido una palabra o un punto. Pero el señor Belmonte no tuvo en cuenta mis objeciones.

—¿De suerte que hablasteis con ese gran hombre?

—Sólo unos instantes, en el umbral de la puerta —dijo Nathanael con repentino rubor, que el señor no consiguió explicarse: al mencionar la visita a Belmonte, Nathanael recordaba que aquel mismo día se había apresurado a ir a la Judería, para ver a Sarai, y que la encontró haciendo el amor con un caballero.

—Es un privilegio —dijo lacónicamente el señor Van Herzog.

E inclinando un poco su busto envarado, prosiguió:

—¿Comentaban en la imprenta quién era la persona que sufragaba los gastos de impresión? Nadie ignora que Belmonte es pobre, ni que un librero no arriesgaría ni un solo maravedí por publicar tan erudita obra.

—El patrón mencionó vagamente a un rico mecenas.

—Se refería a mí, a mí, que os estoy hablando —dijo el antiguo burgomaestre con orgullo, y prosiguió en voz más baja—: No lo difundáis.

«¿Por qué me lo confía entonces?», pensó Nathanael. Mas sabía que cualquier secreto, a la larga, es difícil de guardar.

—Hay ocasiones en que me arrepiento de ello —prosiguió el señor—. Cierto es que los *Prolegómenos* han aportado mucha gloria a Leo Belmonte. Según dicen, le escriben de Inglaterra, de Alemania, e incluso un jesuita le escribió desde China... Pero, por otra parte, fue excomulgado por sus correligionarios y vilipendiado en el púlpito por nuestros predicadores, quienes, por una vez, se pusieron de acuerdo con los hijos de Israel. Como tantos otros grandes hombres, paga su genio con la adversidad.

No esperaba respuesta. Nathanael preveía que iba a darle alguna orden.

—Esos sublimes *Prolegómenos* no son, como su nombre indica, más que el antecedente de otro libro, que debo dar a conocer al mundo, aunque la persecución de que es objeto Belmonte se vea agravada. Pero ya comprenderéis que es importante para mí que nadie se entere de que un libro subversivo se publica gracias a mis cuidados. Belmonte me había prometido entregarme la última parte de su manuscrito para el día de la Pascua judía. Ya pasó esa fecha. Iréis a casa del filósofo para pedirle la obra de mi parte.

—En el caso de que confíe en mí... —se atrevió a objetar el criado.

—Aquí tenéis una nota firmada, sin nombre de destinatario, en donde le pido los papeles que me prometió.

Nathanael se metió el billete en la faltriquera y se alejó.

—Fijaos bien en su estado de salud —prosiguió el señor Van Herzog—. Dicen que está enfermo.

Hacía un hermoso día de verano. Nathanael disfrutaba con aquel largo paseo. Dejando a un lado la Judería, se encaminó a la calle de los Hojalateros por el barrio cristiano. A decir verdad, las callejuelas que a una y a otra parte había eran igualmente sórdidas, pero al menos en éstas no tropezaría con Lazare jugando a la peonza.

La casa, cuya parte trasera daba a un canal algo maloliente, debido al calor, poseía un jardincillo en donde tomaba el fresco la propietaria. Sí, Leo Belmonte aún vivía allí. Había que volver a la derecha y subir a la buhardilla. Aquel inquilino siempre dejaba la puerta abierta.

Nathanael subió las escaleras algo jadeante. Las sucias paredes se hallaban cubiertas por las habituales pintadas obscenas; alguien había dibujado en un rellano la estrella de David y otra persona, sin duda por llevarle la contraria, un rudimentario crucifijo del que colgaba un Cristo. Sería obra de algún papista escondido en aquel tabuco. En la puerta de Belmonte, una mano aún más torpe había escrito con tiza —no sin faltas de ortografía— una imprecación bíblica contra los impíos. Era evidente que Belmonte ni siquiera se había dignado borrarla. Aquel «escritor» debía de ser algún honrado calvinista, con puesto fijo y libro de himnos en el templo. No se excluía que hubiera asimismo realizado alguna de las otras pintadas.

Nathanael empujó la puerta entreabierta. Después de la escalera oscura y fresca, la habitación inundada de sol parecía hirviente. Llegaba hasta allí el hedor del canal, tal vez mezclado con los relentes de un cubo que la patrona se había olvidado de vaciar. Zumbaban las moscas. Un hombre por completo vestido, de rostro inflado, con el pelo y la barba demasiado largos, se hallaba tendido en una cama, apoyado en un montón de grises almohadas. Tenía los ojos cerrados. Preguntó con voz fuerte:

—¿Quién está ahí?

—Un mensajero del señor Van Herzog.

—Tan sólo es eso —dijo el enfermo como si sufriera una desilusión.

Abrió los ojos. Su mirada de brasa traspasaba de parte a parte, como la lengua de una llama. Nathanael le tendió el billete.

—Mis gafas deben de estar por ahí, encima de esa mesa. Qué humillación... Verse uno obligado a calzarse la nariz con un utensilio para ver algo mejor la letra escrita...

Una vez leído, dejó el billete encima de la cama.

—Lo pensaré —dijo. Y añadió con tono perentorio—: Os reconozco. Sois el muchacho con quien estuve hablando una noche de invierno, en el umbral de esta puerta.

Nathanael miró de soslayo el billete que el sabio había puesto encima de la sábana. Después de la firma, había una posdata escrita de un rápido plumazo. Seguramente el señor Van Herzog recordaba al receloso enfermo la primera visita del corrector de Elie. Aquella pretensión de haberlo reconocido por sí mismo y de una sola ojeada le pareció al joven una superchería. O acaso el enfermo quería jactarse hasta el final de poseer una perfecta memoria de las fisionomías. La de Nathanael era lo bastante sobresaliente como para poder recordarla, pero esta idea jamás se le había ocurrido a su poseedor.

—*Deus sive Deitas aut Divinitas aut Nihil omnium animator et sponsor* —dijo el enfermo con voz más débil—. Criticasteis esta frase.

—Los tres primeros términos me parecían repeticiones inútiles, y el cuarto, una contradicción —dijo Nathanael—. Pero yo no soy un letrado.

—Sois igual que los demás. En el colegio os hablaron de un *Deus* a secas y lo habéis olvidado razonablemente después. *Deitas aut Divinitas* acaso se os hubieran quedado más tiempo. En cuanto a *Nihil*...

Apartó de su rostro una mosca insistente.

—No me parecéis nada tonto, y quizá por ello recuerdo vuestra fisionomía —dijo como para reparar su semiimpostura—. ¿Habéis leído, pues, los *Prolegómenos*?

—Mal, y además hace ya tres años.

—¡Tres años! —exclamó el enfermo—. Gastamos tiempo y fuerzas como si quisiéramos alcanzar la eternidad, y un individuo que, por casualidad, nos ha leído, nos dice que al cabo de tres años ya lo ha olvidado todo. El fracaso de la gloria...

Añadió un exabrupto.

—No obstante, algo recuerdo —dijo el antiguo corrector de pruebas remontándose como podía en el tiempo, para satisfacer a su interlocutor, y olvidándose de Sarai y de su bigotudo amante, del hospital y del hombre que murió por culpa de su maldita pierna, de Mevrouw Clara y de las pequeñas desdichas y alegrías de la mansión, para llegar hasta su última y docta lectura—. Sí —continuó—. Me dejó el recuerdo de algo así como un hermoso carámbano de aristas cortantes que, por casualidad, tuve una vez en la mano.

—Hermosa comparación para un casi ignorado —dijo el hombre acostado—. Pero ya sé de dónde os vienen esos visos de comprensión. Os he oído toser varias veces. Reventaréis lo mismo que yo dentro de unos dos años.

Nathanael asintió con un movimiento indiferente de cabeza.

—No es una profecía —dijo el otro con sarcasmo—. Tan sólo la comprobación de un hecho. Pasadme, os lo ruego, esa jarra de cerveza a medio llenar, que está allí, en la repisa. El médico me prohíbe beber, pero procuro satisfacer los deseos que puedo.

—Está tibia —dijo Nathanael tocando la jarra.

—Da igual. Me conformo con ella.

Nathanael tiró al suelo un poco de agua que quedaba en el fondo de un vaso, para luego llenarlo con el líquido caliente que recordaba a la orina, lo que le obligó a hacer una mueca de repugnancia. El hombre bebió aquello como si fuera néctar. Temiendo que se atragantase, Nathanael le ayudó a incorporarse sobre la almohada.

—¿Gustáis? —dijo el filósofo moviendo la barbilla, pero Nathanael rechazó el ofrecimiento con una seña—. Gracias —añadió Belmonte devolviendo el vaso—. Sin duda Gerrit Van Herzog no se espera que yo os trate como a un igual. Pero yo no tengo iguales. Ese corazón ruin no ha querido venir a verme en persona y, además, hará ya treinta años que no tenemos nada que decirnos. Y los sabios que me alaban o que me refutan, escribiendo para ello mayor cantidad de páginas de las que mi libro contiene, me aburren. Pero igual que un enfermo impotente, que manosea cuando puede a su enfermera, me complace hablar con un muchacho, que me parece inteligente, de lo que creo haber realizado. Mi obra, pues, os parece bien...

—No estoy seguro de que me parezca buena —dijo confuso el joven—. Creo que pensé...

—Yo ya no pienso nada sobre ella. Puede incluso que me parezca mala.

—En mi opinión, el señor consigue unir entre sí las cosas, y al decir esto me refiero tanto a los objetos como a las ideas de los hombres, con ayuda de palabras más sutiles y más fuertes de lo que las cosas son. Y cuando las palabras ya no le parecen suficientes, emplea cifras y signos, como si fueran cabos de acero...

—A eso se le llama lógica y álgebra —dijo el filósofo con una sonrisa de orgullo—. Ecuaciones perfectamente netas, siempre acertadas, cualesquiera que sean las nociones o materias a que puedan referirse.

—Con el respeto debido al señor, a mí me parece que, encadenando las cosas de esa manera, mueren por sí mismas, y se desprenden de esos símbolos y palabras como carnes que se pudren...

Pensaba en unos cautivos negros, encadenados y con las carnes medio podridas, que había visto en Jamaica. El otro hizo una mueca.

—Esta vez, la comparación es fea. Pero no andáis descaminado, joven. (No hacéis más que añadir agua al molino de una de mis opiniones favoritas: siempre he creído que entre simples y sabios no existe más fosa de separación que el vocabulario.) Sí, con las cosas y con las ideas sucede lo mismo que con el cuerpo que va perdiendo sus carnes...

Contempló sus manos, de venas abultadas, frunciendo el ceño.

—Sin embargo, sus relaciones permanecen invariables. Otras carnes y otras nociones ocupan el lugar de las que se pudren... Esas miríadas de líneas, esos millares, millones de curvas por donde, desde que existen hombres, ha pasado el espíritu para dar al caos al menos la apariencia de un orden... Esas voliciones, esos poderes, esos niveles de existencia cada vez menos corporalizados, esos tiempos cada vez más eternos, esas emanaciones y esos influjos de un espíritu sobre otro ¿qué pueden ser sino lo que aquellos que no saben de qué hablan llaman burdamente ángeles? Un mundo de arriba o de abajo, en cualquier caso, de otra parte (y no necesito que me digáis que arriba, abajo y en otra parte son términos vacíos), arrojado como una red

sobre este mundo estrecho que nos aprieta en las costuras...
Esos Sefaroth de los que nos hablaban en la escuela de la sina-
goga... Les hice el favor a esos brutos de traducir sus ideas pasadas de moda a la lengua de las deducciones y de los números.
Me lo agradecieron quemando en mi deshonor unos cirios que
apestan.

—Yo —dijo Nathanael, dejándose llevar como sólo lo había hecho cuatro o cinco veces en su vida con Jan de Velde, a
quien, de cuando en cuando al menos, le gustaba citar a un poeta o hablar de los encantos del lecho— creo haberme dicho a mí
mismo que andaba por vuestros *Prolegómenos* como por encima de puentes levadizos, o pasarelas de hierro calado... A una
altura que daba vértigo. La tierra estaba tan lejos que yo ya no
la distinguía. Pero se siente uno incómodo e inseguro en esos
puentes volantes, que se hunden bajo los pasos y sólo conducen
a unas desnudas cumbres, donde hace frío...

—¿Y no pensáis que es bueno unir entre ellas a esas cumbres? Esa trigonometría especulativa (¿entendéis mis palabras?)
no os dice nada bueno...

—Puede ser... Pero yo no estaba seguro de que esas cumbres fueran algo distinto de las cumbres que se amontonan unas
sobre otras, como se ve en alta mar. O islas que no son más que
bancos de niebla.

—¡Ah! Si ahora os prevaléis de vuestro antiguo oficio de
marinero y de una Isla Perdida...

Nathanael creyó esta vez hallarse delante de un brujo. El
señor, en su breve posdata, no había podido, en verdad, contar
toda la historia de su criado y el joven no recordaba haber men-
cionado nunca, ante los habitantes de la casa grande, el nombre
de la Isla Perdida.

—Pienso como vos sobre todos esos puntos —dijo inespe-
radamente el filósofo—. Las pasarelas de los teoremas y los
puentes levadizos de los silogismos no llevan a ninguna parte, y
quizá lo único que consigan alcanzar sea la Nada. Pero es hermoso.

Nathanael recordó los cuartetos que mandaba tocar la señora d'Ailly. También eran hermosos, y no correspondían en nada a los ruidos de este mundo, que continuaban sin contar con ellos.

—Y —prosiguió Belmonte, cuya ronquera parecía haber disminuido con la cerveza— he aquí el porqué de las demoras que lamenta Gerrit Van Herzog, cuyas razones se le escaparían, aunque yo me rebajase a dárselas. Tras haber, según unos, homologado el universo y, según otros, demostrado la existencia de Dios o, al contrario, su inutilidad (todos esos necios merecen formar parte del mismo grupo), heme aquí con el culo en el desnudo suelo y, por encima de mi cabeza, mis perfectos silogismos y mis demostraciones incontrovertibles, colgados a demasiada altura para que yo pueda, con un impulso, llegar hasta ellos. Una vez que la lógica y el álgebra han realizado sus obras maestras, ya no me queda sino recoger en la palma de la mano un puñado de esa tierra sobre la que me arrastro desde que me hicieron... Y de la que estoy hecho... Y de la que vos también estáis hecho. Y el terrón más pequeño de esa tierra es más complicado que todas mis fórmulas. Pensé en recurrir a la fisiología, a la química, a todas las ciencias del interior de las cosas. Pero en la primera hallé abismos y contradicciones escondidas, lo mismo que en nuestros cuerpos, de los que tan pocas cosas sabe la fisiología... En la segunda, volvía otra vez a las generalizaciones y a los números... Si en alguna parte hubiera un eje, parecido a una cucaña, por el que yo pudiera trepar hacia lo que las gentes suponen es «lo de arriba»... O bien, si pudiese encontrar un agujero, y bajar por él hacia no sé qué clase de divinas antípodas... Y aun siendo esto posible, sería preciso que ese eje o ese agujero se hallasen en el centro, fueran un centro. Pero desde el momento en que el mundo *(aut Deus)* es una esfera cuyo centro está en todas partes, como lo afirman los entendidos (aunque yo no veo por qué no podría ser un poliedro irregular), bastaría con excavar en cualquier sitio para sacar Dios, como cuando estamos a la orilla del mar y sacamos agua, al excavar la arena... Excavar con las uñas, con los dientes y con el hocico, en esa profundidad que es Dios... *(Aut Nihil, aut forte Ego.)* Ya que el secreto consiste en que estoy excavando dentro de mí, puesto que en este momento me encuentro en el centro: mi tos, esa bola de agua y lodo que sube y que baja por mi pecho y me ahoga, el desvío de mis entrañas, estamos en el centro... Ese esputo que circula dentro de mí, estriado de sangre, esos intestinos que me atormentan como jamás me atormentarán los de otro y que, sin embargo, son de la misma carne que los suyos, la misma nada, el mismo todo... Y ese miedo a morir, cuando aún siento latir la vida con pasión hasta la punta del dedo gordo del pie... Cuando basta con una bocanada de aire fresco que entra por la ventana para henchirme de gozo, como un odre... Dame ese cuaderno —le ordenó a Nathanael, indicándole unos papeles que había encima de la repisa.

Nathanael fue a buscarlos. Eran un montón de cuartillas de formatos y colores diferentes, a menudo ennegrecidas y con los bordes abarquillados, como si las hubieran acercado al fuego intencionadamente. Estaban cubiertas todas ellas de una letra menuda y nerviosa, inclinada en todas las direcciones, pero la tinta amarilleaba ya por algunos sitios. Estaban atadas con una cuerdecita.

—¿Ves esas tachaduras, y las otras que he puesto por encima, y las frases tachadas que, a su vez, he vuelto a escribir? Y Gerrit Van Herzog se extraña de estar esperando mi segundo libro desde hace tres años... ¿Y qué ha hecho él, durante esos tres años? ¿Poner su firma en unos contratos que triplican y decuplican sus bienes mal adquiridos? Cree salir del paso adelantándole tres mil florines a mi librero, que, por lo demás, le entrega la cuarta parte de mis ganancias... Estas gentes alaban mi serenidad, mi frialdad, la seguridad que hay en mis demostraciones, que hacen rabiar a mis adversarios; se tranquilizan al ver que utilizo unas herramientas que ellos creen poseer, y que podrían, si fuera preciso, aprender a manejar como yo... No saben a qué negro volcán puedo yo descender... ¡Ah!, los *Prolegóme-*

nos... Y hacer que broten por debajo los *Axiomas* y los *Epílogos...* El caos por debajo del orden, y luego el orden por debajo del caos, y luego... Seré el único en haber removido todo esto...

—El señor Van Herzog se alegrará de poseer estos papeles —dijo Nathanael.

El enfermo tendió, hosco, las manos.

—¿No te has fijado en que le falta el título? Y tengo que repasar algunas páginas. ¿Estamos a martes? Le dirás que te he mandado volver el próximo martes.

Nathanael dejó los papeles encima de la cama. Belmonte se llevó el pañuelo a la boca y el joven mensajero vio que se empapaba de sangre espumosa. Inquieto, preguntó:

—¿Desea el señor que me quede un poco más?

—No —repuso Belmonte—. No es nada. No te olvides de dejar la puerta entreabierta. Estoy esperando al médico.

Nathanael se introdujo por la oscura escalera. En el rellano de abajo oyó los pasos rápidos de un hombre que subía. Se arrimó a la pared para dejarlo pasar. Era un individuo vestido de negro, con cuello y puños blancos. En la oscuridad, se distinguía mal su rostro, pero su vigor denotaba que todavía era joven. Llevaba una cartera pequeña, con la que golpeó sin querer a Nathanael al pasar, por lo que se disculpó gruñendo. «Será el médico del barrio», pensó el criado.

De regreso junto al señor Van Herzog, le dio parte de lo que había visto y oído, sin relatarle, no obstante, punto por punto, todas las palabras del señor Belmonte. Además, hubiera sido incapaz de hacerlo. Aquel torrente de palabras que, en el primer momento, lo había dejado anonadado, parecía haberse metido bajo tierra. Y, por otra parte, Nathanael se preguntaba si Belmonte no habría hablado sólo para sí mismo.

—¿Llegará hasta el martes?

—Aún parece robusto —respondió evasivamente el joven.

De hecho, le resultaba penoso pensar que Belmonte pudiera morir. Algo dentro de él deseaba que aquel enfermo fuera inmortal.

—Hasta cuando éramos jóvenes —prosiguió pensativamente Gerrit Van Herzog— siempre fue muy cauto... Le habrá ordenado a la dueña de la casa que, en caso de morir, me entreguen a mí sus papeles... Pero no os olvidéis de ir a su casa el martes por la mañana. Me traeréis su obra con título o sin él.

Pero al martes siguiente, que era un dieciséis de agosto, la señora d'Ailly dio un concierto de música de cámara. Se daba por descontado que, en estas ocasiones, Nathanael se ponía la librea y se encargaba del servicio. El señor se contentó con recomendarle que, al día siguiente, fuera muy temprano a la calle de los Hojalateros.

Aquel miércoles era más húmedo y cálido, pero con menos sol, que el martes de la semana anterior. La temperatura afectaba bastante a Nathanael, que se encaminó, con paso más lento, al centro de la ciudad, del lado de la Judería, evitando, empero, en lo posible, todo lo que pudiera acercarlo a Mevrouw Loubah y a su hija. La calle de los Hojalateros se hallaba situada entre el barrio cristiano y el barrio judío, como el destino del filósofo, a quien los unos rechazaban y los otros reprobaban. La barrera de madera del jardincillo estaba abierta. La gruesa propietaria de la casa se estaba abanicando con un trapo. Sin molestarse en preguntar esta vez, Nathanael subió directamente a la buhardilla.

Al revés de lo que esperaba, la puerta estaba cerrada, pero sólo con el picaporte. La estancia estaba vacía. Faltaba en ella no sólo el individuo, hacía poco acostado en una cama, sino asimismo los muebles. Los cristales, las paredes, todo estaba limpio, como si hubieran hecho una limpieza general, pero en un rincón había un montón de polvo y de desperdicios, que parecían haber sido empujados allí con una escoba. En las desgastadas baldosas del pavimento se veían los agujeros que habían dejado las patas de la cama.

Nathanael bajó a paso lento. En el jardincillo, la mujer del trapo seguía abanicándose. Nathanael se sentó a su lado en el banco.

—¡Ah! —exclamó ella—. Me habéis asustado.

—¿Se han llevado al señor Belmonte al hospital?

—Al cementerio de los judíos —dijo la mujer sin la menor inflexión en la voz—. Aunque, al parecer, no querían enterrarlo.

—Pero ¿y sus ropas? ¿Y sus papeles?

—Sus ropas no valían ni tres centavos. Avisé a su hija inmediatamente.

—No sabíamos que tuviera una hija —dijo Nathanael incluyendo al señor Van Herzog en su respuesta, sin darse cuenta.

—Sí, tenía una hija bastarda. Un hombre tan correcto... Pero fue joven, como todos nosotros... La hija tiene una tienda en Haarlem. La mandé avisar enseguida para que no me acusaran de robar los muebles de un inquilino.

—¿Cuándo sucedió?

—Hará unos ocho días... Un martes. El médico siempre venía a verlo en martes. Subió al anochecer y estuvo dos horas con el enfermo. Lo sé porque lo vi subir por la escalera, y no bajó hasta que se hizo de noche. Entretanto, mi inquilino murió. Fue el médico quien me pidió que llamase a su familia. Parecía inquieto por el pago de sus honorarios. Pero ya le han pagado.

Ocho días. Nathanael comprendió que había asistido a la última visita del médico.

—La hija es atenta —dijo la propietaria de la casa muy convencida—. Fue a buscar a un revendedor, que se llevó los muebles.

—Pero ¿y las ropas? ¿Y los papeles?

—Vendieron inmediatamente las ropas a un ropavejero que pasaba por aquí.

—¿Y los papeles?

—El ropavejero no quiso cogerlos. Entonces, la hija bajó y los tiró al canal. Él había tenido algunos disgustos con los de su religión, sabe usted, así que su hija no tenía gran empeño en conservar esos papeles.

Nathanael contempló el agua estancada. Desde que habían construido aquel canal, ¡cuántas cosas habrían arrojado allí dentro! Desperdicios de alimentos, fetos, carroñas de animales, acaso uno o dos cadáveres... Pensó en aquel agujero que era la Nada, o Dios.

Se despidió de la mujer.

—Me acuerdo de vuestra cara —dijo la mujer, lo mismo que Belmonte ocho días atrás—. Vos también subisteis a verlo aquel día, ¿o fue el día anterior? Tengo buena memoria.

—Soy recadero.

—Eso es —dijo ella—. Siempre llamaba a alguien para que le subiera cerveza y comida de las tabernas del barrio. Espero que os habrá pagado.

Nathanael asintió con una seña. Ella le dio las buenas tardes.

Regresó a la casa grande más triste que sorprendido. Pensaba en aquellas letras diluidas por el agua y en las cuartillas reblandecidas y fláccidas deshaciéndose en el cieno. Acaso no fuera una suerte peor para ellas que la imprenta de Elie.

No fue ésa la opinión de Gerrit Van Herzog. El anciano permaneció sentado un momento ante su mesa de trabajo, con la mandíbula colgando.

—Así que ya murió...

Y dando unos golpecitos secos sobre la mesa, prosiguió:

—No lo volveré a ver.

—Me sorprende que el señor no fuese a visitarlo.

—¿Yo? ¿Subir cinco pisos?

—El señor hubiera podido enviar su coche para ir a buscarlo —murmuró Nathanael.

—Mi posición me prohibía el trato con un hombre tan comprometido —dijo brevemente el señor Van Herzog—. Mas puede que se nos haya escurrido de entre las manos una obra maestra. Hubierais debido quedaros con el manuscrito, cuando él os lo dejó coger.

—Que el señor me perdone. Me hubiera dado vergüenza llevarle la contraria a un enfermo.

El señor Van Herzog admitió con gravedad aquel hecho y luego dijo:

—Nunca sabremos lo que ponían aquellas páginas, a menos que él os haya dicho algo.

—Eran unas palabras harto abstrusas para que pudiera entenderlas un criado.

La réplica de Nathanael pareció gustar al señor Van Herzog. Después de todo, era justo y natural que las palabras de un filósofo fueran inaccesibles a un criado, por muy instruido que éste fuera.

—Podéis retiraros —dijo el antiguo burgomaestre.

Pero a la hora de acostarse, tras el dedo de vino de Madeira que solía tomar antes de meterse en la cama, fue más locuaz.

—Lo habéis conocido cuando ya era una ruina —dijo súbitamente con los ojos inundados de lágrimas—. Yo viví y viajé en su compañía antes de que cumpliera treinta años, cuando aún poseía dinero y la consideración de todos. Jamás he visto a un hombre más libre, más lúcido, ni más grande... Sus ganas de vivir abarcaban todas las cosas. Recorrimos juntos Italia y Alemania: siempre iba, por decirlo así, a un paso por delante de mí... Pero en Ámsterdam... Todos volvemos, en suma, a la concha donde Dios nos colocó. Yo hice carrera... Me casé con una mujer de buena familia... Y todavía, si él hubiera permanecido entre los judíos bien considerados por sus riquezas, y su rango entre los suyos... Prefirió romper con ellos para irse a vivir solo, en una buhardilla, como si fuera verdad que se puede estar solo... Además, se asegura que sus últimas amistades... Tal vez no sean más que habladurías. En lo que a mí concierne, siempre me mantuve en mi puesto sin decir ni una palabra.

Se detuvo al comprobar que le estaba haciendo confidencias a un criado. Tendido en la cama, sin almohada, metido entre las sábanas y con una vela encendida en la mesilla de noche, parecía más muerto que Belmonte dos horas antes de su fallecimiento, y con veinte años más, aunque probablemente ambos amigos tuvieran la misma edad. No le fue posible dejar de murmurar, esta vez para sí:

—No obstante, le hice un insigne favor mandando publicar su libro. Nunca me lo agradeció.

Y eso fue todo. Nathanael creyó ver resbalar unas lágrimas por las hundidas mejillas, pero no había buena luz en la habitación. Sentía rencor hacia el viejo, por haber apartado de aquel modo al amigo de su juventud, al enfermo que había luchado y sudado bajo las mantas. No demostraba tener buen corazón. El señor le pidió que apagase la vela.

Pasaron unos meses. Cuando llegó el otoño, Mevrouw Clara tuvo que solicitar por vía jerárquica —es decir, por mediación de la señora d'Ailly— que Nathanael no saliera a hacer recados cuando hacía mal tiempo, para que su tos no empeorase. No obstante, en noviembre, tuvo que ir una vez a la imprenta de Elie, pese a que caía una lluvia fina, con objeto de recuperar algunos de los libros de Belmonte que no se habían vendido, que el señor había comprado... La idea de volver a ver a su antiguo patrón no le molestaba en absoluto. Se sentía ya muy lejos de todo aquello.

No lo vio, pues Elie había salido o fingió haberlo hecho. Los empleados eran todos nuevos. Al salir del patio, vislumbró a Jan de Velde, que salía de una callejuela lateral y caminaba riendo muy alto, en compañía de un muchacho joven. Tanto mejor para él.

El camino de vuelta pasaba por la Kalverstraat. En un rincón había unas viejas barracas de feria, que dejaban montadas allí todo el año. Algunas las alquilaban temporalmente a charlatanes ambulantes o a exhibidores de espectáculos. Una de ellas se hallaba iluminada: allí exhibían, mediante la entrega de medio florín, un tigre traído de las Indias. Había cola. Nathanael llevaba dinero aquel día y nunca había tenido la ocasión de ver un tigre. Le apeteció ver ese bello animal feroz, apenas más carnívoro —pensó— que la raza de los hombres, y en cuyos hermosos ojos brilla una llamita verde. Había un cartel pequeño colgado en la puerta que le produjo un sobresalto: la entrada era gratuita para todo el que trajese un perro, o cualquier otro animal en buen estado de salud, del que quisiera deshacerse. Precisamente, cerca de él, una burguesa de media edad, aún vistosa con su traje de color pardo y su cuello blanco, llevaba en brazos un perrito de aguas, un cachorro de apenas dos o tres meses. La mujer comprendió que el joven la miraba con reproche.

—Mi perra ha tenido una camada. Hemos conseguido colocar a la mayoría, pero no sé qué hacer con éste.

Nathanael sacó su medio florín.

—Dádmelo a mí.

Ella le tendió la bolita caliente. Renunciando a contemplar a la fiera enjaulada, Nathanael regresó a casa, es decir, a la pequeña habitación que continuaba ocupando al lado de Mevrouw Clara. La historia del perrillo conmovió a todo el mundo. La cocinera se encargó de prepararle las comidas; Mevrouw Clara no estaba muy satisfecha: aquel perro aún no bien adiestrado comprometía la limpieza de la habitación, pero no dijo nada. Nathanael peinó, cepilló y lavó al animalito. No se cansaba de sacarlo al jardín en sus ratos libres. Sentía gran alegría por haber arrancado el cuerpecillo tierno a los dientes del tigre, aunque no sin pensar que, después de todo, es propio de una fiera devorar legítimamente la carne viva. Daba igual. Aquella mujer que pensaba sacrificar con tanta tranquilidad a una criatura indefensa le daba horror. Le parecía que en ella se condensaba toda la crueldad existente en el mundo.

Mevrouw Clara gruñó, sin embargo, cuando lo vio, empapado hasta los huesos, paseando a *Rescatado* (le había puesto este nombre) bajo los árboles del paseo. Ahora que Nathanael se había encariñado con aquel inocente pedazo de vida, le parecía esencial asegurar su supervivencia, incluso si algún día su salud le obligaba a dejar la casa grande. Colocó a *Rescatado* en una cesta y habló con la doncella de la señora d'Ailly, para que ésta le concediese el honor de recibirlo.

Llamó a la puerta. La señora estaba sentada al clavicordio, en su salón azul. Ya conocía la historia del perro y lo acariciaba con cariño siempre que lo veía en el jardín. Nathanael se lo ofreció, mostrándole cuán bonito se había puesto *Rescatado*.

—¿Y por qué me lo dais a mí? Sé que lo queréis mucho...

—Me gustaría que perteneciese a la señora.

La señora d'Ailly sacó a *Rescatado* de la cesta y se lo puso en las rodillas para acariciarlo. Nathanael también lo festejaba, tímidamente, señalando a la señora las largas orejas, el pelo abundante y liso, de color caoba, que contrastaba con las patas blancas. Durante un instante, menos aún de un instante, su mano rozó sin querer el brazo desnudo envuelto en encajes. La señora no dijo nada: acaso no se había dado cuenta de un roce tan tenue y él lo prolongó un poco más, para no parecer haberlo percibido él mismo conscientemente; tal vez aquel incidente le resultaba a ella muy poco importante, y no se ofuscaba por ello. A él, el contacto con aquella delicada epidermis le hizo el efecto de una dulce quemadura. Ninguna mujer le había parecido nunca tan pura, ni tan tierna como aquélla.

El perro lo acercó a ella. Cuando hacía buen tiempo, le mandaba subir y pasear a *Rescatado*.

En diciembre, volvió a enfermar de pleuresía. Se curó pronto, pero el día de Reyes, cuando estaban preparando un buen fuego en el salón, para recibir a los niños que cantan a la Estrella, y a quienes se acostumbra obsequiar con cerveza caliente, trató de subir un cesto de carbón y se desplomó en el suelo escupiendo sangre. Mevrouw Clara lo metió en la cama con severas prescripciones. La señora se informaba sobre su salud. Dos o tres veces se tomó el trabajo de bajar a verlo, para llevarle pastillas o jarabe para la tos. No hacía más que entrar y salir, pero dejaba tras ella un rico olor a verbena. A él le daba vergüenza que lo viera allí acostado, sin afeitar, mal peinado y con el cuello flaco asomando por la camisa de tela blanca. Pero, sin duda, la señora d'Ailly iba a verlo por compasión, y no se fijaba en aquellos detalles.

En cuanto mejoró un poco, volvió a trabajar en la casa. Ya sólo le encargaban tareas pequeñas. Una criada vieja, que aca-

baba de entrar en la casa, era la que ayudaba, junto con Mevrouw Clara, a acostar al señor. Por consideración a su ronquera crónica, el señor ya no le pedía que le leyese en voz alta, pero
aún conservaba su puesto en un rincón del gabinete del antiguo
burgomaestre; limpiaba el polvo de los objetos de arte y demás
curiosidades, afilaba las plumas, ordenaba los papeles y hacía
una lista de ellos cuando se lo pedía el señor, pues tenía una bonita letra. El señor, aun cuando tratase de disimularlo, se mantenía a cierta distancia de la tos de Nathanael. Los criados hacían lo mismo. Por las noches, le servían la cena en la cocina, al
lado de la lumbre, lejos de la mesa grande en donde se sentaban
los demás. Esto significaba al mismo tiempo un favor y una precaución. Percatándose de que lo tenían allí por compasión, Nathanael se hubiera marchado de haber sabido adónde ir, pero
aún no estaba tan enfermo como para que lo admitiesen en el
hospital.

Aquella situación tuvo por fin un desenlace sencillo. Una
mañana de marzo, el señor le disparó una pregunta a quemarropa, como tenía por costumbre:

—¿Sabéis disparar?

Nathanael se sobresaltó, como quien oye un tiro. La pregunta era tan inesperada que no lograba comprender.

Por fin contestó:

—Me ejercité a bordo de la *Thétys,* pero nunca fui un buen
tirador.

—Mejor, después de todo —dijo enigmáticamente el señor
Van Herzog.

La explicación llegó poco después. El señor poseía, en una
isla frisona, de la que le pertenecía al menos la mitad, una casita
que solía utilizar en otros tiempos, cuando llegaba la estación
de la caza. Ya no iba nunca por allí, pero su sobrino, el señor
Hendrick Van Herzog, iba casi todos los años. El último guarda
que tuvieron, harto de soledad, se había largado un año antes.
El aire sano del mar fortalecería a Nathanael. Un campesino,
que vivía en tierra firme, le llevaría provisiones todas las sema-

nas, igual que lo hacía en tiempos del antiguo guarda. La obligación de Nathanael consistiría en mantener limpias las pocas habitaciones de la casa para cuando llegara el joven Hendrick, y en dejarse ver de cuando en cuando con el mosquete por el único embarcadero que había en la costa, para amedrentar a los cazadores furtivos atraídos por aquella isla llena de pájaros.

—¿Y si por casualidad fueran náufragos? —se atrevió a decir Nathanael.

—Los conocerías por su aspecto.

Más valía —reiteró el señor— que se limitara a asustar a los intrusos, sin disparar con mucha puntería: meterle una bala en la cabeza al hijo de un granjero o a un notable frisón podía traer malas consecuencias. Pero tales inoportunidades no se daban con frecuencia, vista la distancia por mar y el peligro de embarrancar en los bancos de arena, a menos de conocerse de memoria la configuración de los canales. En invierno no había ningún peligro, pues las aves migratorias abandonaban la isla y la tempestad bastaba por sí sola para defender las costas. Nathanael regresaría en octubre, con el joven Hendrick y sus cenachos repletos de caza.

La idea de aquella soledad hizo latir el corazón de Nathanael. Recordaba la Isla Perdida y el agradable olor de las plantas silvestres que subía de las landas. ¿Quién sabe si no le bastaría, para curarse, con unos meses de gran sosiego? Después de todo, aún no tenía más que veintisiete años. Inmediatamente recordó que Foy era mucho más joven que él cuando se la llevó el mismo mal, y que el aire marino no sirvió para protegerla, ni para curarla. Pero Foy era una niña frágil. Otro pensamiento, que no se atrevía ni a formularse siquiera, vino a turbar sus ansias de soledad: durante largos meses le sería imposible ver a la señora andando por el brillante parqué, en compañía de *Rescatado,* ni volvería a contemplar su sonrisa. Pero se hubiera ruborizado de seguir mucho tiempo con semejantes ideas: la señora, igual que todos, aprobaba aquel proyecto.

Incluso mantuvo ciertos conciliábulos con Mevrouw Clara para decidir lo que convenía prever para el nuevo guarda en cuanto a ropa, medicamentos y alimentos en conserva, para el caso de que el proveedor de tierra firme no apareciese en el día previsto. Metieron todas aquellas cosas dentro de varias bolsas y talegos.

La víspera de su marcha, Nathanael se despidió del señor, quien condescendió hasta el punto de darle la mano, siempre algo fría, y le deseó que prosperase y se portara bien. Era la fórmula que solía emplear en aquellas ocasiones.

Llamó seguidamente a la puerta de la habitación azul. La señora le abrió en persona. El perrillo saltaba ladrando a su alrededor. Nathanael se arrodilló para acariciar a *Rescatado*. Cuando se levantó, ella le dijo:

—Lo cuidaremos bien, y lo volveréis a ver en otoño.

Aquellas palabras fueron un bálsamo para su corazón, aunque nunca como entonces le pareciera tan larga y penosa la separación. Se preguntó si la señora le tendería también la mano y si, en caso de hacerlo, se atrevería él a besársela. Pero el besamanos no es una cortesía propia de un lacayo. Mientras se preguntaba todo esto, ella se le acercó y lo besó en los labios, con un beso tan leve, tan rápido y, sin embargo, tan firme, que él dio un paso atrás, como ante la visitación de un ángel. Ambos permanecían en el umbral de la puerta. La señora le dijo adiós con su hermosa mirada que no sonreía y cerró la puerta.

Al día siguiente, cargaron su equipaje en la barca amarrada al fondo del jardín. Mevrouw Clara lo acompañó hasta el embarcadero, en donde se tomaba el barco de pasajeros. Gentes diversas se agitaban por el muelle y obstruían la pasarela, como siempre que va a salir un barco. Nathanael, acodado a la borda, hizo unas señas de adiós a la caritativa ama de llaves, que se mantenía a cierta distancia, benevolente y fría, como de costumbre. Aquella mujer de pelo estirado volvió a recordarle a la Muerte, y tuvo que repetirse que era absurda aquella superstición: la muerte se halla dentro de nosotros.

Hacía buen tiempo. No se veía ni una ola en el Zuiderzee. Había una cabina grande y unas cuantas mesas en el puente, así como un mostrador en el que servían bebidas, carnes frías y buñuelos fritos. Nathanael llevaba su comida, pero fue a tumbarse en uno de los bancos colocados a lo largo de la pared exterior de aquella cabina. Una de sus bolsas le servía de almohada. El ruido de las cuerdas al ser arrojadas al muelle y el chirrido de la pasarela lo despertaban en todas las paradas: el tumulto de Ámsterdam se reproducía en miniatura. Subían y bajaban gentes. Un olor intenso a buñuelos se escapaba por la ventana abierta de la cabina, junto con ruido de voces.

Nathanael se incorporó para ver a las personas que hablaban y reían tan alto. Eran dos parejas: dos mujeres de aspecto vulgar, vestidas con ostentación y mal gusto, a las que no se sabía cómo clasificar, si como tenderas endomingadas o como mujeres públicas acomodadas; probablemente eran lo uno y lo otro. Una de ellas, gorda y bajita, llevaba en el dedo una gruesa alianza de oro. Para Nathanael, que siempre trataba de encontrar parecidos entre los animales y los hombres, los dos individuos que las acompañaban eran dos cerdos.

—¿No han molestado a la vieja?

—¡Ni hablar! Si hubieran podido echarle el guante, hace ya tiempo que lo hubieran hecho...

—De todas formas, echará de menos a su hija...

—¿A su hija? Nadie la vio parir, que yo sepa... Pero difícil será que encuentre a otra igual, tan hermosa y con los dedos tan ágiles.

—¿Hermosa? —repuso la voz agria de una de las mujeres—. Bueno, si quieres, una judía hermosa...

—Hermosa y basta —dijo el más grueso de los dos cerdos—. Yo la vi de muy cerca. Estaba justo debajo de ella.

Aquella confesión hizo soltar unas cuantas risotadas a las mujeres.

—No me importa. Estoy endemoniadamente contento de haber ido a Nimega el martes, a la feria de caballos...

—¿Y a qué fuiste tú a Nimega? —preguntó el más delgado de los cochinos, con acento suspicaz—. Tú no eres chalán.

—No te inquietes: no es la clase de trabajos que tú sueles hacer. La plaza estaba tan abarrotada de gente que mi cliente y yo nos salimos del Perro de Oro para ver mejor. Valía la pena: mil táleros robados de las calzas de un capitán de Hannover.

—¿Operaba ella sola?

—Parece ser que sí.

—Hace no mucho tiempo, en Ámsterdam, tenía un marido, que debía de ser un asno —dijo la hembra que permanecía callada hasta entonces—. Se largó en cuanto olió la soga. Una cosa es tener una mujer que traiga dinero a casa y otra arriesgarse a que le cuelguen a uno.

—Cuando apareció se hubiera podido oír volar a una mosca —prosiguió el cerdo con la boca llena—. Iba cantando cuando subió las escaleras.

—¿Y qué cantaba? ¿Himnos?

—Nada de eso. Cantaba coplas. Y cuando llegó arriba, rechazó al hombre rojo, vamos, ya sabes, a ese cuyo nombre trae mala suerte. Un poco más y lo tira escaleras abajo. Y saltó ella sola, de golpe. La cuerda le hizo dar en el aire dos o tres volteretas, y todos en la plaza se enteraron de que tenía las piernas bonitas.

—¿Sólo las piernas?

—Es una pena, pero no pude ver más. Por culpa de los refajos...

—¿Se sabe dónde está escondido el dinero de Dormund?

—La Loubah lo sabe...

Y acercándose a su compadre, le murmuró algo al oído.

—Hablas demasiado —dijo la más gorda de las mujeres con desprecio.

Nathanael se había incorporado, apoyándose en el codo, para oír mejor. Dejó caer la cabeza sobre su bolsa. Después de todo, Sarai había muerto como él siempre pensó que lo haría. En cuanto a él, no era sino un asno que había tenido miedo a la soga.

Cuando aquellas gentes se apearon en Horn, se acercó a la borda y vomitó. Los marineros que lo vieron se burlaron de aquel pasajero, que se mareaba cuando tan tranquila estaba la mar.

A la etapa siguiente, el aldeano encargado de llevarlo a la isla fue a buscarlo en una carreta. El camino era largo, hasta llegar a la aldea de la costa en donde el viejo tenía su casa. Al ver a Nathanael sumido en un estupor cuyas razones desconocía, el hombre escupía en el suelo de cuando en cuando y aguijoneaba a su yegua, pero no le decía ni una palabra al viajero. El chamizo, lleno de humo, sólo tenía una cama. Nathanael tuvo que acostarse al lado del viejo; la vieja, que era delgada y con un rostro desabrido, se acostó al otro lado, cara a la pared. Al llegar la medianoche, Nathanael, que ya no podía aguantar más, se instaló al lado de la lumbre apagada, que le recordaba el fuego de turba que él encendía en la casita del Muelle Verde. Aquel fuego teñía de color de rosa el cuerpo desnudo de Sarai...

Pero su mujer había hecho bien en ponerse a cantar al subir a la horca, y también en saltar de golpe, como si fuera a bailar. Él había oído decir que los cuellos de los ahorcados se estiran desmesuradamente, por el peso del cuerpo, y que el rostro congestionado enseña una lengua completamente negra. Mas aquel rostro ya lo tapaba la tierra. Él no la había visto así. Lo recordaba todo: las mentiras, las astucias, las palabras soeces, los insolentes silencios, la dureza disfrazada de suavidad; su memoria, ya que no su corazón, carecía de piedad. Pero recordaba asimismo la hermosa voz grave que parecía venir de más allá de ella misma, los cálidos ojos oscuros, su carne, de la que conocía cada una de las parcelas. Las piernas que habían pataleado por encima de las cabezas de los curiosos apretaban hace no mucho sus rodillas y sus muslos; habían reposado, temblorosas, sobre sus hombros. Todo aquello tenía su importancia.

Al amanecer, preso repentinamente de punzantes remordimientos, se preguntó si alguien —de haber sabido cómo hacerlo— hubiera podido salvar a Sarai. Pensó que no. La hubiera salvado impidiéndole ser ella misma. En todo caso, él no había sido el hombre apropiado.

Embarcaron muy temprano. Cuando soplaba un viento favorable, la barca de velas cuadradas y dos pares de remos tardaba media hora en llegar a la isla desde tierra firme. Nathanael se cansaba de remar y el viejo lo puso al timón. La isla era tan llana que no se la veía hasta estar ya encima de ella. Al desembarcar, Nathanael se percató de que las dunas, a lo largo de la costa, formaban murallas y fosos de arena. Entraron en una cala tranquila; el viejo saltó al agua, que le llegaba a las rodillas, y ató el esquife al poste de una escollera pequeña y carcomida. A Nathanael le costó mucho subir la duna, arrastrando sus paquetes atados con una cuerda larga. Se había descalzado, pues los zapatos se le llenaban de arena. La casita estaba al otro lado, en la parte baja. El viejo barquero abrió la puerta de una patada y la sujetó con un grueso leño. Se puso a encender el fuego en cuclillas, mas recomendó a Nathanael que escatimara la leña: casi no había madera en la isla, salvo algunas tablas que arrojaba el mar. Las escasas plantaciones que se habían hecho, aquí y allá, para retener la arena, eran harto valiosas para tocarlas. Utilizaban turba, pero también la turba venía de tierra firme.

Wilhelm le enseñó las tres habitaciones reservadas a los dueños, la cocina y un cuartito colindante, que le serviría de habitación al recién llegado. Era pequeño, pero en él se estaba por lo mismo más caliente.

Una vez solo, Nathanael ordenó cuidadosamente toda su ropa, las provisiones que le había entregado el viejo y las que le habían dado las mujeres. Luego salió a echar un vistazo. El esfuerzo y las preocupaciones de la llegada apenas le habían dejado tiempo para ver todo aquello. Esta vez fue todo ojos.

Las dunas formaban, entre la casa y el mar —que sólo se percibía desde un determinado punto de mira—, unas olas monstruosas, calcadas, se hubiera dicho, de las verdaderas olas que las habían formado. Eran estables, si es que algo puede serlo; no obstante, se notaba que iban moviéndose imperceptiblemente, disminuyendo de un lado para aumentar del otro. Una especie de bruma de arena corría y crujía sobre ellas, expulsada por el mismo viento que dispersa la niebla de las olas. Matojos de hierbas aisladas temblaban suavemente bajo la fuerte brisa. No: no se parecía en nada a la Isla Perdida, hecha de rocas y de guijarros, de landas y de árboles agarrados a las rocas con sus raíces, como si éstas fueran garras grandes y crispadas, de salientes venas. Aquí, al contrario, todo era sinuoso o llano, blando o líquido, pálidamente rubio o pálidamente verde. Las mismas nubes se balanceaban como si fueran las velas de una barca. Jamás había sentido tan encogido el corazón.

Al cabo de un momento, dobló las rodillas como si se cayese o se dispusiera a rezar, y diez veces, veinte veces, gritó en voz alta el nombre de Sarai. El inmenso silencio que lo rodeaba ni siquiera le devolvió el eco. Entonces, en voz baja, dijo otro nombre. Sucedió lo mismo.

Durante los primeros días que Nathanael pasó en la isla, ocho tal vez, a no ser que fueran siete, o nueve (ya sólo contaba por cuartos de luna, que le servían también para medir el tiempo entre las visitas casi semanales de Wilhelm), cumplió lealmente sus horas de guardia en la vieja escollera. Los días de mucho viento, aprendió a resguardarse del perpetuo azote de la arena poniéndose un pañuelo a modo de máscara. Algunas barcas, grandes o pequeñas, cabeceaban a lo lejos, mas ninguna parecía querer acercarse a la isla. Acostado boca abajo, con la cabeza entre las manos, igual que antaño hacía estando en el mar, durante las horas de descanso que concedían a la tripulación en épocas de calmas, pasaba el tiempo soñando y observando. Recordando los objetos de concha, de marfil y de coral que había en el gabinete del señor Van Herzog, admiraba las incrustaciones de los moluscos y conchas azules, nacaradas o rosas, que formaban dibujos extraños, en el puntal del viejo andamiaje de madera carcomida por los gusanos de mar. Las fruslerías que tanto estimaban en la casa grande le parecían ahora un poco menos fútiles, pues se aproximaban a las formas que el tiempo, el desgaste y la acción lenta de los elementos dan a las cosas. Una vez encontró una especie de galleta oblonga, de arena endurecida y solidificada, con un agujero semejante a la huella del pulgar, lo que la hacía parecerse a la paleta de un pintor. La naturaleza, igual que el hombre, fabrica hermosos objetos inútiles. Ni una sola vez, en aquellas fastidiosas y prolongadas esperas, vio huellas de pasos humanos en la playa. Sólo los pájaros dejaban las suyas en la arena, como si fueran estrellas, y también los conejos dejaban sus señales saltarinas. Cascos de caballos horadaban en ocasiones la arena: un granjero del señor Van

Herzog había soltado una manada de caballos en el interior de la isla, y al cabo de algunos años se había marchado de allí. Aquellos hermosos animales eran demasiado salvajes para dejarse ver cuando era de día, pero a veces se les podía vislumbrar al amanecer lamiendo la sal de los charcos que dejaba el mar.

Pasado algún tiempo, Nathanael dejó su inútil mosquetón en casa, colgado de un clavo. Se contentaba con observar el mar desde lo alto de las dunas.

Cuando el viento soplaba de firme, buscaba refugio entre las desmedradas plantaciones de pinos que se encontraban allí —lo mismo que los caballos— desde antes de marcharse el granjero. En aquellos bosquecillos compactos, donde los árboles se apoyaban uno contra otro para poder soportar los embates del viento, no se podía uno perder como en un auténtico bosque: el espacio vacío y desnudo era visible desde el otro extremo de los túneles de ramas. Se estaba allí al abrigo, como en el interior de una iglesia. En un principio, parecía reinar el silencio, pero aquel silencio, cuando se prestaba atención, se hallaba entretejido de rumores graves y dulces, tan fuertes que recordaban el rumor de las olas, y tan profundos como los de los órganos de las catedrales. Se los recibía como una especie de vasta bendición. Cada uno de los matojos, cada rama, cada tronco, se movía con un ruido diferente, que iba desde el crujido al murmullo y al suspiro. Abajo, el mundo de los musgos y de los helechos estaba tranquilo.

Pero lo más bonito eran los millares de pájaros que anidaban en la isla en tiempo de incubación. Las zancudas, a orillas de los estanques, parecían helarse al sol naciente. Algunas veces, aunque escasas, se las veía caminar con paso cauteloso, desilusionadas cuando huía su presa. Nathanael se sentía repartido entre el gozo del pájaro, cuando por fin atrapaba algo para su sustento, y el suplicio del pez, que era tragado vivo. Las ocas salvajes formaban nubes semejantes a banderolas, para luego dejarse caer, envueltas en una tempestad de gritos, sobre los pastos; los patos las precedían o las seguían; los cisnes formaban en el cielo su majestuoso ángulo blanco. Nathanael sabía que nada suyo era importante para aquellas almas pertenecientes a otra especie; no le devolvían amor por amor; él hubiera podido matarlas, de haber tenido el más leve instinto de cazador pero, en cambio, no podía ayudarlas en su existencia expuesta a los elementos y al hombre. Los conejos, que saltaban por entre las cortas hierbas de las dunas, tampoco eran amigos suyos, sino unos visitantes desconfiados, que salían de sus madrigueras como si fueran de otro mundo. Escondido debajo de un arbusto, una vez los vio bailar al claro de luna. Por las mañanas, las avefrías ejecutaban en el cielo su vuelo nupcial, más hermoso que ninguna de las figuras de los ballets del rey de Francia. Por la noche, las zancudas aún seguían allí. Un día en que el viejo Wilhelm vino a traerle sus víveres, desapareció súbitamente por detrás de una duna, columpiando en la mano una cesta vacía. Iba a buscar huevos de avefría para la mesa del señor Van Herzog, a quien se los enviarían en el próximo barco. Le ofreció unos cuantos a Nathanael, que no quiso cogerlos.

Al instalarse en la isla se había imaginado estar lejos del mundo. Lo estaba, pero nada es tan perfecto como uno cree. La llegada semanal de Wilhelm lo devolvía a lo que él había creído abandonar. El viejo traía, junto con los víveres, las noticias del pueblo: una vaca o una yegua que habían parido, el incendio de un almiar, una mujer apareada o un marido cornudo, un niño que nace o que muere o, asimismo, la inexorable llegada del recaudador de impuestos. Hasta en algunas ocasiones le contó cosas de una ciudad que había sido sitiada o saqueada en Alemania.

Pero sobre todo, y al revés de lo que había creído Nathanael, el viejo no iba a la isla sólo por él. Una vez había depositado las correspondientes raciones en el quicio de la puerta, Wilhelm, con un saco al hombro, se encaminaba a la antigua granja, a una legua de allí, donde aún vivían la viuda del granjero —medio inválida— y su hija valetudinaria, propensa a unas crisis que la dejaban tendida en su jergón, sin hablar ni comer, durante días enteros. Aquellas dos mujeres poseían todavía una vaca, unas cuantas gallinas y un campito en el que sembraban hortalizas. Pero ya era hora de que se ocuparan de ellas. Un agente del señor Van Herzog había conseguido para ambas un puesto en el asilo de Horn, a partir de mediados del verano. Las llevarían allí a la fuerza, si era preciso.

Entretanto, el viejo propuso a Nathanael que lo acompañara a casa de las que él llamaba «las locas». La legua de camino se le hizo larga al joven, que trataba de ocultar su cansancio y su respiración entrecortada: no le gustaba parecer casi inválido ante Wilhelm. Incluso se ofreció para hacer unos pequeños trabajos demasiado duros para aquellas mujeres, tales como retejar el tejado bajo del establo. A cambio de unas monedas, ellas le daban leche o dos o tres huevos. De este modo, reunían un pequeño peculio para el asilo. Cuando la hija cincuentona estaba en sus malos días, Nathanael ordeñaba la vaca. Le gustaba aquella tarea, que no había vuelto a hacer desde que abandonó la Isla Perdida. El costado del animal era cálido y rugoso, rojizo como la ladera de una montaña cuando le da el sol. Para aquellas dos mujeres, por mucho cariño que le tuvieran a su vieja granja, que se les estaba cayendo encima, el asilo significaría comer a horas fijas, tener una estufa que tirase bien en invierno, cotillear con otras mujeres, ir a la iglesia los domingos y darse un baño caliente los sábados. Para la vaca, que ya no daba mucha leche, aquel cambio significaría el matadero.

El día en que se marcharon fue casi una fiesta. Varios mozos del pueblo habían acudido allí acompañando a Wilhelm. La vieja quejumbrosa fue transportada en una improvisada silla, hecha con una sábana que llevaban en bandolera dos de los jóvenes. La loca los seguía, sin entender muy bien lo que pasaba. Detrás, y en último lugar, venía la vaca. También se llevaron —para amansar a las mujeres y decidirlas a partir— un montón de inútiles cacharros. Nathanael convenció al viejo para que se quedara con la vaca hasta finales de otoño.

La ausencia de sus vecinas lo dejó sin leche, pues la que le traía el viejo se agriaba enseguida, o se agotaba; y sin huevos, cuando estaba vacío el gallinero de Wilhelm. Pero aquello no era lo más importante. En la isla había dos presencias humanas y un animal doméstico menos. La soledad había aumentado.

Sin embargo, no toda la isla se hallaba vacía de seres humanos. Wilhelm le estuvo hablando un día de un pueblo, en el que vivían unas veinte familias, a unas nueve leguas yendo hacia el Norte, en aquella parte de la isla que no pertenecía al señor Van Herzog. Aquellas chozas bajas se apiñaban para protegerse del viento en torno a un puertecito redondo como un escudo. Los habitantes de Oudeschild, medio pescadores, medio agricultores, poseían algo de cebada y unas cuantas cabezas de ganado. Wilhelm hizo el ademán de empinar el codo, para indicar que también tenían bebidas y que, en determinados días, la cerveza y la ginebra corrían a mares. La comunidad se las arreglaba sin pastor, y las muchachas de la comarca tenían fama de no decir nunca que no. Wilhelm nunca había visitado aquellos lugares; el comercio que sus gentes mantenían con la tierra firme se hacía más lejos, al Nordeste del Zuiderzee.

Un día de agosto, Nathanael vio venir del interior de las tierras a dos robustos y alegres mozos que montaban a pelo. Sus caballos procedían de la manada abandonada, y los habían domesticado como podían. Los cabellos y las crines flotaban al viento. Medio desnudos, blancos y rubios, con la piel más rojiza y curtida en aquellas partes de su cuerpo no cubiertas por los habituales trajes de faena, aquellos muchachos le hicieron el efecto a Nathanael de una aparición: era como si la vida, para hacerle una visita, hubiera adoptado la forma de aquellos hombres y de sus monturas. Pronto fraternizaron. Los visitantes echaron pie a tierra para beber del mismo canillero el agua del manantial que Wilhelm almacenaba en un tonelillo, que llenaba cada semana y en el que no se infiltraba el sabor a agua de mar. Le propusieron a Nathanael que se fuera con ellos al pueblo, a la otra punta de la isla. Lo traerían a la mañana siguiente, o al otro día.

Hacía ya mucho tiempo que Nathanael rechazaba cualquier clase de regocijo, por miedo a que un inesperado ataque de tos o un vómito de sangre le estropearan la fiesta. Nunca acompañó a la feria a los criados del señor Van Herzog, pero la alegría de aquellos mozos se le contagió. Subió a la grupa del caballo de Markus. Lukas pegaba con los talones en los flancos del suyo, para obligarlo a galopar. Los caballos galopaban sin ruido por la arena o por la hierba rasa. Era agradable abrazarse al torso fuerte del que llevaba las bridas, y sentir su calor y su fuerza. Hasta el olor a sudor que exhala un cuerpo sano era bueno. La llegada de Nathanael al pueblo transformó la noche en una fiesta: hubo bromas, abrazos y bebidas; se hicieron crêpes, tirándolas al aire, para después comerlas. Las rollizas muchachas que nunca decían que no, pero a las que Nathanael no dio ocasión de decir sí, danzaron al son de la zanfoña, enlazadas por los mozos. Los viejos, sentados en un banco, golpeaban el suelo con los talones llevando el compás de la contradanza. Nathanael ocupó su puesto en el regocijo popular, como si la debilidad, la fiebre y la tos hubieran desaparecido milagrosamente. Despreocupándose del porvenir, dejando atrás diez años de su pasado, fue por unas horas de nuevo un marinero de dieciocho años. Pero al día siguiente, en el sobrado que ocupaban Markus y él, le dio un ataque de tos y escondió el pañuelo manchado de sangre. Poco acostumbrados a las enfermedades, los mozos creyeron que aquello era debido a la bebida del día anterior. Había que descartar el proyecto de hacer seis leguas a caballo estando enfermo, así que hicieron el trayecto en barca, casi como jugando. Dieron la vuelta lentamente a la costa más resguardada de la isla, evitando los bancos de arena.

Los muchachos llevaban a remolque un tonelillo de cerveza. Nathanael se negaba a beber, pero la alegría de sus compañeros continuaba embriagándole. Le ayudaron a trepar a la duna que protegía su casa del mar. Se separaron prometiéndose mutuamente volverse a ver. Nathanael sabía que nunca más volverían a verse.

Pocos días después, se enteró de que el señor Hendrick Van Herzog, a quien sus negocios retenían en Brema, no acudiría a la isla aquel otoño.

Nathanael había temido ciertos aspectos de aquella visita. Pensar en los zurrones repletos de pájaros le daba horror. Pero la noticia fue como si cayera un pesado telón que lo aislara aún más en su soledad. Se había imaginado a sí mismo como criado del señor Hendrick, subiendo con él al barco de pasajeros que había de transportarlos, pero no se veía haciéndolo solo. No obstante, el antiguo burgomaestre se había tomado el trabajo de añadir, en su escueto billete, que suponía curado a Nathanael, y dispuesto a reanudar sus servicios en la ciudad a principios de noviembre. Sin embargo, Nathanael estaba seguro de que no regresaría en noviembre.

El tiempo, entonces, dejó de existir. Era como si hubieran borrado las cifras en la esfera del reloj, y la misma esfera palideciese como la luna en el cielo cuando es de día. Sin reloj de pared (el que había en la casita ya no funcionaba), ni reloj de bolsillo (nunca lo tuvo), sin el calendario de los pastores colgado de la pared, el tiempo pasaba tan rápido como el rayo, o bien duraba eternamente. Salía el sol, luego se ocultaba en un lugar apenas distinto del día anterior, un poco más pronto cada tarde, un poco más tarde cada mañana. El alba y el crepúsculo eran los únicos acontecimientos importantes. Algo fluía entre ambos, que no era el tiempo, sino la vida. Las fases de la luz ya no importaban salvo que, cuando había luna llena, la arena brillaba nívea. Ya no recordaba los nombres y dibujos de las constelaciones, que en otros tiempos se sabía de memoria, cuando el piloto de la *Thétys* ponía rumbo a Aldebarán o a las Pléyades, mas poco importaba: de todas formas, los fuegos que en el cielo ardían eran incomprensibles... Nubes y bancos de niebla los tapaban casi siempre, o bien reaparecían, como amigos perdidos. Antes de que la enfermedad, al agravarse, le arrebatara poco a poco las fuerzas para amar algo con pasión, amaba apasionadamente a la noche. Aquí parecía ilimitada, todopoderosa: la noche en el mar prolongaba por todas partes la noche en la isla. En ocasiones, salía de la casa en la oscuridad, cuando ya apenas se distinguía otra cosa que no fuera la masa blanca de las dunas y, por algún resquicio, la blanca espuma del mar. Se quitaba la ropa y se dejaba penetrar por aquella oscuridad y aquel viento casi tibio. Se convertía en una cosa entre las demás cosas. No hubiera sabido explicar por qué, pero aquel contacto de su piel con la oscuridad lo conmovía tanto como antaño el amor. En otros momentos, el vacío nocturno era terrible.

El día se subdividía más y más. La sombra que los matojos proyectaban sobre la arena era como un reloj de sol. Él contemplaba su giro. O bien, dejando que el suelo inestable huyera entre sus dedos, hacía un reloj de arena con sus manos, reloj que no marcaba ni segundos, ni minutos, ni horas: bastaba con aplastar el ínfimo montículo con la palma de la mano para borrar aquella prueba de que había pasado el tiempo. Para no perder todo contacto con el almanaque de los hombres, hacía muescas con un cuchillo en una viga de madera, con objeto de saber los días que lo separaban de la llegada de Wilhelm. Bastaba con que se olvidara de hacerlo una tarde para estropearlo todo. Pero Wilhelm era cada vez menos puntual, desde que ya no quedaba nadie más que él en la isla. Cuando la esperada barca tardaba mucho en llegar, le entraba una angustia que no guardaba relación con el pedazo de queso, la hogaza y las verduras marchitas por el aire del mar que la barca le traía, ni siquiera con el agua potable, tan preciosa, sin embargo. Le parecía que necesitaba ver el rostro del viejo Wilhelm para estar seguro de que también él lo tenía.

Una vez, para demostrarse a sí mismo que aún conservaba voz y lenguaje, pronunció en voz alta, no ya un nombre de mujer, sino su propio nombre. El sonido le dio miedo. El grito ronco de la gaviota, la queja del chorlito real encerraban una llamada o una advertencia que otros individuos de la raza alada y con plumas entendía; o, al menos, una seguridad de que existían. Pero su nombre inútil le parecía muerto, como lo estarían todas las palabras de la lengua cuando ya nadie la hablase. Para afirmarse en el seno de tan vasto mundo, acaso hubiera debido cantar, como los pájaros. Pero, aparte de que su voz era ronca y se quebraba enseguida, sabía que había perdido para siempre las ganas de cantar.

Poco a poco, el miedo, insidioso en un principio y que después fue aumentando hasta el frenesí, se instaló en su interior.

Pero no era el miedo a la soledad, como había creído, sino el miedo a morir, como si la muerte fuera más ineluctable desde que estaba solo. Había que abandonar la isla lo antes posible. ¿Para ir adónde? La visita tan deseada de Wilhelm se convertía en un peligro: su tos casi continua, la fiebre que se le notaría enseguida, en cuanto le rozaran la mano, no escaparían a la observación del anciano; urdirían algo, igual que lo hicieron con las dos mujeres; si no creían posible trasladarlo a la casa grande, le buscarían un último asilo en la alquería llena de humo de Wilhelm, o en el hospicio de Horn. Por otra parte, Wilhelm debía de estar deseando dejar sus travesías por mar antes de que llegase el mal tiempo.

Su sentido común le decía que uno siempre muere solo, y no ignoraba que los animales se internan en la soledad para morir. No obstante, cuando le daban sus ahogos nocturnos, sentía que una presencia humana lo habría aliviado, aunque sólo hubiera sido la de Tim y Minne, que habrían permanecido a su lado sólo para despojarle, aún caliente, de sus cuatro pingos. Volvía a su memoria el médico del hospital de Ámsterdam, recitando latín a la cabecera de los agonizantes: no era eso lo que él deseaba. Recordó algunas de sus veladas al lado del mestizo, acostado en el puente, a la sombra de un fardo de telas. Aquel hombre le había ayudado y mimado lo mejor que pudo; él lo apreciaba y, sin embargo, el infecto hedor y su ojo medio fuera de la órbita le producían náuseas; deseaba que muriese, aun cuando siguiera espantando, hasta el final, las moscas que se le posaban en la llaga. No pudo ofrecer al jesuita más que un sorbo de agua, ni tampoco consiguió aliviar ni tranquilizar a Foy; en cuanto a Sarai, había exhalado su último suspiro sin que él sintiera nada, ni siquiera un estremecimiento, en los últimos días que pasó en la casa grande de Ámsterdam, quizá en el mismo momento en que la señora d'Ailly le daba un beso. En la plaza abarrotada de gente, Sarai había muerto sola.

Subsistía sin libros, pues no había encontrado en la casita más que una Biblia, que acabó quemando a puñados un día en que no lograba encender la estufa. Mas ahora le parecía que los libros que había leído (¿habría que juzgar por ellos a todos los demás libros?) no le habían aportado gran cosa, menos quizá que el entusiasmo o la reflexión que puso al leerlos; pensaba que, en todo caso, lo mejor en aquel momento era abstraerse por completo en la lectura del mundo que tenía ahora, por tan poco tiempo, ante los ojos, y que la suerte, por decirlo así, le había deparado. Leer libros hubiera sido igual que beber aguardiente: una manera de aturdirse para no estar allí. Y, además, ¿qué eran los libros? Había trabajado demasiado, en casa de Elie, con aquellas hileras de plomo untadas de tinta... Cuanto más penosas se hacían sus sensaciones corporales, más necesario le parecía, a fuerza de atención, tratar antes de seguir, ya que no de comprender, lo que se hacía y se deshacía en él.

Una o dos veces, siguiendo el consejo que las gentes de alzacuello y largas mangas negras daban desde el púlpito, trató de hacer el balance de su propio pasado lo mejor que pudo, pero fracasó. En primer lugar, no era especialmente su pasado, sino sólo cosas y gentes que se había ido encontrando por el camino; las volvía a ver, o al menos a algunas de ellas; él, en cambio, no se veía. A fin de cuentas, le parecía que tanto los hombres como las circunstancias le habían hecho más beneficio que daño, que había gozado en el transcurso de sus días más de lo que había sufrido, aunque sin duda con cosas que mucha gente no hubiese apreciado. Había conocido alegrías que nadie parecía tener en cuenta, como el hecho de mordisquear una hierbecilla. Nunca había sido rico, ni famoso, pero tampoco deseó ser ni una cosa ni otra. Creía asimismo no haberle hecho daño a nadie, ni siquiera a un pájaro tirándole una piedra, ni recordaba ninguna palabra cruel que supurase en la memoria de alguien. Si así era, la suerte tuvo mucho que ver en ello. Hubiera podido matar al gordo de Greenwich y por pura casualidad no lo hizo. Si Sarai le hubiera propuesto abiertamente que vendiese para ella el producto de un robo, puede que le hubiese dicho que sí, por cobardía y pasión.

Pero, en primer lugar, ¿quién era esa persona a quien él designaba como sí mismo? ¿De dónde salía? ¿Del carpintero gordo y jovial de los astilleros del Almirantazgo —a quien gustaba sorber rapé y distribuir bofetadas— y de su puritana esposa? Ni pensarlo... No había hecho sino pasar a través de ellos. No se sentía, como tantas otras personas, hombre por oposición a los animales y a los árboles; más bien hermano de los primeros y primo lejano de los segundos. Tampoco se sentía particularmente macho ante el dulce pueblo de las hembras; poseyó ardientemente a determinadas mujeres pero, dejando aparte la cama, sus preocupaciones, sus necesidades, sus servidumbres con respecto a la paga, la enfermedad, las tareas cotidianas que se realizan para vivir no le habían parecido tan distintas de las suyas. Había probado —aunque pocas veces, es verdad— la fraternidad carnal que le aportaban otros hombres; no por ello se había sentido menos hombre. Lo falseaban todo —se decía— pensando tan escasamente en la flexibilidad y en los recursos del ser humano, tan parecido a la planta que busca el sol y el agua, y se alimenta como puede de aquellos suelos en donde la sembró el viento. La costumbre, más aún que la naturaleza, le parecía marcar las diferencias que establecemos entre las categorías, hábitos y saberes adquiridos desde la infancia, o entre las diversas maneras de orar a lo que llamamos Dios. Incluso las edades, los sexos y hasta las especies le parecían más próximas unas a otras de lo que se cree: niño o anciano, hombre o mujer, animal o bípedo que habla y trabaja con sus manos, todos comulgan en el infortunio y la dulzura de existir. A pesar de la diferencia de color, se había entendido bien con el mestizo; pese a su religión —que además no practicaba—, Sarai fue una mujer igual que las demás: también existían ladronas bautizadas. Aunque un foso separase al criado del burgomaestre, él había sentido afecto por el señor Van Herzog quien, sin duda, sólo guardaba para su lacayo un rinconcito de benevolencia; a despecho de algunos conocimientos adquiridos en la escuela del magíster y, más tarde, en los libros que hojeó en casa de Elie, no tenía la impresión de saber más que Markus, o que el mestizo, que no había sido más que un cocinero. A pesar de su sotana y de haber nacido en Francia, el joven jesuita le había parecido un hermano.

Pero no era labor suya formular opiniones; sólo podía —y quizá ni eso— hablar por sí mismo. A medida que aumentaba su deterioro carnal, como el de una vivienda de adobe o de barro desleída por el agua, algo fuerte y claro le parecía brillar con mayor intensidad en la cumbre de sí mismo, como una vela encendida en la habitación más alta de la casa amenazada. Suponía que aquella vela se apagaría en cuanto se derrumbara la casa, pero no estaba del todo seguro. Ya se vería, o bien no se vería nada. Optaba, no obstante, por la oscuridad total, que le parecía la solución más deseable: nadie necesitaba a un Nathanael inmortal. O acaso la llamita clara continuase ardiendo, o se escondiera dentro de otros cuerpos de cera, sin saber ni preocuparse de haber tenido ya un nombre. La verdad era que dudaba incluso de que su espíritu, o lo que el joven jesuita hubiera llamado alma, estuviera de otra forma que posada sobre él. Pero no quería inquietarse hasta el final, como Leo Belmonte, pensando en una especie de eje o de agujero, que era Dios o bien él mismo. En su derredor estaban el mar, la bruma, el sol y la lluvia, los animales de la landa, del aire y del agua; él vivía y moriría igual que lo hacen dichos animales. Eso bastaba. Nadie iba a acordarse de él, como tampoco se acordaba nadie de las bestezuelas del pasado verano.

Movido por cierta manía, seguía ordenando las tres habitaciones destinadas a los señores, como si no fuera seguro que el señor Hendrick no viniera. Una obsesión de limpieza se apoderó de él: sacar del pozo el agua salobre para fregar los pocos cacharros que poseía y lavar su escasa ropa agotaba enseguida sus fuerzas. El fuego era un animal voraz, al que había que alimentar sin descanso con virutas de madera o terrones de turba. Acabó por no comer más que una papilla de cebada fría, queso blanco y pan. Sus intestinos ya no retenían los alimentos; en varias ocasiones tuvo que levantarse de la mesa precipitadamente en dirección a la puerta; el rastro de excrementos líquidos que dejaba en el umbral le horrorizó; no obstante, al llegar la mañana, ya no eran sino unas manchas negruzcas que tapó echándoles un poco de arena encima con el pie.

Lo peor de todo era aquella tos, parecida a un chapoteo, como si llevara dentro de sí una suerte de ciénaga en donde se iba hundiendo poco a poco. Cada noche, envuelto en una de las hermosas mantas del señor Van Herzog, que embebía el sudor de la fiebre mejor que una sábana, pensaba que no llegaría a la mañana siguiente. Era muy sencillo: ¿cuántos animales del bosque morirían aquella noche sin ver amanecer? Le invadía una inmensa piedad hacia las criaturas, cada una de ellas apartada de todas las demás y para quienes vivir o morir es casi igual de difícil. Al apuntar el día, el aire fresco, aunque suave, que soplaba del océano, le aportaba una especie de tregua. Por un momento, su cuerpo bien lavado le parecía intacto, incluso hermoso, y participaba con todas sus fibras en el gozo de la mañana.

Cosa extraña, su deterioro, nunca mejor percibido que en las horas de la noche, no había matado en él la necesidad de amor. Pues de amor se trataba, ya que el objeto que en sueños poseía tenía siempre el mismo rostro. Había bebido con gratitud, con respeto casi, las tisanas de borraja y flor de malva que le había enviado la señora d'Ailly en una bolsa grande de tela. Sólo con reverencia pensaba en ella pero, al llegar la noche, tendido y desnudo, envuelto en su sudario de lana parda, realizaba ávidamente con ella los gestos que antaño hizo con Foy, con Sarai y con algunas más: imaginaba aquel cuerpo en las mismas posturas que sus otras amantes, aunque más suave todavía en su completo abandono. Estos recuerdos, así modificados, lo embriagaban. No era una violación, pues él pensaba hacerlo con ternura y ser con dulzura recibido. Empero, era un abuso que le avergonzaba... Madeleine d'Ailly... En otros tiempos, le gustaba pronunciar este nombre, mas ya no era necesario ningún nombre, desde que ella representaba para él a todas las mujeres existentes. Y lo cierto era que la señora d'Ailly nunca había dicho ni hecho, ni siquiera dado a entender, nada que le permitiese utilizarla de aquel modo. Después pensaba que toda criatura humana forma parte, sin saberlo, de los sueños amorosos de aquellos que con ella se cruzan o la rodean y que, a despecho, por una parte, de la oscuridad y de la penuria, de la fealdad o edad del que desea y, por la otra, de la timidez o el pudor del objeto codiciado, o de sus propios deseos tal vez dirigidos a otra persona, cada uno de nosotros se halla de esta suerte abierto y entregado a todos. Aunque hubiera estado muerta, él hubiera podido gozarla en sueños. Pero ella vivía y esta idea le hacía desear perseverar un poco en la vida.

Aquello pasó para no volver sino a rachas. Las tempestades del equinoccio llegaron poco más o menos en el momento vaticinado; su soplo todo lo barrió. Wilhelm le había prevenido de que no se arriesgaría a ir a la isla hasta que no acabaran las tempestades; esto significaba una privación o una tregua de una semana o dos. Ya no se podía encender el fuego: el humo, que volvía a introducirse por la chimenea baja, hubiera invadido la habitación. Pero no hacía frío. Reinaba una atmósfera como de fiesta salvaje. Las olas, esponjosas de espuma, se ahondaban, se abrían, para ser penetradas por otras olas, pero aquella agua inerte, en realidad, sólo era socavada por el viento. Tan sólo ella y las escasas hierbas temblorosas, tumbadas al ras de las dunas, señalaban la acometida del amo invisible, que no delata su presencia sino en la violencia con que somete a todas las cosas. No sólo era invisible, era también silencioso: las olas, de nuevo, le servían de intermediario; su estruendo, que golpeaba pesadamente la tierra blanda, su ruido de caballos desbocados procedían de él. Todo lo demás se había quedado sin voz: las plantaciones de árboles se hallaban demasiado lejos para poder oír a las ramas y a los troncos chirriar y gritar.

Nathanael permaneció en casa sin salir unos cuantos días; apenas si se atrevía a sacar la cabeza de cuando en cuando por la puerta, pues inmediatamente se la flagelaba el azote de la arena. Se decía que una ola más, una ráfaga más y no sólo la tembloro-sa cabaña se le caería encima, sino que toda la isla desaparece-ría, para convertirse bajo el mar en uno de esos bancos de arena o peligrosos escollos que hacen naufragar a los navíos vivos. Pero siempre que llegaba el equinoccio de otoño, desde hacía tiempos inmemoriales, las mareas subían y bajaban, su inmensa furia acababa por apaciguarse y a las tempestades de invierno le sucedían épocas de tregua, seguidas a su vez por las mareas de primavera. Aquella masa de arena nacida de las aguas se hundi-ría con ellas algún día, pero ni la hora, ni el año en que esto ocurriría se conocían aún, como ocurre con la muerte de un hombre.

De momento, los pájaros todavía confiaban en la isla y buscaban en ella su refugio. A través de los cristales, cegados sin cesar por la arena, Nathanael los miraba reunirse a millares en el hueco formado por las dunas; todos ellos sabían que era preciso resistir a la tempestad y hacerle frente, conservando las fuerzas y volviendo la cabeza del lado del viento, para que su enorme soplo no les echara hacia atrás las plumas, mudos y or-denados igual que los soldados de un ejército rodeado. Cuando la borrasca se calmó lo suficiente para poder al menos tratar de salir, Nathanael se arrastró boca abajo —más que anduvo— hacia el área donde se encontraban los pájaros. La mayoría ya habían regresado al cielo y planeaban allá en lo alto, parecien-do complacerse en esa acrobacia que consiste en dejarse llevar o atropellar por el viento. Las roncas gaviotas ya empezaban a pescar otra vez; sumergían el pico en aquella espesa sopa de barro, cargada de desperdicios, allí donde la ola había rascado los bajos fondos. Las cercetas, menudas y tranquilas, se encara-maban en la cresta de las enormes olas con facilidad, para luego bajar y situarse en el hueco que formaban. Algunos grupos más tímidos permanecían inmóviles y silenciosos. Nathanael, que se arrastraba por la arena, no les producía inquietud. En la punta extrema de la bocana que les había servido de refugio, vio a una gaviota gris con las alas al viento. No era del todo adulta, a juzgar por su plumaje, pero estaba muerta. Las alas inertes no obedecían ya a una volición procedente de la cabeza o del pecho emplumado, sino que cedían sin ofrecer resistencia a la inmensa voluntad del viento. Nathanael le dio la vuelta con la punta de un palo. Aquella cosa ya no era más que la forma de un pájaro: la vida que en ella hubo ya no estaba. Por la noche, en su refugio, en donde había encendido una vela para sentirse menos solo, incorporándose un poco sobre el codo durante uno de sus ataques de tos, contempló vagamente en el cristal que ya no temblaba a una mosca moribunda, engañada por el poco de calor y la luz que había allí dentro, zumbando contra el cristal infranqueable.

Al día siguiente cesó el viento. Todo parecía maravillosamente tranquilo. Mucho antes de llegar el alba, se puso la camisa, los pantalones y la chaqueta, calzándose después, con esa fatiga que siempre le causaba el tener que agacharse. Cerró cuidadosamente la puerta tras él, para impedir que diera golpes. La negrura del cielo empezaba a tirar a gris, indicando que se acercaba la mañana.

Se encaminó hacia el interior de la isla. Conocía bastante bien las reducidas señales que él mismo había trazado para dirigirse en una semioscuridad hacia su rincón favorito; había que contar —en el presente estado de debilidad en que se hallaba— con que tardaría una media hora en llegar. Se detenía de cuando en cuando para mirar a su alrededor. La tempestad, que había arrasado las costas, apenas había tocado el interior de las tierras, salvo quizá del lado de las plantaciones, donde seguramente habría arrancado más de un árbol. Nathanael confiaba en que aquellos vigorosos y jóvenes hermanos, apretados unos contra otros, se hubieran protegido mutuamente. Pero de este lado sólo se veían hierbas rasas y plantas pequeñas que se arrastraban por el suelo, dejando transparentar la arena. Tuvo que atravesar, para llegar a donde él quería, un canalillo natural socavado por las lluvias y que, probablemente, se juntaba con el mar algo más lejos. Pero aquel arroyuelo no era profundo. Sabía, aun sin sentirse obligado a confesárselo, que estaba haciendo en aquellos momentos lo mismo que hacen los animales enfermos o heridos: buscaba un refugio donde acabar solo, como si la casita del señor Van Herzog no fuera del todo la soledad. A cada paso que daba, pensaba que aún podía retroceder el camino y volver al reducto, a comer la papilla de la noche; pero a cada paso también, el cansancio y la falta de aliento le hacían más difícil regresar. Se hubiera caído para no levantarse; ya se había caído varias veces.

Por fin llegó al hueco que buscaba; crecían madroños a un lado y a otro, que le servían de refugio a los pájaros y, en primavera, a sus nidos. Al acercarse él, se echaron a volar dos faisanes, con un enorme y repentino batir de alas. A la entrada de aquella imperceptible ondulación de terreno había incluso dos o tres abetos desmedrados, casi del tamaño de un hombre, en donde habían anidado las urracas. Nathanael metió los dedos en aquella especie de sacos vacíos que habían contenido, recientemente, algo de vida.

Entretanto, todo el cielo se había puesto de color de rosa, no sólo hacia el Oriente, como él esperaba, sino por todas partes, pues las nubes bajas reflejaban la aurora. No era fácil orientarse: todo parecía Oriente. De pie, en el fondo de aquella cavidad de bordes suavemente inclinados, vislumbraba por todas partes las dunas acanaladas que se dirigían hacia el mar. Pero desde aquella distancia, el estruendo de las olas ya no se percibía. Se estaba bien allí. Se tendió con precaución sobre la hierba rala, al lado de un bosquecillo de madroños que lo protegía del poco viento que quedaba. Podría dormir algo, antes de regresar, si su corazón le pedía hacerlo así. Empero, pensó que si moría allí dentro, podría escapar a todas las formalidades humanas: nadie iba a ir a buscarlo. El viejo Wilhelm no se imaginaría que hubiera podido aventurarse tan lejos. Al llegar la primavera, cuando los ladrones furtivos de huevos fueran a la isla, ya no valdría la pena enterrar sus restos.

De repente, oyó un balido: no era extraño, pues unos cuantos corderos asilvestrados vivían en el corazón de la isla; como él, habían encontrado allí un refugio seguro.

La hora en que el cielo se tiñe de rosa había pasado ya. Tendido boca arriba, contemplaba cómo se hacían y deshacían las nubes en lo alto. Luego, bruscamente, le dio un ataque de tos. Trató de no toser, pues ya no encontraba útil despejar su pecho enfermo. Le dolían las costillas por dentro. Se incorporó ligeramente, para hallar algún alivio: un líquido caliente que conocía muy bien le llenó la boca; escupió débilmente y vio cómo el delgado hilillo espumoso desaparecía por entre las hierbas que tapaban la arena. Se ahogaba un poco, apenas más que de costumbre. Descansó la cabeza sobre una mata de hierba y se arrellanó como para dormir.

Una hermosa mañana[*]

Para Johan Polak

* Desgajado de «La muerte conduce la carreta», de 1935, reescrito en 1979-1981.

—Entonces ¿los has visto?

—No sólo los vi, sino que hablé con ellos. ¿Sabrás guardar un secreto? Me marcho.

—¿Te marchas? ¿Adónde?

—A Dinamarca. Parece ser que en el Norte es donde mejor tratan a los actores.

—¿Te han contratado?

—Ya sabes que necesitan a alguien, desde que le rompieron la cabeza a la primera actriz, en el Oso Pardo.

—¿Lo sabe la Loubah?

—No. Más vale que no se entere. Pero le será fácil encontrar a otro que les suba jarras de cerveza y café a los clientes.

—¿Y es mañana cuando se marchan?

—Sí. Muy temprano. No te atormentes, Klem. Volveremos a pasar por aquí al volver de Dinamarca. A propósito, te debo tres centavos de la última apuesta que hicimos.

—¡Oh! Ya sabes que no me importa...

Se abrazaron.

Desde los doce años que llevaba en esta gruesa bola que da vueltas, el pequeño también había dado muchas a su vez, aunque únicamente por las calles y callejuelas de Ámsterdam. Por las tardes, bien ataviado con un traje de lacayo, abría la puerta a los clientes de la Loubah, haciendo una profunda reverencia. De cuando en cuando, en el momento en que se oían varios timbrazos furiosos, lo enviaban a comprar bebidas o tabaco para los visitantes que merecían tales cuidados. Por lo demás, Loubah sólo recibía a esa clase de visitantes.

Los Señores, apoyados en la almohada con una de las dos sobrinas, o con una tercera, que era negra, no prestaban atención al niño del pelo revuelto. Distraídamente, le decían que metiera la mano en el bolsillo de su chaqueta, colgada en una silla, y que cogiera una monedita. Una o dos veces, sin embargo, Lazare consiguió de este modo una moneda de oro, cosa que lo dejó desconcertado, pues no sabía cómo cambiarla sin que le acusaran de haberla robado. Por fin la negra, riéndose a carcajadas, la cambió para él. Las sobrinas eran muy amables, pero se levantaban muy tarde y costaba mucho trabajo hacerles la cama, lavar y planchar sus puños y cofias, así como sacarle brillo a sus zapatos. La peluquera, que venía todos los días a rizarles el pelo, permitía que el pequeño pusiera las tenacillas a calentar, o que las enfriase soplando cuando hacía falta, pero el olor a pelo quemado le repugnaba.

Lo más agradable para él eran las ocasiones en que lo llamaban de la posada, para que ayudase. La Loubah, que no era mala persona y que tenía interés en llevarse bien con los vecinos, jamás le impedía que fuera, y ni siquiera cobraba un porcentaje sobre las propinas. En cuanto a la escuela, él se las apañaba. Además, se estaba haciendo demasiado mayor para ir a la escuela.

La posada era un mundo. En ella había de todo; gruesos granjeros que acudían a las grandes ferias; marineros procedentes de todas partes; franceses que siempre andaban inquietos y sin un centavo y que, además, pretendían ser hombres de letras, aunque Lazare no sabía lo que significaban aquellas extrañas palabras y el patrón, por lo bajo, los llamaba espías; criados de las Embajadas que Sus Excelencias no podían alojar de un momento, por carecer de sitio; señoras acompañadas por oficiales (su madre había debido de parecerse a aquellas señoras). El paquebote que venía de Inglaterra siempre traía a algún cliente. Y entonces era cuando apreciaban más su presencia, cuando le hacían más caso, a él, al pequeño Lazare, de casa de la Loubah, no sólo para servir los platos y sostener las riendas de los caballos en el patio, sino para hablar con aquellas personas en inglés. En casa de la Loubah se hablaba mucho en inglés; él lo aprendió desde pequeño. Incluso la negra, que era jamaicana, chapurreaba aquella lengua. También recordaba Lazare el importante momento en que la Loubah lo llevó con ella a Londres —donde permanecieron unas semanas—, con su mejor cuello de encaje y unas bolitas brillantes en los bolsillos. Pero lo que sobre todo recordaba era el mareo.

Estos días habían pasado por allí toda una pandilla de ingleses. No se pudo saber, de momento, si eran ricos o pobres: llevaban consigo un montón de paquetes mal hechos. Y los baúles eran viejos, y los habían cerrado como podían, atándolos con cuerdas. Algunos de estos ingleses iban bien vestidos, pero su ropa blanca estaba algo rota o remendada, y otros, en cambio, iban muy desaliñados, con un traje raído o sucio, aun cuando lucieran en ocasiones, por debajo de la chaqueta, una hermosa bufanda adornada con cequíes, que parecía de mujer o, en un dedo, un grueso diamante que Mevrouw Loubah hubiera declarado falso inmediatamente.

Lazare pensó enseguida que se trataba de actores. Conocía bien el paño. Había visto una o dos obras de teatro en Londres, y en Ámsterdam mismo, donde de cuando en cuando se daban representaciones en unos tablados que montaban en cualquier encrucijada, o en la cochera de una posada. Sólo que estos actores no eran gran cosa y sólo sabían hacer payasadas y acrobacias. En cambio, la mayoría de los recién llegados —serían dieciocho o veinte— tenían buenos modales, casi tan buenos como los de Mevrouw Loubah o los de Herbert Mortimer, a quien Lazare, conquistado por su gran amabilidad, consideraba un buen amigo.

Herbert Mortimer había regresado a Londres hacia la Navidad, pero Lazare no lo había olvidado todavía. Tenía muy buen aspecto, a pesar de ser un señor muy viejo y ya renqueante, muy blanco y muy dulce. Tenía unas manos largas y bien cuidadas, que acariciaban sin descanso el pomo de su bastón. También le gustaba darle palmaditas en la cabeza al niño, y abrir para él su precioso pomo labrado para darle confites, golosina que ambos apreciaban mucho. Él y Mevrouw Loubah eran antiguos amigos. Cuando llegó a la casa, dos o tres años antes, llevaba consigo ropas de buena calidad y una caja muy grande, llena de folletos y de libros. También tenía un monito, no más grande que el puño, pero el monito murió. Loubah había instalado a Herbert en la habitación de arriba, allí donde solía poner a la gente que no deseaba ser molestada. Casi nunca bajaba. El niño, que le subía la comida, pensaba que tal vez fuese por las escaleras, o porque tuviese miedo de algo. Nadie consumía tantas velas de cera como él (despreciaba las de sebo), pero, al revés de lo que solía ocurrir, la Loubah no se enfadaba. Lazare suponía que, para ser tan atentos uno con el otro, debían de haberse despertado a menudo como los que se aman, con la cabeza sobre la misma almohada; aunque habría pasado seguramente mucho tiempo desde entonces, pues la Loubah, pese al colorete que se daba, al albayalde y a la alheña, ya no era nada joven, y Herbert no disimulaba que era viejo. Tendría por lo menos sesenta años. Sólo que, al menos, difería en una cosa de los demás viejos: tenía un generoso corazón; repartía con el pequeño las tazas de chocolate y los bizcochos que le subían.

Por las noches, ya tarde, al subir a su buhardilla, Lazare percibía un rayito de luz por debajo de la puerta de Herbert, y le oía hablar solo. O más bien parecía como si hablase con otras personas, que le respondían, aunque Lazare estaba seguro de que en el cuarto no había nadie. A menos que estuviera hablando con fantasmas, lo que habría sido espantoso, pero Lazare miró un día por la rendija de la cerradura y no vio a ningún fantasma. Lo más extraño era que la voz del anciano señor cambiaba constantemente: tan pronto era una hermosa voz de hombre muy joven, una de esas voces que hacen pensar en labios carnosos y en una bonita dentadura. Otras veces, la voz era la de una muchacha joven, muy dulce, que reía y parloteaba como un manantial. Y también se escuchaban diversas voces zafias, que parecían querellarse entre sí. Pero lo que a él más le gustaba era cuando hablaba con una voz majestuosa, y tan lenta que, con toda certeza, era la de un obispo o la de un rey.

Una noche, el niño rascó la puerta. El anciano le abrió con benevolencia, llevando un libro en las manos.

—¿Eres tú? Hace ya tiempo que te oigo resoplar debajo de la puerta, como si fueras un perrito.

Lazare ladró bajito, se sentó en el suelo y puso la pata en la rodilla de mister Herbert para representar mejor su papel canino. El otro le acarició la cabeza y continuó leyendo a media voz. Al pequeño le pareció que leía mejor que nunca al saberse escuchado y contemplado. A partir de aquella noche, siempre estuvieron juntos. Lazare se convirtió en su hijo, en su perrito de aguas, en su público y, más tarde, en su alumno. Una noche, el anciano le dijo, empujando hacia él unas hojas desgarradas:

—Sabes leer. Contéstame. Será más divertido.

Y, en efecto, fue mucho más divertido, ya que ambos se reían mucho cuando Lazare se equivocaba, lo que sucedía a menudo, pues todavía no leía muy bien la letra impresa.

Ahora comían casi siempre juntos, y la comida transcurría frecuentemente fingiendo que el cuchillo era una daga que le clavaban en las costillas a alguien, y el tenedor una flor que ofrecían a alguna señora o, según los casos, un cetro. Dos o tres veces, invitado por la Loubah, consintió mister Herbert en bajar a cenar con su anfitriona, pero las sobrinas de ésta y los convidados de turno lo aburrían, y el niño se daba cuenta de que Herbert, con sus buenos modales y sus palabras en exceso corteses, hacía sentirse molestas a la mayoría de aquellas personas, pues no es necesario explicar que los huéspedes de la Loubah eran a menudo groseros, aunque ricos, o bien al contrario, eran muy tiesos y desconfiados. Mevrouw Loubah, en cambio, tan menudita entre sus encajes y tan bien educada, estaba acostumbrada a sus risotadas, a sus hipos y a los salivazos que le largaban a la estufa. Y además mister Herbert —que con tanta elocuencia hablaba el inglés de los reyes y reinas— conocía mal la lengua de la comarca. Se mofaban de él y eso le fastidiaba. El pequeño no sentía escrúpulos por reírse también él de sus equivocaciones, pero lo hacía únicamente cuando estaban solos.

Un día, un poco antes de Navidad, estando mister Herbert en el acogedor gabinete de la Loubah, el niño le oyó decir:

—Ese ímpetu que pone... Ese oído para las cadencias... Parece que me estoy viendo a mí mismo cuando tenía doce años y, al mismo tiempo, tiene algo que yo no tenía, parece un fuego fatuo, un duende, un Ariel...

—¿Un Ariel? —repitió interrogativamente Mevrouw Loubah.

—Da lo mismo —replicó el otro con impaciencia—. Es una vergüenza dejar en barbecho tan fértil terreno. Si yo le enseñara...

—Vuestro oficio, mi querido amigo, es de esos en que uno empieza y termina muriéndose de hambre.

—Pero, entretanto, pasamos buenos momentos —dijo Herbert soñador—. Es hermoso entusiasmar al público de la sala, conmover a unas gentes que nada sentirían aunque vieran asesinar delante de ellas a una persona en la calle... Y, además, la corte... Y esa manera especial nuestra de saludar sin obsequiosidad a Sus Majestades, cuando uno mismo está acostumbrado a ser rey o príncipe... Es un oficio en el que uno se codea con los grandes de este mundo. Un poco como el vuestro, si me atrevo a decirlo así.

—Pero a mí nadie me hace peligrosos encargos que pueden conducir al recadero a la cárcel. Habéis escapado de milagro.

—Gracias a vos, mi encantadora amiga. Y sólo vuestro encanto os evitó seguir el mismo camino...

—¡Oh! —contestó ella—, jamás me vi comprometida por pamplinas políticas... Tan sólo son aire, mi querido amigo. Y yo estoy por lo sólido.

—Por lo sólido y por lo exquisito —dijo él con galantería—. Pero ese pequeño...

—No —dijo ella—. Si alguna vez se me ocurre enviarlo allí, será con un protector más rico en haberes. Sigo prefiriendo lo sólido, ¿comprendéis? Olvidaos de él.

Y, al levantarse, hizo un gesto que sorprendió al niño: besó a su viejo amigo en los labios. Él le devolvió largamente su beso. ¿Era posible que aún se besaran, a esa edad? El pequeño creyó oír a Mevrouw Loubah decirle riendo a mister Herbert que un mocoso de doce años no es un rival.

Pocas semanas más tarde, Herbert enseñó con satisfacción el salvoconducto cuajado de sellos que estaba esperando desde hacía mucho. El cielo político se había despejado para él.

—Os aconsejo que sigáis aquí —dijo la Loubah con prudencia—. Allí el teatro anda en el aire, por culpa de las Cabezas Redondas. Os arriesgáis a veros envueltos en un auténtico drama.

Mas no hubo nada que hacer. Unos días más tarde, el anciano embarcaba para Londres, donde Burbage le proponía un buen papel. Los adioses entre Mevrouw Loubah y él fueron afectuosos, pero cortos, como los de esas personas que han tenido que despedirse muchas veces. Herbert besó al niño con mayor ternura, o al menos a éste se lo pareció, pues creyó ver que los ojos de su amigo se humedecían: «¡Qué Julieta!», murmuró con voz casi temblorosa. «¡Qué Julieta!» Como temía ser importunado en la aduana y que le registraran el equipaje, dejó en casa de la Loubah buena parte de sus libros y de sus folletos.

El niño se apoderó de ellos, pero, como Mevrouw Loubah no era con él tan generosa en velas de cera, cogió unos cuantos cabos de velas de sebo. Por las noches, en su buhardilla, imitaba lo mejor que podía las entonaciones y ademanes de su viejo amigo.

Los comediantes que había en la posada no podían presumir de tan buena prestancia como la de Herbert, quien, de creer sus palabras, había actuado con frecuencia delante del rey Jacobo. Pero tenían algún dinero en el bolsillo. Se iban a hacer una gira y viajarían a Hannover (la Electora era inglesa), a Dinamarca y, finalmente, a Noruega, aunque antes se preparaban para representar una comedia en una fiesta campestre, que se celebraría a unas leguas de allí, en el parque de un señor pródigo y de genio alegre, el señor de Bréderode, a quien mucho estimaban los dueños de la posada. La consideración que le tenían repercutía favorablemente en su manera de tratar a los faranduleros. No obstante, un actor apenas significaba algo más que una cabeza de ganado, así que sólo les habían alquilado una sala grande, en las dependencias subalternas, que antaño debió de servir de establo, y en la que habían puesto una mesa redonda y unos taburetes. Unas cuantas mantas, colocadas junto a la pared, servían de camas.

Lazare, a quien gustaba adivinar las edades, pensó que el más viejo de la pandilla debía de tener unos cincuenta años, y el más joven, unos diecisiete. El de los diecisiete era bastante bien parecido. Lazare pronto se enteró de que se llamaba Humphrey.

El pequeño iba y venía, de la cocina a la sala, con unos jarros de estaño. Era una especie de juego. Se vanagloriaba, levantando mucho su delgado brazo, de su habilidad para escanciar la cerveza, con un fuerte chorro espumoso.

—¡Bravo! ¡El escanciador del padre Júpiter!

—*Y soy vuestro Ganímedes* —dijo el niño soltando un verso de un tal Shakespeare. El traspunte no daba crédito a sus oídos.

—¿De dónde has sacado eso?

—Me sé de memoria todo el papel de Rosalinda —dijo el niño con orgullo.

—Si eso es verdad, es más que un buen presagio —dijo el grueso director, que presenciaba aquella escena—. Es una suerte que no debemos dejar escapar.

—No es seguro que Edmund no consiga salir de ésta —dijo el traspunte, a quien le gustaba llevar la contraria y, además, sentía afecto por Edmund.

—Pero ¿qué dices? Tiene para tres semanas, si es que logra escapar con vida, y tenemos que representar la obra mañana mismo. Además, una Rosalinda con la cara destrozada...

—¿Y tú, judiillo piojoso, cómo es que sabes hablar inglés? —preguntó con ferocidad el traspunte, que en el escenario también hacía de tirano y de rey Herodes—. Y, además, ¿dónde aprendiste las parrafadas de Rosalinda?

—Un señor mayor, que se llama Herbert Mortimer, vivió en esta casa.

El director dio un silbido, hundiendo sus gruesas mejillas.

—¡Nada menos! A propósito, Herbert acaba de regresar a Londres, con un buen salvoconducto. Lo necesitaban para que hiciera el papel de César.

—¡El de César, no! ¡Ni hablar! ¡En estos tiempos y con tantos disturbios! Es una obra peligrosa... No... Lo que hará es el Moro de Venecia... Modificado, claro está, pues de todos modos es una obra endiablada... Pero hay que reconocer que Herbert no está mal, con la cara pintada de nogalina y un turbante en la cabeza...

—¡Aun así! Todos saben que su edad ya no es apropiada para besar a Desdémona.

—¡Bah! Da igual. En el teatro, la edad no cuenta, y ni siquiera en la vida.

El grueso director rubio no le quitaba el ojo de encima al niño, de quien todos parecían haberse olvidado.

—Contéstale, Orlando —le dijo Humphrey—. Ya veremos si sabe o no hacer de Rosalinda. En todo caso, es muy guapo.

—No es justo —dijo de mal humor un muchacho algo rollizo, que comía un arenque ahumado con un mendrugo de pan—. Soy yo, Aliena, quien debiera hacer de Rosalinda.

—Conténtate con seguir haciendo de Aliena, hija mía —dijo el director, a quien llamaban también «el buen duque»—.

Llevas las faldas bastante mal, así que representar el papel de una muchacha que se disfraza de hombre sería para ti como dar tres saltos mortales uno detrás de otro. Es menester saber caer muy bien.

—Y, además —añadió Humphrey—, tienes demasiada cintura y sería molesto para mí sacarte a bailar.

Se sentó en sus talones, limpiándose los ojos para disimular su llanto de rendido enamorado, y luego rió e imploró alternativamente. Era un buen actor: en su papel de Orlando tan sólo era un poco más intensa y alegremente Humphrey. El niño, con los ojos brillantes de gozo, le respondió sin equivocarse. En su papel de muchacha que simula ser un varón, para consolar a un compañero de la ausencia de su amada y burlarse amablemente de él, lograba comunicar la impresión de un jugueteo entre tres personas que, por decirlo así, jugaban una contra la otra, ya que, para complicarlo todo más, la muchacha vestida de hombre amaba al joven de quien se estaba burlando y que no la reconocía, con aquellas calzas y aquel disfraz de muchacho. Había que reconocer que Herbert le había enseñado muy bien.

—Te armas un lío —dijo Humphrey—. No te saltes lo mejor: *Hombres y mujeres ganado son de la misma especie*. Empieza otra vez.

—Lo que quieras —dijo el pequeño—, pero me hago un lío porque Rosalinda también se lo hace... Está un poco molesta, comprendes, porque te quiere, Humphrey.

Había resuelto inmediatamente que Humphrey-Orlando merecía ser amado por Rosalinda.

—¿Y yo, entonces? —dijo uno muy pequeño, de nariz colorada, que no paraba de arroparse los hombros con una especie de toquilla de campesina—. Yo podría hacer de Rosalinda tan bien como cualquiera, si me dieran sus trapos.

—Tú eres capaz, todo lo más, de hacer de Touchstone —dijo el director, lo que ofendió inmediatamente a un individuo mal afeitado, embadurnado de blanco, y al que no le gustaba que le recordasen su papel de bufón.

—Sin embargo, sólo yo consigo hacer reír a la gente —dijo, bravío. Y, como si quisiera dar muestras de su talento, inició una mueca que le daba el aspecto de una gárgola con la boca abierta.

—Bien —dijo el director, volviéndole la espalda al apodado Touchstone—. Lo haces incluso muy bien. Esto es una suerte —continuó jubiloso—. ¡Y yo que pensaba tener que cambiar de obra!... Pero habrá que ver aún si está igual de bien vestido de mujer. Después de todo, es mi propia sobrina.

Humphrey se levantó para hurgar dentro de un baúl. Volvió con los brazos cargados de oropeles.

—Ponte esto. No necesitas quitarte tus ropas; como eres muy delgado, se puede apreciar el efecto.

Y añadió, volviéndose al director-duque:

—He cogido el traje de boda, porque es el más bonito. Así podremos apreciar mejor...

Mucho le costó al pequeño encontrar los corchetes de la amplia falda de moaré carmesí, con añadidos de tejido de plata.

—Ten cuidado: el vestido está un poco roto. Tiene el talle bajo, pero te sentará bien en cuanto te quites esa gruesa camisa que te sale por arriba...

—Algo ancho por delante —dijo Aliena con una risotada.

—Bueno, lo rellenaremos con unas servilletas. Date la vuelta.

El pequeño se volvió, complaciente, asomando el pie, calzado con un chanclo demasiado ancho, por debajo de la falda.

—¡Por vida de Dios! —exclamó el director-duque—. Ya me iba a olvidar. ¿Vives en casa de tus padres?

—Tengo una abuela.

—¿Y qué hace tu abuela?

—Recibe a muchos señores, para que bailen con sus tres sobrinas...

—No creo que sea muy difícil —dijo confidencialmente el director al traspunte—. ¿Y tu madre?

—A mi madre la ahorcaron en público —dijo con ostentación el niño, a quien aquel episodio parecía glorioso. Pensaba que su madre (de quien, por otra parte, no se acordaba, por ser muy pequeño por entonces) había muerto en un teatro muy grande.

—¿Y tu padre?

—No sé —dijo el niño—. Creo que no tengo padre.

—Todos tenemos un padre —dijo sentenciosamente Humphrey, frotándose las costillas como si recordara algunos bastonazos.

—Escúchame bien —dijo el director cogiendo al pequeño por los dos brazos—. Dios te envía. Supongo que eres judío, pero, de todos modos, ¿crees en Dios? Pues bien, anteayer, el mismo día en que llegamos de Londres, Edmund, a quien llaman Edmunda, salió a dar una vuelta por la ciudad y debió de querellarse con alguien. Los holandeses no bromean, y él debía de haber bebido más ginebra de la cuenta. No sé quién tendría la culpa, ni la razón de todo ello, pero lo encontraron en el suelo con la cabeza rota. Y mañana necesitamos a una Rosalinda para representar la obra en casa del señor de Bréderode.

—Y después viene lo mejor —prosiguió Humphrey—. Pasaremos por Hannover, pues la Electora es inglesa, como nosotros, y quiere ver las obras que se representaban en su juventud en Londres. Más tarde, iremos a Dinamarca. Tenemos un contrato y en él nos prometen que nos darán habitaciones de verdad en las buhardillas, y además dos ocas o dos cisnes por día, con su guarnición alrededor. Y luego, si se nos antoja, iremos a Noruega y regresaremos —pasando por aquí otra vez— a la bella Inglaterra, en donde nos habrán echado de menos. ¿Quieres venir?

—*Soy vuestra Rosalinda* —dijo el pequeño, que seguía representando.

—Mi opinión es que más valdría no decirle nada a la vieja —dijo pensativamente el director-duque—. Tu abuela ¿te quiere mucho?

—Llevo los platos y abro las puertas.

—Bueno, pues ya encontrará a otro que abra las puertas y sirva los platos. Mañana, sal muy despacito y ven a reunirte con nosotros al apuntar el alba.

—Y ya verás como todos te miman —añadió Humphrey—. Las damas te besarán y te llamarán «paje mío». Te regalarán frutas confitadas. Y, en ocasiones, los señores sacan del bolsillo alguna que otra moneda de oro. Yo he sido mujer más de una vez y sé lo que pasa. Pero desde que cumplí los dieciocho años hago de hombre.

—No por eso te privas de que te besen las damas, ni de recibir monedas de oro —dijo sombrío Aliena.

—Todo esto está muy bien, hijos míos, mas no quisiera que el pequeño se dejara embaucar y se quedase en Dinamarca, de paje de alguna Alteza —dijo el director-duque—. Si eres bueno, te llevaremos a Londres.

—Ya estuve en Londres una vez.

—Mejor aún. Te sentirás como en tu casa. No lo pierdas de vista, Humphrey. Puede que este pequeño prodigio sea una cabeza de chorlito.

Humphrey acompañó al niño hasta el patio. Lazare se paró a besarle el cuello a un caballo.

—No le digas adiós a nadie, sólo a los caballos. Además, no tienes por qué decir adiós, pues luego volveremos a pasar por aquí. Me gustaría que te quedaras a dormir con nosotros, en la sala grande, pero eso mosquearía a la vieja. Sal de tu casa muy despacito, en cuanto llegue la aurora, y ponte el traje mejor que tengas. ¿Tienes alguno? Nosotros tenemos para ti el hermoso atuendo de Ganímedes, para las escenas en que tienes que llevar calzas, pero es demasiado lujoso para ir por la ciudad. Y no cojas dinero, o sólo un poco. Tu abuela mandaría que te persiguieran.

—Ya pensé yo en ello —dijo el pequeño meneando la cabeza.

Regresó a casa corriendo. Nada más le separaban de ella unos diez pasos, pero casi era ya la hora en que debía ponerse su mejor traje para abrir la puerta. Sólo se había detenido un instante, para contárselo todo a Klem; Humphrey le había recomendado que no lo hiciera, pero estaba seguro de poder contar con Klem; se dejaría moler a palos antes que decir nada. El salón de la Loubah estaba lleno de gente. Aquella tarde se le hizo interminable. Cuando ya no quedaban más que dos o tres clientes, que habían pagado para quedarse allí toda la noche, Mevrouw Loubah atizó la lumbre en la cocina, separando los leños y alejándolos del montón de cenizas aún calientes. Lazare pensó que parecía una bruja, o un hada (también le recordaba a las Sibilas de los libros de Herbert), y que, a su manera, era muy hermosa. En el teatro, hubiera podido hacer de reina vieja.

Mientras subía, escalón tras escalón, la interminable escalera, le vino a la mente que ella jamás le había dado una bofetada, ni tampoco le había pegado nunca. Tampoco solía reprenderle, a no ser por alguno de los errores que se cometen con el propio cuerpo, como, por ejemplo, sonarse la nariz haciendo mucho ruido o salir sin peinarse. Era buena con las sobrinas —o, al menos, así se lo parecía a él— y buena con los clientes, a quienes jamás reprochaba nada, ni siquiera cuando vomitaban por haber bebido demasiado. Había sido buenísima con Herbert, a quien nunca vio darle dinero. Y recordó cómo, en una ocasión, la había visto meter, en el bolsillo de un señor que cabeceaba en una silla, la bolsa que había dejado caer. Mevrouw Loubah, no muy aficionada a los sermones, le había dicho al sorprendido niño:

—Siempre hay que ser honrado en las cosas pequeñas. Ya entenderás esto más tarde.

No, no es que fuera una mala abuela, pero él no la quería lo suficiente como para contarle que se marchaba.

Una vez en la buhardilla, sacó cuidadosamente, de entre dos vigas, su provisión de cabos de vela, y releyó todo el papel de Rosalinda, para estar más seguro de no equivocarse. «Además —pensó—, si me olvido, ya inventaré algo. Humphrey me ayudará». Hizo un paquete con los folletos de Herbert (los libros pesaban demasiado para llevárselos) y lo metió debajo de la almohada. Apoyado sobre aquel duro paquete, durmió con un ojo abierto o, más bien, en lugar de dormir, soñó.

Fue un sueño muy largo. El sueño se refería a él, al pequeño Lazare, que conocía a cuanta gente había que conocer en Ámsterdam: a los ladrones, quienes, a decir verdad, no le habían robado nunca nada; a los borrachos, que suelen ser a menudo muy amables cuando han bebido mucho; a los pobres y a los ricos (se les distingue por la manera de vestirse); a los mendigos, que temen se les haga la competencia; a los señores jóvenes y viejos, a los que pagan por llevarle una carta a una mujer y dan además una propina cuando les traen la respuesta, sin esperar siquiera a leer lo que pone, cuando hay veces en que lo que pone les hace llorar; a los que os abrazan (no se sabe por qué) en un rincón oscuro, como si quisieran romperos, y éstos suelen soltar en ocasiones monedas de plata; a los que dan dinero por cuidarles el caballo, y a veces el caballo es malo y tira coces, pero la mayoría de los caballos lo querían, y da mucho gusto sentir en la mano su saliva cuando uno les tiende el corazón de una manzana... Y a los que siempre desconfían (suelen ser comerciantes) y os echan con un palo cuando os ven mirando durante mucho tiempo los escaparates, sobre todo los pasteleros...

Y en el sueño aparecía el niño Lazare, que había jugado con Klem, y aquel con quien Mevrouw Loubah era buena, aunque de todos modos nunca le daba un beso; pero también es verdad que jamás la vio besar a nadie, excepto a Herbert, que era muy viejo. Mas le parecía que todos aquellos pequeños Lazare no estaban muertos ni olvidados: era más bien como si los hubiera dejado atrás, como si fueran niños con quienes él había corrido por la calle.

Y su sueño también trataba de Herbert, que le había enseñado a ser otra persona. El cuarto de Herbert había contenido a un número infinito de personas distintas, y batallas, y comitivas, y fiestas de boda, y gritos de alegría y de pena como para derribar la casa, pero se gritaba a media voz, de suerte que nadie lo oía, y toda aquella multitud, entre la que se encontraban reyes y reinas, cabía holgadamente entre el baúl y la estufita. Y Herbert había desaparecido igual que en un sueño, o como los comediantes que, en ocasiones, se meten entre bastidores sin saber por qué, del mismo modo que el pequeño Lazare partiría al día siguiente con los demás actores.

Por muy pálido y cascado que estuviera Herbert, no tenía edad. Cuando quería era tan pequeño y tierno como los hijos de Eduardo, a quienes mataron en la Torre, y en ocasiones, ligero y risueño como Beatriz, que baila igual que bailan las estrellas, y en aquellos momentos tenía quince años; y otras veces, cuando lloraba su reino perdido y su hija muerta, tenía mil años de tan viejo que era. Y tampoco tenía cuerpo: cuando tanto hacía reír al pequeño Lazare haciendo de Falstaff, era gordo y seboso, con las piernas zambas, como los flejes de un tonel y, en cambio, cuando quería, era tan delgado como Jacobo el Melancólico (nadie, mañana, en casa del señor de Bréderode, conseguiría hacer de Jacobo el Melancólico como él), y era hermosa cuando hacía de Cleopatra.

También Lazare sería todas aquellas muchachas, y todas aquellas mujeres, y todos aquellos jóvenes, y todos aquellos viejos. Ya era Rosalinda. Saldría mañana de la casa de Mevrouw Loubah, llena de espejos venecianos en donde las sobrinas y sus señores se miraban desnudos. Él iría vestido como de costumbre, como un muchacho, pero sería en verdad Rosalinda cuando se disfrazó y dejó el bonito palacio del que habían echado al buen duque, su tío. Se hacía llamar Ganímedes y se marchaba muy lejos, a un bosque tan grande que, si se quisieran poner todos aquellos árboles en el escenario, no hubieran bastado para ello todos los sotillos y bosques de los alrededores de Ámsterdam puestos unos detrás de otros.

Partía en compañía de Aliena, su buena prima (había que acordarse de ser amable con Aliena), y de un bufón pintado de albayalde, que a Lazare le daba un poco de miedo, aunque más valía no mostrarlo. Y el día de su boda con Orlando bailaría con un hermoso vestido lleno de adornos de plata (no sabía bailar, pero bastaba con saltar al compás) y tendría que poner mucho cuidado para no romper más de lo que ya lo estaba uno de los adornos de plata.

Y sería asimismo otras muchas hermosas doncellas, pero primero tendría que aprenderse de memoria todas las frases que habían dicho y no sólo unas cuantas palabras de las que se acordaba por habérselas oído a mister Herbert, que casi las cantaba. Sería Julieta, y ahora comprendía por qué mister Herbert, al marcharse, lo había llamado así. Sería Jessica, la judía, ataviada como las hermosas muchachas de la Judenstraat; sería Cleopatra y le daría a besar su manita a un general llamado Antonio; buscaba en vano cuál de los actores que había en la sala grande sería lo bastante magnífico para hacer de Antonio. Y después moriría como Cleopatra, a quien mató una serpiente, y confiaba en que la picadura de la serpiente no le haría mucho daño.

Cuando pasara mucho tiempo, cuando cumpliera dieciocho, o tal vez diecinueve o (¿quién sabe?) veinte años, haría como Humphrey, volvería a ser un muchacho: lucharía hombro con hombro con el salvaje que lo atacara en la liza, pero primero habría que desarrollar los bíceps y fortalecer las muñecas. Y sería Romeo, que llora a la Julieta que él recordaría haber sido antes; escalaría con facilidad el balcón, pues trepaba muy bien a los árboles del muelle.

Sería la duquesa de Malfi, que llora a sus hijos en un asilo de locos, y asimismo un día, cuando ya no pudiera ponerse los vestidos de mujer, sería uno de los malvados que la degollaban.

Y sería Hotspur, el caballero de las espuelas ardientes, tan joven y tan valiente, y asimismo su mujer, Kate, que al decirle adiós se esforzaba en reír para no llorar, y Hal, tan valeroso y tan alegre, con sus joviales compañeros.

Mucho más tarde aún, cuando alcanzara una edad muy avanzada, pongamos unos cuarenta años, sería rey con una corona en la cabeza, o bien César. Herbert le había enseñado cómo debe uno caer, disponiendo debidamente los pliegues de su traje, para no enseñar indecentemente las piernas desnudas. Y sería también esas mujeres abrumadas con el peso de todas las maldades cometidas en el transcurso de su vida: una reina gorda de Dinamarca, hinchada de crímenes; o lady Macbeth con un cuchillo, o también las brujas barbudas que cuecen cosas sucias dentro de un caldero.

O bien haría de payaso, como el que gesticulaba ayer por la noche, con la cara embadurnada de albayalde: hacer reír a las gentes era otra manera de gustarles y hacerles disfrutar, igual que uno les gusta y les produce deleite cuando hace de mujer, besando a alguien ante sus ojos (y a veces acuden también para que los beses a ellos entre bastidores), o (resulta extraño decirlo) muriendo ante sus ojos cuando se es joven y bella. Y más tarde, después de cincuenta años (qué largo es, cincuenta años), le darían papeles de verdadero anciano: un Orlando —que ya no sería Humphrey, pues tal vez hubiera muerto, puesto que hoy tenía dieciocho años— lo llevaría tiernamente en sus brazos con la apariencia del viejo criado Adán, con el pelo todo blanco, la piel llena de arrugas, sin dientes, sin fuerzas, pero fiel. Y sería hermoso haber sido fiel durante cincuenta años.

Y puede que, luego de haber sido Jessica, la hermosa judía risueña que se escapa llevándose los escudos, fuera el padre Shylock, el de los dedos ganchudos, y le llamaría viejo judío piojoso, igual que el traspunte le llamó a él pequeño judío piojoso, pues tal es la costumbre. Pero debe de ser duro para un viejo perder al mismo tiempo a su hija y sus escudos, y quizá, en vez de hacer reír a la gente con Shylock, la hiciera llorar.

O bien, al contrario, todo acontecería ante un mar azul o bajo un cielo color de rosa, y sería Próspero, quien, como Herbert, no tiene edad, porque es casi como Dios, y recordaría haber sido unos años antes su propia hija: Miranda la inocente, que se enamora de un hombre porque lo encuentra hermoso. Y tras haber apaciguado la tierra y las olas recitaría maravillosas palabras sobre las cosas que suceden como un sueño, en el fondo de ese sueño en que se envuelve nuestra vida (no se sabía muy bien aquel párrafo) y, cuando rompiera su varita mágica, todo habría terminado.

Y cuando ya no hubiera en las tablas ni un sitio pequeño para él, sería el que despabila las velas, el que las enciende y finalmente las apaga una a una. Pero como se sabría todos los papeles, también podría hacer de apuntador: su voz estaría, como quien dice, en todas las voces. Una fiebre de gozo se apoderaba de él al pensar que iba a ser tantas personas y a vivir tantas aventuras. El pequeño Lazare no tenía límites y, por muy amistosamente que sonriera al reflejo de sí mismo que le enviaba un trozo de espejo roto situado entre dos vigas, no tenía forma: tenía mil formas.

En todo caso era invisible aquella mañana, envuelto en la luz gris de la madrugada, cuando bajó descalzo, con sus chanclos en la mano, la escalera que había detrás de la casa de Loubah y salió afuera por la puerta de la cocina, cuya falleba había engrasado el día anterior con un poco de tocino. El cielo estaba medio gris, medio rosa. Haría una hermosa mañana.

Una vez en la calle se volvió a calzar; demasiado le estorbaba ya su mejor traje, que llevaba doblado al brazo, y los zapatos del domingo, que se había colgado del cinturón, así como el atadijo con los folletos de Herbert. En la mesa de la cocina había cinco monedas preparadas para pagar al lechero. Las cogió. Aquello no era un robo; era una oportunidad.

La calle estaba aún casi vacía; tan sólo vio a unos cuantos aldeanos que iban al mercado con las cestas llenas, y que debían de haberse levantado antes de llegar el alba. Un hombre que vendía buñuelos estaba ya sentado en su puesto, para satisfacer el hambre de los transeúntes. Lazare sacó una de las monedas y se metió en la boca una rica bola caliente. Perros famélicos escarbaban en el montón de basuras que las ratas habían visitado ya por la noche; hubiera querido acariciar uno a uno a todos aquellos perros. También le hubiera gustado ayudar en lo posible al borracho que titubeaba al regresar a su casa, con riesgo de caerse en el arroyo, pero sus ropas y sus paquetes le ocupaban las manos. Y había que apresurarse para llegar a la posada.

Humphrey lo esperaba en la puerta, con una manta de caballo vieja sobre los hombros.

—Vete a vestirte enseguida. Tu traje está en el cuchitril que hay junto a la cochera. Y ten cuidado, no vayas a coger frío: el aire de la mañana pone ronco.

Y atravesando el patio le señaló un coche, al que iban a enganchar unos caballos.

—Nos lo envía el señor de Bréderode para que nos lleve a su mansión. Quiere que vayamos vestidos con nuestros trajes de teatro, porque le parece más alegre.

Y apartando las puntas de la manta vieja que le servía de capa dijo:

—Fíjate qué guapo estoy.

Y lo estaba, en efecto, con sus calzas de cuero amarillo, sus zapatos con hebillas y su casaca roja galoneada de oro. Se había dado colorete en las mejillas.

—Quítate todos tus pingos. He cogido unos calzones y unas medias de seda de mujer.

—Pero ¿dónde está la falda aquella tan bonita, con añadido de plata? —preguntó el pequeño, algo desilusionado, al ver que Humphrey le ponía un vestido de terciopelo azul.

—¡Tonto! Ésa es para el final, para la escena de la boda. Y para las escenas intermedias, cuando te vistas de hombre, tienes un hermoso traje negro y rosa. El jubón que traes podrá servirte para el viaje.

El pequeño, tiritando un poco en la húmeda cochera, estiró cuidadosamente sus medias de seda. Humphrey le dio un par de escarpines bordados.

—Trata de andar como si fueras una mujer, a pasos cortos. Y si los zapatos te hacen daño, te aguantas. La cintura te está muy ancha, pero tengo alfileres. He rellenado el corpiño como es debido.

Le puso al cuello un collar de vidrio y, abriendo un poco la puerta del cuchitril para que entrara la luz, le dijo:

—Estás muy linda. El pelo te quedará bien en cuanto te lo peinemos. No he cogido el colorete, pero remediaremos esto en cuanto lleguemos allí. Además, tienes las mejillas rosadas. Ven conmigo, están acabando de arreglarse en la sala.

Ayudó al pequeño a meter su ropa en una bolsa.

—Puedes tirar esas chanclas tan usadas. Aunque no. Podrás ponértelas cuando llueva, para proteger tus zapatos.

En la espaciosa sala, las gentes se vestían echando pestes y lanzando exabruptos cuando no encontraban una cinta o la hebilla de un cinturón, que había sido hurtada por algún compañero. Audrey estaba ya bebido y llevaba puesta de través su cofia de aldeana. Touchstone había añadido unos redondeles rojos a su albayalde habitual. Cubierto por completo de cadenas de oro, que le servían también para hacer de mayordomo, el duque iba de un grupo a otro con dignidad ducal. La entrada de Rosalinda obtuvo un aplauso, pero Aliena seguía de mal humor.

—Me harás el favor de no ponerle ninguna zancadilla —susurró Humphrey—. No te quito ojo de encima.

Aliena, sin refunfuñar demasiado, cogió a su prima de la mano. Amontonaron baúles en el techo del carruaje y los sacos los pusieron en el interior, para que sirvieran de cojines. El señor de Bréderode les había enviado uno de sus vehículos más desvencijados, ya que en el interior sólo figuraba un banco de listones, en el que se instaló el duque al lado de un muchacho pálido y flaco, de unos treinta años, y al que Lazare enseguida apodó: Jaques el Melancólico, pues hacía todo lo posible por tener un aspecto triste. Pero el que no hubiese bancos no era un gran inconveniente: se estaba muy cómodo sentado a la manera turca, y por el suelo del carruaje habían esparcido un montón de paja húmeda, que olía muy bien.

Hubo, empero, un incidente que obligó al duque a apearse. Discutían en el patio. El cochero, que había llegado tarde en la noche con el carruaje, había bebido jarra tras jarra de cerveza; aunque le pusieron la cabeza debajo de la pompa, no hubo manera de desembriagarlo. Tumbado en las losas del patio, hinchado de bebida, parecía una babosa muerta. Pero roncaba, lo que probaba, evidentemente, que aún se hallaba vivo. Empezó a caer una lluvia menuda.

—¡Nos las arreglaremos sin él! —dispuso el buen duque—. ¡Eh! ¡Jirafa!

Apareció un individuo largo y desgalichado, que subió al pescante con aire de resignación. Se había puesto una sábana por encima de sus viejos atavíos, que lo tapaba de pies a cabeza, y en la mano llevaba una guadaña, que dejó a su lado para coger las riendas.

—Él es quien nos conduce cuando alquilamos una carreta —explicó Humphrey—. No suele volcar. Y además, con el traje que lleva, aunque haga viento o llueva, no se le estropean los harapos.

—Me da un poco de miedo —murmuró el pequeño.

—No hay motivo. Cuando sale a escena le pintan la cara de blanco para que impresione más a la gente. Hace el papel de la Muerte, que se lleva a un hombre rico, en una antigua farsa que representamos de vez en cuando antes de la obra. Touchstone hace de diablo, con una cola muy larga. El otro, el alto y blanco, desempeña también al fantasma de un rey de Dinamarca asesinado. Pero ésa es una obra que no podemos representar en Copenhague.

Arreciaba la lluvia. Todos se hacinaron en el interior del vehículo. Aliena, que se sentó al lado de su prima, molestaba a ésta comiendo un diente de ajo. Rosalinda apoyó la cabeza en las rodillas de Orlando, que la había tapado con una punta de su vieja manta. El niño tenía hambre y se decía que tal vez hubiera debido comerse dos buñuelos. Pero le gustaba pensar que aún le quedaban cuatro centavos para repartir con Humphrey. Dos parejas de cazadores del séquito del duque, vestidos de verde y camuflados con hojas, continuaban una partida de tarot en el rincón. Touchstone, con la cabeza baja, canturreaba una balada lúgubre. Por los cristales mal lavados veíanse campos y prados con vacas, lo que gustó mucho a Lazare, ya que el niño hasta entonces casi no había salido de la ciudad. Los árboles, remozados por la primavera, desplegaban su fresco verdor. Seguía lloviendo a rachas, pero las nubes que corrían una detrás de otra parecían estar jugando en el cielo, y había grandes claros azules. Seguramente, para la representación en el parque, tendrían buen tiempo.

Mas el camino se hacía largo. Los vaivenes del coche mecían al niño, que empezaba a acostumbrarse a ellos. Todo se mezclaba con aquella somnolencia: el tamborileo de la lluvia en el techo (caían gotas de agua sobre la manta), los grititos de Lazare cuando Humphrey, a pesar de todo el cuidado que ponía, le tiraba del pelo al desenredarlo, la balada del payaso, el aliento de Aubrey, las figuras del tarot, casi incomprensibles, y Copenhague, que parecía estar cerquísima, justo al volver el camino, y a través de los cristales del coche, por donde resbalaba la lluvia, los hermosos retazos de cielo azul, y las golosinas que el mayordomo del señor de Bréderode habría reservado seguramente para los actores, y la linda falda con añadidos de plata...

Advertencias

Ana, soror...

«Ana, soror...» es una obra de juventud, pero de las que siguen siendo, para el autor, esenciales y queridas hasta el final. Se trata de unas cien páginas que, en un principio, formaban parte de un vasto e informe esbozo de novela: *Remous,* de la que ya he hablado otras veces, elaborada entre mis dieciocho y mis veintitrés años, y que contenía en germen buena parte de mis futuras producciones.

Tras el abandono de este ambicioso proyecto, cuyo resultado hubiera sido una «novela-océano», más que una «novela-río», las casualidades de la vida iban a dictarme una obra muy distinta, cuyo mérito acaso fuera su extrema brevedad: *Alexis.* Pero unos cuantos años más tarde, ya metida de lleno, por decirlo así, en la «carrera literaria», se me ocurrió la idea de recuperar al menos ciertas partes de la obra abandonada. Así fue como el relato que hoy titulo «Ana, soror...» se publicó en 1935, en un libro compuesto por tres novelas cortas: *La mort conduit l'attelage* (un episodio de uno de los fragmentos conservados me había inspirado este título). Para darles al menos una apariencia de unidad, escogí llamarlos, respectivamente: *A la manera de Durero, A la manera del Greco* y *A la manera de Rembrandt,* sin percatarme de que estos títulos, que por mucho que uno haga huelen a museo, podían interponerse entre el lector y dichos textos, a menudo torpes, pero espontáneos y casi obsesivos, de antaño.

El título del presente compendio, *Como el agua que fluye,* se acerca un poco al de *Remous* (Remolino), pero sustituye la imagen de las mareas y resacas del océano por la imagen del río o, en ocasiones, del torrente, tan pronto fangoso como límpido, que es la vida. *A la manera de Durero,* fundido por entero en *Opus Nigrum,* se halla, por supuesto, fuera de juego. *A la manera de Rembrandt,* novelita muy floja y que no correspondía a tan ilustre patrocinio, se ha escindido en dos narraciones de las que más adelante hablaremos. En cuanto a «Ana, soror...», el recurso al Greco se explicaba como alusión al hacer convulsivo y trémulo del gran pintor, mas el escenario, que es Nápoles, y una cierta fogosidad sensual me harían hoy pensar más bien en Caravaggio, suponiendo que sea necesario situar este violento relato bajo el patrocinio de algún pintor. El presente título procede de las dos primeras palabras del epitafio grabado en la tumba de Miguel por encargo de Ana, y que dicen lo esencial.

Al revés de lo que acaece con los otros dos relatos que lo siguen, «Ana, soror...» reproduce casi íntegramente el texto de 1935, y éste es casi idéntico al relato que escribió en 1925 una joven de veintidós años. Bastantes correcciones de estilo y una docena de modificaciones que van más al fondo han sido hechas, sin embargo, con vistas a la publicación de hoy. Hablaré de algunas de ellas más adelante. Si insisto en lo que estas páginas poseen de esencialmente idéntico es porque veo en ellas, entre otras evidencias que se me han ido imponiendo poco a poco, una prueba más de la relatividad del tiempo. Estoy tan de acuerdo con esta narración como si se me hubiera ocurrido escribirla esta misma mañana.

Se trata de un amor entre hermano y hermana, es decir, del tipo de transgresión que con mayor frecuencia inspiró a los poetas interesados por un acto voluntario de incesto.[1] Al esforzarme por establecer un censo de al menos algunos de los escritores occidentales de cultura cristiana que han tratado sobre este tema, tropiezo en primer lugar con el extraordinario *'Tis Pity She's a Whore*[2] del gran dramaturgo isabelino John Ford. Esta obra iracunda, en que la bajeza, la atrocidad y la ineptitud humanas sirven de contraste a dos incestuosos de corazón puro, contiene una de las más bellas escenas de amor de la historia del teatro, aquella en que Giovanni y Annabella, dispuestos a ceder a su pasión, se arrodillan uno ante el otro. «*You are my brother, Giovanni. —And you my sister, Annabella.*»

Pasemos seguidamente al fuliginoso *Manfred* de Byron. Este drama, harto confuso y cuyo héroe ostenta el nombre de un príncipe excomulgado en la Alemania de la Edad Media, se sitúa en un vago paisaje alpino: en efecto, fue en Suiza donde Byron escribió este texto, que encubre y descubre a la vez su escandalosa aventura con su hermanastra Augusta, que acababa de cerrarle definitivamente las puertas de Inglaterra. Este romántico maldito se hallaba obsesionado por el espectro de su hermana Astarté, cuya muerte había provocado; mas el autor nos deja ignorar casi todo sobre las razones de tan oscuro desastre. Cosa curiosa, parece ser que ese nombre de Astarté, insólito dentro de un escenario medieval y suizo, fue extraído del relato de Montesquieu: *Lettres persanes:* «Histoire d'Aphéridon et d'Astarté», patética narración que en un principio parece estar fuera de lugar dentro de aquel tejido de sátiras pimentadas de eróticas turquerías sazonadas con *rahat-loukoum* y sangre. Aphéridon y Astarté, joven pareja parsi, cuya religión autoriza tales uniones, mueren perseguidos en un ambiente musulmán que aborrece el incesto. Montesquieu parece ilustrar, con este conmovedor «entremés» —como otras veces lo hace con un tono irónico—, un antidogmatismo ante opiniones que se aprueban en unos sitios y se desaprueban en otros, antidogmatismo que, cada uno a su manera, habían cultivado o iban a cultivar Montaigne, Pascal y Voltaire. No se puede hablar de rebelión en el caso de los dos jóvenes parsis, que viven y mueren en el seno de su propia ley: corresponde al autor hacernos sentir que inocencia y crimen son unas nociones relativas. En cambio, en Ford, era el mismo Giovanni quien desafiaba con insolencia las prohibiciones que se oponían al incesto, y en Byron, es Manfred el que comete un delito que, por lo demás, resulta confuso, y quien saca un orgullo luciferino del hecho de ser un transgresor.

Finalmente, un lector francés no podrá olvidarse de *René*. Chateaubriand, al escribir esta narración, pensaba con toda seguridad en su hermana Lucila y escogió como argumento principal el amor incestuoso de Amelia y su huida al convento. Asimismo Goethe, en *Wilhelm Meister*, no deja de utilizar románticamente el tema del incesto.

Más próxima a nosotros, la hermosísima novela corta de Thomas Mann *Sangre de Welsas* pone de relieve dos temas frecuentes en toda presentación del incesto entre hermanos: uno es el perfecto acuerdo de dos seres unidos por una especie de derecho de la sangre; el otro es el atractivo casi vertiginoso que ofrece el quebrantamiento de la costumbre.[3] Un hermano y una hermana israelitas, ambos jóvenes y de una belleza y un refinamiento exquisitos, nacidos de una opulenta familia judía del Berlín anterior a 1935, se unen, embriagados por la ópera de Wagner que evoca los amores incestuosos de Sigmundo y Siglinda. La Siglinda judía es la prometida de un funcionario prusiano y protestante, y las primeras palabras del amante tras la realización del acto son, cínicamente: «Hemos burlado a ese *goy*». Placer de escarnecer de antemano un matrimonio que la familia siente como una promoción social: orgullo intelectual del transgresor. Otra vez nos encontramos, en tono de burla, con el Giovanni de Ford que anuncia arrogantemente al prelado, su tutor, su decisión de cometer un incesto y, más tarde, de arrancar a su hermana mediante la muerte de los brazos de un marido burlado y aborrecido.[4]

Tras estas obras maestras ya no recuerdo más que *Confidence africaine*, de Martin du Gard, obra maestra también, pero que nos hace pasar de la poesía a la exposición sociológica. La proximidad nocturna y la necesidad, para poder leer, de compartir una misma lámpara de mesilla son las que arrojan en brazos uno del otro a este muchacho y a esta muchacha de África del norte, y el tumulto de los sentidos finaliza cuando la hermana se casa, como estaba concertado, con un librero de la vecindad, y cuando el hermano, que se marcha al regimiento, encuentra a otras beldades a quienes cortejar. Más tarde veremos a la antigua amante, ajada ya por la edad, malhumorada y al cuidado de un hijo tuberculoso, producto miserable de aquel momento de placer. Gide reprochó, con razón, a Martin du Gard esta conclusión de un fácil convencionalismo: por muy perjudiciales que sean, a la larga, las uniones consanguíneas demasiado exclusivas y frecuentes, también puede suceder, cosa que ningún ganadero ignora, que concentren en sus vástagos las cualidades de la raza; no necesariamente tienen que producir enfermos o subnormales. Martin du Gard, al respaldar su narración con un final moralizador, se halla tan lejos de la verdad como Gide, quien adopta, con un entusiasmo tal vez excesivo, el punto de vista de la leyenda, que dota de virtudes prodigiosas al hijo del incesto, como en el caso de Sigfrido, hijo de aquel Sigmundo y de aquella Siglinda cuya aventura sirvió de modelo a los amantes de *Sangre de Welsas*.[5]

Salvo *Confidence africaine*, cuya intención tácita parece ser mostrar cuán triviales son unas situaciones que creemos insólitas y rigurosamente prohibidas, dos temas suelen predominar en estas presentaciones del incesto: la unión de dos seres excepcionales emparejados por la sangre, aislados por sus mismas cualidades, y el vértigo del espíritu y de los sentidos transgrediendo una ley. Encontramos el primer tema en «Ana, soror...», pues los dos muchachos viven en un relativo aislamiento, que será total tras la muerte de su madre; el segundo se halla excluido. Ninguna rebelión del espíritu pasa por la mente de ambos hermanos, imbuidos hasta la médula de la devoción casi estática de la Contrarreforma. Su amor crece en medio de *Pietàs* afligidas, de Vírgenes con el corazón traspasado por siete espadas, de santas que «cantan por boca de sus heridas», al fondo de iglesias sombrías y doradas que son para ellos el escenario familiar de la infancia y un supremo refugio. Su pasión es tan fuerte que no puede por menos de realizarse; mas a pesar del largo combate interior que precede a la caída, sentida de inmediato como una indecible felicidad, ningún remordimiento viene a interponerse entre ellos. Sólo en Miguel adquiere forma el sentimiento de que tanta dicha sólo es posible a condición de pagar un precio por ella. Su muerte, casi involuntaria, en una galera del rey constituirá el tributo que él se fija de antemano, y que le permitirá experimentar, en la misa del lunes de Pascua, un júbilo desprovisto de arrepentimiento. Tampoco es el remordimiento, sino el duelo inconsolable, lo que domina en Ana durante toda su vida. Ya anciana, continuará uniendo sin perplejidad un amor por Miguel, desprovisto de arrepentimiento, y una gran confianza en Dios.

El retrato de Valentina es otra cosa. Esta mujer, empapada de un misticismo quizá más platónico que cristiano, influye sin saberlo sobre sus tormentosos hijos; a través de su tempestad consigue que los penetre algo de su paz. Esta serena Valentina representa, dentro de lo que yo me atrevo a llamar pomposamente mi obra, un primer estado de la mujer perfecta, tal como a menudo la soñé: a la vez amante y desprendida, pasiva por cordura y no por debilidad, que más tarde traté de dibujar en la Mónica de *Alexis,* en la Platina de *Memorias de Adriano* y, vista con mayor lejanía, en esa dama de Fröso que dispensa al Zenón de *Opus Nigrum* ocho días de segura tranquilidad. Si se me ocurre enumerarlas aquí es porque se me ha reprochado en ocasiones olvidarme de la mujer en mis libros, cuando puse en ellas buena parte de mi ideal humano.

Parece ser (empleo esta fórmula dubitativa porque pienso que las motivaciones de los personajes deben seguir siendo en ocasiones inciertas para el mismo autor: sólo a ese precio se obtiene su libertad) que Valentina, desde un principio, percibe el amor de ambos niños sin hacer nada por apagarlo, sabiéndolo inextinguible. «Pase lo que pase, no lleguéis nunca a odiaros.» Su suprema reconvención los pone en guardia contra el pecado mortal de la pasión llevada al límite, y que tan fácilmente puede evolucionar y transformarse en odio, en rencor o, lo que es aún peor, en indiferencia irritada. La felicidad conseguida y el dolor aceptado los salvan de este desastre: Miguel escapa a él gracias a su muerte prematura; Ana, por su larga constancia. La noción social de lo prohibido y la noción cristiana de la culpa se funden en esa llama que dura toda la vida.

Escribí «Ana, soror...» en unas cuantas semanas de primavera, en el año 1925, durante una estancia en Nápoles e inmediatamente después de regresar de allí. Esto explica quizá que la aventura de ambos hermanos se realice y desarrolle durante la Semana Santa. Nápoles me atrajo, más que por las antigüedades de los museos o los frescos de la Casa de los Misterios de Pompeya —cuyo recuerdo, sin embargo, llenaría después toda mi existencia—, por la pobreza rebosante y viva de sus barrios populares, por la belleza austera o el esplendor marchito de sus iglesias, algunas de las cuales fueron gravemente dañadas después, y hasta por completo destruidas, por los bombardeos de 1944, como por ejemplo la iglesia de San Juan de Mar, en donde Ana abre el ataúd de Miguel. Yo había visitado el Fuerte de San Telmo, lugar en donde sitúo a mis personajes, y la cartuja vecina, en donde imagino a don Álvaro en sus últimos días. Había pasado por algunos desolados pueblecitos de la Basilicata, en uno de los cuales he puesto la morada medio señorial, medio rústica, donde Valentina y sus hijos asisten a la vendimia, y las ruinas que Miguel percibe en una suerte de sueño son probablemente las de Paestum. Jamás una invención novelesca fue tan de inmediato inspirada por los lugares en donde se sitúa.

Con «Ana, soror...» gocé por vez primera el supremo privilegio del novelista: el de perderse por entero en sus personajes o dejarse poseer por ellos. Durante aquellas pocas semanas, y aunque continuaba haciendo los mismos gestos y asumiendo las relaciones habituales de la existencia, viví sin cesar dentro de aquellos dos cuerpos y de aquellas dos almas, pasando de Ana a Miguel y de Miguel a Ana, con la indiferencia hacia el sexo que es, según creo, la de todo creador en presencia de sus criaturas,[6] y que cierra ignominiosamente la boca a las gentes que se asombran de que un hombre pueda describir con exactitud las emociones de una mujer: Julieta, en el caso de Shakespeare; Roxana o Fedra, en el de Racine; Natacha o Ana Karenina, en el de Tolstói (por lo demás, tantas veces se repite este hecho que el público ya ni se sorprende), o, paradoja menos corriente, de que una mujer pueda crear el personaje de un hombre en toda su verdad viril, bien sea el Genghi de Murasaki, el Rochester de *Jane Eyre* o, en el caso de Selma Lagerlöf, Gösta Berling. Una participación como ésta elimina asimismo otras diferencias. Yo tenía veintidós años, precisamente la edad de Ana en el momento de vivir su apasionante aventura, pero me adentraba sin la menor dificultad en el interior de una Ana ya marchita y envejecida, o en el de don Álvaro en pleno declive. Mi experiencia sensual era bastante limitada por aquella época: la de la pasión se hallaba aún a la vuelta de la esquina; sin embargo, el amor de Ana y de Miguel ardía dentro de mí. El fenómeno es, sin duda, muy sencillo de explicar: todo ha sido ya vivido y revivido millares de veces por los seres desaparecidos que llevamos en nuestras fibras, del mismo modo que en ellas llevamos también a los millares de seres que un día serán. La única pregunta que sin cesar se nos plantea es por qué entre estas innumerables partículas que flotan dentro de nosotros hay unas que suben a la superficie y otras no. Como por aquel entonces yo andaba más libre de emociones y preocupaciones personales, puede que también me hallara más apta que hoy para disolverme por entero dentro de esos personajes que yo inventaba o creía inventar.

Por otra parte, aunque yo había abandonado desde muy joven toda práctica religiosa, no conservando sino la huella —bien es verdad, muy pronunciada— de las ceremonias y la imaginería del catolicismo, me era fácil asumir el fervor religioso de aquellos dos hijos de la Contrarreforma. Siendo niña, yo había besado los pies de los cristos de yeso pintado en las iglesias de pueblo; y poco importaba que no fueran los del admirable cadáver de arcilla de la iglesia de Monte Oliveto ante el que Ana se postraba. La escena en que ambos hermanos, a punto de unirse, contemplan desde el balcón del Fuerte de San Telmo el cielo «resplandeciente de llagas» en la noche del Viernes Santo, aunque algunos piensen que es sacrílega, muestra hasta qué punto persistía en mí la emoción cristiana, aun hallándose por aquel entonces en plena reacción contra los dogmas y prohibiciones cristianos, por rechazo inevitable de un medio cuyas insuficiencias y fallos había percibido muy bien.

¿Por qué elegí el tema del incesto? Empecemos por apartar las hipótesis de los ingenuos que siempre se imaginan que toda obra nace de una anécdota personal. Ya expliqué en alguna ocasión que las circunstancias sólo me dieron un hermanastro diecinueve años mayor que yo y cuya presencia, entre huraña y taciturna, aunque por suerte intermitente, había constituido un aspecto negativo de mi infancia. En la época en que yo estaba escribiendo «Ana, soror...» había dejado de ver a ese hermano tan poco amable desde hacía unos diez años. No obstante, no niego —más por pura cortesía para con los hacedores de hipótesis— que puedan presentarse a la imaginación del novelista unas situaciones imaginarias que constituyen de alguna manera el negativo de las situaciones reales: en lo que a mí concierne, sin embargo, el negativo no hubiera sido un hermano menor incestuoso, sino un hermano mayor cariñoso.

No obstante, el hecho de que el hermano de Ana se llame Miguel, y que de generación en generación los primogénitos de mi familia hayan llevado ese nombre, tiende a probar que yo no podía imaginarme al héroe de esta historia a no ser con el nombre que las hermanas de toda mi ascendencia paterna han dado a sus hermanos. Pero puede asimismo que estas dos sílabas me pareciesen cómodas por su sonoridad española, pero sin el españolismo a ultranza de nombres como Guzmán, Alonso o Fadrique, y sin el resabio seductor que siempre va unido al nombre de Juan. No hay que cimentar demasiadas cosas sobre este tipo de explicaciones.

De que el incesto existe como una posibilidad omnipresente en la sensibilidad humana, atrayente para unos, indignante para otros, son buena prueba el mito, la leyenda, el oscuro caminar de los sueños, las estadísticas de los sociólogos y la sección de sucesos de los periódicos. Acaso pudiera decirse que se ha convertido, para muchos poetas, en el símbolo de todas las pasiones sexuales, tanto más violentas cuanto más contrariadas, más castigadas y más ocultas. En efecto, el hecho de pertenecer a dos familias enemigas, como en el caso de Romeo y Julieta, ya no es, en nuestras actuales civilizaciones, un obstáculo insalvable. El trivial adulterio ha perdido mucho prestigio debido a la facilidad del divorcio. El amor entre las personas del mismo sexo ha salido en parte de la clandestinidad. Sólo el incesto sigue siendo inconfesable y casi imposible de probar, aun sospechando su existencia. El oleaje suele lanzarse con mayor violencia contra los acantilados más abruptos.

Me interesa hablar con mayor detenimiento de algunas de las correcciones aportadas al texto, aunque sólo sea para responder de antemano a los que suponen que paso el tiempo haciendo y deshaciendo mis obras de manera maniática; y asimismo a un enjuiciamiento demasiado rápido que haría de «Ana, soror...» una «obra de juventud» reeditada tal cual. Las correcciones aportadas en 1935 el texto de 1925 eran gramaticales, sintácticas o estilísticas. La primera Ana databa aún de una época en que, al enfrentarme con un inmenso fresco destinado a permanecer inacabado, yo escribía rápidamente, sin preocuparme de la composición o estilo, bebiendo en no sé qué fuente dentro de mí. Sólo más tarde, a partir del *Alexis,* me puse a estudiar de modo estricto la narrativa francesa; y más tarde aún, hacia 1932, me lancé a la búsqueda de técnicas poéticas disimuladas dentro de la prosa y que a veces la crispaban. El texto de 1935 llevaba la marca de estos diversos métodos: yo había apretado algunas frases como si de tornillos se tratara, a riesgo de hacerlas estallar; un torpe esfuerzo de estilización daba cierta rigidez en algunos pasajes a la actitud de los personajes. Casi todas mis correcciones de 1980 han consistido en dar una mayor flexibilidad a determinados párrafos. En el texto anterior, un preámbulo de unas cuantas páginas nos presentaba, en el Flandes español, a una Ana enlutada de veinticinco años, casada por orden superior con un francés al servicio de España. Este pesado preámbulo podía comprenderse en *Remous*, centrado, si es que lo estaba en algo, en los Países Bajos españoles. Este pasaje, muy reducido, se halla situado aquí en su lugar cronológico, antes de la madurez y vejez de Ana. Las escenas en que aparece la Muchacha-de-las-Víboras, con quien tropieza Miguel en la soledad de Acropoli, han sido más retocadas y desbrozadas que las demás; al releerlo con varios años de distanciamiento, este episodio visiblemente onírico me parecía poseer algo de la afectación que tienen «los Sueños» en las tragedias antiguas. De las apariciones de la Muchacha-de-las-Víboras sólo he conservado aquello que me parecía necesario para subrayar el estado febril de Miguel. Por otra parte, ciertas breves adiciones muestran el esfuerzo realizado para alcanzar esa realidad tópica, quiero decir estrechamente unida al lugar y al tiempo, la única que me parece realmente convincente. Las violencias y libertinajes de algunos frailes en los conventos de Italia del Sur no las supe hasta más tarde, cuando traté de encontrar documentos para escribir *Opus Nigrum* y estudié algunos casos de rebeldía larvada o a cara descubierta en unos monasterios, a finales del siglo XVI. Aquí me sirven para mejor demostrar lo inhóspito del lugar en donde muere Valentina, y en donde los muchachos empiezan a percatarse con espanto de su amor.

Finalmente debo mencionar dos breves adiciones, ya que revelan en el autor un deslizamiento en su concepción de la vida. En el antiguo relato de 1925, publicado diez años más tarde, la crisis de exaltación de don Miguel, una vez cometido el incesto, ocurría inmediatamente antes de embarcar sin esperanzas ni intención de retorno. Aquí, por culpa de la calma que inmoviliza la galera, Miguel vuelve al Fuerte de San Telmo y los amantes disfrutan de dos días y dos noches más. Añadí esto no para prolongar unos momentos su trágica felicidad, sino para librar al relato de todo aquello que pudiera parecer en exceso elaborado, para dejar hasta el final esa fluctuación que la vida posee. Lo que Miguel y Ana habían sentido como una separación definitiva no lo es, puesto que se les concede de improviso una prórroga de dos días más. El trozo de tela que Miguel ata en las contraventanas de Ana para advertirlo de que el viento se ha levantado es el símbolo de esa fluctuación. Los primeros y solemnes adioses no habían sido sino una añagaza, de modo que los segundos también podían serlo.

Asimismo el relato de los largos años que Ana pasa al lado de un marido al que ella no eligió, y su posterior luto de viuda que encubre su auténtico duelo, ha sido ligeramente modificado. He querido mostrar a dos esposos que no se aman, pero que tampoco tienen razones para odiarse, unidos pese a todo por las preocupaciones cotidianas de la vida y, hasta cierto punto, por sus relaciones carnales, sea porque una amante fiel y orgullosa se pliegue a ellos avergonzada o porque sus sentidos puedan más y le proporcionen el breve o ilusorio placer de hallar, por espacio de un segundo, una sensación amada (y lo uno no excluye lo otro). También he añadido que Ana, ya viuda, durante un viaje, se deja poseer una noche por un hombre casi desconocido al que muy pronto olvida; pero ese corto y casi pasivo episodio carnal no hace sino subrayar, a mi entender, la inalterable fidelidad de su corazón. El incidente sirve para recordarnos lo extraña que es toda existencia, en la que todo fluye como el agua que corre, pero en la que únicamente los hechos importantes, en vez de depositarse en el fondo, emergen a la superficie y alcanzan con nosotros la mar.

Taroudant, Marruecos, 5-11 de marzo de 1981

Un hombre oscuro

La segunda narración del presente volumen, «Un hombre oscuro», largo relato o novela corta, y «Una hermosa mañana», fantasía de unas cuantas páginas, escinden en dos la pálida narración *A la manera de Rembrandt* de 1935, que unos años atrás, en su forma inédita, se había titulado *Nathanael*. Leído y releído repetidas veces en 1979, aquel texto desvaído, una de mis primeras obras —ya que fue escrito cuando yo tenía veinte años— y que apenas había sido retocado después, resultó enteramente inutilizable. De él no subsiste ni una sola línea, pero, no obstante, contenía dentro de sí unas simientes que acabaron por germinar con el distanciamiento de muchas estaciones.

La idea del personaje de Nathanael es poco más o menos contemporánea de la de Zenón; muy pronto, y con una precocidad que a mí misma me sorprende, había soñado con dos hombres, que se perfilaban vagamente sobre el fondo de los antiguos Países Bajos: uno de ellos, lanzado ávidamente en busca del conocimiento, ansioso de todo aquello que la vida pudiera enseñarle, ya que no darle, traspasado por todas las culturas y todas las filosofías de su tiempo y rechazándolas para crearse con gran trabajo las suyas propias; el otro, que, en cierto modo, «se deja vivir», a la vez sufrido e indolente hasta la pasividad, casi inculto, pero provisto de un alma límpida y de un espíritu equitativo que lo aparta instintivamente de lo falso y de lo «inútil», y que muere joven, sin quejarse ni asombrarse mucho de nada, igual que vivió.

Desde que empecé la novela, cuando tenía veinte años, hice de Nathanael el hijo de un carpintero, un poco por aludir al que se proclamaba El Hijo del Hombre. Esta idea ya casi no se encuentra en «Un hombre oscuro», o sólo de manera harto difusa, y en el sentido casi convencional de que todo hombre es un Cristo. Desde un principio situé a Nathanael en Holanda, país del que conocí muy pronto algunas regiones, y en la Holanda del siglo XVII, que todos conocemos a través de sus pintores. No obstante, había en el relato de antaño algo vago y falso, por unas razones muy sencillas; yo había elegido hacer de Nathanael un obrero, sin saber nada acerca de la vida de los obreros de mi época, ni aún menos de los del pasado. Ignoraba casi todo de la miseria existente en las ciudades; era demasiado inexperta en presencia de los grandes compromisos y de las pequeñas derrotas cotidianas de toda existencia. Igual que ocurre en el relato que acabamos de leer, yo suponía ya que Nathanael padecía una enfermedad pulmonar, y que encontraba un trabajo sedentario en una imprenta de Ámsterdam, pero no me había preocupado de buscar de dónde salían los conocimientos necesarios para desempeñar ese empleo de corrector de pruebas. También lo casaba con una judía de un café cantante, pero aquel retrato de prostituta trazado por una muchacha joven que aún no conocía bien a las mujeres era, todo lo más, un perfil desdibujado: el elemento único que distingue a cada criatura, y que el amor delata de inmediato a unos ojos enamorados, le faltaba. Finalmente, tras un largo y triste paseo por las calles de Ámsterdam, Nathanael, agotado, moría en el hospital de una cómoda pleuresía, sin que se notaran suficientemente las congojas y la disolución del cuerpo. Todo aquello era gris sobre gris, como suele ser la vida cuando se la ve desde fuera, pero nunca cuando es vista desde dentro.

Y, sin embargo, aquel personaje continuaba habitándome en un rincón de penumbra. En 1957, estando yo en la Île des Monts Déserts (prefiero utilizar este nombre que Champlain escribió en el mapa, antes que la denominación más reciente de Mount-Desert Island), acepté, como solía hacerlo por entonces, el ofrecimiento de una breve gira de conferencias, medio fácil de deducir de los impuestos una parte de los gastos de un viaje. La gira me conduciría a tres ciudades del Canadá: Quebec,

Montreal y Ottawa, y mi público sería el de las universidades y clubs franceses. Por aquel entonces lo más fácil para mí era tomar —en una estación bastante alejada del Maine— el único tren Nueva York-Montreal que seguía aceptando pasajeros. Era ya la época en que los trenes iban a reunirse con los dinosaurios en los cuartos traseros del tiempo, a la espera de que los automóviles, un día u otro, acaben a su vez por reunirse con ellos. Ya sólo conservaban las vías férreas del Maine para convoys de troncos de árboles destinados a convertirse en pasta de papel. Aquel tren, provisto de un solo vagón Pullman, se detenía en la estación a las dos de la madrugada: todavía sigue haciéndolo así.

Hacia las diez de la noche, el último autobús me llevó, acompañada por Grace Frick, ante una estación desierta y cerrada: la sala de espera no abría sus puertas hasta la una y cuarenta y cinco. Nos refugiamos en la única posada que había en el lugar. Aquel sitio, una especie de baile populachero, era ruidoso y estaba lleno de humo. Mientras que Grace se conformaba con una mesa y un libro, leído a la luz de una bombilla que apenas daba luz, yo pedí por unas horas una habitación y una cama. Me las dieron y se hallaban en el primer piso. Estrecho y vacío, cubiertas las paredes con un papel de colores chillones, el cuartito —quitando la cama— no contenía más que una silla, y seguramente lo ocupaban los viajantes que se perdían por aquellos páramos cuando tuvieran una razón para ello.

El frío y las neuralgias me impidieron dormir, pero durante dos horas sucedió algo extraordinario: vi desfilar ante mis ojos —surgidos de la nada, veloces y, no obstante, apretados como las imágenes de una película— los episodios de la vida de Nathanael, en quien desde hacía veinte años no había vuelto a pensar para nada.

Exagero tal vez, y se impone una excepción: dos o tres años atrás, yo había leído una biografía de Samuel Pepys, ese inglés enamorado de la música de cámara, de vida doméstica y bien regulada, y de escapadas libertinas, que fue no sólo el inteligente cronista de Londres en el siglo XVII —lo que se sabía desde hace mucho—, sino también un precursor en materia de una total franqueza erótica —como se sabe desde que parte de su diario salió de la clandestinidad—, y asimismo, en sus días laborables, un eficaz lord del Almirantazgo. Me enteré de este modo de que unos carpinteros holandeses trabajaron en sus tiempos para los arsenales británicos. Este hecho me había recordado a mi joven obrero de Ámsterdam y me dije que un comienzo como aquél convendría muy bien a su vida. Aquellas reflexiones ¿habían depositado en mí calladamente un humus de imágenes o empujado hacia mí restos de aventuras? El hecho es que durante dos horas, al reflejo de una bombilla sobre la pared de mi cuarto, vi desfilar ante mis ojos a un Nathanael de dieciséis años a quien aún no conocía. Cojeaba, era aprendiz en casa de un maestro de escuela, pues los andamios y el trabajo en dique seco no le convenían. Obligado a huir tras una reyerta, se escondía en la bodega de una goleta que partía en dirección a las islas; yo seguía sus vagabundeos desde Jamaica a las Barbadas y de allí, virando hacia el Norte, a bordo de un corsario británico que patrullaba por las costas del Maine, abierta a los apetitos europeos desde hacía poco tiempo, lo imaginaba tomando parte en un episodio auténtico, que es la única parte «histórica» de mi relato: el ataque del filibustero inglés a un grupo de jesuitas franceses que acababan de desembarcar en la isla de los Montes Desiertos, que por entonces merecía este nombre. La refriega ocurrió en 1621; mi novela, voluntariamente vaga en cuanto a fechas (a Nathanael no le importa la cronología), la atrasa unos cuantos años. Un poco más tarde y un poco más lejos lo veía yo llegar a la Isla Perdida, que podrá situarse como uno quiera, sin demasiada precisión, en el extremo Norte del Maine o en la actual frontera canadiense, entre Great Wass Island y Campobello; después, Nathanael regresaba a Europa —aún no sabía yo muy bien cómo— y, gracias a los pocos conocimientos adquiridos antaño en casa del maestro de escuela, encontraba un empleo de corrector de pruebas en casa de un tío suyo avaricioso, librero en Ámsterdam, que ya figuraba en el ensayo de antaño.

Seguía casándose con una joven judía llamada Sarai, pero ésta era ahora ladrona además de prostituta. El paseo tristísimo bajo la nieve acaecía también, pero Nathanael no moría enseguida. Una vez dejaba el hospital, se convertía en lacayo y se codeaba con el mundo de la riqueza, de la elegancia y del arte, enjuiciándolos como un hombre que ha conocido el envés de las cosas. Parece ser que después moría en una isla de la costa africana, todavía no sabía yo muy bien cuál iba a ser, ni en qué circunstancias ocurriría esa muerte. En aquel momento vinieron a decirme que el tren llegaría enseguida.

La gira de conferencias, buenas, mediocres o malas, además de una grave indisposición que me retuvo casi tres semanas en Montreal, otros trabajos y, finalmente, una serie de años difíciles, me obligaron a renunciar por completo a tomar nota de mis visiones de una noche en un pueblo aislado del Maine. Me dije —como ya me he dicho otras veces en casos análogos— que si algo en ellas tenía importancia, reaparecerían después. Escribí *Opus Nigrum, Recordatorios, Archivos del Norte,* unos cuantos ensayos y unas cuantas traducciones, pero Nathanael quedó en la sombra. Salió de ella en 1980, después de veintidós años.

El presente texto de «Un hombre oscuro» data todo él de los años 1979-1981, tan llenos para mí de acontecimientos, cambios y viajes. A las imágenes que yo había visto desfilar veintidós años antes vinieron a añadirse otras, nacidas de las mismas. Para todo libro que ha llegado al punto en que ya no falta sino escribirlo, siempre se produce esta proliferación. Nuevos personajes hallados por casualidad al volver de un episodio, escenas ocultas tras otras escenas como otros tantos decorados móviles: la pequeña Foy, sus ancianos padres y su hermanito anormal, Mevrouw Loubah y su casa un tanto turbia, un tanto sospechosa; el helenista disipado y sin un cuarto; la sirvienta con cara de Parca del burgomaestre Van Herzog que, por caminos indirectos, llevará a Nathanael hasta la isla en donde acabará sus días; los habitantes de la cocina y de los tufosos salones; la historia del perro salvado de los dientes del tigre, que encontré al compulsar unas notas sobre antiguos anuncios del siglo XVIII; el ruido sordo de las olas que hacen y deshacen las dunas, los millares de rumores de alas, que he ido recientemente a escuchar de nuevo en una isla de la Frisa; el rincón de la landa resguardado del viento en donde me tendí debajo de unos madroños, buscando el lugar donde Nathanael podría morir más cómodamente. Toda obra literaria se compone así de una parte de imaginación, de recuerdos y de hechos, de nociones e informaciones recibidas durante la vida mediante la palabra y los libros, y de las raspaduras de nuestra propia existencia.

La principal dificultad de «Un hombre oscuro» era mostrar a un individuo casi inculto, que formulaba calladamente su pensamiento sobre el mundo que le rodea y en ocasiones, aunque muy pocas veces, con lagunas y vacilaciones que corresponden a los balbuceos de un tartamudo que se esfuerza por comunicar a otros al menos una parcela del mismo. Nathanael es un hombre que piensa casi sin ayuda de las palabras. Es decir, que casi carece de ese vocabulario a la vez usual y usado, borroso como esas monedas que se han utilizado durante mucho tiempo, con ayuda del cual intercambiamos lo que suponemos ser ideas: lo que nos parece creer y pensar. Y además era preciso, para escribir esta narración, que dicha meditación fuera transcrita sin rodeos. No ignoro haber hecho trampa al dar a Nathanael su escasa cultura, recibida de un magíster de pueblo, proporcionándole así no sólo la posibilidad de ocupar un puesto mal pagado en casa de su tío Elie Adriansen, sino también la de relacionar entre sí ciertas ideas y ciertos conceptos: las briznas de latín, de geografía y de historia antigua le sirven como a pesar suyo de salvavidas en ese mundo de flujo y reflujo que es el suyo; no es ni tan ignorante, ni tan desprovisto como yo lo hubiera querido. No obstante, su pensamiento sigue siendo independiente como puede de toda opinión inculcada, es un autodidacta, no simple, sino ligero de equipaje, desconfiando instintivamente de lo que a la desnudez de las cosas añaden los libros que hojea, las músicas que oye y las pinturas en que sus ojos se posan, indiferente a los grandes acontecimientos que vienen en las gacetas, sin prejuicios en cuanto a la vida de los sentidos, pero sin la excitación ni obsesiones ficticias que son el resultado de una coacción y de un erotismo adquirido; tomando la ciencia y la filosofía por lo que son y, sobre todo, por lo que son los sabios y los filósofos con quienes tropieza; y mirando al mundo con una mirada tanto más clara cuanto que es incapaz de orgullo. No hay nada más que decir sobre Nathanael.

Una hermosa mañana

«Una hermosa mañana» tiene por punto de partida el episodio final del antiguo *Nathanael*. Yo había gratificado a mi personaje con un hijo, legítimo o putativo, que le habría dado Sarai; el niño, criado por su madre en las callejuelas de la Judería, se marchaba —cerca ya de los trece años— con una compañía de actores ingleses que estaban haciendo una gira como por aquella época solían hacer por las moradas principescas de Alemania o de los países escandinavos, cuyos dueños habían frecuentado la corte de Whitehall o se habían casado con princesas ávidas por conocer las últimas novedades de Londres. La compañía tenía que sustituir de improviso a la primera actriz, quien, como se sabe, era siempre un adolescente o un niño disfrazado de mujer.

Yo no me había preocupado, en el esbozo escrito a mis veinte años, de preguntarme cómo un niño criado en las calles de Ámsterdam podría saber suficiente inglés para presentarse en una obra de Ford o de Shakespeare: creo que la reconvención que de ello me hizo alguien, junto con mi deseo de ampliar mi plan, motivó en la reciente redacción de «Un hombre oscuro», de una parte, el relato de los primeros años de Nathanael en Greenwich y, de otra, las alusiones a los éxitos de Sarai en los burdeles de Londres; el escenario holandés tuvo desde entonces un fondo inglés. El personaje del viejo actor londinense que se aloja en casa de Mevrouw Loubah y da al niño algunas lecciones de elocución tampoco figuraba en el texto anterior.

Se han omitido asimismo otros detalles, o cambiado, o añadido, de suerte que ni una sola línea permanece del anterior esbozo, ni de las pocas páginas revisadas referentes al niño en la versión de 1935. Lo esencial, en la narración de hoy, es que el pequeño Lazare, que se encuentra muy a gusto en algunos dramas isabelinos o jacobitas pasados de moda, que conoce por los viejos folletos del anciano actor, viva de antemano no sólo su vida, sino muchas vidas: a un mismo tiempo muchacha y galán, joven y viejo, niño asesinado y bruto asesino, rey y mendigo, príncipe vestido de negro y bufón abigarrado del príncipe. Todo lo que vale la pena ser vivido lo es ya en el momento en que el niño escapa, una mañana lluviosa, junto con los demás actores vestidos como él con sus oropeles de teatro, bajo la lona de una carreta que los conduce a los jardines del señor de Bréderode para representar *Como gustéis*. Lo mismo que en el antiguo relato, el actor encargado del papel de la Muerte en un refrito de farsa medieval es el que lleva las riendas, ya que la sábana blanca que lo envuelve no tiene nada que temer de un aguacero. Este detalle, que tomé de un episodio análogo de Cervantes, justificaba el título de la obra escrita en 1935: «La muerte lleva la carreta». Cargado del simbolismo que uno no puede por menos de ver en él, me ha parecido hoy demasiado simplista para servir de título. La muerte lleva la carreta, pero la vida también.

Sintra, 2 -5 de marzo de 1981

Notas de las advertencias a «Ana, soror...»

(1) El incesto entre padre e hija o madre e hijo se presenta pocas veces como voluntario, al menos por ambas partes. Enteramente inconsciente en *Edipo rey*, sólo es consciente en uno de los dos componentes de la pareja en la historia de Mirra, narrada por Ovidio, en que la muchacha se entrega bajo un disfraz. Parece ser que la noción de abuso de autoridad, de coerción física o moral tiene mucho que ver con la incomodidad que despierta este aspecto del tema.

(2) Literalmente: «¡Lástima que sea una puta!». Pero hay que tener cuidado: la palabra «puta» en el siglo XVI no significaba exclusivamente prostituta, sino que se le aplicaba a cualquier mujer acusada de transgresión carnal. «¡Lástima que sea una pecadora!» sería quizá una traducción más exacta, pero no tendría el acento popular que se requiere. Maeterlinck, al traducir este drama, se contentó con ponerle el nombre de uno de sus personajes: *Annabella*.

(3) Si juzgamos la importancia que para un escritor tiene determinado tema por la frecuencia de su repetición, podríamos hablar, tanto en Byron como en Mann, de una obsesión por el incesto. Del primero, *La novia de Abydos* es una obra descolorida, en donde todo se arregla al descubrir un error en el grado de parentesco; *Caín*, que trata de la unión de los hijos e hijas de Adán, contiene alusiones más fuertes a ese mismo tema. En cuanto a Mann, una novela escrita cuando ya era viejo, *El elegido*, contiene una de las escenas más atrevidas de incesto fraterno (el erotismo permanece disimulado para el lector alemán, ya que los amantes se expresan en francés antiguo) y se complica con la introducción de una unión edípica con la madre. Pueden hallarse otras numerosas alusiones a este tema en Mann. Finalmente, sería preciso analizar, a propósito del mismo tema, una extraordinaria novela anónima que se publicó en Inglaterra en 1957: *Madame Solario*. Ha sido muy leída, pero nunca estudiada con detalle. Aunque la extremada complejidad de los temas psicológicos que se entrecruzan en este relato hace difícil aislar en él el tema del incesto.

(4) Si el drama de Ford fue escrito, como la fecha de su representación nos hace suponer, hacia 1627, puede uno preguntarse si no fue inspirado en parte por un caso célebre que hubo en Francia: la ejecución de un hermano y una hermana incestuosos: Julien y Marguerite de Ravalet, en 1603, trágica historia tratada de manera novelesca por uno o varios de los opúsculos que por

entonces estaban de moda. La obra de Ford se sitúa, según la usanza, en una Italia teatral, mas el matrimonio forzado con un hombre de edad madura, burlado y aborrecido, la rabia del celoso que pega a su mujer y la arrastra por los cabellos para que confiese el nombre de su cómplice, la presencia de un piadoso eclesiástico que es tutor y, en el contexto francés, tío del joven, son universales. Los dramaturgos isabelinos pocas veces inventan los temas de sus novelas y los toman, o bien de las *novella* italianas, o bien de los sucesos de su tiempo. Sería conmovedor que *'Tis Pity, She's a Whore,* así como el *Bussy d'Amboise* de Chapman, se basaran en un auténtico suceso acaecido en Francia.

(5) Véase, para este debate, la *Correspondance d'André Gide et de Roger Martin du Gard,* vol. I (1913-1934), cartas 316 a 318, 322, 327 a 331, 341 —y Anexo a la carta 329— del 31 de enero al 14 de julio de 1931 (Gallimard, 1968).

(6) Podríamos recordar aquí la confidencia que hizo Flaubert en una carta a Louise Colet, cuando estaba escribiendo *Madame Bovary:* «Hoy, por ejemplo, sintiéndome al mismo tiempo hombre y mujer, amante y amiga a la vez, me he paseado a caballo por el bosque, en una tarde de otoño, bajo las amarillentas hojas, y yo era los caballos, y las hojas, y el viento, y las palabras que ambos se decían, y el rojo sol que les hacía cerrar los ojos anegados de amor» (*Correspondance de Gustave Flaubert,* carta a Louise Colet del 23 de diciembre de 1853, vol. II, Pléiade, p. 483, Gallimard, 1980).

El papel utilizado para la impresión de este libro
ha sido fabricado a partir de madera
procedente de bosques y plantaciones
gestionados con los más altos estándares ambientales,
garantizando una explotación de los recursos
sostenible con el medio ambiente
y beneficiosa para las personas.
Por este motivo, Greenpeace acredita que
este libro cumple los requisitos ambientales y sociales
necesarios para ser considerado
un libro «amigo de los bosques».
El proyecto «Libros amigos de los bosques» promueve
la conservación y el uso sostenible de los bosques,
en especial de los Bosques Primarios,
los últimos bosques vírgenes del planeta.

Papel certificado por el Forest Stewardship Council®